Polt und Müller · Fast wia im richtigen Leben

GERHARD POLT
HANNS CHRISTIAN MÜLLER

Fast wia im richtigen Leben

Alle alltäglichen Geschichten

Mit Zeichnungen von Reiner Zimnik und Volker Kriegel

ZWEITAUSENDEINS

Die alltäglichen Geschichten
erschienen ursprünglich in den beiden Bänden
»Ja mei« (1984) und »Da schau her« (1987) im Haffmans Verlag.

Lizenzausgabe mit freundlicher Genehmigung
des Haffmans Verlag, Zürich
für Zweitausendeins, Postfach, D-60381 Frankfurt am Main.

Printed in Germany.

Dieses Buch gibt es nur bei Zweitausendeins im Versand (Postfach, D-60381 Frankfurt am Main, Telefon 01805-232001 oder 069-4208000, Fax 01805-242001 oder 069-417089, Internet www.zweitausendeins.de, e-mail info@zweitausendeins.de) oder in den Zweitausendeins-Läden in Berlin, Düsseldorf, Essen, Frankfurt, Freiburg, Hamburg, Köln, Mannheim, München, Nürnberg, Saarbrücken, Stuttgart.

In der Schweiz über buch 2000, Postfach 89,
CH-8910 Affoltern a. A.

ISBN 3-86150-265-6

Inhalt
Teil I – Da schau her

Teil II – Ja mei

TEIL I

Da schau her

Mit Zeichnungen von Reiner Zimnik

Apropos, ham Sie Thomas Hobbes gelesen? –
Emmanuel Kant? – Thomas von Aquin? – Nicht?
An Erasmus von Robespierre? Oder einen Simmel?
Sie, des sind Bücher, da kann ich nur sagen:
schaun S' amal nei . . .

Einleitung

Im Grunde is ja das Mittelmaß, und des sagt d'Anni auch: das Mittelmaß ist das Maß aller Dinge.

Öha – Aha

Aha, so ist es also, haha, jaja, oder besser gesagt: Öha. Nicht wahr, weil wenn ich, weil, es is ja doch, im Grunde is es ja gar nicht so erstaunlich. Zum Beispiel ich gehe auf der Straße und dann überrumple ich ein Kind, also, ich stolpere über ein Kind, das Kind fällt hin, und dann sag ich ja auch nicht »Aha«, sondern dann sag ich »Öha«! Weil, es is ja ganz logisch. Weil das Kind, sozusagen, ah, das was passiert is, darüber wundere ich mich, im »Öha« liegt also doch mehr das Erstaunen, die Verwunderung darüber, was jetzt passiert ist, während, wenn ich sage »Aha, ah, so ist das«, dann meine ich ja doch wahrscheinlich mehr sozusagen eine Art von »Heureka«, eine tiefe Erkenntnis, die hereinblitzt. Nicht, das »Öha« ist mehr ein körperliches Erstaunen, also ein schwerfällig ... ich sage »Öha« und dann ist es schon passiert, nicht, wobei der Weg, bis ich's erkannt habe, also der Weg, die Distanz vom »Öha« zum »Aha« kann beträchtlich sein, verstehen Sie, es kann also doch seine Zeit andauern, bis man wirklich von einem tiefen, bedauerlichen oder von einem bedauernswerten »Öha« zu »Aha« kommt. »Öha« – »Ahaa«, ja das sind natürlich schon zwei Paar Stiefel, ich meine, es gibt sicherlich Leute, die sagen dann und wann: »Aha, ah, so ist das!« Ja, aber wenn sie sagen: »Ahaa, so ist das!«, hätten sie besser doch gesagt: »Öha. Da schau her«, oder vielmehr, »da schau einer an, öhaha«. Verstehen Sie, wenn einer sagt: »Aha«, dann heißt das, jetzt weiß er das auch, während jemand, der sagt: »Öha«, nicht wahr, der gibt damit kund, daß er vorher überhaupt keine Ahnung gehabt hat, und das entspricht wahrscheinlich viel mehr der Wahrhaftigkeit.

Im Angesicht der Geschichte Friedenspolitik und Öffentlicher Dienst

D'Anni hat gsagt: Das kann nicht sein, daß heut Revolution ist, das ist Konfirmation, sagt d'Anni.

Pförtnerloge

Heinz Heubl sitzt in seiner Pförtnerloge. Ein Auto passiert, Heubl grüßt, macht eine wärmende Handbewegung, schaut nach dem Wetter.

HEUBL Es soll no kälter werdn. I hab ja koa Heizung herin, obwohl ichs scho lang beantragt hab. Aber es dauert noch, hats gheißn. Frühestens nächsten Sommer solls soweit sein. Wissen Sie, der Mensch is ja klimaabhängig. Des hams seinerzeit 1943 auch gemerkt. Winter 42/43 Rußland. Die deutschen Truppen waren ja scho kurz vor Moskau, wie dieser Kälteeinbruch kam. *Demonstriert mit Streichholzschachtel und Zündhölzern die strategische Lage.* Der Aufmarschplan war ja perfekt. Da die deutsche Linie, Moskau in etwa hier, aber der Russe war ja viel wärmer gekleidet und in punkto Winter macht ihm natürlich keiner was vor. Jetz schaun S' her: Die deutsche Flanke etwa hier. Der Russe versucht eine Zangenbewegung, und um dieser Zange zu entgehen, san die Deutschen natürlich wieder zurück, gel, obwohls saukalt war. Scho no kälter wie da herin. Während der berühmte Korse, schaun Sie, ich darf verdeutlichen: Des is also Moskau. Da is der Franzose nei, und dann wars genauso kalt. Der Franzose is ja kleidungsmäßig auch sehr leichtsinnig. Dann hams des Moskau anzünd, aber so a Stadt brennt aa net ewig, und wie dann des Feuer ausgangen is, ham se sich natürlich wieder zurückgezogen, weil, in Frankreich is ja bedeutend wärmer.

In Griechenland ham sie natürlich sehr viele Schlachten geschlagen, weils ja bei dene gar keinen Winter in unserem Sinne jetz gibt. Selbst wenns im Winter an Krieg gführt ham, war des natürlich viel einfacher, weils net so kalt war. Schaun Sie, dieses Marathon. *Beginnt, Streichholzschachtelformation aufzubauen.* De Perser san aufmarschiert, etwa so, es warn natürlich viel mehrer. Und de Griechen de san aufn Berg nauf, und dann sans in dieser neuen Formation, des hat Phalanx gheißen, sans neibrochn, de Perser san ausanand gspritzt, na ham ses seitlich aufgrollt. – Sie, des hat fei schlecht ausgschaut für de Perser. Obwohl, der Läufer von de Griechen, der wo den Sieg verkündet hat, der is ja dann aa gstorbn, an am Herzinfarkt. Wahrscheinlich, weils so heiß war. In Griechenland kanns manchmal bluatig heiß sein. Grad im Sommer.

Wissen Sie, der Dreißigjährige Krieg, da wurde dreißig Jahre lang durchgekämpft, Sommer wie Winter. Des liegt meiner Meinung

[NOCH HEUBL] nach nur daran, daß keiner nachgebn hat. Und es hat ja auch keiner nachgeben können, weil, hätte er nachgegeben, hätte er den Krieg verloren. Aber, wissen Sie, dieser ganze Dreißigjährige Krieg war militärstrategisch betrachtet eine einzige Schlamperei. Da hat sich oft koa Mensch mehr auskennt, wer grad gwonnen hat, oder verlorn. Auch finanziell wars miserabel organisiert. Da sind ständig Gelder ausgeblieben. Sie müssen wissen, Soldat des kimmt von Sold, net, also Geld. Am Schluß ham dann viele Truppenteile nur noch gegen Vorauskasse gekämpft, also, bar, weil an Scheck hat eahna damals koana angnommen.

Ein Mann geht vorbei. Ah, Grüß Sie Gott, Herr Süß. – Sie, des war fei der Kammersänger Reiner Süß. Der war im Krieg bei der Panzerabwehr. A Wunder, daß ers überlebt hat; zur Zeit singt er grad an Wotan. Ich hab mir vorigen Herbst a Autogramm von ihm gebn lassn, des hab i jetzt grad die Tag für 40 Mark verkauft. Jetzt schaug i, daß ich wieder oans kriag, oder vielleicht krieg i sogar zwoa. Des wärn dann 80 Mark.

Streicht ein Mettwurstbrot. Schaun Sie, was im Laufe der Geschichte Fehler gemacht wurden. Diese Ardennenoffensive war jetz z. B. scho wieder im Herbst. Jetz schaun S' her, stelln S' Eahna vor, des wäre Westeuropa; – *legt das Wurstbrot zurecht* – und das da die Gegend von Malmedy – *zeichnet M auf dem Streichwurstbelag.* Der Alliierte möchte ja reinkommen. Jetz san de ganzen Panzerverbände im Nordwesten massiert wordn, also hier – *zeichnet* – ungefähr. Warn ja nur noch taktische Restbestände. Schaun Sie, da war der Frontverlauf – *zeichnet* – etwa zwei Tage is in nordwestlicher Richtung ein gewisser Druck verbreitet worden – *zeichnet* – aber dann is der Ami bös worn und hat mit seiner Luftwaffe alles beharkt. *Zerstochert das Wurstbrot.* Erst gabs eine einfache Frontbegradigung – *streicht alten Frontverlauf glatt, zieht neue Linie* –, aber dann schwappte das überlegene alliierte Potential durch. *Streicht das Mettwurstbrot wieder glatt.* Aus, Sense. Der Russe auf der anderen Seite, und das war dann praktisch die Teilung Deutschlands: *Schneidet das Brot in der Mitte durch.*

Schaun Sie, ein anderes Kapitel, Rom. Da wurden ständig Schlachten geschlagen. Der einzige, der wo keine Auseinandersetzung angestrebt hat, des war dieser Kaiser Augustus. Weil, der hat ganz genau gwußt, feldherrnmäßig is er eine Niete. Weil, sonst hams ja große Kriegsherrn hervorgebracht. Noch ein Sonderfall war natürlich die berühmte Schlappe von Cannae, des hat dieser Paullus versiebt. Also net der General von Stalingrad, den schreibt ma mit einem l, sondern der Konsul. So a Römer halt. Bis gschaut ham, warens überflügelt. Dann hams alle in'n Sumpf neimüssn, weil da der Elefant net neikimmt. Der Elefant, des war praktisch der Panzer der Antike. Aber der Hannibal hat dann de Vorteile von seim Sieg net genutzt, weil er is dann ins Winterlager gangen. Sie müssen wissen, diese Neger, de mögen den Winter net, obwohl er in Italien sehr mild is. Drum hams gwartet bis zum nächsten Frühjahr, und des war dann praktisch zu spät. Am Caesar waar des net passiert, weil, der gilt ja als der Erfinder des Blitzkrieges.

Was sagn jetz Sie nachad zum Wunder von Kunersdorf? Auch »Le miracle de Brandenbourg« genannt. Hier zwanzigfache Übermacht, Preußen am Boden, die Infantrie total erledigt, Kavallerie: a paar müde Häuter, sonst nur noch Kadaver, Artillerie keine Spur mehr. – Da der Russe, da der Österreicher, man hat den Preußen praktisch fest im Griff, und keiner greift zu. Nebel war aa koana. Jetz frag ich Sie, warum. Des Kunersdorf, wenn nausgangen waar, wias hätt nausgehen müssen, wer weiß, wies dann heut ausschaun dad in der Bundesrepublik.

Es gibt natürlich eine Menge Schlachten, wos geländemäßig und von der militärischen Potenz her scho von vornherein abzusehn war, wies nausgeht. De hätten gar net erst kämpfen brauchen. Ich bin ja eh gegen an Krieg, mich interessiern nur die Schlachten. Scharmützel interessiern mich höchstens am Rande, und auch so Massaker san vom militärischen Standpunkt her uninteressant. Aber leider gibts grad von vielen berühmten Schlachten keine exakten Aufmarschpläne, zum Beispiel de katalaunischen Felder, hochinteressant, aber da weiß ma praktisch nur, wies nausgangen is. Also zu Ungunsten der Hunnen.

Wer nicht wagt, gewinnt nicht. I woaß net, wer des amal gsagt hat, aber des gilt fei oft bei so Schlachten. Schaun Sie, eine Handvoll Spanier hat praktisch ganz Südamerika aufgrollt. Die Schlacht bei Cuzko, oder so. *Leert Streichholzschachtel.* Da hats gewimmelt voller Inkatruppen, und dieser Fernandez Cortez, a schneidiger Mensch, der is da nei mit a paar Musketen, wie durch an Butterberg. Also, nach europäischem Strategieverständnis ham diese

[NOCH HEUBEL] Inkas total versagt. Wahrscheinlich hams halt zu wenig Erfahrung ghabt beim Kriegführn. Einfach neihaun ohne ein Konzept, des hilft doch nix. Die Quittung hams dann auch prompt bekommen.

Schaun S' her, ich hab mir die Mühe gemacht, und hab diese ganzen Schlachten amal zusammengstellt alphabetisch und nach Jahreszeiten, und da läßt sich eindeutig beweisen, daß die meisten Winterschlachten verloren worden sind, während im Sommer hams fast immer gwonnen. Jetz schaun S' her – *zieht Schlachtpläne aus seiner Aktentasche* – Die Schlacht von Ampfing, global gesehen eher unbedeutend, aber hochinteressant, Schlacht von Aktium, so a Seeschlacht, Akroinon, da ham de Byzantiner gwonnen, auch Sommer, Bautzen, Bosporus, da ham mir glei vier Schlachten, Cannae, Cotrone, da ham jetz de Araber gwonnen, Dünkirchen, E – erster Weltkrieg, des is natürlich a Haufn Zeug, dann F – Fehrbellin, Friedberg, Teutoburger Wald, öha, wie kimmt denn der ins F nei, der ghört doch untert T. *Sortiert Teutoburger Wald in T ein.* A Ordnung muß sein, weil, sonst kennt ma sich nimmer aus. Aber wissen S', eine Schlacht im klassischen Sinne, des gibts ja heutzutag gar nimmer, heut gibts ja nur noch mehr so Massaker in der ganzen Welt, und de sammel ich net. *Schließt die Mappe.*

Vom Kriege

Gaststube. Wirt Buzifal erzählt seinem Gast.

BUZIFAL Ja, wie is jetz des, kriagn wir jetzt noch ein Bier? *Zur Theke* Ein Bier! Net, das läßt sich doch nicht bestreiten, daß im Krieg Fehler gemacht wurden, net. Das kann mir keiner sagen, daß da keine Fehler gemacht wurden. Beim Nachschub isses scho losgangen, da waren ja diese ganzen Nachschub, eh, -verstopfungen, net. Waren Sie West- oder Ostfront?

GAST Ich war an der Westfront.

BUZIFAL Haha, an der Westfront, ja mein Gott, na, haha, ja da haben Sie überhaupt nichts erlebt, da können Sie eigentlich ja gar nicht mitreden, net. Jetzt passen Sie mal auf, jetzt schauen Sie her. Ich war hier, jetzt passen Sie auf, der Dnjepr da, ich hier, und der Russe in etwa da, net. Jetzt hat man sich natürlich gefragt, wie hinüber, net. Kriegen Sie ein Schweinsbraten?

GAST Ja, geben Sie mir bitte einen Schweinebraten!

BUZIFAL *Zur Theke* Ein Schwein! *Zum Gast* Der Russe drängt und drängt, netwahr, also die Stalinorgeln haben ja nur so gepfiffen, netwahr. Da ist gestorben worden, rings um einem herum. Kriegen Sie noch einen Kartoffelsalat?

GAST Ja, geben Sie mir noch einen Kartoffelsalat.
Zur Theke Ein Kartoffel extra für den Herrn.

BUZIFAL *Zum Gast* Nein, es war ja grauenhaft, man macht sich ja gar keine Vorstellungen wie da die Menschen praktisch in den Gräben gelegen sind und eingegangen sind. Kriegen Sie ei Nachspeiserl?

GAST Ja, wo ist denn bitte die Herrentoilette?

BUZIFAL Ja, eh, Eisparfait hätten wir da oder ein Topfenstrudel, grad die Türe links. Ein Kamerad von mir, net, wir liegen im Schützengraben, wir schafkopfen, wir karteln quasi, auf einmal, uit! ein Pfeiffer, hat es ihm auf einmal den Kopf runtergerissen. Der sitzt ohne Kopf da, net. Ja, schade um den Mann, er hat ein ausgezeichnetes Blatt ghabt, er hätt das Spiel glatt gewonnen.

Die Bunkerführung

Ferdinand Weitel steht vor seinem fast fertigen Einfamilienhaus und erklärt.

WEITEL Also wenns heuer noch zum Atomkrieg kommen sollte, dann bin ich gefeit. Weil, in drei Wochen is er fertig, mei Bunker. Ich mein, eigentlich hätt er ja scho im Mai oder Anfang Juni fertig sein sollen, aber des hat sich dann doch a bißl hinzogn wega dene Zuschüsse und wega de Extras. Der Bunker is auf 17 Jahre konzipiert für vier Erwachsene und zwei Kinder, des heißt, die Kinder san ja dann am Schluß aa scho erwachsen. Weil normalerweise planens es ja nur auf 8–12 Jahre. Und mir ham des dann auch optimal kombiniert, Sicherheit und doch a bißl an Komfort. Schaugn Se sichs an! *Winkt und geht voran in die Kellerräume.* Mir ham a Sauna drin, Gesellschaftsspiele, Brettspiele, so Mikado, Monopoli, is ja klar, weil in dieser langen Phase der Enthaltsamkeit, da muaß ma ja was für die Psyche tun, sonst werst ja trübsinnig. Dann ham ma so Musikkassetten, stereo, an Heino hamma, d'Vicky Leandros, für festliche Stunden, an Weihnachten sagn mer amal, an Mozart oder an Beethoven, für die Kinder dann an Frank Zappa. Ganz wichtig die Lebensmittel. Mir ham vier Parzellen randvoll gestaffelt mit Grundnahrungsmitteln, Mehl, Trockenei, Milchpulver, gel, in meiner Familie sans alles leidenschaftliche Mehlspeisenesser, und ich mein, wichtig ist auch dieses Wasserumwälzgerät. Aber ein echter Kostenfaktor ist dieser Luftfilter. Der is 100% seuchensicher, ich mein, des muß er auch sein, weil sonst kann ich ja gleich draußn bleiben. *Zeigt auf einen Umgebungsplan von München.* Der Bunker is in Taufkirchen, also genau 18,3 km von meinem Arbeitsplatz entfernt. Und, ich hab auch an Schleichweg, muß ma ja auch. Weil wenn der Ernstfall kimmt, irgendeine Panik, und na zerstrahlts es alle. Da kimmt zerscht amal diese Druckwelle, die haut se alle amal umanand, weil d'Leut san ja so unvernünftig, und den Rest zerstrahlt ja dann der Pilz selber. Also, ich bin ein regelmäßiger Bayern-3-Hörer. Bevor da überhaupt a Sirene pfeift, bin ich schon drunten. Des heißt ich und meine Familie. Und zwar ausschließlich, es sei denn es is jemand ganz stark blutsverwandt. Also, wenn da irgend a Bsuch kamad, na müaßt ma sich grad verabschieden, gel. Wenn jetzt der Atomkrieg an am Wochenend stattfinden sollte, dann entfalladen natürlich diese Anfahrtswege, na gangad i glei abi in'n Bunker. Wie gsagt, mir allein, weil, sie müssen nämlich bedenken, allein eine einzige Person, die haut uns ja gleich 3–4 Jahre zrück, proviantmäßig, und na samma am Schluß alle mitanand hin. *Zeigt eine Statistik.* Nach diesen expertenstrategischen Sicherheitsüberlegungen platzt die Bombe im Münchener Norden, genauer zwischen München-Nord und München-Mitte. Der Vernichtungskoeffizient hängt jetzt natürlich von der Großwetterlage ab. Ich mein, bei Föhn, da machads mir weniger aus, weil daß s' nach Tirol eine neischmeißen, des halt ich für unwahrscheinlich, des waar ja direkt nausgschmißn. Nein, die Bombe kommt zwischen dem Raum Garching bis Ismaning zur Zündung, und zwar in einer Höhe von 800 bis 1200 Meter Höhe, weil das is ja der optimale Vernichtungsradius einer Wasserstoffbombe heute. Bei einer Steuerfunktionsstörung, kann sein, daß s' nach Ottobrunn oder Landshut treffen, weil die wolln ja den Raum Ingolstadt aa no mitnehmen. Wenns ins Erdinger Moos neitreffen, na müaßns glei no oane nachschickn. As einzige, wos sag ma mal schlecht ausschaugat, is, wenn die Bombe direkt, also direkt über Taufkirchen detoniert. Aber, des halt ich für sehr unwahrscheinlich, des is äußerst unwahrscheinlich. Also, davon geh ich net aus. Davon kann ich gar nicht ausgehn.

Katastrophenalarm

Eine Alarmsirene pfeift. Im Treppenhaus eines Schulgebäudes biegt eine Klasse um die Ecke ab, Antje Perwallner, die Lehrerin, voran.

FRAU PERWALLNER Hier über den Hauptaufgang ist der kürzeste Weg, Kleinschmidt, das ist hier kein Volksfest, sondern Atomalarm, also bitte ...
Herr Peter Schwertling, der Hausmeister, kommt der Schulklasse entgegen.

HERR SCHWERTLING Wo wolln S' denn hin, Frau Perwallner?

FRAU PERWALLNER Gut daß ich Sie hier treffe, Herr Schwertling, haben Sie alles aufgesperrt?

HERR SCHWERTLING Wasn, wieso?

FRAU PERWALLNER Ja, ist der Keller offen? Atomalarm!

HERR SCHWERTLING Ja, genau, Atomalarm, grad hab i zugsperrt.

FRAU PERWALLNER Was? Sie haben den Keller zugesperrt, wie kommen wir denn in den Keller?

HERR SCHWERTLING Ja garnet, die Woch überhaupts net, strenge Anweisung vom Natusius, solang gweißelt wird, bleibt der Keller zua.

FRAU PERWALLNER So geht das nicht, das ist ja der Sinn der Übung.
An die Schüler Bitte Ruhe, das haben wir gleich geklärt!
Wieder zu Schwertling Wenn wir nicht in den Keller können, brauchen wir ja gar keinen Atomalarm.

HERR SCHWERTLING Ja, damit hab ich nix zum dua, strengste Anweisung vom Natusius.

FRAU PERWALLNER Aber Herr Schwertling, in drei Minuten könnten im Ernstfall die Raketen da sein, das is doch der Sinn des ganzen Alarms.

HERR SCHWERTLING Des konn scho sei, aber i kriag dann hinterher vom Natusius wieder oans aufn Deckel. In Keller kommt mia koana nei.
Ja, i muaß die Brezn herrichten, d'Pause geht glei o. Macha Sies wia S' wolln. *Geht.*

FRAU PERWALLNER *schnauft, dann laut an die Schüler* Also alle mal herhörn: Wir begeben uns jetzt nicht in den Keller, sondern wir verlassen das Schulgebäude, gehen diszipliniert in den Schulhof, und warten dort auf weitere Instruktionen ...

EIN SCHÜLER Was bei dem Regen? So a Sauwetter ...

FRAU PERWALLNER Ja, im Ernstfall könnt ihr euch das Wetter auch nicht aussuchen. Also los!
Frau Perwallner geht alleine voran, die Schüler folgen nur zögernd.

EIN SCHÜLER Sie, Frau Perwallner, was wäre jetzt gewesen, wenn des ein richtiger Atomalarm gewesen wäre?

FRAU PERWALLNER Das ist eine gute Frage, Huber. In diesem Fall hätte Herr Schwertling den Keller aufgesperrt haben müssen, laut Schulordnung hätte ich ihn dazu zwingen können.

Das Gespenst des Pazifismus

Vitus Maria Deutelmoser entnimmt seiner Mappe einen Apfel, beißt hinein und räsoniert.

DEUTELMOSER Jetzt werd ich doch A 13, im Staatsdienst, gel. Da is überraschend eine Stelle freiworden, weil, es hat sich herausgestellt, daß der ander a Pazifist gwesen waar. Der hat sich öffentlich dazu bekannt, ohne das geringste ah, Schamgefühl, sagn mir mal. Ja, des hat doch keinen Sinn, daß ma so jemand hinläßt; A 13, diese Position, und dann a so a Einstellung, des geht doch net, da is doch der Pazifismus fehl am Platz. Weil simmer uns doch amal ganz ehrlich: Unsere Friedenssituation, des is doch eindeutig nur das Verdienst vom Militär. – Im Osten genauso. I will da gar nichts beschönigen. *Da* werd der Pazifist sogar – huit, Sie verstehen, de wissen genau, warumsn eisperrn, i muaß sagn, da kimmt er bei uns no direkt guat weg. Jetzt stelln Sie sich amal vor, mir hätten in der gesamten Welt lauter so Pazifisten, und nacherd kimmt der Ernstfall: Dann stehen sich Ost und West einander praktisch wehrlos gegenüber und dann bumsts, dann hammern Krieg. Denn diese Pazifisten habn ja noch nie an Krieg verhindert. Oder können Sie mir irgend einen Krieg nennen, den wo die verhindert hätten? – Eben. Und im Krieg selber sans praktisch so gut wie ein Ausfall, direkt eine Schwächung, und

[NOCH DEUTELMOSER] hinterher schlau daherreden, net, des kann ajeder. I moan, was so einer privat macht, des is dem seine Privatsache, gut, Schwamm drüber. Aber im öffentlichen Dienst waar er annähernd ein Schädling, und des haben die im Verwaltungsgericht ihm auch prompt anerkannt. – Er soll ja gsagt habn, Ost und West waar net desselbe, aber er hat überhaupt nix Eindeutigs gegan Osten direkt gsagt, und des is doch eine gefährliche Tendenz, wenn ma so einen dann hi laßt. Bitte, ich mein, als Entschuldigung hat er angführt, daß sei Vater a Pfarrer war oder so, aber wenn die Kirche schon solche Gedanken aussprengt, na muaß ich ihm darauf verweisen, daß mir hier leben, hier, net in Wolkenkuckucksheim – Sie sehng ja, wer den Posten kriagt hat. Also i muaß schon sagn, mit diesem Pazifismus kimmt er net weit, jedenfalls nicht zum Staat.

Im Staatsdienst

Vitus Maria Deutelmoser sucht in seiner Aktenmappe.

DEUTELMOSER Herrgott Zakrament, wo is denn das Dessert? Allwei vergißts mein Nachspeiserl. Wenn ich meinen Dienst so tätigen würde, wie meine Frau den Haushalt, wie die den Haushalt schmeißt, dann würde der Steuerzahler spitzen. Aber gottseidank haben wir ein Pflichtgefühl. *Für sich* Ah, da hat ses versteckt. *Beißt in einen Apfel, kaut* Ah, was wir leisten, geht auf keine Kuhhaut, weil, wenn mir net dawärn, müaßadn de ganzen Ausländer hier ohne eine Genehmigung, müaßadn die hier frei herumlaufen, net, einfach a so, und das wäre doch eine Schlamperei, die wo seinesgleichen sucht! Wenn man bedenkt, wie viele Ausländer es gibt. Genau genommen sinds ja alles Ausländer, nur der Deutsche nicht, und sogar da gibt es Grenzfälle. Ja, Sie werns jetzt nicht für möglich halten, aber es gibt immer noch Ausländer, die wo, die wo kein fließendes Deutsch reden. Ja, ich, mir hams doch auch lernen müssen, und spreche ich heute noch ein fließendes Deutsch. Der deutsche Besinnungsaufsatz is schließlich weltberühmt. Weil, ein gutes Deutsch, des wo einer heut, des is so, wie wenn ma, verstehn Sie, des is so, wie wenn ma amal sagat, net, des is quasi eine Rückendeckung für das ganze Leben. Und vor allem Grammatik, net. Da muß man Wert drauflegen, weil, da, darin liegt die deutsche Präzision, net, und dann weiß auch der Ausländer sofort, woher der Wind pfeift. Net. – Man spricht ja auch nur von einem deutschen Geist, net, von einem ausländischen Geist hat man ja noch nie was gehört. Weil, wenn der Deutsche amal den Geldhahn zudreht, net, is das Ausland erledigt. Net. Aber dann kamadn ja noch mehr Ausländer, drum zahln mir ja, daß der Ausländer im Ausland bleibt. Net. Um das aber finanzieren zu können, müssen mir natürlich – ah – noch mehr ah Ausländer hereinnehmen, und darin liegt das Problem. – Sie sehn also, welch eine Verantwortung wir hier haben, net, da herin und drum bin ich auch ein Spezialist von der Ausländerabteilung, net, des war schon immer mein Wunschtraum, net und ein Jugendtraum aa. – Sie müaßn Eahna vorstelln, unser Amt, des war ja schon da, da hats überhaupt noch gar keinen Ausländer nicht gegeben. Net. *Türklopfen, ein schneller Apfelbiß, dann leise* Hoppla, jetzt moan i, kimmt oana. *Laut* Herein!

Der zuständige Mann

Lothar Fürst sitzt in seiner Pförtnerloge. Frau Wehrmann betritt den Amtsvorraum.

HERR FÜRST Zu wem wollen Sie?

FRAU WEHRMANN Jja, i brauch a Bestätigung vom Wasserwirtschaftsamt. I war schon amal da, des is so a Klärgruam, ich hab da gsprochen mit einem Herrn Schätzle oder so ähnlich.

HERR FÜRST Der Herr Schätzle ist zu Tisch.

FRAU WEHRMANN Ja, aber mir is gsagt worn bis 12 Uhr is Parteienverkehr.

HERR FÜRST Ja, schon möglich, aber ab 11 Uhr haben wir Mittagstisch.

FRAU WEHRMANN Aber, is da sonst kein Zuständiger da?

HERR FÜRST Mei, gnä Frau, mir ham hier gleitende Arbeitszeit. Schaun S' mich an, ich war schon beim Essen, da ham S' a Glück ghabt, sonst waar netamal ich da, wie gsagt, ab 11 Uhr is hier Mittagstisch. Und zwar bis 14 Uhr.

FRAU WEHRMANN Ja, aber, ich komme jedesmal extra von Aschheim rein in die Stadt, ich hab ja vorher angrufen, man hat mir gsagt, bis 12 Uhr Parteienverkehr.

HERR FÜRST Im Prinzip ja, bis 12 Uhr Parteienverkehr, aber ab 11 Uhr is Mittag.

FRAU WEHRMANN Ja aber ich komm doch nicht extra, ja, des is doch, es is, ja aber, des geht doch garnet, es muß doch hier irgendjemand zuständig sein.

HERR FÜRST Ja, zuständig san viele hier, aber de san jetz net da.

FRAU WEHRMANN Sie, des is fei allerhand, entschuldigen S', da muß doch jemand zuständig sein.

HERR FÜRST Gut, wenn S' moana ... *Wählt eine Nummer.*

Herr Krüger, ein Beamter, geht vorbei.

HERR FÜRST Mahlzeit, Herr Krüger.

HERR KRÜGER Mahlzeit. Was gibts n heut?

HERR FÜRST Sauerbraten.

HERR KRÜGER Ahja. *Ab.*

HERR FÜRST Da, der Herr Krüger, der wär auch für Sie zuständig gwesen.

FRAU WEHRMANN Aber warum ham S' an dann bitte nicht aufghalten?

HERR FÜRST Sie ham doch grad gseng, daß er zum Essen geht. *Ins Telefon* Jaa, grüß Gott Herr Deutelmoser, Fürst vom Empfang am Apparat, Sie, Herr Deutelmoser, da is eine Dame wegen irgendsoaner Wwwawa ...

FRAU WEHRMANN Wegen Wasserwirtschaftsamt, Klärgrube.

HERR FÜRST Wega, äh, irgendso a Wasserwirtschaftssache, gell, des is am Schätzle oder am Krüger, jaja, jaaja haha, jaja Sie ham da nix ... *Zu Frau Wehrmann* Er hat damit nix zum dua, aber Sie können ja selber ... *Ins Telefon.* Moment ... *Überreicht Frau Wehrmann den Hörer.*

FRAU WEHRMANN Ja, guten Tag, Wehrmann, ich war bereits zwei Mal hier, äh und wollte äh, einen Herrn Schätzle sprechen. Jedesmal war Ihr Herr Schätzle im Urlaub, das andere Mal in Kur, heute is er beim Essen, und nachmittags is er nicht zu sprechen. Ja, aber ich komm ja jedesmal extra von Aschheim hier rein in die Stadt, ich weiß also nicht, wie oft ich hier noch wegen so einer Bagatalle äh hier äh nachfragen soll. – Äh, das ist mir ganz egal, jaja, nein nein, ich geh erst wieder, wenn ich den zuständigen Herrn gesprochen habe. Das ist mir ganz egal! *Knallt den Hörer ein.*

Ein Subjekt betritt den Raum und bleibt stehen.

SUBJEKT Guten Tag ...

HERR FÜRST Gell, i hobs Eahna glei gsagt.

FRAU WEHRMANN Das is mir jetz egal. Ich bleibe hier so lange, bis ich hier überhaupt jemand erwische, der hier zuständig ist.

HERR FÜRST Da können S' lang warten. Der Herr Schätzle is beim Essen, und der Herr Krüger is grad zu Tisch, des ham S' selber gsehn, und der Herr Deutelmoser is net zuständig.

FRAU WEHRMANN Ja, dann warte ich eben, bis dieser Herr Krüger zurückkommt.

HERR FÜRST Des werd Eahna aber heit nimmer vui helfa, weil wenn er zruck is, is kein Parteienverkehr mehr. Da müssen S' halt morgen zwischen 8 Uhr 30 und 12 Uhr wieder vorbei schaun. Da is Parteienverkehr.

FRAU WEHRMANN Ja aber jetz is es doch noch garnet 12 Uhr!!

HERR FÜRST Ja schon, aber mir ham gleitende Mittagszeit. *Zum Subjekt* Was wolln Sie?

FRAU WEHRMANN Das ist, das ist, also sowas, also das ist, das ist, also wirklich, also ich weiß nicht ...

HERR FÜRST Wiederschaun, gnä Frau. *Zum Subjekt* Also, was wolln Sie?

SUBJEKT Ja, ich hätte gern ...

HERR FÜRST Genga S' amal her.

SUBJEKT Ich hätte gern ein Antragsformular wegen einer Dachstuhlerneuerung.

HERR FÜRST Genga S' amal her, können S' lesen?

SUBJEKT Ja, wieso?

HERR FÜRST Gut, dann schaun S' amal. *Deutet auf eine Uhr, die Uhr schnappt von 1 Minute vor 12 auf Punkt 12 Uhr.* Da schaun S' her, und des stimmt, kennan S' vergleichen. *Zeigt seine Digitalarmbanduhr, Subjekt schaut auf seine Uhr.* Also, wiederschaun.

Unser Mann in Bonn

Frau Wiesböck, Garderobenfrau, sinniert.

FRAU WIESBÖCK Mei Sie, oana war jetz da, kürzlich, der hat mir ja guat gfalln, so a Parlamentarier, wie hat er jetz gheißn, warten S', er is ganz berühmt wordn, wegan am Eid, den er gschworn hat, naa halt, Eid is übertrieben, des war ja nur a Meineid, gel, Sie kennen ihn sicher, as Haar so gepflegt nach hintn, glattes dunkles Haar, so a Hornbrille, Schreiner hat er gheißn, naa, Schreiner aa net, aber es war was mit Holzverarbeitung. Mir fallt jetz eigentlich nur sein Künstlername ein, Old Schwurhand. Ja, as Gericht hat ihm extra bestätigt, daß er sich Old Schwurhand nennen darf, Meineidbruder derf er net sagn, aber Old Schwurhand klingt ja auch viel weltmännischer, wo er doch jetz Minister is ... Pfeife raucht er gern, na hab ich zu ihm gsagt, bittschön, Herr Schwurhand, da herin darf nicht geraucht werdn, und des hat er durchaus eingsehn, also a sehr netter Herr wars, a blütenweißes Hemd hat er anghabt, gel, also ganz sauber war er, gschwitzt hat er überhaupts net, aber sie san jetz immer so gehässig zu ihm, wo er doch öffentlich gsagt hat: »Politik ist ein schmutziges Geschäft«, und daran hält er sich ja auch. Er hat mir dann sein Leid geklagt, er hat gsagt, schaun S', Frau Wiesböck, des is jetz scho so lang her, daß ich absent war, und es wird immer wieder hochgezupft. Wissen S', und er hat des net verdient, weil er war ja amtlich beglaubigt unzurechnungsfähig, er hat ja immerhin as große Bundesverdienstkreuz kriegt, aber i glaub, des war net für den Eid, des war für a andere Sache. Und wissen S', ich bin so froh, daß er jetz wieder in der Verfassung war, daß er auf die Verfassung schwörn hat können ... naja, mir hat er jedenfalls gsagt, Frau Wiesböck, sagt er, wenn ich jetz Minister werd, dann schwör ich Ihnen ... und i sag Eahna, auf den Schwur können Sie sich verlassn.

Welt
der Wirtschaft

D'Anni sagt also, mehr oder weniger, sagt sie,
also a Kraftwerk ohne Atom is ja eigentlich gar kein
Kernkraftwerk, net.

Das Interview

Am Eingang des Flughafen-Ankunftgebäudes spielt eine uniformierte Blaskapelle die letzten Takte eines Marsches. Fünf Männer mit Sonnenbrillen und arabischer Kluft hören sich das Konzert an, daneben Empfangsdelegierte in europäischen Straßenanzügen. Ein Tonmann überprüft sein Mikrofon. Ein Simultandolmetscher und eine Reporterin in Wartestellung. Die Musik ist zu Ende. Dünner Applaus.

REPORTERIN Meine sehr verehrten Damen und Herren, wir haben hier zu Gast bei uns Herrn Muhammed Aljussuf Ali Ben Bakr Abu Aljussuf Ben Schalim, der sich zur Zeit in Deutschland aufhält, und nun zugleich die Frage: Herr Muhammed Ali Ben Bakr Ben Schalim, Sie sind in die Bundesrepublik Deutschland gekommen, um nicht nur private, sondern auch andere Interessen zu vertreten.

DOLMETSCHER *beginnt ab »Frage« simultan* Mister Abu Bakr, do you have any other interests, more private investit, I mean money, in the Bundesrepublik Germany or what do you think about it.

Mohammed Aljussuf Ali Ben Bakr Abu Aljussuf Ben Schalim legt in bestem Arabisch los, wobei er sich allmählich steigert.

DOLMETSCHER So – aha – ah so, ja, er meint, also in dem Sinn, er sagt, im Grunde genommen – haha, ja – es ist doch so – weil andererseits – ja, genau – ah geh, na, so – ja was is des, er sagt, augenblicklich bei dieser Sachlage, also Öl. Ja, genau, Öl.

REPORTERIN *beginnt ab »in dem Sinn« simultan* Herr Bakr meint – er spricht die internationalen Beziehungen an, hinsichtlich im Grunde genommen überregionaler Phänomene – wobei andererseits, durchaus Fragen offenstehen, die expressis verbis augenblicklich bei dieser Sachlage der Erläuterung bedürfen, durchaus oder besser gesagt, Öl. Mit anderen Worten Öl. Hoffen wir also auf eine fruchtbare Erweiterung der Beziehungen zwischen Ihrem und unserem Lande, Herr Bakr, wir bedanken uns für das Gespräch und geben zurück ins Studio.

DOLMETSCHER Thank you, Mister Bakr, for that interesting speech.

BAKR Nein nein, du haben falsch iebersetz, gesagt will sagen in Europa gehn die Lichter aus.

Die Blaskapelle setzt erneut ein.

Moslem-Man-Power

Hof einer Speditionsfirma. Heinz Brei, Unternehmer, steht am Büroeingang.

HERR BREI Und dann schicken S' noch amal a Mahnung an die Firma Fabian. Die solln jetz endlich zahln. Sonst kemman mir mitm Rechtsanwalt. Ja, also, kommen S' amal mit, ich zeig Ihnen alles. Also, ich hab meine Firma in den letzten Jahren vollkommen umstrukturieren müssen. Des war also wegen des allgemeinen Kostendrucks, also war des nicht mehr anders möglich, und auch aus humanitären Gründen, weil, welcher anständige Deutsche macht Eahna des heute noch ... Ich beschäftige derzeit insgesamt 27 Personen, wovon allerdings eben wie gesagt außer mir nur noch vier Deutschstämmige personell zu Buche schlagen, gel, drei Fahrer und eine Sekretärin. Der Rest, des war bisher vorwiegend Personal aus der Türkei, vor allem aus der östlichen Türkei, so Anatolien und so, aber zur Zeit ist unser Betrieb dabei, auf Arbeitskräfte aus Fernost umzurüsten.

Zwei Türken beladen einen Lastwagen.

Da, des is der Herr Kemal und der Herr Öztürk, des san noch zwei Osmanen, aber de ham heut hier ihren letzten Arbeitstag. Ich habe also das Arbeitsverhältnis auflösen müssen, weil, ich bemerkte einigen Tätigkeiten gegenüber eine gewisse Reserviertheit, da sans also unverschämt wordn, und dann hams auch noch gewerkschaftlich geliebäugelt, und sowas kann ich mir als mittelständischer Betrieb nicht leisten. Wenn da jeder daherkamad, na kanntn mir zammpackn.

Ein Pakistani taucht aus einem Gulli auf.

No Abdul, wie weit sammir? Sind die Batzn weg? Ja, gut ausräumen alles. Da, wenn ich vorstelln darf, des is unser Herr Abdul, einer meiner neuen Mitarbeiter aus Fernost. Der Herr Abdul is aus Belutschistan, er wartet grade auf sein Asyl. *Er zieht Tablette aus der Hosentasche.* Da, Abdul, für dich. Schön einnehmen. Im Munde zergehn lassn, lutschen. – I verabreich eahna oiwei a Vitamin C, dann is a Kalzium drin, auch so Mineralstoffe und Spurenelemente, und Antibiotika, des is a ausgewogene Dosierung, da ham S' dann ois, was sie brauchen. Weil, sie sind keine großen Esser, aber in unserer Branche, also in ara Spedition, da müssen S' doch oft ganz schön hinlangen, grad beim Schleppen. Jetz zeig ich Ihnen amal die Unterkünfte. Freilich, wir sind hier kein Luxushotel. *Deutet auf Lastwagen-Garage.* Aber die Herren sind ja einiges gewöhnt, daheim hams ja auch nix anders. Gel, also, wie man mit dem Nötigsten zurechtkommt, des wissen die eh, und es is ja auch nur a Zwischenlösung. Weil, die meisten von dene san ja nur 14 Tag bis drei Wochen da, also, bis eahna Asylverfahren entschieden is, und, im Vertrauen unter uns gsagt, in dene zwei Wochen müssen se sich dann ja praktisch auch rentiert haben, Sie verstehn. Also, da, da sind dann alle 23 Herren einquartiert. Die sparen sich dadurch den Weg zum Arbeitsplatz, sie sind unter sich, also direkt fast wie daheim.

Zwei Pakistanis schleppen ein Schrankwandteil vorbei.

Obacht! Aufpassen! Das sind Möbel! Vorsicht! – Des kennen die net, Möbel ... Sie, mei Transportversicherung dad fei für Transportschäden nicht aufkommen, wenn die wüßten, daß ich nur noch Pakistani beschäftige. Da sieht ma halt, daß es doch immer noch Ressentiments, also Vorurteile gibt in unserer Bevölkerung, überhaupt, man wird heute mit enormen Problemen belastet, wenn man sich dieser Leute annimmt. Also man muß findig sein, weil, offiziell geht da heutzutage nicht mehr viel, de Behörden blockiern fast ois, obwohl die Nachfrage nach Beschäftigung gerade in diesen Kreisen außerordentlich groß ist. Also die Behörden san da stur. Ma muß es auf der anderen Seite auch amal so sehn: Deutschland spart sich dadurch eine Menge Sozialballast. Der Krankenstand is bei meinem Betrieb inzwischen auch praktisch bei Null, auf Sauberkeit wird bei uns sehr geachtet, scho wega der Seuchengefahr, und wenn wirklich amal einer krank wird, ich hab meine Bezugsquellen, ich hab da keinerlei Probleme, daß ich die betreffende Person austausch, aber des is sehr selten, weil diese jungen Leute, die wollen eben noch arbeiten. Mir ham auch gewisse Vorsichtsmaßnahmen getroffen, also die Fremdenpolizei, die is bei uns noch nie fündig geworden, es is halt alles eine Frage der Organisation. Jetz passen S' amal auf.

Er bläst in Trillerpfeife, sämtliche Pakistanis verschwinden in diversen Löchern.

Sehn Sas, die san unheimlich gut trainiert, sich zu verstecken, die wissen genau, es geht um ihren Arbeitsplatz.

Er pfeift dreimal, die Pakistanis tauchen wieder auf.

Weitermachen, gel! – Schön weitermachen.

Ein Lastwagen kommt auf den Hof gefahren.

FAHRER Servus Heinz, i hob wieder oa. Brauchst was?

BREI Ja, oan kannt i no braucha. – Sie müssen entschuldigen, ich hab jetz zu tun –

FAHRER *klopft an große Werkzeugkiste.* Hallo Sportsfreunde, mir san da.

Zwei Pakistanis schälen sich aus der Kiste.

BREI Naa, oana glangt ma daweil. Den andern bringst am Ismeier Winfried, der suacht verzweifelt oa, weil, dem hams grad sei ganze Belegschaft ausgwiesn. *Deutet.* Da, den rechtn nimm i. – Ah, is er scho desinfiziert?

FAHRER Naa, i hobn grad frisch neikriagt, aber de san guat beinand …

BREI Na gehts erst amal obi in Keller zum Desinfiziern, und dann weist eahm ei.

Der Fahrer zieht einen Pakistani aus der Kiste, drückt den anderen wieder in die Kiste, Deckel zu, nimmt den einen und geht mit ihm in Richtung Keller.

Achmed muß nach Hause

Achmed muß nach Hause,
Ausweisungsstempel is da.
Achmed muß nach Hause,
Rausschmiß aus Firma is nah.

Achmed muß nach Hause,
muß zuruck nach Anatolia.
Achmed muß nach Hause,
hat nix Gluck in Alemania.

Alles Formular gebracht,
Auto, Arbeit - fort über Nacht,
nur gutt Freund, Achmed gedacht,
Ausländersalterfräulein hat gelacht.

gesprochen
»Weil ich sagen zu Seff,
Mensen geben immer nur Fußdritt.
Ich sagen, Seff, das ist
keine sosiale Klimaa!«

Achmed muß nach Hause,
kommen mit Seff nix mehr klar.
Achmed muß nach Hause,
Arbeit für Achmed is rar.

Achmed überhaupt nix slecht,
Ausländer nur Arbeit mecht,
Achmed sei nur arme Knecht,
Ausländersalterfräulein nix gerecht.

Achmed muß nach Hause,
Ausweisungsstempel is da.
Achmed muß nach Hause,
muß bald raus aus Alemania ...

gesprochen
»Seff sagen, er sei Mitleid,
also so ohne Steuerkarte un so,
swarz ich son darf weiterarbeit,
weil Seff sozial ...«

Warten auf Dillinger

Eine Kleinbaustelle mit einem abgesicherten Bauloch. Sepp Stößl steht da, seufzt, trinkt, schaut auf die Uhr.

SEPP Oh mei, der is oiwei no net da. Oiwei desselbe mit dem Dillinger. – I sag S' Eahna glei, wies is, wenn da Dillinger net kimmt, dann geht hier garnix mehr. Wei, i hätt ja im Grunde scho heut früh um achte in St. Öd sei miaßn, aba bevor da Dillinger net da war, hat des ja überhaupts koan Sinn. Wahrscheinlich hat der Dillinger net kemma kenna, weil, um zehne, wo er in Griesbeckerszell hätt sei solln, da war er ja aa net. Mei, da Dillinger, der hat halt aa vui um de Ohrwaschl. Aber, da schaugn S' her, es geht nix voran da, wei da Dillinger no net da war. I hätt ja nachad heut no dringend nach Ecknach nübermüaßn, aber i kon ja da net weg, wei sonst kimmt da Dillinger, und i bin net da, nachad geht wieda nix. Wei, ohne mi waar da Dillinger ja aufgschmissn, wei, er – *deutet auf Kanalloch* – kennt si ja net aus.

DRAGAN *schaut aus dem Kanalloch* Aah, Seff?!

SEPP I hob koa Zeit jetza, i muaß aufn Dillinger wartn. I wart jetz scho über drei Stundn ununterbrochn, nachad war Mittag, na hab i gmoant, daß er vielleicht zum Mittagessn kimmt, is er aber aa net kemman.

DRAGAN Ah, Seff, du schauen!

SEPP Ja, Dragan, was isn, ja sehr gut, jetz schaufelst nachad da den Dreck da no mehra auf d Seitn, weil, wenn Dillinger kommen, na muaß da de Muffn und des da ois frei sein. Schaufeln.

DRAGAN Gutt. *Taucht weg.*

SEPP Eigentlich is ja ganz guat, daß der Dillinger no net da war, wei bis jetz hätt er eh no nix macha könna, wei de Muffn no net gscheid frei war. Na hätt da Dillinger aa bloß wartn müssn, und bei dene Stundenlöhne heit, Sie, des geht dann fei ganz schön ins Geld. Aba er, der Dragan tuat si halt a weng hart, wei sei Kollege, da Miroslav heut net da is. – Ja, mei, wart ma halt wieder …

Sepp wartet, trinkt Bier, ab und zu fliegt eine Schaufel Dreck vorbei.

SEPP Wenn S' mich um meine Meinung fragn, also, i glaab, der kimmt heit nimmer. Wei in Töging hätt er ja aa vorbeischaugn solln, beim Obermayr, da hab i aber angrufn, und da is er überhaupts net gwesn, und drum denk i mir, daß, wenn er überhaupts no kimmt, zerscht beim Obermayr vorbeischaut und na schafft ers ja vor Feierabend nia mehr. Na müaß mas wieder zuaschaufeln, wei, morgen is scho Freitag. – Moment, i sags eahm. Ah, du, Dragan! He, Dragan! Dillinger wahrscheinlich heute nix mehr kommen.

[NOCH SEPP] Also eine halbe Stunde du noch aufschaufeln, und wenn Dillinger dann no net da sein, dann du wieder zuschaufeln, aber wahrscheinlich Dillinger heute nicht mehr kommen, oder, was moanst du? – Sie, der Dragan moant aa, des werd heut nix mehr. – Ja, i glaab, des hat jetz koan Sinn mehr, wei, daß da Dillinger heut no kimmt, des is äußerst unwahrscheinlich. I glaab, i sags eahm glei, wei, mir müaß ma ja heit no fertig wern. Ah, du, Dragan! He, Halt, Stop!! Nix mehr freischaufeln! Du jetz besser raufkommen und wieder zuschaufeln! Weil morgen ja schon Freitag!

DRAGAN *steigt mit Schaufel aus dem Kanalloch* Gutt. *Beginnt wieder, einzuschaufeln.*

SEPP Jetz laß i eahm derweil wieder zuaschaufeln, wei, wenn da Dillinger wirklich noch auftauchen sollte, na kon ers ja oiwei no wieda freischaufeln. Mei, mit dem Dillinger, glaubn S' mas, des is oiwei desselbe …

Das Kalkül

Kioskbesitzer Karlheinz Pfeiffer kalkuliert.

PFEIFFER Ja, es ist doch eine Zumutung, des ist ja des ganze Schlamassel, net, dann kommt er daher und sagt zu mir, wo ich zu ihm gsagt hab, Herr Wild, sag ich, des müssen Sie doch zugeben, net, weil, Sie sind ja schließlich Großbäcker, und, sag ich, Sie können ja die Investitionen betätigen, aber unsereiner muß ja schließlich schaun, wo ich bleib, net, wo wo das Ganze sich doch in eine Unrentablität hineingesteigert hat, quasi ... des hat es ja damals auch schon geheißen mit dem neuen Sturmgewehr, net, na habn die Leute alle gsagt, ja wenns zum Tragen kommt, net, dann, netwahr. Dann! Net, aber nur dann, da hats geheißen, hin, net, und was is nachher gewesen? Und wer soll denn des Ganze heutzutage, wos nix mehr ghabt haben, wo unsereiner mit den Verpflichtungen, net, des ist doch ein Schwindel, des ist unlauter, wo der Staat nur drückt und drückt und hinterher heißts dann mit der Dankbarkeit, daß man sich erkundigen soll, indem der Ausländer i – i – i will ja gar nimmer reden ... weil, sind wir uns ehrlich, wer muß es ausbaden, wer soll es dann verkraften? Ich will Ihnen was sagen, ich sag überhaupts nichts mehr, weil: die sollen so weitermachen.

Dieser Rüsslinger

NACHBAR I Kennen Sie diesen, diesen, wie heißt er denn, äh, Rüsslinger, glaub ich, Rüsslinger, Botho oder Bertram? Der ist doch, äh, Kunstmaler oder sowas Ähnliches, oder vielleicht musiziert er auch, ich weiß nicht genau, aber der soll ja sagenhaft gut sein.

NACHBAR II Rüsslinger?

NACHBAR I Der Rüsslinger, ja, ein, also, ja, ich versteh das auch nicht, also, oder lebt der überhaupt noch?

NACHBAR II Ich kenn ihn nicht.

NACHBAR I Sie kennen ihn gar net. Also, jetzt bin ich überfragt, also aber der ist doch der, der hat doch diese neue Bewegung doch da neigsetzt, äh, aufm, net Theatersektor, naa, jetzt sagen Sie's mir, oder is er a Wissenschaftler ...

NACHBAR II Kino?

NACHBAR I Nanaa, Kino isser ned. – Ah, neein! Das is die neue Bäckerei da vorn bei der Leopoldstraße, jetzt hammers.

NACHBAR II Ahja Bäckerei Rüsslinger. Genau.

Im Kaufhauslift

Ein Kaufhauslift von innen. Menschen drängen zur offenen Lifttür herein. Ein zerknitterter Liftportier steht am Liftbedienungspult.

Erdgeschoß

KUNDE I In den ersten, bittschön …

LIFTMANN Eins, zwei, vier, noch jemand, haben wir alles, gut.

KUNDE II Fünf.

LIFTMANN … und die Fünf dazu.

KUNDIN Elektrische Schreibmaschinen?

LIFTMANN Elektro, Schreibwaren 3. Stock. – Aufwärts!

FRAU Sagen Sie, wo gibt es bitte …

LIFTMANN Meine Dame, ich rufe alles aus. Sonst kommen wir morgen früh noch nicht, hätten Sie unten die Auskunft holen müssen. – Vorsicht!

Die Lifttür schließt, der Lift fährt los.

1. Stock

LIFTMANN Erster bitte, Herren-Damen-Kinderbekleidung-Ledermoden-Reisebüro-Sportartikel-Pixi-Fotostand …

KUNDE III Sakkos bitte?

LIFTMANN Herren-Damen-Kinderbekleidung hab ich doch schon!

Kunde III steigt aus, Kunde I betritt mit neuem Herrenmantel, einer großen Kaufhaustüte und einem Paar Ski wieder den Lift. Die Tür geht zu.

KUNDE I Zwoaten, bittschön.

FRAU Wo gibt es bitte …

LIFTMANN Eins nach dem anderen.

Der Lift fährt.

2. Stock

LIFTMANN Ja, zweiter bitte, Radio-Fernsehn-Schreibwaren-Bücher-Kunst-Geschenkecorner-Schallplatten-Spielwaren-Restaurant-allesfürsKind-MisterMinitService …

FRAU Wo gibts denn bitte …

LIFTMANN Ich rufe alles aus, warten Sies ab.

Kunde I betritt den Lift mit drei Tragetaschen, Skiern, Farbfernseher und einem großen Spielzeugbären.

KUNDE I Obacht. Ah – nauf!

LIFTMANN Vorsicht bitte an der Tür.

Lifttüre zu, der Lift setzt sich in Bewegung.

3. Stock

LIFTMANN So, dritter, bitte, Haushalt-Werkzeug-Waschmittel-Bastelbedarf-Raucherboutique ...

FRAU Wo gibt es denn bitte ...

LIFTMANN Uhren-Schmuck-Tischwäsche-Drogen-Glas-Porzellan ...

Kunde I betritt sehr voll beladen – bisherige Einkäufe plus Homeworker, Karton mit Geschirr – den Lift, der ziemlich voll ist.

KUNDE I Obacht, bittschöhn, ah, Verzeihung ...

KUNDIN Passen Sie doch auf!

KUNDE I Tschuidign S'.

LIFTMANN So, Vorsicht bitte an der Tür!

Ein eiliger dicker Mann quetscht sich noch gerade in den Lift, wie die Tür zugeht, mit deutlichem Klirren zerbricht das Porzellan des Kunden I.

4. Stock

LIFTMANN Vier bitte, Gardinen -Teppiche - Lampen - Bilder - Silber -Terrasse - Zoo-Betten-Campingparadies ...

FRAU Wo gibts denn bitte ...

LIFTMANN Gleich sind wir oben.

FRAU ... Wahrsagekugeln?

LIFTMANN Vergangenheit oder Gegenwart?

FRAU Nein, Zukunft.

LIFTMANN Zukunft führen wir nicht. Vielleicht bei Sparstatt.

FRAU Vielen Dank.

Die Frau steigt aus. Kunde I betritt den Lift, mit der Ausrüstung vom 3. Stock und einer Campingliege. Er ist jetzt der einzige Liftbenutzer, aber er füllt den Liftraum mit seinen Waren voll aus.

KUNDE I Obacht, ah, Augenblick ...

LIFTMANN Warten Sie, ich helf Ihnen.

Er hilft. Die Tür geht zu.

5. Stock

LIFTMANN Fünfter. Lebensmittel-Spirituosen-Kundendienst-Kreditabteilung ...

KUNDE I Sie, wo gehts denn da zur Kreditabteilung?

LIFTMANN Wolln S' n' Langzeiter oder nen schnellen Kleinkredit?

KUNDE I I mächad schnell an großen Kredit.

LIFTMANN Hier lang, neben dem Himbeergeist links ab.

KUNDE I Dankschön.

Der Kunde nimmt sein sämtliches Gepäck und marschiert in Richtung Kreditabteilung.

5. Stock, Fahrt abwärts

LIFTMANN So, bitte einsteigen.

Kunde I kommt ohne Waren in den Lift, eine halbvolle Flasche Himbeergeist in der Hand.

LIFTMANN Na, hats geklappt?

KUNDE I Frag net so blöd, abi!

Der Lift fährt los.

Kindermodenschau

Veranstaltungsraum eines Hotels. Dr. Tschiep spielt auf der Hammondorgel Weihnachtslieder. Gut gekleidete Kinder sitzen neben ihren noch besser gekleideten Muttis. Im Nebenraum stehen Uschi Blaß und ein St. Nikolaus vom Künstlerschnelldienst.

FRAU BLASS Ja, aber Sie hätten doch da her genausogut mit der Trambahn herfahrn können, und an Bus gibts aa no, da brauchen Sie doch koa Taxi nehman. Des war net vereinbart ...

NIKOLAUS Ja, schon, aber Frau Blaß, des waar unheimlich knapp wordn. I war ja bis jetz no auf am Senioren-Nachmittag, de oidn Leit, wissn S', des ziagt si oiwei.

FRAU BLASS Redn S' net, der Achtefuffzger fahrt alle zehn Minutn, da hättn S' ...

NIKOLAUS Ja, aber ...

FRAU BLASS Des is mir gleich, as Taxi zahl i net, des war mit Ihrer Agentur net vereinbart. Also, jetz passen S' auf: Hier ham Sie die Kundenerwähnungswünsche von de Prominentenkinder, die namentlich erwähnt werdn solln, lesen S' gschwind durch, daß koan Fehler neibringen. Also, Sie kemman nach am fünften Kind, des is der Boris im Discofieber, des is der da, gel, Boris, und dann nehman Sie gleich des sechste Kind mit über die Rampe ...

NIKOLAUS I hab da stehn: Natascha als Gänseliesl ...

FRAU BLASS Ja, genau, mit der Natascha kommen Sie, und dann is Bescherung. Also, zerscht die Prominentenkinder und vor allem de von der wichtigen Kundschaft, de sitzn alle an Tisch eins bis drei, de restlichen Packerln verteiln S' dann nach gusto, soweit no oa da san ...

NIKOLAUS *hat Kundenerwähnungswünsche durchgelesen* Ja, Sie, da steht »Stinkfaul und pariert daheim überhaupt net«, des is doch a bißl hart für so a Kind, soll i des wirklich a so sagn?

FRAU BLASS Sie tragn vor, was aufm Zettl steht, verstandn. Mischen S' Eahna da net ei. Des is ois mit der Kundschaft aso abgesprochen. Und vergessen S' net: »Von draußt vom Walde komm ich her, da braucht ma was gscheids zum Oziagn, mir machen Kindermode« ...

NIKOLAUS Jaja, ich woaß scho, auch an Kleiderwunschzettel ansprechen. Kimmt ois, Frau Blaß. Wia hoaßn glei de Stiefeln wieda?

FRAU BLASS Juwenta.

NIKOLAUS Ah ja, und der Vernon-Pelzumhang. Puh, hoaß is da herin. *Legt Umhang ab.*

FRAU BLASS Aber ja net zu früh! Mit der Natascha als Gänseliesl kommen Sie.

NIKOLAUS Is gebongt, Chefin.

Ein Kind im Pelzmantel weint.

FRAU BLASS Ja, Nicole, mein Kleines, wer wird denn da weinen, jetzt, wo dein schöner großer Auftritt kommt. Andere Kinder wären froh, wenn sie so einen schönen Mantel vorführen dürften. Nicole-Schätzchen, das wird schon ... Frau Sieber?! Frau Sieber, Sie schicken die Kinder auf Stichwort über die Rampe. Des muß klappen, gel. Jaja mein Schätzchen, is ja schon gut, is ja halb so schlimm, schau, Nicole, die Mütze darfst du hinterher behalten. So, ich muß jetzt, Frau Sieber, Achtung ... *Geht auf die Bühne*

NIKOLAUS Geh weiter Kindl, denk dir doch nix. Da, hast an Lebkuchn.

Im Saal.

FRAU BLASS *tritt lächelnd auf, Hammondorgeltusch, Applaus.* So, liebe Kinder, liebe Eltern, jetz is es wieder so weit, das Fest der Freude rückt näher, und wie jedes Jahr um diese fröhliche Zeit der Erwartung haben wir von Uschis Kinderbasar uns wieder was ausgedacht, was euch, liebe Kinder, vielleicht Freude macht zum Anziehn, Überziehn, zum Umhängen oder zum Kuscheln, und natürlich für euch, liebe Eltern, ein paar zünftige Anregungen für den Wunschzettel oder den Gabentisch eurer Bambinis.

Ich hab davor noch in den Wald gespitzt, und den St. Nikolaus getroffen und der hat euerer Uschi fest versprochen, daß er nachher bei unserm kleinen modischen Adventsnachmittag vorbeischaut. Er hat gesagt, er hätt ein paar Überraschungen für unsere Basarkinder. Da sind wir ja alle gespannt, was der St. Nikolaus da für uns, oder besser für euch, liebe Kinder, bereit hat. *Applaus.* So, und jetzt, auf Los gehts los! Herr Dr. Tschiep, bitte Musik! *Musikeinsatz, Applaus.* Und als erstes sehen wir nun unsere Nicole mit dem Modell »Eisbär« von Clochard, mit der dazu passenden Exklusivmütze »Uppsala« in rustikaler Baumwolle. – Ja, wo bleibt sie denn, unsre Nicole? *Dezent* Frau Sieber! – Ja, wo ist denn unsere Nicole? *Geht*

[NOCH FRAU BLASS] *ab, kommt mit verrotzter Nicole wieder und schleift sie über den Laufsteg.* Ja, haha, unsere Nicole ist heut ein wenig verschnupft, sie hat halt unsern Mantel Modell Eisbär zu spät angezogen, gel, Nicole, ja brav, haha, ja einen kleinen Applaus hat sie doch verdient, unsere Nicole. Danke Frau Sieber ... *Nicole ab.* Unser kleines Eisbärle von Clochard kostet komplett mit Rustikalmütze 438 Mark exklusiv bei Uschis Basar. So, als nächstes, ah da is er ja schon, unser Dimitri, ganz professionell macht er das, wie ein echter Dressman. *Applaus.* Dimitri als kleiner Lord, mit farblich abgestimmter Pausebrottasche für den kleinen Hunger zwischendurch. Statt dem Tweedjackett kann man auch mal nur den Original-Norwegerpulli Modell Sven komplettieren, das sieht dann oft besonders süß aus, hier, unser Dimitri ... *Dimitri zieht das Jackett aus, man sieht den Norwegerpulli, Applaus.* Der kleine Lord, ein besonders lässiges Modell exklusiv für Uschis Basar von der Firma Clochard. *Dimitri ab.* Ja, und jetzt einen Sonderapplaus, süß sehn sie aus, sind sie nicht herzig, wie ein kleines Brautpaar, der Uli und die Ingeborg im aktuellen Winterfreizeitdress Pinguin eins und Pinguin zwei, lieferbar in den aktuellen Modefarben Rouge, Gelb, Azur, Beige, Champagner und Flaschengrün, hei, da macht das Schlittschuhlaufen Spaß. Pinguin zwei mit modischem Cape, Pinguin eins mit dem zünftigen Südwester, und für den kleinen Wunschzettel, da, Uli, zeig mal schön, die Allwetterstiefel von Caligula. Ja, schön macht er das, der Uli. *Sonderapplaus.* Ein Sonderapplaus für den Uli. *Applaus.* Vielen Dank, auch, liebe Ingeborg. *Applaus.* Für die chique Nachmittags-Schokoladenparty oder für ne tolle Kinderfete jetzt was ganz Verrücktes, unser Boris im Disco-Fieber! Frau Sieber! *Licht-Wechsel, Discomusik.* Ja, das geht in die Beine. Toll, dieser Boris. Diese Safranlederhose, da fahren die kleinen Girls reihenweise drauf ab. Einen Sonderapplaus für den Boris. Discohose, Kappe, Jacke und Perlenkette, Stepschuhe und Disco-Jojo exclusiv bei Uschis Kinderbasar Kreation Uschi Blaß 624 Mark. Ja, toll, dieser Boris! *Boris ab, Applaus.* Obacht. Ohlala, jaa, jetzt, liebe Kinder hab ich glaub ich ein Glöckchen gehört, da bin ich aber gespannt, wer jetzt da hereinschneit. Ja, das ist unsere Natascha als Gänseliesl, und jaa, ich habs doch gewußt, da ist er, der heilige St. Nikolaus, Applaus für den St. Nikolaus!! *Applaus. Nikolaus geht mit Natascha auf und ab.* Ja, St. Nikolaus, wo kommst du denn her? *Schubst Gänseliesl von der Rampe.*

NIKOLAUS Von draußt vom Walde komm ich her, ääh ...

FRAU BLASS *leise* Schuhe ...

NIKOLAUS I woaß scho ... ah, ich kann euch sagen, es weihnachtet sehr. Ich komme gerade von der Juwenta-Schuhfabrik, von denen habe ich auch meine schönen Juwenta-Allwetterschuhe, ohne die der

St. Nikolaus schon längst einen Schnupfen hätte, und ich habe hier auch was Feines mitgebracht, für alle braven Basar-Kinder. Ihr wart doch immer brav, oder?

KINDER Jaa!!

FRAU BLASS Bei Uschis Basar sind nur brave Kinder, Herr Nikolaus.

NIKOLAUS Ah ja, natürlich. Habt ihr euch auch alle was Feines zu Weihnachten gewünscht?

KINDER Jaa!!

NIKOLAUS Was Feines zum Anziehn?!

KINDER Jaaa!!!

NIKOLAUS Ja, das freut den Nikolaus. Ja, dann wollen wir doch mal in mein goldenes Buch schauen, was da so alles drinsteht. – Ist die kleine Carmen Hasenböck, ist die da? *Ein zaghaftes Ja antwortet.* Oh oh oh, ¡a was muß ich denn da lesen? Sie ist faul, macht keine Hausaufgaben und widerspricht ständig ihrer Mutter. *Kindergelächter.* In der Schule kommt sie auch nur ...

FRAU HASENBÖCK Also, das ist doch wohl der Gipfel an Unverschämtheit. So eine Frechheit ...

FRAU BLASS Aber Frau Konsul, das war doch ...

FRAU HASENBÖCK Carmen! Olaf! kommt, wir gehen!

FRAU BLASS Frau Konsul, darf ich das Mißverständnis auf–

FRAU HASENBÖCK So eine Geschmacklosigkeit ist mir in meinem Leben noch nie untergekommen ... *Zieht ihre beiden Kinder an.*

FRAU BLASS Aber, Frau Konsul, den Nikolauszettel hat mir doch Ihr Mann persönlich ...

FRAU HASENBÖCK Mein Mann, dieses Rindvieh, was weiß denn der; wo unsre Carmen so ein Sensibelchen ist. Carmen, Olaf, los, wir gehn.

FRAU BLASS *zum Nikolaus* Sie Vollidiot, das wird ein gerichtliches Nachspiel haben!

NIKOLAUS Ja, aber …

FRAU BLASS Sie Rindvieh, diese Frau kann mich fertigmachen mit ihren Connections. Sie entschuldigen sich sofort auf der Stelle! Bei Frau Konsul und beim Kind. Sonst zeig ich Sie an wegen Geschäftsschädigung, Sie Depp! *Geht in Richtung Frau Hasenböck, die bereits aufgestanden ist.*

NIKOLAUS Ah, gnä Frau, ah, Kind, ah, du, der Nikolaus, der hat was übersehn, sowas passiert auch amal am Nikolaus, ah, gnä Frau, bittschön entschuldigen S' …

FRAU HASENBÖCK Ja, aber, Sie sehn doch selbst, das Kind ist doch so sensibel.

NIKOLAUS Ja, äh, nein, bittschön, äh, wie soll ich, äh … *Frau Hasenböck setzt sich wieder.*

FRAU BLASS *ruft dem Nikolaus zu* Musik, Ihr Lied, und Bescherung!

NIKOLAUS Ja, aber die anderen Zettel …

FRAU BLASS Ihr Lied, los machen Sie endlich. Liebe Kinder, ihr müßt wissen, der Niklaus hat auch ein Lied dabei …

NIKOLAUS Ja, also, ihr habts gehört, liebe Kinder, ah, also, der Nikolaus hat euch da ein Lied mitgebracht, für alle Basarkinder, des is zum Mitsingen, paßts schön auf, ich sings euch derweil amal vor, und die, dies dann schon können, die dürfen gleich mitsingen und dann singen mir alle des Lied mitanander, gel …

FRAU BLASS Und der Sankt Nikolaus verteilt dabei die Gaben! Gel, Herr Nikolaus?!

NIKOLAUS Ja, genau, dann schaun mir nach, was in dem Sack da drin is. Also, jetz tuts alle schön mitsingen. *Singt:*

Am Himmel blinkt ein heller Stern,
Der frohe Tag ist nicht mehr fern,
Das Weihnachtsfest wird wunderbar
Mit Kindermoden aus Uschis Basar.

So, und jetzt singen mir alle schön mit ...

Berufe und Karrieren

D'Anni hat auch gsagt, also sie sagt durchaus, daß der Dr. Kessler ein guter Geschäftsmann ist. So als Arzt, sagt sie, ist er eher mittelmäßig.

Vaters Doppelleben

Fritz Stumpf sitzt am Frühstückstisch und ißt ein Marmeladebrot. Gleichzeitig telefoniert er, den Telefonhörer hat er an der Schulter eingeklemmt.

FRITZ Selbstverständlich, Herr Dr. Berzelmeier, ich schau auf alle Fälle vorbei. – Natürlich. Am gewohnten Platz. Selbstverständlich. Wie vorgestern. – Also gut – ja – Wiedersehen, gut ja Wiederschaun.
Er hängt ein und trinkt den letzten Schluck Kaffee, schon halb im Aufstehn.

FRITZ Lydia, mei Mappn!
Er steht auf, geht in den Flur, zieht im Gehen sein Sakko an, nimmt den Mantel von der Garderobe. Tochter Lydia bringt dem Bappi einen Diplomatenkoffer.

LYDIA Da, Bappi.
Elfriede Stumpf, geborene Lemp, die Gattin, kommt mit einem Wurstbrot aus der Küche. Das Wurstbrot ist in Frischhaltepapier eingepackt.

ELFRIEDE Hättst scho wieder dei Wurschtbrot vergessn, alter Schlamper.
Sie verstaut resolut das Wurstbrot in dem Diplomatenkoffer. Sohn Heinz kommt dazu.

HEINZ Bappi, kost mi heit ind Schui fahrn?

FRITZ Tut mir leid, Heinzi, heut muaßt mitm Bus fahrn, i hab jetzt glei an wichtign Termin. Vielleicht morgen wieder.
Heinz geht mißmutig in die Küche und entschädigt sich mit Kinderschokolade. Oma Liselotte Lemp, Fritzens Schwiegermutter gesellt sich dazu.

OMA LEMP Zieh an Schal an Fritz, s hat gheißn, es soll kalt werdn. Net, daß dich wieder verkältst. Des kannst du dir in deim Beruf net leisten.

FRITZ I paß scho auf, Omi.
Oma Lemp drängt Fritz den Schal auf, Karlheinz Lemp, der Opa, kommt im Morgenmantel aus dem Bad.

OPA LEMP Fritz, kannst du mir heute nach der Arbeit noch ne Stunde mit anpacken. Der Speicher muß endlich fertig tapeziert werden.

FRITZ Ich weiß fei noch net, obs mir nausgeht. Jetzt schaun mir halt amal.

LYDIA Aber Bappi, du hast mir doch versprochen, daßd heut Abend mit mir Spitz-paß-auf spielst.

FRITZ Mir kommen scho no zum Spieln, Schatzerl.

OMA LEMP Fritz, der Waschmaschinenanschluß im Keller, der ghört zerscht gmacht. Des tröpfelt andauernd. A so eine Wasserverschwendung.

FRITZ Des kriagn mir schon. Oans nachm andern.

ELFRIEDE Aber der Onkel Albert kimmt doch heut Abend, und d Tante Hilde kimmt vielleicht aa, hats gesagt.

FRITZ Ja mei, i bin aa bloß a Mensch, ma tuat was ma ko.

ELFRIEDE Heut kommst aber net so spät heim, weil der Dr. Schnapper ruft wieder an. Jetzt hat er dich gestern scho net derwischt, weilsd immer so spät heimkommst.

FRITZ I ko mirs aa net raussuachn, Gschäft is Gschäft. Des kriagn mir scho. *Geht zum Eingang.* Also dann, bis heut Abend, Servus.

OPA LEMP Tschüß Fritz, also, ich rechne mit dir.

FRITZ Is scho recht.

Lydia gibt dem Bappi einen Abschiedskuß. Heinz springt an ihm hoch.

HEINZ Aber morgen nimmst mich dann mit.

FRITZ Selbstverständlich, wenns geht.

ELFRIEDE Da, dei Mappen. *Leise* Und komm halt heut amal net so spät.

FRITZ Schorecht. I schaug halt.

ELFRIEDE *leise weiter* I woaß doch net, was i mit der Hilde redn soll. Is doch dei Schwester.

FRITZ I woaß scho. Also nachad *Blick auf die Uhr* i muaß jetzt weiter.

OMA LEMP Und fahr schön vorsichtig, Fritz.

FRITZ *im Gehen* Du kennst mi doch.

Fritz geht zu seinem gegenüber geparkten BMW. Die ganze Familie steht in der Tür. Die Kinder winken. Elfriede wirft Fritz eine Kußhand zu. Opa, das Gesicht inzwischen voll Rasierschaum, grüßt nochmal im Hauseingang. Fritz besteigt sein Auto, das Winken steigert sich. Fritz winkt etwas krampfhaft zurück und fährt los. Er schaltet das Radio ein, sucht Musik, fährt dabei um zwei Straßenecken, hält vor einer Apartment-Häuserzeile, steigt aus, geht an die Müllanlage, wirft das eingepackte Wurstbrot in die Tonne, holt aus einem Versteck bei der Tonne einen Schlüsselbund, sperrt die Tiefgarage auf, fährt in die Tiefgarage, stellt seinen Wagen ab, geht über den inneren Eingang ins Apartmenthaus, sieht sich um, geht im Treppenhaus in den 1. Stock, sieht einen Zettel an der Tür:

»Lieber Fritz, machs gut, ich lös dich dann um ½5 ab. Gruß, Toni.«

Fritz entfernt den Zettel, sperrt die Tür auf, legt den Diplomatenkoffer ab, zieht Mantel, Schal und Sakko aus, lockert seine Krawatte, öffnet den obersten Kragenknopf, schaut auf die Uhr und seufzt.

Fritz öffnet eine Zimmertür zur Hälfte, zieht seine Hose aus, öffnet die Tür ganz, man sieht ein großes ungemachtes Bett. Fritz stellt einen Radiowecker auf halb fünf, läßt das Rouleau runter, steigt ins Bett und zieht sich die Decke über die Ohren.

Vertretertraining

Herr Rösner, Herr Gropper, Trainer Heßler sowie weitere Trainingsaspiranten sitzen vor einem Video-Monitor. Im Hintergrund ist eine Trainings-Eingangstür mit Glocke und Namensschild aufgebaut. Im Monitor sieht man Herrn Gropper, wie er auf die Trainingstür zugeht und klingelt.

HESSLER Ja, sehr gut, Blick auf die Uhr, Frisur, Anzug richten, klingeln – uund – geradestehn, sehr gut Herr Gropper, richtiger Abstand zum Spion, keine private Geste mehr. – Und Hundegebell, halber Schritt zurück, nicht zu hastig, aber entschlossen. ... ja, richtig ... Kunde öffnet, Mappe in der rechten Hand, Visitenkarte parat, einwandfrei, Vergewisserungsblick nach dem Hund, Mappe umgreifen, zum Handschlaggruß, ohne Scheu, aber unaufdringlich Vorstellung und somit wäre der Erstkontakt hergestellt. Sehr gut, Herr Gropper, praktisch fehlerfrei ... *Band aus.*

GROPPER Visitnkartn hab i a weng schlampad ghaltn, aber des hat ma glaub i net so gsehn.

HESSLER Neinnein, wirklich, sehr gekonnt, als nächster Schritt käme nun das Einführungsgespräch in der Wohnung, mit den sogenannten »W«-Fragen: Warum, wann, wie, was undsoweiter, aber das kommt später, ich schlage vor, neues Erstkontakttraining. Herr Rösner an der Tür, und Herr Gropper macht jetzt den Kunden.

RÖSNER Mit oder ohne Hund?

HESSLER Lassen Sie sich doch überraschen, vor Ort wissen Sie ja auch nicht, ob mit oder ohne Hund. *Devotes Gelächter.* Also, bitte auf Position.

Gropper geht hinter die Trainingstür, Rösner nimmt die Mappe und geht los.

HESSLER Halt, Herr Rösner, erst auf mein Zeichen. Band läuft. Bitte ...

Rösner geht auf die Trainingstür zu und klingelt.

HESSLER Nein! Halt! Stop! Um gotteswillen. Mehr Entschlußkraft im Gang, und alle privaten Gesten vorweg erledigen!

RÖSNER Aber ...

HESSLER Sie gehn doch nicht auf die Toilette, sondern zum Kunden! *Devotes Gruppengelächter.*

RÖSNER Aber ich ...

HESSLER Kein Aber, zurück das Ganze, nochmal von vorn. Und bitte!

Rösner geht auf die Tür zu und klingelt.

HESSLER Halt, nein, stop!

RÖSNER Wieso?

HESSLER Mappe!

RÖSNER Ja?

HESSLER Sie haben die Mappe in der falschen Hand.

RÖSNER Ääh?

GROPPER Mappe muß in der rechten Hand sei.

HESSLER Wenn der Kunde die Tür öffnet, müssen Sie die Mappe noch in der rechten Hand halten. Dann erst greifen Sie um, um dem Kunden spontan die rechte Hand geben können. Das suggeriert spontane Herzlichkeit.

GROPPER Im Spion hab i'n fei aa net gsehn.

HESSLER Das obendrein, Moment. *Geht zum Spion und dirigiert von da aus Rösner.* Etwas mehr nach links, halt, und einen halben Schritt zurück, zuviel, so. Das ist die Position. Merke: 43% aller Kunden öffnen nur nach Spionkontrollblick die Tür. Also zurück, das Ganze nochmal!

Rösner geht auf die Tür zu, klingelt.

HESSLER Und Spionposition, ja. *Drückt Tonband, fröhliches Hundegebell. Rösner weicht zwei Schritte zurück. Heßler schaltet das Tonband aus.* Nein! Halt, Stop! Nicht so hastig, Herr Rösner, der Russe is noch net im Land. *Devotes Gelächter.* Überhaupts, warum weichen Sie denn zurück?

RÖSNER Ja, Hundegebell ...

HESSLER Das is doch hier kein scharfer Schäferhund, sondern a freundlicher Dackl. Da weicht ma doch net zurück, da sagt man »Ja wo isser denn« oder sowas ähnliches, dann geht die Tür von selber auf. Ich habs heut doch schon ein paarmal gesagt, also merken wir uns, meine Herren: Über die Tierliebe zum Entree.

GROPPER Sie, Herr Heßler, er hat fei aa d Fiaß no net abgstreift!

HESSLER Jaja, is scho recht, des auch noch, ham S' des ghört, Herr Dings, ah Herr Rösner, Schuh abstreifen für die Hausfrau, vor allem bei Sichtkontakt! Also, glei nomal. Zurück ...

Rösner geht auf die Tür zu, klingelt, streift Füße ab, richtiger Spionabstand ... ein Schritt zurück, dreht sich um.

RÖSNER Wo ist der Hund?

HESSLER Welcher Hund?

RÖSNER Ja, jetzt käme doch der Hund ...

HESSLER Ja, Herr Rösner, das müssen Sie doch bitte dem Hund überlassen, ob er da is oder net ... *Devotes Gelächter.* Ich zum Beispiel hab a Schildkrötn daheim. *Wieder Gelächter.* Da können S' lang warten bis bei mir daheim was bellt. *Nochmal Gelächter.* Also, auf ein neues, Anmarsch und so weiter klappt ja schon einigermaßen, tun S' gleich anläutn, Herr Rösner. Bei wem klingeln S' denn überhaupt?

RÖSNER Weiß nicht ...

HESSLER Ja, des is doch des mindeste, da schaut ma doch nach, am End landn S' bei Eahna selber dahoam und gspannen S' gar net. *Brüllendes Gelächter.*

RÖSNER *schaut* Ahja …

HESSLER Ja, genau, da sehn Ses und jetz klingeln S'.

Rösner läutet zaghaft.

GROPPER Des Klingeln hätt i jetzt fei net ghört. I hätt ja fernsehn können, oder a Bad nehmen.

HESSLER Oder a Damenbesuch is grad in Aktion. *Devotes Gelächter.* Ham S' as ghört, Herr Rösner, bestimmt anläuten. Also, bitte …

RÖSNER So? *Läutet kräftig.*

HESSLER Jessas, naa, nein! Sie san doch net von der Feuerwehr. *Gelächter.* Schaun Sie, wir läuten an bestimmt, aber nicht aufdringlich. *Geht zur Klingel.* Schaun S' her, so. *Läutet.*

Rösner geht auf die Tür zu, läutet, Heßler fährt Hundegebell ab, diesmal aggressiver Schäferhund.

RÖSNER Ja wo is er denn …

HESSLER *Band aus.* Halt, Stop! Sie san wohl lebensmüde! *Gelächter.* Des is doch a scharfe deutsche Dogge. Hörn Sie des net? Mann, die wenn Sie anfällt, na sand Sie Hackfleisch! *Gelächter.* Bei so am Hund in jedem Fall zurückweichen, Mappe in Hab-Acht-Stellung und die Kommandos des Herrchen hinter der Tür abwarten, also, bis der halt »Pfui, Platz« sagt oder sowas.

GROPPER Er muß wartn, bis ich Pfui sag!

HESSLER Jaja, scho recht Herr Gropper, des hab i ja scho grad gsagt, aber wenn die Tür aufgeht, muß er sich scho die eventuellen Liebkosungen vom Haustier gefallen lassen, denn wie gesagt, über die Tierliebe zum Entree.

RÖSNER Ja, aber was ist, wenn der Hund beißt?

HESSLER Ja, mei, des is Ihr Berufsrisiko. *Devotes Gelächter.*

Rösner läutet, Gropper öffnet.

HESSLER Und Mappe umgreifen, jaa, Handreichen und Begrüßungsformel …

Gropper reicht die linke Hand, Rösner greift daneben.

RÖSNER Ja, aber so?

GROPPER Mei, vielleicht bin i a Linkshänder …

HESSLER Geh, reden S' koan Unsinn, mir trainiern hier den Normalfall. Erschwerende Sonderfälle mach ma übermorgen, also, geben S' gefälligst die rechte Hand, Herr Gropper. Also, zurück und nochmal.

Rösner läutet, Gropper öffnet.

HESSLER Umgreifen, ja, Händedruck mittelkräftig, herzlich uund ungefähr jetz die Mappe abstelln. A ganz a wichtige Station, damit Se sich etabliern. Naa, halt, net hinter Eahna. Wenn Sie ein Schritt zurückweichen müssen, gesetzt den Fall, der Hund kimmt doch noch, na stolpern S'. Sie wolln doch a Invalidität verkaufn und net in Anspruch nehmen. *Gelächter.*

Gropper öffnet, Händedruck, Hundegebell, Rösner ein Schritt zurück in Hab-Acht-Stellung.

GROPPER Pfui!! Platz!!

RÖSNER Ja wo is er denn?

HESSLER Halt! Stop!

RÖSNER Wieso, was war denn jetzt schon wieder verkehrt?

HESSLER Im Prinzip garnix, aber mir machen jetz dreißig Minuten Mittag, und nach dem Mittagessen machen wir weiter mit dem zweiten Teil unseres heutigen Trainingsprogramms: Vom Entree zum Verkaufsabschluß. Mahlzeit, meine Herren ...

Alle antworten »Mahlzeit« und stehen auf.

Beim Titelhändler

Mike Lentitsch sitzt im feudalen Büro der »Renaissance-Kontor GmbH & Co KG«. Ihm gegenüber sitzen Zenta und Alois Bauch, Kundschaft. Im Hintergrund sinnlost Herr v. Segnitz, eine Art Hausmöbel, herum. Der Herzog von Anzing-Meinungen steht erbost vor Lentitsch.

ANZING-MEINUNGEN In der großen Pause, ich stehe am Buffet, neben mir Baron Finck, kommt dieser Kretin auf mich zu, schüttelt mir die Hand und sagt: Grüß dich, Pappi, oder so ähnlich. Ich dachte zuerst, ein schlechter Scherz, da sagt er, er hat diese Enterbungsvertragsklausel schon unterschrieben, aber er wäre jetzt mein Sohn. Die Peinlichkeit dieser Situation brauche ich Ihnen wohl nicht näher zu schildern. Also, Herr Dr. Lentitsch, ich muß darauf bestehen, daß in Zukunft ein für allemal vertraglich gewährleistet ist, daß diese primitiven Parvenus, die meinen Namen käuflich erwerben, daß die mir wenigstens von der Pelle bleiben.

LENTITSCH Also, Exzellenz, ich steh vor einem Rätsel, wie sowas passieren kann. Die Diskretionsklausel müssens alle unterschreibn. A jeder. Andererseits, bitte Exzellenz, sowas kimmt halt amal vor. Der Mann, wie ers notarisch ghabt hat, daß er Herzog is, der is fast in d Luft ganga vor Freud, und unter uns gsagt, Exzellenz, die 700000 Mark, die der Mann bar auf den Tisch blättert hat, die ham Eahna doch aa wieder a bißl frisch gmacht, oder?

ANZING-MEINUNGEN Naja, schon, aber ich will diese Kretinos nicht mehr vor der Nase haben.

LEINTITSCH Sie, i hab scho wieder an Anwärter, Exzellenz, der hat a Porenbetonwerk in Anzing, der is ganz hoaß auf den Nama Anzing-Meinungen.

ANZING-MEINUNGEN Diesmal aber bitte mehr Diskretion, sonst war das Ihre letzte Adoptionsvermittlung, ich habe bereits Angebote von Konsul Wyler.

LENTITSCH Der nimmt aber 30%, Exzellenz.

ANZING-MEINUNGEN *wieder freundlicher* Naja, Sie kennen meine Ansichten: Kretin bleibt Kretin, also, guten Tag. – Gnä Frau ...

ZENTA BAUCH Wiederschaugn, Exzellenz.

ALOIS BAUCH Ja, Wiederschaugn, Herr ah ...

LENTITSCH Exzellenz, Sie hören dann von mir ...

ZENTA BAUCH Sie, wer war jetz des genau, wenn ma fragn darf?

LENTITSCH Des war seine Exzellenz, der Herzog von Anzing-Meinungen, aus direkter Linie ...

ZENTA BAUSCH Ah geh, a echter Herzog?

LENTITSCH Ein Nebenzweig der Mount-Buttons – Coburg, Sie verstehn ...

ZENTA BAUCH Ah so, Coburg ...

LENTITSCH Ja, Frau Bauch, ah, Herr Bauch, jetz wieder zu Ihnen, Frau Bauch, ah, was ham Sie sich denn so ungefähr vorgstellt?

ZENTA BAUCH Mei, i hab scho mit unserm Steuerberater gred, und der hat gmeint, a neue Filiale eröffnen bei der derzeitigen Konjunktur wär Wahnsinn, andererseits brauchen mir a Verlustzuweisung, und na bin ich auf die Idee kommen, zum Fünfzigsten, daß i am Alisi, also meim Mann ...

LENTITSCH Die Fleischerei-Ladenkette Bauch?

ALOIS BAUCH Ja, des samma mir ...

ZENTA BAUCH Ja, genau, und drum hab i mir denkt, daß mir fürn Alisi zum Jubiläumsgeburtstag, mein Mann wird fünfzig, an passenden Nama raussuachn, mit am Titel natürlich.

LENTITSCH Dachten gnä Frau an an akademischen Grad? Dr. h. c. oder sowas?

ALOIS BAUCH Mei, warum net ...

ZENTA BAUCH Naa, scho was Adeligs. Also unser Steuerberater hat auch gmeint, finanziell is es zwar a gewisse Belastung, aber gesellschaftlich hauts an Alisi doch gewaltig nach vorn, und unser ganze Familie dann auch, der Titel geht doch auf mi aa über?

LENTITSCH Selbstverständlich, Frau Bauch. Auch wega dem Finanziellen, is des garnet so gsagt, weil, wenn ma amal deutsch redn wolln, der Name, so a Name, der läßt sich auch durchaus in pekuniärer Hinsicht ... *Er reibt Daumen und Zeigefinger.* Sie verstehn.

ALOIS BAUCH Aber Metzgerei Bauch is a eingeführter Name ...

ZENTA BAUCH Geh, sei stad. Ja, des is noch der andere Aspekt bei der Sache: Weil, unser Sohn ...

ALOIS BAUCH der Bertram ...

ZENTA BAUCH unser Sohn Bertram möcht an Autozubehörhandel aufmacha ...

ALOIS BAUCH mit Selbstbedienung ...

ZENTA BAUCH Und da kanntn mir dann doch gleich den Namen auch schon ...

LENTITSCH Selbstverständlich, Frau Bauch. Ah, Herr v. Segnitz, geh, san S' so nett, bringen S' uns doch amal den Ordner mit de Dankschreibn und de aktuelle Namenstransfer-Liste.

V. SEGNITZ Namen-Kategorie A oder B?

LENTITSCH Bringen S' doch amal beide. *Herr v. Segnitz ab.* Da, des is unser Herr v. Segnitz, der stünde auch zur Disposition. Allerdings a einfacher Freiherr, Bagatell-Adel quasi, 53000 Mark, unser preiswertestes Angebot. Der Herr v. Segnitz steht net amal in der Liste ...

ALOIS BAUCH v. Segnitz-Autozubehör, ja, guat, warum net.

ZENTA BAUCH A geh, naa, scho was Gscheids, a Graf, oder, ah, was hättn der Herzog da vorhin kost?

LENTITSCH Ja, gnä Frau, da werds a bißl happig. Der Anzing-Meinungen is wie gsagt verwandt mit Mount-Button und sei Stammbaum geht abi bis

1430, Türkenkriege, a imposante Person, Sie ham ihn ja grad selber erleben dürfn …

ZENTA BAUCH Ja, der waar scho was, aber, was dad jetz der kostn, nennen S' mir doch amal an Preis.

LENTITSCH *schreibt eine Zahl, und reicht den Zettel.*

ZENTA BAUCH 700000 Mark!

ALOIS BAUCH Des is koa Drecklackn …

ZENTA BAUCH Ah geh. Ja, 700000 …

LENTITSCH Neinnein, das bekommt der Herzog. Vermittlungsgebühren, Notar, Mehrwertsteuer undsoweiter gehen extra. Für Sie käme der Herzog dann im Endeffekt auf rund 1 Million brutto. Des is allerdings auch eines unserer Spitzenangebote …

ZENTA BAUCH Ja, des is scho viel, ah, was ham S' jetz da noch so an Namen …

V. SEGNITZ *erscheint mit 3 Aktenordnern.* So, bitte. Ah, Herr Dr. Lentitsch, i hab de Woch no koane Essensmarken krieagt.

LENTITSCH Achso, ja, heut is ja Montag, tschuldigen S' Herr v. Segnitz. Da – guten Appetit. *Gibt v. Segnitz die Essensmarken.* Gehngan S' ruhig derweil zum Essen, Herr v. Segnitz, gel, Mahlzeit …

V. SEGNITZ Mahlzeit.

ZENTA BAUCH Mahlzeit.

ALOIS BAUCH An guatn … *Segnitz ab.* Der waar doch garnet so schlecht …

ZENTA BAUCH Ah geh, Freiherr, a von, a einfacher von, von gibts wie Sand am Meer. Nanaa, Herr Doktor, scho was Gscheids, also Baron mindestens, oder Graf oder so. Bis 350000 Mark, hat unser Steuerberater gsagt.

LENTITSCH Ja, des is a schwierige Preisklasse, weil, mir ham welche da so bis 200000, halt so Barone und so, während die Grafen meistens erst bei 400000 angehn. Es gibt a paar Ausnahmen, i derfs amal zeign: Da, zum Beispiel hier, der Marquis du Bois, 300000 Mark.

ALOIS BAUCH Düboa-Autozubehör, ja der waars doch …

ZENTA BAUCH Ah geh, naa, koan Ausländer.

LENTITSCH Gnä Frau, Adel is international.

ZENTA BAUCH Naa, scho was Verständlicheres.

LENTITSCH *blättert.* Ja, dann kommt eigentlich in dieser Preiskategorie für Sie nur noch … da, hier, Graf Tellheim, 360000 Mark oder hier, Bodo von Wetterstein, auch a Graf, Wetterstein, der waar 40000 billiger.

ALOIS BAUCH Ja, der is guat, den nehm ma. Wetterstein-Autozubehör, des is guat.

ZENTA BAUCH Ageh, ah, Herr Doktor, ja, was isn nachad der Unterschied, daß der so vui billiger is?

LENTITSCH Die Wettersteins sand mehr a böhmischer Adel, Sie verstehn …

ZENTA BAUCH Ahso, ja, na nehm ma lieber den Tellheim.

LENTITSCH Is a guter Name, a sehr guter Name. Alteingeführter Adel, da können se sich überall damit sehn lassn. Also, Frau Bauch, i tat

[NOCH LENTITSCH] sagn, Adoption, Enterbung und Diskretionsklausel setzen mir derweil auf, und dann gehngan mir zum Notar. Herr Bauch, ich gratuliere.

ALOIS BAUCH Ja mei, dankschön ...

LENTITSCH Achja, a kleine Anzahlung, wenn Sie übrigens noch ...

ZENTA BAUCH Alisi, zahln ...

ALOIS BAUCH *zieht Brieftasche.* Glanga 40000 derweil?

LENTITSCH Selbstverständlich.

ALOIS BAUCH *beim Geldblättern.* So. Ja, Graf-Tellheim-Autozubehör, aa net schlecht.

Ein Amateur

Roland Stump nach seiner Festnahme.

STUMP Selbstverständlich hätt ich Milbertshofen auch nehmen könnan, technisch is des doch gar koa Problem. Net. I hobs euch doch bewiesen! I hab halt Milbertshofen nicht gnommen, weil da a Tante von mir wohnt. Net. Aber, ich hab ja auch genau und ausdrücklich gsagt, Pasing! Ich hab gsagt, ich spreng Pasing ind Luft, wenn ich die zwei Millionen net präzise bis zum 7.5. krieg, und es habts nicht bezahlt. Gel. Und ich hab auch nur Pasing gesprengt, ich hab also, es is nichts anderes is mitgegangen. Laim und as Westkreuz und all des, da is garnichts vorgekommen. Net. Weil, i beherrsch ja des. I bin ja koa Amateur. – Und ich besteh drauf, daß i nauskomm nach Straubing, ich möchte nicht nach Stadelheim ins Gfängnis, sondern nach Straubing, 100 km weg von München, weil, wenn mei Spezi, der wo jetzt dran arbeitet, an der Bombe, ich sags euch gleich, mein Spezi ist nicht dieser, ah, dieser Spezialist. Der arbeitet seit drei Monaten erst dran an dieser Bombe, der kann des halt no net a so, des Dosieren. Net. Wenn der heut sagt, ah, Haidhausen, oder er sprengt Schwabing, oder irgendsowas, der kann des nicht genau abgrenzen. Der kanns halt no net. Des is garnet a böse Absicht von dem, aber, ich mein, a gewisse Überdosis bei dem, etwas Unvorhergesehenes, net, na zreißts ganz München. Jetzt zahlts!! I sags euch glei, zahlts ihm! Des hat doch koan Sinn net, ihr seids ja wahnsinnig.

Die Ordnungskraft

SCHWANTALER Ja, was man in diesem Beruf braucht, das ist, äh, Menschenkenntnis, eh, praktische Psychologie und ein Auge für das Individuum, für Subjekte, für das Individuelle. Sie müssen sich vorstellen, mein Vater war ein Mann der ersten Stunde, mein Vater hat in der Weimarer Republik gearbeitet, unter Röhm, äh, Saalaufsicht, wurde auch lückenlos dann im Saalschutz beschäftigt, es war ein sauberes Arbeiten, und wenn mein Vater nicht in diese Massenturbulenzen reingekommen wäre, eh, und dadurch invalidisiert wurde, würde er auch heute noch mit Freude diesen Beruf ausfüllen. Sie müssen wissen, ich selber hab ja auch die physische und psychische Konstitution mitgebracht, habe mit Begeisterung diesen Beruf, das Handwerkliche und soweiter von meinem Vater gelernt von der Pike auf, net.

Ich bin jetzt seit, äh, 17 Jahren da heraußen auf dem Oktoberfest tätig, und was ich, glaub ich, von mir behaupten kann, das ist, ich besitze eben das Auge, verstehen Sie, für gewisse soziologische Gruppierungen, man muß sofort merken, wer stört, net, man muß Fehlverhalten von Personen erkennen, netwahr, also Leute, die zu laut prosten, singen, Jugendliche, die so einen Hang zum Krakeelen haben, net, sofort, äh, die Präsenz ist gefordert, net wahr, an Ort und Stelle zu sein und sofort hinauszukatapultieren, netwahr. Ich will Ihnen einen Fall erzählen: Ein Kollege, er kommt aus einer Massenschlägerei heraus gerade, er war etwas blutverschmiert, er war etwas lädiert, äh, er sagt, warum, wo schaust du denn immer hin? Ich sage, ich schaue da hinüber, links an diesem Tisch, mitten unter einem Gewühl von Leuten, wo es nur so gewogt hat, nichtwahr, vor Begeisterung, da saß ein Mann, Sie, der hat keinen Mucks

gemacht, keinen Pfiff, gar nichts, also nichts, netwahr, der hat seine Umgebung förmlich ignoriert, netwahr, ganz still war der Mann, net, netemal was getrunken, ich glaube nur ein Mineralwasser, net. Da sag ich zu meinem Kollegen, sag ich, ich gebe dem Mann noch fünf Minuten, ge, fünf Minuten kriegt der Mann, net, aber dann hab ich ihn. Und ich hab ihm noch fünf Minuten gegeben, und dann hab ich ihn aber auch in flagranti erwischt, netwahr. Bis er geschaut hat, war er schon draußen. Ich hab ihn am Genick gepackt und rausbefördert, netwahr. Mein Chef, mein Chef ist dann auch auf mich zu und hat gesagt: Schwantaler – großartig. Sie haben eine Menschenkenntnis, also das ist großartig, weil das hätte kein Mensch da herin gemerkt, daß der Mann gestört hat.

Der neue Schnitt

FRISEUR So, der nächste bitte. Bitte Platz nehmen. Grüß Gott, Herr Prechtl.

PRECHTL Grüß Gott.

FRISEUR Was kriegn mer denn?

PRECHTL Ja an Fassongschnitt.

FRISEUR Einmal Fassong wie immer, ge?

PRECHTL Ja.

FRISEUR So, wenn S' Platz nehmen, bitte so, fangmer an. *Schnipp schnipp schnipp. Schnipp schnipp.* Habn Sie an Scheitel links ghabt?

PRECHTL Naa, rechts.

FRISEUR Ah so, rechts, jawohl. *Schnippe schnippe schnipp. Schnipp schnippe schnipp.*

PRECHTL Au, na san Sie narrisch wordn?

FRISEUR Hä ha, ja, hähä. *Schnipp schnipp schnippschnipp. Schnipp.*

PRECHTL Ja he, ja he, ja he, he, was machn Sie denn da?

FRISEUR Ja mei.

PRECHTL Ja Sie, i schau ja aus wie ein Verbrecher.

FRISEUR Ja, ja mei. *Schnippe schnipp schnipp schnipp. Schnippepepe.*

PRECHTL Ja san Sie deppert, ich schau ja aus wie ein Köter.

FRISEUR Jaja, itz, da ... *Schnippschnippschippippepippe, schnippschnipp-schnipp.*

PRECHTL Ja, Sie, Sie sind ja, das is ja unerhört, was Sie machen, ich schau ja aus wie ein Arsch mit Ohren.

FRISEUR Ja mei. *Schnippe schnipp. Schnippeschnippe schnipp.* So, darüber soll ich vielleicht ein bissel ...

PRECHTL Schneiden S' mer fei ja koa Dreieck net nei, Sie ...

FRISEUR Naa, ich schneid erst mal ... darüber no e bissel, und jetzt passen S' auf ... *Schnippe schnipp schnipp schnipp.* Das hat ma heut so.

PRECHTL Ah so, ja, lassen Sie mal schaun im Spiegel. Ja, sehr gut, ja, net schlecht, sehr ordentlich, ja, jetzt kann ich mich wieder reinmischen in d Zivilisation.

FRISEUR Ja, hähä, genau. A bissel Parfüm?

PRECHTL Ja, tun Sie eins drauf.

FRISEUR Also dann ... *Sprüht. Herr Prechtl hustet und prustet.* Is es so recht?

PRECHTL Danke.

Frau Brezner

Ein kleines Werkstattbüro. Frau Meisinger und Herr Fröhlich sitzen an zwei Schreibtischen. Meisinger tippt Schreibmaschine, Fröhlich bedient gerade einen Kunden.

KUNDE Aber der Wagen für Dr. Zimmermann sollte doch schon gestern spätestens fertig werden. Das lasse ich mir nicht bieten.

FRÖHLICH Da, nehmen S' Eahnane Autoschlüssel, und da, da ham S' de Papiere, und na schaugn S', daß S' weiterkommen. Bei uns geht alles der Reihe nach, gel, des müssen S' Eahna merkn. Gel. da gehts naus.
Ein Telefon klingelt.

KUNDE So eine Unverschämtheit. *Geht, knallt die Tür zu.*

FRÖHLICH Ham Sie dahoam Vorhäng vor der Tür?! Unverschämtheit. – Ah, Fräun Meisinger, gehngan Sie hin. *Deutet auf Telefon, beugt sich über einen Ordner mit Rechnungen.* Herrgottna, der Tag geht scho guat o …

MEISINGER *hebt ab.* Mittermeier und Fröhlich, Grüß Gott. Ah, Grüß Sie Gott, Herr Zapf, ja Herr Zapf – der gelbe Audi, Herr Zapf? – Moment, ich frag mal, Herr Zapf. *Fröhlich winkt energisch ab.* Hallo, Herr Zapf, grad eben erfahr ich, noch nicht ganz, Herr Zapf, wenn S' vielleicht morgen nochmal anrufen, Herr Zapf. Sicher, Herr Zapf, mir tun unser Bestes, Herr Zapf, gut – ja – Herr Zapf. Wiederschaun, Herr Zapf. *Hängt ein.* Der Herr Zapf wars.

FRÖHLICH *winkt ab* Ach Fräulein Meisinger, machen S' mir doch bittschön a Tass Kaffee. Herrgott is des wieder ein Tag.
Meisinger geht, das Telefon läutet, Fröhlich hebt ab.
Mittermeier und Fröhlich. Ja, die Frau Brezner. – Ja, selbstverständlich, Frau Brezner. – Natürlich, Frau Brezner. Genau, Frau Brezner, also von unserer Seite ist alles getan, Frau Brezner. Ja, ich weiß, Frau Brezner, Ihre Reifen, Sie benötigen sie. Jawohl, Frau Brezner, also unsererseits, wir haben alles Menschenmögliche unternommen, Frau Brezner. Ja, es könnte vielleicht, ein kleiner Unsicherheitsfaktor – ja, Frau Brezner, wenn Sie vielleicht morgen nochmal – jawohl, Frau Brezner, wir haben alles veranlaßt. Gut, bis morgen, Frau Brezner, Sie rufen an, Frau Brezner. Ja, zu 99% sicher, gut, also. Wiederhörn, Frau Brezner.
Meisinger kommt mit dem Kaffee.
Sie, Fräun Meisinger, da hat grad eine Frau Brezner angerufen, wegan eahnane Roafn, was isn da los?

MEISINGER Aber Chef, die Reifen ham S' no garnet bstellt.

FRÖHLICH Was, de san no garnet bstellt? Ja, na bstelln Ses aber glei morgn!

MEISINGER Aber Chef, morgen, da fahr ich doch in Urlaub.

FRÖHLICH Was, in Urlaub? Aber na bstelln Ses glei nach am Urlaub!

Im Wirtshaus

Ein dünn besuchtes Wirtshaus. Früher Nachmittag. Evelyn, die Bedienung, steht hinter der Theke und raucht. Ede, ein angetrunkener Gast, kommt von der Toilette und setzt sich.

EDE Evelyn, bring ma noch a Zwetschgenwasser.

EVELYN *serviert das Zwetschgenwasser.* Aber nachad is a Ruah, gel.

EDE *kippt das Zwetschgenwasser zügig in sich hinein.* Scho recht. – Aaah. – So, und jetzt bringst ma no a Hoibe.

EVELYN Geh, du host doch scho gnua, jetzt gehst hoam.

EDE Daheim dean mir speibm.

EVELYN Ja, hoffentlich net da herin. Da herin wennst speibst, des kost dich an Fuchzger.

EDE Assassah, bring ma no a Hoibe!

EVELYN Naa, Ede, host gnua, jetzt mach ma Bilanz.

EDE Eine Halbe!

EVELYN *nimmt Edes Bierdeckel und rechnet.* Also, des warn jetzt … du host jetzt ghabt elf Halbe, naa Halt, zwölf Halbe, de letzte hob i ja gar net aufgschriebn.

EDE Scho möglich. Assasssass …

EVELYN Na hamm mir ghabt, des warn zehn Jägermeister, zehn Jäger, de vier Pils hat der Berti scho zahlt, na hast no ghabt vier Obstler, viermal Obst.

GAST Fräulein –

EVELYN I kimm scho, glei, Moment! Also, viermal Obst und ein Zwetschgenwasser.

EDE *wacht auf.* Was?! I?! A Zwetschgenwasser?! So ein Schmarrn. Ich trinke nie ein Zwetschgenwasser!

EVELYN Geh, i hob dirs doch grad bracht und du hast es gsoffn aa.

EDE Ich trinke nie ein Zwetschgenwasser, des kon i beweisen …

EVELYN Und wia kamad des nachad auf dein Deckel?

EDE … weil, ich trink ein Bier, gel, Pils auch, Jägermeister jederzeit, Obstler sowieso, aber ein Zwetschgenwasser, des kimmt bei mir nicht in Frage.

EVELYN Geh, i bin doch net blöd, und außerdem, der Herr, der wo jetzt am Klo is, der hats aa gsehn …

EDE Der ko des garnet gsehn ham, weil i gar kein Zwetschgenwasser nia net trink. Jetzt paß auf, i hab ghabt: Heit in der Fruah, beim Schnapperwirt, des warn siebm …

EVELYN Des interessiert doch net, mich interessiert ja nur, was du bei mir da herin ghabt hast.

EDE Jaso, also: I bin eini komma da war der Kramer-Bert, war scho da: *Deutet auf Berts Stuhl und wirft ihn um. Versucht, den Stuhl wieder aufzurichten, verliert dabei das Gleichgewicht.*

EVELYN Ede!!

EDE Gib a Ruah! *Setzt sich wieder.* Da hab ich die Pils ghabt.

EVELYN Geh, de san doch scho zahlt.

EDE De san scho zahlt. Genau. Klar. Und jetzt paß obacht …

EVELYN Geh sei stad, i habs doch aufm Deckl.

EDE … des warn, aah, elf Halbe.

EVELYN Und des, wo i grad bracht hab?

EDE Jetzt hast du wieder recht. Zweife warns, zwölf.

EVELYN Siehgst as.

EDE De Jägermeister san sowieso klar, des woaßt du eh bessa …

EVELYN 10 Jägermeister.

EDE Ja 10 Jägermeister d a h e r i n, weil, beim Schnapper, da hab ich ja auch scho …

EVELYN Des ghört jetzt net da her.

EDE Guat, Schwamm drüber, na ham mir no de Obstler.

EVELYN Ja, viere warn des.

EDE Ja, viere, oiso, na waarn mia doch beinand.

EVELYN Naa, weil da fehlt no des Zwetschgenwasser!

EDE Des war kein Zwetschgenwasser, des war ein Himbeergeist!

EVELYN Ah geh, des is doch desselbe.

EDE Naa, des is nicht dasselbe un des kon i beweisen! Weil, ich trink ja auch kein Sekt. Net, daß i'n net vertrag, aber i mogn net. Und genauso is des mit dem Zwetschgenwasser.

EVELYN Na zahlst halt an Himbeergeist, der kost desselbe, des is doch mir wurscht.

EDE Aber mir net, weil i net zahl, was i net bstellt hob, und dei Zwetschgenwasser, des konnst dir an Huat naufschreibm.

EVELYN *gütig* Dann hast halt an Himbeergeist ghabt.

EDE Ja eben! Eben!! Aber koa Zwetschgenwasser. Drum zahl i ja den Himbeergeist, aber net alle zwoa!

EVELYN Wieso zwoa?

EDE A Himbeergeist und a Zwetschgenwasser, des is doch zwoarerloa, zweierlei! A Zwetschgenwasser is doch a ganz anderes Getränk, du Rindviech.

GAST Hallo, Fräulein ...

EVELYN Glei, Moment. Also Ede, na ham mier alles mitanand 59 Mark und 60.

EDE *zieht Geldbörse und hält sie Evelyn hin.* Scho möglich.

Evelyn nimmt Edes Geldbeutel, holt sich das Geld heraus und legt das restliche Wechselgeld auf den Tisch. Ede wankt zum Klo.

EDE A Zwetschgenwasser und a Himbeergeist, des is ja grundsätzlich ganz was anders. Scho vo Haus aus. *Dreht sich nochmal um.* Stell mir no a Halbe hin, zum Obischwoabm. *Ab ins Klo.*

Der Gast, korrekt gekleidet mit Fliege, ruft nach der Bedienung.

GAST Fräulein, Fräulein ...

EVELYN I kimm scho. *Geht zum Gast an den Tisch.*

GAST Fräulein, ah, was können Sie mir heute empfehlen? Haben Sie irgendetwas Spezielles oder soll ich à la carte bleiben?

EVELYN Mei, a Ding hätt ma da, a Currywurscht, oder, Leberkäs Hawai, oder – nehmen S' an Rinderbraten indisch. Der is sehr gut. Mit viel Curry. Wird gern verlangt.

GAST Soo, mhm, ahaa, jaa, nein, dann bringen Sie mir doch lieber ein paar Wienerle mit Senf.

EVELYN Tuat ma leid, de san aus.

GAST Ja so, hm, was nehm ich denn dann?

EVELYN Nehmen S' den Leberkäs Hawai, da können S' koan Fehler machen.

GAST Soo, wenn Sie meinen, na gut.

EVELYN Also, einmal Hawai.

GAST Und ne Selter.

Ede kommt vom Klo und rumort an seinem Tisch.

EDE Hergottna, wo is denn mei Autoschlüssel!

EVELYN *ruft in die Küche* Einmal Hawai!

EDE Sackramentzefix, ja wo is er denn?! *Schmeißt leeres Bierglas um.*

EVELYN Eedee!

EDE Mein Schlüssel! I hob n vorhin no ghabt, i bin ja vom Schnapperwirt direkt da hergfahrn.

EVELYN Da, steck dei Geld ei. *Verstaut ihm das Wechselgeld und sucht die Autoschlüssel.*

EDE I muaß ja heit no weitermachn.

EVELYN *klopft Ede ab, holt die Autoschlüssel aus seiner Jackentasche.* Da is er doch. Du hostn ja in da Taschn ghabt.

EDE Gel, i hobs glei gwußt. *Schaut auf die Uhr.* Ja, i muaß jetz weitermachn. Höchste Zeit, is. ja scho gleich halba zwoa. Servus. *Wankt hinaus.*

EVELYN Also, Wiederschaun Ede, und fahr fei schön vorsichtig.

EDE Selbstverständlich. *Ab.*

GAST Sagen Sie mal, Fräulein, lassen Sie den Herrn da in diesem Zustand noch einfach so Auto fahren?

EVELYN Wieso? Der kon des. Der is doch Kraftfahrer von Beruf. Der fahrt an Schulbus.

Berufsbayern

Ein modernes Büro, auf der Türe ein Firmenschild: »Inter Bavaria GmbH & Co. KG.« Daneben ein Poster mit bayrischer Landschaft und der Aufschrift: »Grüß Gott, auf geht's – Bayern grüßt Berlin«. Am Schreibtisch thront in einem modernen, aber trotzdem bequemen Sessel die Chefin. Ein Bayernlehrling sitzt seitlich am Schreibtisch in Tracht, mit Diktiergeräthörer im Ohr und schreibt Zahlen und Listen. Am Garderobenständer hängt ein Gamsbart und ein Hakelstecken. Herr Kratochwil steht wie ein begossener Pudel vor dem Schreibtisch.

CHEFIN Urisch sollen Se sein, dat steht so in Ihrem Vertrach, ne, dat is, wat wir wollen, als Urvieh sollen Se auftreten.

KRATOCHWIL Chefin, i packs ja nimma. Beim Watschendanz hod mia da Herr Pampel scho zum drittenmoi mei Krone nausghaut. Da geht a ganzer Wochenverdienst drauf.

CHEFIN Dat hätten Se sisch man vorher überlejen müssen, Herr Kratochwil, sehn Se mal in Ihre Vertrach, ne, dat is alles ausjemacht, ham Se selbst unterschrieben. Übrijens, bei jedem Auftritt haben Se zwei Maß Bier zu trinken, nit nur dran nippen!

KRATOCHWIL Scheefin, i derfs ja nimma, mei Leber ...

CHEFIN Und Sie wollen'n Urvieh machen, dat is ja jämmerlisch, dat nimmt uns doch dat Publikum nit ab, dat Sie en Urvieh sind.

KRATOCHWIL Chefin, i ...

CHEFIN Sehen Se sisch de Herr Pampel an, der macht dat rischtisch, der schluckt dat fröhlisch runter. Dat sehen Se dem auch nach der fünften Vorstellung noch nit an, dat der zehn Maß Bier jetrunken hat.

KRATOCHWIL ... und fünf Obatzte gessen hot, i kon an scho nimma seng, na muaßs is scho schpeibm.

CHEFIN Wat Se privat essen, dat jeht misch nix an, aber Sie sind hier im Angaschemang als Urbayer anjestellt, und da wird naturjetreu jejessen auf der Bühne.

KRATOCHWIL Schefin, aba jeds moi Leberkas, und dann no an Schweinshaxen, fünf mal am Tag, Schefin, i packs nimma.

CHEFIN Frohsinn sollen Se verbreiten, dafür zahlt de Kundschaft. Stehen Se nit so miesepetrisch herum. Beim Plattln, wat denken Se sisch eijentlisch dabei, so unmännlisch rumzuhüppen?

KRATOCHWIL Schefin, des Geplattle, i ko nimma, i war beim Orthopäden, der hat gsagt, i hob an Bandscheibenschaden, Schefin, es geht nimma, ko i net an Förster spuin – wenigstens a Zeitlang.

CHEFIN Kommt nit in Frage, Herr Mehlhase spielt den Förster.

KRATOCHWIL Scheefin, i hob no acht Tag Urlaub, do kunnt i nach Mallorca fahren, zum Auskuriern – gangad des jetz? I ko ja nimma!

CHEFIN Jetzt in de Bayrischen Woche! Wie stellen Se sisch dat vor?

KRATOCHWIL Chefin, ko i wenigstens a paar Tag mitm Radi und mim Kas aussetzn, weil mir is allweil so schlecht!

CHEFIN Herr Kratochwil, wennet nit jeht, dann müssen wir uns leider trennen. Herrn Rösel kann isch, so wie er is, morjen schon auf de Bühne schicken.

Ein Liliputaner kommt zur Tür herein, in Tracht mit einer langen Feder am Hut, legt eine Tasche auf den Schreibtisch.

LILIPUTANER That's the money from yesterday. Good bye, Servus. *Verschwindet wieder.*

KRATOCHWIL Ciao Billy.

CHEFIN Also jut, Herr Kratochwil, man is kein Unmensch, lassen Se de Keese un de Rettisch weg, dafür machen Se dann ... *überlegt* Wieviele Duliöh ham Se im Vertrag?

LEHRLING Fünfzehn Duliöh und neun Auf gehts.

CHEFIN Jut. Verdoppeln wir de Duliöh, dann können Se sisch de Rettisch und de Käs schenken.

KRATOCHWIL Wenns sei muaß ...

CHEFIN Aber de Schweinshaxe wird jefälligst ganz aufjejessen, samt de Knödel. Ne Urvieh, dat nit aufißt, dat jibt et nit.

KRATOCHWIL I hob ja so a Gastritis, Schefin, was huift ma da Kamillentee in da Pause, wenn i hernoch wieda a Haxn freßn muaß.

CHEFIN Dat interessiert misch nit. Urisch sollen Se wirken. Machen Se dat Duliöh mehr herzerfrischend, dat muß von innen heraus, so rischtisch, zeigen Se mal Ihre Urschrei.

KRATOCHWIL Jetzad glei?

CHEFIN Dat Publikum hat sisch neulisch beschwert, dat muß isch sehen, woran dat liescht, also, machen Se mal!

KRATOCHWIL UijäUjäUijäh ...

CHEFIN Dat soll ne Urschrei sein!? Mehr volle Pulle. Machen Se!

KRATOCHWIL Järiduliöduliäh!

CHEFIN Naja, n bißchen kümmerlisch is dat immer noch.

KRATOCHWIL Chefin, i kos nimma. I habs mit de Stimmbandln.

CHEFIN Ausreden! Sie sind ne Drückeberjer, Herr Kratochwil, also, isch weiß nit, Ihr Kollege Pampel, dat is ne janz andere Form von Mitarbeiter, der hat de rischtije Einstellung zum Beruf. Der vermittelt dat Oberbayrische so rischtisch herzhaft, so escht und naturjetreu, frohsinnisch, eben alpin, ne.

KRATOCHWIL Ja mei ...

Herr Pampel erscheint in Lederhose und Jeansjacke hängt seinen Trachtenhut samt blonder Frisur an den Garderobenständer.

PAMPEL *sächsisch* Nu, Chefin, ich gomm glaich wiedar, nich wohr, ich hob

[NOCH PAMPEL] son poor Klainichkaiten zu erlädigan, nich wohr, viellaicht eß ich nochn Hamburger, nä, zum Auftritt bin ich dann rechtzaidig wiedr do, nich wohr, also dann, bis spädr.

CHEFIN Is jut, Herr Pampel.

PAMPEL Öh, Chäffin, das Zimmralbhorn hob ich bestellt.

CHEFIN Fabelhaft. Dat klappt ja alles präschtisch, Herr Pampel, machen Set jut.

PAMPEL Servus.

KRATOCHWIL Ciao.

Herr Pampel verschwindet eilig.

CHEFIN Sehn Se, Ihr Kolleje, dat nenn isch vorbildlisch.

KRATOCHWIL I bin ja scho vui länga in dem Beruf. Sie wern sehng, oan zwoa Joahr, na hats n aa dawischt. Des dabackt koana.

CHEFIN Is jut, Sie können jehn. Machen Se jute Laune und merken Se sisch dat: Dat Publikum wünscht n fröhlisches Urvieh.

KRATOCHWIL I woaß scho, Schefin, jetzt schaung ma halt amal ...

CHEFIN Kopp hoch, Herr Kratochwil, dat wird schon.

Kratochwil verkrümelt sich.

CHEFIN *zum Lehrling* Dekadenter Kerl. Dat is doch ne Ruine vonnem Mensch, der jehört ins Hospital ... Machen Sie mal en Urschrei, Herr Rösel.

Der Lehrling nickt devot und setzt zum Urschrei an.

Der Freitagabend-Zug

Ein dünn besetzter Silberling der Deutschen Bundesbahn. Georg Blascheck lehnt, vom Alkohol angegriffen, in einer Ecke, daneben sitzen Helmut Grissinger und Hubert Flachl. Der Zug fährt an.

HELMUT Sag amol Berti, jetzt san ma grad z Darching. Der Schorsch hätt doch grad aussteign miassn.

HUBERT Der werd doch selber wissen, wo er naus muaß. Der soll aussteign wo er mog.

HELMUT Du Schorsch, he, Schorschi ... *Schüttelt ihn.*

GEORG *grunzt.*

HELMUT Schorschi, was is n ...

GEORG *grunzt.*

HELMUT Hee, Darching ...

GEORG Jaja, scho recht.

HELMUT Muaßt du net in Darching außi?

HUBERT Geh, laß eahm doch sei Ruah.

HELMUT Ja aber er, er, er is doch allweil in Darching ausgstign.

HUBERT Ko scho sei, heit fahrt er halt a Stückerl weiter.

HELMUT Ja, aber i fahr jetzad scho seit zwölf Jahr mit m Schorsch hoam, und er is allweil in Darching ausgstign. – Hee, Schorsch, hallo Schorsch!

GEORG Jaja, äh ...

HELMUT Mir san ma grad z Darching gwen, nächster Halt Miesbach ...

GEORG Jaja, scho recht.

HUBERT I moan, der Schorsch macht heut eine große Reise ...

HELMUT Was is n Schorsch, fährst zum Gardasee oder ans Meer? *Zu Hubert* Bis wo fahrtn der Zug?

HUBERT Bei Kiefersfelden geht er über d Grenz ...

HELMUT Na hat er ja no Zeit. – Gell Schorsch, na hast no Zeit?

Gesprächspause. Der Zug fährt langsamer, hält an. Hubert zieht eine Bierdose aus der Mappe.

HUBERT Was is, brauchst aa no oane ...

HELMUT *sieht zum Abteil hinaus.* Ja mei, des werd knapp, ah ja, duas her.

HUBERT Oane geht allweil no ... *Öffnet die Bierdose.*

Marlies Kubierschki, ein Wammerl, betritt das Abteil und setzt sich.

HUBERT Gutn abend, gnä Frau, gehts wieder hoam?

HELMUT Do schaugn S' her, da hätt ma an charmanten Reisebegleiter. – Schorsch, reiß di zam, da is eine Dame!

GEORG *grunzt.*

HELMUT Ja, er versteht was von Frauen.

Das Wammerl schlägt die »Aktuelle« auf, nimmt Zigarette, Helmut gibt fast galant Feuer.

WAMMERL Danke.

HUBERT Der Schorsch macht heute eine Weltreise. Hahahaha ...

HELMUT Wohin fahrst n, zum Gardasee oder glei ans Meer? Hahahaha ...

GEORG *grunzt.*

HUBERT Er ist no a bisserl unentschieden, er woaß no net genau. Prost. – Meng S' aa a Bier?

WAMMERL Naa, ah ...

HELMUT Aber Berti, fallst mi fragst, da Schorsch hätt in Darching naus miassn. Spätestens.

HUBERT A Schmarrn, wart amol, wart amol ...
Greift Schorsch ins Sakko, zieht ein Pornoheft heraus. Hahahaha, so eine Sau, schaug amol.

HELMUT Wia, zoag her ... *Schaut, lacht* Do schaugn S' her, i hobs Eahna ja gsagt, da Schorsch versteht was von Frauen.

WAMMERL A geh, hörn S' auf.

HUBERT *kramt weiter, findet Brieftasche mit Ausweis, liest* Da steht nix wo er wohnt. *Findet Foto.* Hee, Schorsch, is des dei Onkel, schaug amol, der schaugt aus wia ein Vampir.

HELMUT I dad sogn, eher wia ein Sexualverbrecher, oder, wos dadn Sie sagn, Fräulein?
Das Wammerl reagiert nicht.

HUBERT Beim Bund war er ... und was ham man do? Ui, do schaug her, des is ... aha, do, aha mhm, do des is sei Kündigungsschreiben ... Kreitmeier & Fröhlich braucht eahm nimmer. Der Schorsch is unrentabel worn.

HELMUT Do kon er natürlich leicht in Urlaub fahrn, hahahaha. – Rentierst di nimmer, Schorsch. – Wos is Fräulein, san Sie ungekündigt?

WAMMERL Geh.

HELMUT Schorschi, denk da nix, die ganze Welt ist ein Roulett. Oder Fräulein?

HUBERT Was is, rauch ma oane? *Nimmt Georgs Zigaretten.*

HELMUT Rauch ma oane. *Gibt Hubert Feuer.*

HUBERT Meng S' aa oane Fräulein, der Schorsch is ein Gentleman, immer großzügig. *Das Wammerl raucht bereits demonstrativ.*

HUBERT *Helmut hat Feuer gegeben.* Danke

HELMUT Lebt der überhaupts no? *Hält Schorsch ein Streichholz hin, Schorsch schnaubt das Feuer aus.* – Vielleicht mog er a Bier.

HUBERT He Schorsch, Gerstensaft, der bringt Kraft ... *Trinkt selbst tiefen Schluck, schüttet Schorsch den Bierrest über den Kopf.*

GEORG Aihjajajaja ...

HELMUT Do, beim Bier, do werd er munter, do werd er wach.
Das Wammerl lacht versteckt.

HELMUT Der Schorsch is nämli vo Darching. – Noch an Schluck Schorschi? *Schüttet größere Ladung Bier über Schorschs Kopf.*

GEORG Ah Scheiße zefix, ähjessasas …
HELMUT Segn Ses Fräulein, so schaugts aus.
HUBERT Wo fahrn an Sie hin?
WAMMERL Des geht eich doch an Dreck o …
HUBERT No, weil der Schorsch mog gern a charmante Begleitung.
WAMMERL Auf a so a Begleitung kon i verzichten.
HELMUT Sogn S' des net, der Schorsch is vo Darching.
WAMMERL Des kon scho sei. *Malt sich die Lippen nach.*
HUBERT Dern Ses her, dern Ses her …
HELMUT Dern Ses her, dern S' n her, im Ausland braucht er a gscheits Make-up …
HUBERT Sonst lassns eahm net über d Grenzn.
Das Wammerl malt Schorsch einen Strich auf die Backe und die Nase, alle lachen brüllend.
HELMUT Dern Ses her, dern Ses her.
Er schreibt auf die Rückseite des Kündigungsschreibens »Bitte nicht stören«.
HUBERT *appliziert die Kündigung an Schorschs Sakko.* Den wenn koaner weckt, na fahrt er durch bis Sizilien.
HELMUT Er is a guater Beifahrer, der Schorsch.
Der Zug wird langsamer.
HELMUT *steht auf.* Herrgott, jetz wos gmiatlich werd, miaßn mia aussteign.
HUBERT Also Schorsch, machs guat.
HELMUT A guate Reise noch. Und pass fei guat auf dei Gepäck auf.
Schiebt den Porno in Schorschs Sakko zurück. – Fräulein, Sie schaugn noch a bisserl auf eahm, er is a guater Kerl.
HUBERT Der Schorsch versteht an Spaß.
HELMUT Gell Schorsch, ein guter Kamarad.

HUBERT *steht auf.* Wissen S', mia fahrn scho seit zwölf Jahr im selben Zug.

HELMUT Ja, jetz werd a nimmer viu mitfahrn, aber er war ein guter Kamarad …

HUBERT Mia kennen uns aus, gell, der Schorsch woaß, was los is, gell Schorschi.

HELMUT Mein Gott na, a so hab i scho lang nimmer glacht. A so eine Gaudi. – Also nachad, naja wiederschaugn.

WAMMERL Wiederschaugn.

HUBERT Jessas, der Schorsch hat jetz garkoane Schilling dabei. – Also wiederschaugn.

WAMMERL Wiederschaugn.

HUBERT Und dern S' n fei net verführn, weil der Schorsch hat a Familie.

HELMUT Aber in Darching. Hahahaha. – Also Schorsch, a schöns Wochenend noch. – Ihnen auch, Fräulein.

WAMMERL *reagiert nicht, liest wieder die »Aktuelle«.*

HUBERT Und viele Grüße an Südtirol.

HELMUT Oder Kärnten. Mein Gott naa, so eine Gaudi.

HUBERT An der Adria braucht er fei a Badhosn …

Die beiden verlassen den Zug. Das Wammerl steht auf, setzt sich an einen anderen Platz, der Zug fährt weiter. Helmut und Hubert streben dem Vorort-Bahnhofsausgang zu, glänzend gelaunt.

Wann i nimmer meng dad

Wann i nimmer meng dad,
wann i nimmer meng dad,
wann i nimmer meng dad,
gangad i hoam.

Oamoi mog i nimmer
und hör auf für immer
oamoi mog i nimmer
und geh in Pension.

Doch i tua no weida,
weil, des is vui gscheida,
denn dahoam is mir
genauaso fad.

Aba wann i ofang,
waar ma scho de Zeit zlang,
und bevor i higlang,
laß is liaba bleibm.

Wann i nimma meng dad,
wann i nimma meng dad,
wann i nimma meng dad,
gangad i hoam ...

Bauen, Wohnen und Umwelt

D'Anni hat gsagt, also sie sagt auch, des Moderne sagt sie, des is ja heute mehr oder weniger direkt symptomatisch.

Die Okkupanten

Herr Reitmoser und Frau Güstrop entsteigen einem 500 SE. Sie nähern sich einem Gehöft.

FRAU GÜSTROP Der Mann ist quasi in Rente. Es reicht vorn und hinten nicht, nebenbei verdient er sich noch n paar Mark mit so Holzschnitzereien und son Zeug. Drum hab ich auch zum Herrn Ranftl gesagt, das ist der Bürgermeister ...

HERR REITMOSER Is er Bürgermeister?

FRAU GÜSTROP Nee, nee, er heißt auch Ranftl. Die heißen hier alle Ranftl oder Breitenberger. Bei den Verwandschaftsverhältnissen hier blickt ja kein Aas durch. Also ich sage: Der Mann muß hier raus. Das isn Sozialfall, das, das, das geht doch nicht ...

HERR REITMOSER Jedenfalls net auf Ihre Kosten, Frau Güstrop ...

FRAU GÜSTROP Ja eben, eben, der Mann sitzt ja sonst praktisch auf der Straße, das ist doch kein Zustand, nicht wahr ...

HERR REITMOSER Ja aber ich muß schon sagen, sonst ham S' es fei sehr schön derwischt, es hat was Unberührtes.

FRAU GÜSTROP Ja eben, das is es. Ich bin ja auch sehr glücklich, daß Dr. Frank dieses Idyll für mich aufgetan hat. Schaun Sie, hier wohnt der Breitenberger, da bekomme ich meine Milch direkt von der Kuh, und Eier jede Menge ...

HERR REITMOSER Ja, richtige Landeier quasi ...

FRAU GÜSTROP Kucken Sie sich mal an: Das is hier alles noch so richtig intakt. Herrlich einfache Leute, keine Spur von Überfremdung, wo findet man das heute noch ...

HERR REITMOSER Da müssen S' fei im Bayerischen Wald heut scho weit suacha. Weil wenn die Autobahn amol fertig is, dann hams mehr Zahnärzte wie Bauern da. I moan, da wos schee is da druntert ...

FRAU GÜSTROP So Herr Reitmoser, da wären wir. Was sagen Sie nun?

HERR REITMOSER Ja, ja, kein schlechter Griff, Frau Güstrop. Aufn ersten Blick jedenfalls. Schau mir amal, was mir noch an Bausubstanz vorfinden ... *Prüft Fundament.* Schwamm scheint keiner drin zu sein ...

FRAU GÜSTROP Nee, nee, das is alles trocken. Darauf hab ich schon geachtet.

HERR REITMOSER Des is scho die halbe Miete. Dad i sogn: geh mer mal nei. Ham S' an Schlüssel dabei?

FRAU GÜSTROP Nee, is offen. Sie wissen ja, dieser ...

HERR REITMOSER Ah ja ...

FRAU GÜSTROP Sagen Sie mal, Herr Reitmoser, was isn das hier! *Deutet auf KMB.* Hat das mit Maul und Klauenseuche zu tun? Das habe ich hier schon überall gesehen ...

HERR REITMOSER Naa, des hoaßt Kaspar, Melchior, Balthasar ...

FRAU GÜSTROP Is das irgend ne Firma ...

HERR REITMOSER Na, des san die heiligen drei Könige.

FRAU GÜSTROP Ach so, ja. Also, kommen Sie ... *Beide gehen ins Haus.* Also hier dachte ich das Gästezimmer. Wissen Sie, von den Kontakten mit der hiesigen Bevölkerung kann ich ja nicht leben. Ich brauche ja ab und zu mal jemanden, mit dem man sich unterhalten kann.

HERR REITMOSER Ja, Natur an und für sich okee, aber ohne Kontakte verkümmert der Mensch. Sie san ja sonst praktisch aufgeschmissen.

FRAU GÜSTROP Nö, nö, ich versauere hier nich, keine Sorge, hier dacht ich mehr für gute Bekannte, und aus der Scheune mach ich dann später ja noch ne Einliegerwohnung.

HERR REITMOSER Ja, da ham S' recht, und steuerlich stehn S' ja dann auch ganz anders da. Ham S' noch irgendwelche Sonderwünsche für da herin? Weils was von am offenen Kamin gesagt ham ...

FRAU GÜSTROP Nöö, hier Kachelofen. Ja, und hier dachte ich an ne Art Kreativitätsraum, daß ich mal male, oder modelliere oder irgend so was, hab ich mir gedacht, der Raum hier hat nämlich ne unheimliche Atmosphäre. Finden Se nich? Sie müssen sich nur dieses Gerümpel hier mal wegdenken, aber ich brauche hier Licht.

HERR REITMOSER Mach ma a Fenster zusätzlich rein. Von der Statik her dads gehn und vielleicht a paar Studiolampen.

FRAU GÜSTROP Ja, so irgendwie.

Die beiden gehen in die Küche. In der Küche sitzt Ranftl und schnitzt.

HERR RANFTL Grüß Gott!

FRAU GÜSTROP Guten Tag, Herr Ranftl. Herr Reitmoser, das ist Herr Ranftl, von dem ich Ihnen schon erzählt habe. Das ist Herr Reitmoser, mein Architekt.

HERR RANFTL 'ß Gott.

HERR REITMOSER Angenehm.

FRAU GÜSTROP Behalten Sie Platz, Herr Ranftl. Wir kucken uns grade mal um: Also, hier dachte ich den offenen Kamin.

HERR REITMOSER Ja, schön, aber da moan i werds schwierig ... *Klopft an die Wand* ... wei so wia des Haus ausschaugt, ham die wahrscheinlich Stützbalken in den Kamin nei gmauert, und da sagt die Feuerpolizei sofort nein ...

HERR RANFTL Naa, des miaßat scho geh. Wei wia mei Vater seinerzeit an Speicher umbaut hot, da ham mir seinerzeit ...

HERR REITMOSER Ja, ja, das kenn ma scho. Naa, da miaß ma was macha, weil, die ham damois noch koa Feuerpolizei ghabt, weil, des Haus schätz ich so approximativ auf zweihundert Jahr leicht ...

FRAU GÜSTROP Nöö, das reicht nicht. – Herr Ranftl, äh, äh wie lange sitzt Ihre Familie schon hier auf diesem Hof?

HERR RANFTL Ja, mir san urkundlich as erste Mal erwähnt 1602. Der Name Ranftl is praktisch ...

HERR REITMOSER Und was macht ma mit de Böden, gnä Frau?

FRAU GÜSTROP Tja, da hab ich, äh, was Tolles gesehen. Ich hab mir das auch schon zugelegt. In der Provence hab ich das in meinem Haus, das hat sich sehr bewährt. Das is so wie gebrannter Lehm irgendwie, ganz bäuerlich urig, aber n warmer Ton, und darüber n Perserteppich. Sieht fabelhaft aus.

HERR REITMOSER Ja, und zum Perser a Eichenparkett?

FRAU GÜSTROP Nöö, Täbris und Lehm, das ist die Mischung, n fabelhafter Kontrast.

HERR REITMOSER Wie Sie meinen.

FRAU GÜSTROP Tja, Herr Reitmoser, jetzt hab ich aber noch n ganz spezielles Problem, ich würde gerne diesen ländlichen Geruch in diesem Raum erhalten.

HERR REITMOSER Sie meinen die Aura da herin. Des wird natürlich äh, am Geruch können wir leider noch nichts konservieren, da machen S' halt des Fenster auf, da is doch glei a Bauernhof ...

FRAU GÜSTROP Nö, da zieht doch Dr. Frank ein. Mit Landwirtschaft hat der nichts am Hut.

HERR REITMOSER Ja aber a guate Luft ham S' hier auf alle Fälle. So, i dad sagn, des ham mir jetzt gsegn derweil, schaun mir uns doch mal oben um, wia ma des mit der Galerie machen ... *Geht, steht im Gang.*

FRAU GÜSTROP *leise* Herr Ranftl, also es tut mir leid, aber am Ersten ist nun endgültig ultimo.

HERR RANFTL Ja, aber ich hab ja noch garnix.

FRAU GÜSTROP Das ist Ihre Sache. Sie wissen seit drei Monaten Bescheid ...

HERR RANFTL Ja, aber ich muß doch auch irgendwo ...

FRAU GÜSTROP Glauben Sie mir, niemandem tut es so leid wie mir, aber es geht nicht anders. Ich habe hier zweitausend Mark Verbindlichkeiten pro Monat.

HERR RANFTL Ja, schon, aber ...

FRAU GÜSTROP Am Ersten nächsten Monat, da ist nichts mehr dran zu rütteln. Herr Reitmoser, wann fangen wir an?! Wann kommen die Handwerker?

HERR REITMOSER Am dritten san die Maurer bestellt. In vierzehn Dog gehts auf ...

FRAU GÜSTROP Sehn Sie, Sie hams gehört, also dann, schönen Tag noch.

Sie gehen, Herr Ranftl schaut.

Ein Sanierer

HEROLD I sag Eahna ganz ehrlich, der Mieter is wie ein Hausschwamm. Der, wenn amal drinsitzt, kriegstn nimmer raus. Also, i sags Eahna, was ich an Aufwand ghabt hab, bis i die Bagage draußd ghabt hab, finanziell und ideell, Sie, des vergütet mir koa Finanzamt. Steuern derf i scho zahln, gel, und was draus macha aus dera Bruchbude – wissen S', des is des, was uns Unternehmer heute müde macht. Alloa, wega der oidn Schäsn, de wo da drin war – wie ein Blutegel. De hat si direkt festgsaugt. Weil sie gsagt hat, i soll wartn, bis sie nausgstorbn is. Na sag i, ja Sie san guat, Frau, Sie wohnan jetz seit vierzig Jahr da herin bei am Mietpreis, wo i mr net amal a Essiggurkn kaffa ko, ja, da könnan Sie no lang lebn, aba i ko net davo lebn, vastehngas. I gunn Eahna ja a langs Lebn, aba net auf meine Kostn und net da herin. I hob dera Frau nachad fünf Braune unter d Nasn ghaltn, schau her, Oide, des is doch des, was du brauchst, hab i gsagt, na hat ses woana ogfangt, wei, so vui Geld hat ja de in ihrm Lebn no nia auf oam Haufn gsehng, na hab i mir denkt, guat, i bin zwar net der Weihnachtsmann, aber den Umzug ins Seniorenheim zahl i ihr aa no, ma is ja schließlich a Mensch irgendwie. Guat, na war de Oide draußt, na is erst losganga. Im ersten Stock a Familie mit vier Kinder. Sie, des is ja wie ein Tabu. Findn Sie für solchane Krattler amal a Ersatzwohnung. Praktisch aussichtslos. I hab dene gsagt, Leut, as Nymphenburger Schloß kon i euch natürlich net mietn, a ganze Jahresmiete hätt i dene erlassn, nix. I habs nachad an meine Anwälte übergebn, wei, mit gutm Zuspruch is nix ganga. Sie, wenn S' amal an guatn Anwalt brauchn, i hob oan, der find Eahna oiwei a Gesetzeslücke. Der is wia a Marder. Guat, also zufällig hat si nachad der Familienvater von dene umbracht, na sans a Fürsorgefall worn, un na is doch wenigstens a weng schneller ganga. Überall, wo was frei worn is, hob i a paar Türkn nachgschobn, des san guate Verwohner, hats ghoaßn, dabei ham de Hund dann heimlich as renoviern ogfangt. Na hab i de aa wieder naustoa müaßn, und in dem Stil waar des aso weiderganga, na hab i as Dach abdeckt, d Haustür ausghängt und im Stiagnhaus as Liacht abdraht. Da drin hats pfiffn wia in am Windkanal. Aber Sie wern lacha, nur so gehts. Nur so. Schaun Sie, i hab den Häuserblock gerbt, von meim Bappa, aber wie sagt so schön der Meister Goethe: Was du ererbt von deinen Vätern … *Entdeckt einen Penner.* Ah, was tuatn der da? Ja, schaug, daß du weidakimmst, oda muaß i d Polizei rufn. Ja, hörst du schlecht, schleich di! *Penner verzieht sich.* Ja, sagn S' amal, de san ja schlimmer wie de Ratzn. Sie, wenn man so Leut siehgt, dann fragt ma sich doch wirklich: In was für am Staat lebn mir denn eigentlich …

Großbrand

Die Häuserfront eines Wohnblockes. Man hört Martinshörner eines Löschzuges. Fenster gehen auf. Anton Bemmerl öffnet sein Wohnzimmerfenster. Innen Fernsehlicht und -ton.

ANTON Anni! – Anni!

ANNI Ja, was is des.

ANTON Es brennt.

ANNI Des werd bei dene Gastarbeiter sei, de da eizogn san.

ANTON So ein Leichtsinn. Weils oiwei mitm Tauchsieder kochn.

ANNI Da, schaug, de Flammen gehnga schon nauf bis zum Herrn Rösner. Ob der dahoam is?

ANTON Der is doch um de Zeit nie dahoam.

ANNI Vielleicht is er doch dahoam, na muaß man warnen.

ANTON Naja, er is ja wahrscheinlich doch net dahoam. A so ein Leichtsinn.

ANNI De Feuerwehr laßt si aa Zeit. Daß da garnix voran geht ...

ANTON De lassn des abbrenna, wega der Altstadtsanierung.

ANNI Vielleicht findens koan Wasseranschluß.

Man hört neue Martinshörner.

ANTON Da kimmt no a Löschzug.

ANNI Du, wer steht denn da?

ANTON Wo?

ANNI Da obn im Fenster. Des is doch die Frau Mitterwieser.

ANTON Ja, des is d Frau Mitterwieser. Ja, furchtbar, de alte Frau Mitterwieser. Is der Maxl net dahoam.

ANNI Naa, de san heuer nach Südtirol.

ANTON So, i hab gmoant, de san heuer in Kärnten.

ANNI Nanaa, Südtirol.

ANTON *blickt nach oben* Grüß Gott, Frau Sontheimer. Brennt ganz schee. *Deutet* D Frau Mitterwieser!

ANNI Wettn, die ham koa Sprungtuch dabei.

ANTON *laut nach oben* De ham wahrscheinlich koa Sprungtuch dabei, und der Maxl is in Südtirol!

ANNI De arme Frau Mitterwieser, daß die auf ihre alten Tag no hupfn muaß.

ANTON Naa, wettn, de hupft net. De verbrennt lieber, bevors hupft.

ANNI Da schaug hi. Der Rösner.

ANTON Is er doch daheim.

ANNI Obwohl der sonst um die Zeit nie daheim is.

ANTON A so ein Pech. Durchs Stiegenhaus kommt der nimmer.

ANNI Schaug dir doch amal diese Rauchentwicklung an. Daß des a so raucht. Was ham denn de für Möbel.

ANTON Des san de Teppichböden, de wo so rauchen. Also durchs Stiegenhaus kommt der nimmer.

ANNI De müaßn doch amal a Leiter hertoa, de alte Frau kann doch net abihupfn.

ANTON Ja, des is unzumutbar. De is doch scho guate siebzig Jahr, de halt so an Sprung nimmer aus, des san doch mindestens elf Meter.

ANNI Wenns langt. Elf Meter sans mindestens.

ANTON Da, de Gastarbeiter stehnga scho drunt.

ANNI Typisch. De ham si in Sicherheit bracht.

ANTON Mei, de ham nix zum Verliern.

ANNI Wie die den Schaden wiedergutmacha wolln, is mir auch schleierhaft.

ANTON Ja, bei dene werd net viel zum holen sei. Schaug, jetz löschens mit der Schaumkanone.

ANNI Mein Gott, de macha ja ois kaputt. Da, de Vorhänge, de könnas wegschmeißn.

ANTON Mei, vielleicht sans versichert.

ANNI Jetz hams de alt Mitterwieser in Sicherheit bracht.

ANTON Der Rösner is aa scho herunt. *Martinshörner und Blaulicht.* Da, jetz kamad as Rote Kreuz daher, wos alle in Sicherheit san.

ANNI Mei, der schaugt vielleicht aus in seim Morgenmantel. Wo de heut nacht schlafn?

ANTON Mei, irgend a Hotel oder a Nachtasyl.

ANNI Oder vielleicht bei Verwandte.

ANTON Jetz ham ses eh gschafft. Des bißl Rauch macht nix mehr.

ANNI Des war ja gar koa Großbrand. *Laut nach oben* War ja gar koa Großbrand.

ANTON *ebenfalls laut* Des, wenn a Großbrand gwesn waar, hätten ses nicht so leicht in Griff kriagt.

ANNI Na dads jetz no brenna. Naja, i schaug wieder a bißl. *Weg vom Fenster.*

ANTON Geh weiter Anni, mach a weng lauter, vielleicht bringen ses in de Nachrichten.

ANNI *erscheint nochmal.* Des glaub i net, wenn, na bringen de nur an Großbrand.

ANTON Naja, es kimmt drauf o, was s' sonst für Nachrichten ham … *Schließt das Fenster.*

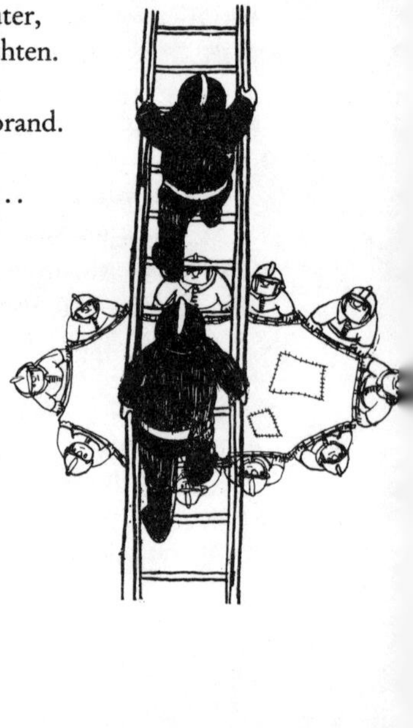

Der neue Mieter

Herr Vögele geht im Treppenhaus, Frau Humpel öffnet ihre Haustür einen Spalt.

FRAU HUMPEL Psst, Sie, Herr Vögele …

HERR VÖGELE Ja?

FRAU HUMPEL Ham S' an Augenblick Zeit?

HERR VÖGELE Ja, wieso?

FRAU HUMPEL Sie ham S' aa scho ghört, oder?

HERR VÖGELE Ja, wasn?

FRAU HUMPEL *deutet nach oben* Dritter Stock …

HERR VÖGELE Ahso, der neue Mieter, jaja, ein leidiges Kapitel.

FRAU HUMPEL Können S' sich scho gleich auf an Dauerknoblauchgeruch eistelln. Am End riecht ma selber danach.

HERR VÖGELE Ja, ich derf ja garnet, scho wegam Gschäft, i muaß ja ständig mit Leut umgehn.

FRAU HUMPEL Ja, da wern S' spitzn, da nehmen die keine Rücksicht, die essen nix anders.

HERR VÖGELE Ich hab ja an und für sich garnix gegan Knoblauch einzuwendn, aber permanent dann dieser Geruch da herin.

FRAU HUMPEL Aber Sie wern sehn, des kimmt auf uns zu. Und Kinder sollens habn.

HERR VÖGELE Ja, des hams ja alle, und net z wenig.

FRAU HUMPEL Da wern S' schaugn, da wern ma no was erleben, und de san doch vollkommen unerzogn, weil, die san doch alle so kindernarrisch.

HERR VÖGELE Dann ham mir zum Gstank noch den Radau. Und de san dann wahrscheinlich erst die Vorhut, wer woaß, was dann noch alles nachkimmt.

FRAU HUMPEL Ja, ma liests ja ständig mit dene Großfamilien, und keiner von dene kann dann ein Wort deutsch, und die grüßen auch garnet …

HERR VÖGELE Und diese Musik, dieses Gedudel, rund um die Uhr, mir samma doch hier kein Basar.

FRAU HUMPEL Ja, Herr Vögele, wenn S' mich fragn, des dürfn mir garnet erst einreißn lassen, d Frau Kuschmelka hat auch schon gsagt: Wehret den Anfängen. Sie hat gsagt, nur noch energisch bei der Hausverwaltung protestiern, und zwar namentlich und schriftlich.

HERR VÖGELE Ja, jetzt muß was passiern, weil, sonst is passiert. Ah, Frau Humpl, da soll doch scho so a Unterschriftenaktion ingang sein, hab i ghört …

FRAU HUMPEL Ja, genau, desweg hab ich Sie ja, des is doch der Grund, warum ich mit Ihnen, ah, Herr Vögele, ich habs grad da.

HERR VÖGELE Was?

FRAU HUMPEL Da, Brief und Liste …

HERR VÖGELE Ah, da, Dankschön ... *Liest.*

FRAU HUMPEL Die Kusine von der Frau Kuschmelka is doch Sekretärin in ara Anwaltskanzlei, die hat den Brief aufgsetzt, die kennt sich da aus.

HERR VÖGELE Mhm ... und aus oben angeführten Gründen untragbar. Sehr gut, ja, sehr gut formuliert, jedenfalls deutlich. Ham S' was zum Schreibn da?

FRAU HUMPEL Da. – Familie Stuhlmann hat auch unterschrieben, nur der Herr Opitz ned.

HERR VÖGELE Warum unterschreibtn der net, der Feigling?

FRAU HUMPEL Naa, er sagt, des san bei ihm persönliche Gründe, er war doch im KZ.

HERR VÖGELE Ja, aber ma muß doch amal vergessen können. Des is doch hier ganz was anderes.

FRAU HUMPEL Ja, mei ...

HERR VÖGELE Des geht doch hier schließlich um unser, ah, ah, mir samma doch hier in Deutschland, es gibt doch aa Deutsche, die wo a Wohnung suchn, sollens doch erst amal an die Deutschen vermietn, statt an diese anatolischen Berg –

FRAU HUMPEL Pßt ...

Herr Ötztürk, gut gekleidet, geht an den beiden vorbei.

HERR ÖTZTÜRK Grußgott.

HUMPEL/VÖGELE *zögernd* Ja, Grüß Gott ...

Frau Humpel und Herr Vögele beobachten stumm Herrn Ötztürk, bis er, ein Stockwerk höher angelangt, eine Wohnung aufsperrt.

HERR VÖGELE *unterschreibt eilig* Ja, Sie, da müß ma uns aber sputen mit der Aktion, de san ja scho so guat wie herin. Der schaugt sich ja schon um da drobn. Ich hab gmeint, de kommen erst.

FRAU HUMPEL Ja, ich bin selber überrascht, aber Möbel hams no koane herin. Geben S' her, i schicks nachad glei weg per Einschreiben.

HERR VÖGELE Ja, höchste Eisenbahn ...

Herr Ötztürk kommt wieder zügig zurück.

HERR ÖTZTÜRK Ja, tsuldigung, wann ich unterbrechen, Ötztürk mein Name, ich habe diese Haus gekaufen, wohnen hier schon, und hoffen, schon, daß gutt Nachbarschaft haben.

FRAU HUMPEL Ah geh, Sie san des, Sie ham des Haus kauft, ja, des is aber nett. *Hält ihm die Hand hin* Humpel.

HERR VÖGELE Ja, ah, angenehm, Vögele ...

Die Hobby-Hausbauer

Familie Johannser kommt aus ihrem Haus. Frau Johannser trägt einen Säugling. Ein Kleinkind stapft nebenher. Man geht zum Neubau gegenüber.

ER Ja, ich darfs Ihnen mal gschwind zeigen, mir san vorigen Herbst erst praktisch fertig worn …

SIE Grad die Extras in der Küche – Dunstabzug und was mer halt so braucht, mei, d Handwerker, Sie wissen ja selber, wie sich sowas hinziehen kann …

ER Bis die mit der Wärmepumpn in Schwung kommen san, und dann, alles bestens isoliert, des braucht sei Zeit. Man muß ja auch die Angebote prüfen.

SIE Also, bis man die Angebote alle geprüft hat …

ER Es san ja soviel Angebote heutzutag.

SIE Bis ma des alles geprüft hat, werds scho wieder deirer.

ER Naja, mir ham allweil auf Festpreis-Basis verhandelt.

SIE Beim ersten Haus ham mer noch an Fehler gmacht und ohne Festpreise baut, gell da hats uns ganzschee neilassn, finanziell, woaßt as no …

ER Ja, aus Erfahrung werd ma klug, hahaha … Dann geh mer mal nei. *Sperrt auf.*

SIE Jetz geh grad zua.

ER Also, schaun S' her, da schaun S' her, gleich Toilette …

SIE Des is es Klo. Waschbecken.

ER Ja, Waschbecken, da, die Küche …

SIE Das ist die Küche. Mia ham gsagt Einbau, weil, wenn, scho was Gscheits.

ER Was anders kimmt garnet in Frage.

SIE Ja, sehn Sie, mir ham alles sauber abgedeckt, weil, wer weiß, wanns überhaupt mal in Benützung kimmt.

ER Die Kinder san ja noch praktisch, schaun S' her – *deutet* – und sei Bruada is im Kindergarten.

SIE Also des dauert sicher noch etliche Jahre, bis von die Kinder mal eins da … Und Mieter nehmen mir prinzipiell koane nei.

ER Scho vo Haus aus net, die verwohnen alles, dann woaß ma net wers is – da, es Wohnzimmer mit Bauernstube …

SIE Fernseher, Hifi-Kompaktanlage, alles da, also schon, Sie verstehn …

ER Ja, bei die heutigen Mieter, wer woaß, ob mers überhaupts wieder raus bringt, bei dene Gesetze, un mir wohnen gleich eh vis à vis, also mir können des ohne weitres selber warten.

SIE Ich wisch nur einmal im Monat, wisch ich einmal sauber durch, net, und der Fall hat sich, Staubsauger und so ist ja alles da, und dadurch, daß hier keiner wohnt, fällt ja auch kaum was an.

ER Ja Herrschaft, wia kimmt denn der Kratzer da her?

SIE Wo?

ER Da, da, hier, der war vorher no net da.

SIE Jessasna, wo der herkimmt ... Jetz stelln S' Eahna erst amal vor, wenn da wer wohna dad.

ER Da, Schlafzimmer, ebenfalls rustikal.

SIE Daß's halt zur Bauernstube unten passt.

ER Da, so a Lampn kann er jederzeit auswechsln, wenns wirklich ist, daß er a andere will ...

SIE Mir ham jetz die derweil halt amal rei doa, wegam Licht.

ER Geh mer amal ganz nauf, von oben könnt ma vielleicht an Rohbau ...

SIE Naa, vom Balkon ...

ER Ahja, vom Balkon ... Oben kann er sichs später amal ausbaun, nach Bedarf, wie er will ...

SIE Oder mir bauens eahm no aus, des sehn mer dann noch.

ER Es is ja auch irgendwie a Geldfrage ...

SIE Also des Haus, des is für ihn gedacht, natürlich erst wenn er amal soweit is, daß mer saget, hahaha, net ... *Deutet auf das Kleinkind.*

ER Sie ham beide a Doppelgarage, d Fraun san ja meistens a berufstätig. Seins is ja erst im Rohbau. *Deutet auf den Säugling.*

SIE Mia selber ham fei bloß a einfache Garage, aber es glangt eigentlich aa ...

ER Und wenns wirklich is, na baun ma halt noch eine dazu. Jetzt schaun S' her, da, von da sieht ma des, da, des is der Rohbau. Unten kimmt wieder a Toilette, Küche praktisch, auch a Bauernstube, im Grunde wie hier auch.

SIE Drüben dern ma aa net vermieten.

ER Naa, Mieter auf garkoan Fall. Wer woaß, was des für Leit san. Ma wissad ja garnet, wer da rein kimmt.

SIE Und dann verwohnens alles. Und naus bringt mas glei zwoamol net.

ER Im Grunde san beide Häuser gleichwertig, er hat a paar Quadratmeter mehr Grund ...

SIE Aber unwesentlich ...

ER Während er dafür an offenen Kamin nei kriagt. Und sei Kellerhöhe is zehn cm mehr. Gut des is ein Vorteil, aber ich hoff, daß sich deswegs die Ehefrauen später amal nicht ...

SIE Obwohl ma des mit die Ehefrauen nie so genau weiß. Die Häuser san ja eigentlich weit gnua ausanand, oder?

ER I pflanz eahna jetz scho a Fichtenhecken, bis die soweit san, san die Bahm so hoch, da brauchen sie sich garnimmer sehn.

SIE Er is ja der Bauherr – *deutet auf Kleinkind* – also aus steuerlichen Gründen ...

ER Mir ham ja unsre Steuervorteile scho bei dem Haus – *deutet* – und bei unserm Haus aufbraucht, also da geht nix mehr, steuerlich, aber für eahm ham mir scho wieder an Bausparvertrag abgeschlossen, weil wissen Sie, schaun Sie, was is es Geld, Wertpapiere, mei ... Aber so a Haus is nach menschlichem Ermessen wertbeständig, ganz egal, was ma damit macht.

SIE Und wenns fertig is, sieht ma, was ma hat. Da hintn, schaun S', da ham mir fei a no an Bauplatz. Da könnt ma vielleicht auch amal ...

ER Ja, nicht so voreilig, alles zu seiner Zeit. Sie wissen ja: Gut Ding hat Weil ... *Beide lachen.*

Ein Umweltschützer

Der Hausbesitzer Nepomuk Schwamm kommt mit einem Fuchsschwanz in der Hand auf den sauber ausbetonierten Hof seiner Mietskaserne. Auf dem durch Maschendraht getrennten Nachbargrundstück blühen Pflanzen und Bäume und Gräser.

HERR SCHWAMM San denn de Leit narrisch, des ghört doch bestraft, so eine Sauerei. Eine gigantische Form von Umweltverschmutzung. Na ja ...
Die Mieterin Centa Gruber kommt mit einer Gießkanne in den Hof getrippelt.

FRÄULEIN GRUBER Grüß Gott, Herr Schwamm.

HERR SCHWAMM Ja, grüß Sie Gott ...
Fräulein Gruber geht an Herrn Schwamm vorbei auf eine Topfpflanze zu.

HERR SCHWAMM Schaugn S' Eahna des amal an, Fräulein Gruber. De spinna doch.

FRÄULEIN GRUBER Ja, da habn S' recht, Herr Schwamm.

HERR SCHWAMM Jetzt hamma den Salat.

FRÄULEIN GRUBER Ja mei.

HERR SCHWAMM Da, ein Ahorn! Des werd ein echter Ahorn, ein Monstrum von einem Ahorn, des ko koa Mensch nimma aufhalten.

FRÄULEIN GRUBER Ja, schön hergwachsen is er letzts Jahr.

HERR SCHWAMM So kann mas auch nennen. Schaugn S' hin, wies da herumsprießt! Des Unkraut.

FRÄULEIN GRUBER Ja is scho a Plag. *Rupft die Gräslein aus.*

HERR SCHWAMM So a Baum is doch a Umweltverschmutzer ersten Ranges. Im Frühjahr, der Blütenstaub, was mir im letzten Jahr für Pollen ghabt habm, des geht auf koa Kuhhaut. Da, schaugn S', wia sich des einnistet. Des wuchert förmlich. Un nachad, der Ozon. Wer solls denn verkraften. Im Fernsehn ham ses bracht: A gewisse Dosis Ozon, und Sie san hinüber!

FRÄULEIN GRUBER Ja mei, is schon a schöner Anblick, so a Baum.

HERR SCHWAMM Wers mog. Aba im Sommer, diese Insekten. Scharen von Insekten, Ungeziefer, auf oamal hamma de Motten herin, lauter Schädlinge! Im Herbst, na laubt er, zentnerweise Laub, des fault nachad, und zersetzt alles – und was des kost! Schaugn S' her da, des is scho wieder a Grasnarbe, mir samma doch koa Naturschutzgebiet.

FRÄULEIN GRUBER Ja, da habn S' recht, also, Wiederschaugn, Herr Schwamm.
Fräulein Gruber geht zu ihrem Blumentopf und gießt. Schwamm monologisiert weiter.

HERR SCHWAMM Ja wiederschaugn. Da redns allweil von Umweltschmutz, aba getan werd nix! Zefix, muaß i scho wieda ausbessern. *Bückt sich nach einer schadhaften Stelle im Beton.* Hob is doch letzts Jahr erst chemikalisch ausgmerzt. *Sieht Fräulein Gruber beim Gießen.* Ja, ɔCH HERR SCHWAMM] Sie! Was macha Sie denn da?! Ja san Sie narrisch worn? San Sie deppat?!

FRÄULEIN GRUBER Aba Herr Schwamm, des sand doch meine Tomaten.

HERR SCHWAMM Soweit kimmts. In meinem eigenen Hof!

FRÄULEIN GRUBER Aba des san doch nur de ganz winzigen Zwergtomaten.

HERR SCHWAMM San Sie wahnsinnig. In fünf Jahr is des a Baum! Für was, glaubm Sie, ham mir des ausbetoniert? So ein Leichtsinn.

FRÄULEIN GRUBER Aber, Herr Schwamm, ich paß doch auf, da passiert nix, da kann doch garnix passieren!

HERR SCHWAMM Schaugn S' daß weiterkemman, des is doch ein Unfug. Im Hof hat so ein Umweltschädling nix zum Suchen.

FRÄULEIN GRUBER *nimmt ihre Gießkanne* Herr Schwamm, jetzt habn Sie doch ein Herz, schaugn S', her, so klein ... *Deutet.*

HERR SCHWAMM Ja, hearn Sie schlecht? Naus! Naus, aussi mit dem Zeug! Des is ein grober Unfug.

Fräulein Gruber nimmt mümmelnd ihre Pflanze mit und geht beleidigt aus dem Hof.

Koa Gspür für eine Gefahr. *Ruft Fräulein Gruber nach* Da hoam kennan S' es im Wohnzimmer pflanzen, des is Ihr Privatrisiko, aber gega sowas bin i net versichert!

Fräulein Gruber ist verschwunden.

Oh mei, de Leit, mit eahnara Fahrlässigkeit erzeugen direkt die Naturkatastrophe, dieser Umweltschmutz, da wern ma einschreiten müaßn.

Schwamm geht auf den Baum an seiner Hofgrenze zu, setzt die Säge an einen überhängenden Ast an.

Ja, es tuat ma leid, jetzt sagl dis weg. Da is die Grenze. *Er sägt den Ast ab.* De ghörn doch ozoagt, Saubande, Naturapostel, deppate – grüne Gefahr. Aba mir passn auf!

Ausgehvorbereitungen

Ein gutbürgerliches Schlafzimmer. Otto und Rosa Stoiber machen sich gerade ausgehfertig.

OTTO Herrschaftzeitn, Rosa, wo hast n wieder den Peacemaker hi toa?

ROSA Ja ich weiß doch net, du hast n ja zletzt anghabt. Nimm halt derweil die Walter.

OTTO De is zu schwer.

ROSA Naa, ich mein die Sechs-Schuß.

OTTO Ham mir da noch a Munition?

ROSA De is doch noch geladn, von wie mir in der Philharmonie warn.

OTTO Ah ja, na nimm i die derweil. *Summt eine Opernmelodie vor sich hin.* – Du Rosa, hilf mir gschwind, de Kugelwestn zuamacha.

ROSA Sofort, Moment. *Hilft.* Mein Gott, du werst aa oiwei dicker, da brauchst jetz bald a neue ...

OTTO Ich versteh des net, daß du immer noch ohne Kugelweste rumläufst.

ROSA Mei, für Frauen gibts da nix gscheits. A Weste über dem Kleid, wie schautn des aus.

OTTO Des is a falsche Eitelkeit. Bis mir daheim san, is es mindestens elf Uhr nachts, und mir ham 300 Meter zu Fuß, durch die Fußgängerzone, da geht koa Taxi und nichts ...

ROSA Daß de Ströbels auch immer so gefährliche Lokale aussuchen.

OTTO Mei, ma ißt halt gut. Aber du weißt ja, was um die Zeit für a Gsindl unterwegs is.

ROSA Ja, vor dene Diskotekn, da stehngas regelmäßig umanand, lauter so Jugendliche und Kriminelle ...

OTTO Da wenn ma net aufpaßt, is scho zu spät. *Prüft seinen Totschläger.*

ROSA D Frau Ströbel hat jetz an Karatekurs angfangen, weil sie sagt, diese Jugendlichen wern ja immer mehr, die nehmen ja dermaßen überhand, sie sagt, ma möcht nicht glaubn, wieviele Jugendliche daß es gibt.

OTTO Und de ganzn Ausländer und Arbeitslosn, da wennst net aufpaßt, is es schon zu spät.

ROSA Mein Gott, Otto, was mach ich jetzt? Schau, zu dem Kleid paßt nur die Perlentasche, und da paßt jetz de Gaspistole net nei. I hab schon an Deospray rausgnommen, aber es geht net!

OTTO Zieh halt a anders Kleid an, wo de Krokotaschn dazupaßt.

ROSA Naa, de Zeit ham mir nimmer, mir san eh scho knapp.

OTTO Dann nimmst an Tränengasspray mit, weil, unbewaffnet gehst du mir nicht aus dem Haus ...

Es läutet, Otto und Rosa zucken zusammen, schauen sich an.

ROSA Wer kann des sein?

OTTO Weiß net, schau mal ...

Gemeinsam schleichen sie zur Eingangstür, Rosa öffnet zwei Sicherheitsschlösser, hängt Sichtkette vor, Otto entsichert seinen Revolver und steht schußbereit da.

ROSA Hallo, wer da?

STIMME *ruft von draußen Unverständliches.*

ROSA *öffnet die Tür einen Spalt.* Hallo, wer ist da, bitte?

STIMME As Taxi für Stoiber!!

ROSA Ah ja, san S' scho da. Moment, mir kommen glei. *Tür wieder zu.* As Taxi is.

OTTO Der Stimme nach is der Fahrer a Deutscher. *Steckt Revolver in den Schulterhalfter.* So, Rosa, ham mir alles? Is der Safe zu?

ROSA Sowieso. Halt, mein Tränengas. – Alarmanlage?

OTTO Jaja, scho eigschaltn. Schlüssel?

ROSA Hab ich.

OTTO Kartn?

ROSA Hab ich.

OTTO So, na gehn mir. Was gibts denn eigentlich heut, was spuins n?

ROSA Entführung aus dem Serail.

OTTO Des aa no, sperr fei guat ab.

Der Grünwald-Spaziergang

Herr und Frau Röhring befinden sich auf einem Abendspaziergang. Ein Chauffeur hält einer Dame die Tür auf, die Dame steigt ein, der Wagen fährt los. Ein Schäferhund bellt.

ACHIM Na, ich würd mehr für den Bodybuilder plädieren.

INGRID Ja, aber der Schmächtige ist lang net so auffällig. Der muß ja überall mit.

ACHIM Ja, irgendwann spricht sichs eh rum, daß mir an Wächter haben.

INGRID Dem Schmächtigen siehst des aber nicht an.

ACHIM Der Bodybuilder dad a Gartenarbeit mit übernehmen.

INGRID Ja, aber der Schmächtige kann kochen.

Eine Alarmanlage brüllt auf.

ACHIM Wem sei Anlag isn des?

INGRID Ich glaube beim Dr. Mechoff. Die sind doch zur Zeit in Sao Paulo.

ACHIM Is aa leichtsinnig, daß die niemand im Haus lassen haben. Ob ma amal nachschaun soll?

INGRID Bist deppert, am Schluß kriagst no oane drauf. De san doch versichert ...

Drei Schäferhunde kläffen, einer nah und laut.

ACHIM So a Hund waar übrigens aa net schlecht.

INGRID Ja, aber des ewige Gassigehn.

ACHIM Ja, der Bodybuilder dad des jederzeit mit übernehmen.

INGRID Ja, und während die Gassigehn, wern mir überfalln, außerdem machat des der Schmächtige aa ...

EIN LEIBWÄCHTER *spricht in ein Walky-Talky* Biene Maja an Alpha drei, was isn da los bei euch? Biene Maja an Alpha drei he, Schorsch!

WALKY-TALKY Des war a Fehlalarm vom Gärtner ...

LEIBWÄCHTER Okay, verstanden, Roger.

ACHIM Da, der Dr. Schmidt, der hat gleich drei Leibwächter.

INGRID Der is aa no mehr gefährdet wia mir.

Ein Mercedes parkt gerade langsam in eine Garage ein.

ACHIM Der Bodybuilder hat fei vui mehr Berufserfahrung, der war scho mal Schwarzer Sheriff.

INGRID Ja, an U-Bahnhof überwachen is ja aa schließlich ganz was anders wie a so a Villa.

Ein Gärtner mit Antenne im Genick schneidet eine Hecke.

ACHIM Guten Abend. Na, war irgendwas besonders?

Ein Rollo rattert herunter.

GÄRTNER Naja, eigentlich nix.

INGRID Ham S' es net grad ghört, grad eben ...

GÄRTNER Ja, des war bei dera Backstein-Villa, mei, Urlaubszeit, da ham die Einbrecher allweil Hochsaison.

ACHIM Jaja, also dann, guat Nacht.

GÄRTNER Ja, gut Nacht. Aber i schaug scho allweil bei Eahna a bissl mit.

INGRID Ja, des is sehr nett, Herr äh ...

GÄRTNER Also dann ...

ACHIM Ja, guat Nacht.

Achim und Ingrid gehen ein paar Schritte weiter.

INGRID Und i sog das, mia nehmen doch den Schmächtigen, der hat sogar an Waffenschein.

ACHIM Ja schiassn kann der Bodybuilder aa.

Sie kommen an der Haustüre an.

ACHIM Jetzt sei mal stad. –

Man hört Grünwald-Abendatmosphäre, dann einen Knall.

INGRID War des a Schuß?

ACHIM Naa, a Rollo.

Achim schaltet per Fernbedienung das Licht an. Das ganze Haus erstrahlt hell.

ACHIM Ja, ich glaub mir können.

INGRID Sieht so aus.

ACHIM Alles hasenrein.

Die beiden gehen vorsichtig auf ihre Prachtvilla zu, die Eingangstür schließt automatisch.

Herbstgespräche

Heinz Gschwerl, Makler, Bauunternehmer und Finanzier, sitzt in seinem 911 Turbo geparkt an einem landschaftlich reizvollen Platz, herrliche Aussicht, umgeben von Natur. Er kippt den Rest eines Magenbitters und wirft die leere Flasche ins Gebüsch. Aus dem Wageninneren eine Disco-Wolke, dazu Vogelgezwitscher. Ein goldmetallic-Mercedes-Sportcoupé rauscht an. Gschwerl benutzt ein Mundspray, macht die Musik aus, strafft sich und öffnet galant die Mercedestür. Constanze Schäles und ein warm angezogener Rehpinscher steigen aus.

FRAU SCHÄLES Tach Herr Jeschwerl, hoffentlich ham Se nit allzulang jewartet. Aber Se wissen ja selbst, wie dat is mit de Verkehr, man kommt nit dursch. Kreti und Pleti hat heutzutach n Auto.

HERR GSCHWERL Des macht nix, Frau Schäles, i wart scho a bißl, aber da heraußt kann ma's doch sehr gut aushalten. Es is scho a einmaligs Platzerl.

FRAU SCHÄLES Da ham Sie rescht. Dat findet man heutzutage kaum mehr. Überall nur Industrie und diese Abjase. Entsetzlisch.

HERR GSCHWERL Ja, Abgase ham S' hier keine, nur den blanken Ozon. Riechen S' amal.

Gschwerl und Schäles atmen tief durch.

FRAU SCHÄLES Ah, dat tut jut für de Lungen.

HERR GSCHWERL Und schaun S' amal, dieses Panorama ...

FRAU SCHÄLES Tja, man möschte rischtisch besinnlisch werden.

HERR GSCHWERL Und alles unverbaubar. Schauen Se sich amal diese Buchn an. Des dauert 300 Jahr mindestens, bis so a Baum amal a so herwachst.

FRAU SCHÄLES Tschja, wat is der Mensch im Anjesischt der Natur ...

HERR GSCHWERL Da ham jetz Sie wieder recht, und Sie müssen bedenken, des is ois Naturschutzgebiet. Landschaftlich eine Rosine. Also, es war nicht einfach.

FRAU SCHÄLES Ham Se jut jemacht, Herr Jeschwerl.

HERR GSCHWERL Wenn der Bürgermeister net so flexibel gwesen waar, na wär da garnix gangen.

FRAU SCHÄLES Hatten Se große Unkosten?

HERR GSCHWERL Nanaa, er hat selber a Bauunternehmen, er is da einsichtig. Und de Verschalungen, und des Fundament, des macht ja praktisch er dann.

FRAU SCHÄLES Dat is jut. Aber sachen Se mal, de Terrasse, die soll doch hier hin. Da sitz isch ja dann den janzen Nachmittag im Schatten.

HERR GSCHWERL Nanaa, gnä Frau, da brauchen Sie nichts zu befürchten, de ganze Baumgruppn, da, des kimmt ois weg.

FRAU SCHÄLES Und an de Doppeljarasche ham Se schon jedacht?

HERR GSCHWERL Selbstverständlich. Da werd da der Froschweiher zugschütt und trockenglegt, na kimmt a anständigs 60er-Fundament nei, da könnan S' nachad an Panzer drauf parken. Und wo wollten Sie jetz nachad den Swimmingpool ham?

FRAU SCHÄLES Ja, isch dachte, mehr da unten, wo et jeschützt is. Die Stahldachkonstruktion, dat jeht in Ordnung?

HERR GSCHWERL Selbstverständlich. Wenns fertig is, moana S', Sie san am Mittelmeer.

FRAU SCHÄLES Nää, da hab isch bereits zwei Häuser, isch hätte mehr jedacht friesisch mit n Schuß rustikal.

HERR GSCHWERL Geht genauso. Mach ma Eahna auch. De Landschaft paßt eh bsonders guat zu dem Friesischen.

FRAU SCHÄLES Sachen Se, Herr Jeschwerl, wo kommt der Tennisplatz hin?

HERR GSCHWERL Da ham mir a sehr elegante Lösung: a bißl sprengen müaß ma, und da, de Fichtn, de hau ma naus, und umfrieden dean ma des ganze mit einer Mauer.

FRAU SCHÄLES Dat klingt vernünftisch. Auch jejen de Spazierjänger.

HERR GSCHWERL Eben. Sie san ja eh bloß amal am Wochenende da, aber 2,50 m solltens scho machen, da müaßatn S' a bißl Strafe zahln, aber es lohnt sich auf alle Fälle.

FRAU SCHÄLES Dat is auch n juter Schutz jegen Einbrescher und Vojöre, nä.

HERR GSCHWERL Und Sie sehn dann auch nix von der neuen Siedlung, de wo da der Dr. Rohr hinstellt.

FRAU SCHÄLES Ne Siedlung? Da hält dann wohl der Pöbel Einzuch oder wie seh isch dat?

HERR GSCHWERL Naa, da brauchen S' koa Angst habn, nur besser gstelltes Publikum, und Sie habn dann auch durch die Siedlung an optimalen Lärmschutz gega de neue Autobahn, de wo da hintn neikommt. Und danebn ham S' aa no a Einkaufscenter, mit am Teppichlager. Des kimmt da hin. *Deutet.*

FRAU SCHÄLES Wo?

HERR GSCHWERL Da, sehn S' des Wäldchen? Des is am Herrn Dandler sein Revier. Was er sonst noch hinstellt, weiß ma no net, jedenfalls, des kimmt aa ois weg.

FRAU SCHÄLES Naja, herrlisch is dat jedenfalls hier heraußen, rischtisch ursprünglisch. *Man hört eine Krähe.* Hörn Se mal, Herr Jeschwerl, wat is dat? n Bussard oder ne Kleber?

HERR GSCHWERL Ja, a Vogel is.

FRAU SCHÄLES Kucken Se mal, dat einer von den Bäumen übrischbeibt, dann machen wer ne Futterkasten hin.

HERR GSCHWERL Gel, Sie san a Naturmensch.

FRAU SCHÄLES Tschja, Tiere un Flanzen, sin der einzije Freund des Menschen.

HERR GSCHWERL Da ham jetz Sie wieder recht. I hab jetz meiner Tochter zum Geburtstag an Hamster gschenkt. Des schönste Gschenk, was ma einem Kind antun kann, is, wenns mit Viechern aufwachst.

FRAU SCHÄLES Himmel, sehn Se mal, Herr Jeschwerl, dat is doch ne Seidelbast.

[NOCH FRAU SCHÄLES] Den hat jemand einfach ausjerupft. Is dat nit ein Verbreschen? Ne eschte Seidelbast. Der is doch jeschützt!

HERR GSCHWERL Ja. Rohlinge gibts. Der größte Schädling is scho der Mensch. *Ein VW-Bus kommt angefahren.* Ah, Frau Schäles, den Vorhof, den dean ma na asphaltiern. Oder platteln?

FRAU SCHÄLES Jeplattet, und vergessen Se nit ne Aussparung für mein Asperagos und dat Tulpenbeet ...

Zwei Männer mit Motorsägen steigen aus dem VW-Bus.

MANN Servas Heinz, wo soll marn ofanga?

HERR GSCHWERL Da, bei dene Buachn. Aber systematisch, gel. Ja, also, Frau Schäles, as Wesentliche ham S' ja gsehn, i dad sagn, fahr ma zu mir ins Büro, da könn ma uns in Ruhe weiter unterhalten.

Die Motorsägen heulen auf.

FRAU SCHÄLES Igitt, dat is ja ein abscheulisches Jeräusch. Meine Nerven. *Beruhigt das Hündchen* Roswitha und isch, wir halten dat nit aus.

HERR GSCHWERL Ja, mei, leider, des muaß sei. Aber Sie wern sehn, as nächstemal, wenn S' kemman, wern S's nicht mehr wiedererkennen. Sie ham sich da scho a feins Platzerl ausgsucht.

FRAU SCHÄLES Ja, isch jlaub auch, dat wird en herrlisches Fleckchen Erde. Jut, dat et noch n Naturschutz jibt.

Die beiden besteigen ihre Fahrzeuge, die Motorsägen röhren ein Duett.

Das Beton-Lied

Beton, Beton, Beton –
Beton, Beton Beton Beton.
Waschbeton,
Mischbeton,
Fein- Stahl- Fertigbeton.

Mir baun uns a haltbare Welt,
die in fuchzg tausend Jahr aa no hält.

Beton, Beton, Beton –
Beton, haltbarer Billig-Beton.

De Kirch, as Rathaus, Ton in Ton,
ois aus gediegenem Farbigbeton.

Farbig-Beton, Billig-Beton,
haltbarer Fertig-Beton

Vier eigene Wänd aus Fertig-Beton,
mit an Loch drin, des tuats nachad schon.

Beton, Beton, Beton –
Beton, a kloans Paradies aus Beton.

In der Nachbarschaft ham ses fei alle schon,
eahna gmüatlichs kloans Häuserl aus Stahl-Beton.

Beton, Beton, Beton –
Beton, Bett, Zaun, Zukunft: Beton.

Kaum graut der Morgen, na siehgst n schon,
phantasievoll und praktisch glänzt er in der Sonn,

da Misch-Beton, da Stahlbeton,
da Fein- Wasch- Klar- Sicht-Beton.

Wartungsfrei, sauber, keimfrei und schön,
ma ko si glei gar net gnua an eahm sehgn,

am Misch-Beton, am Stahlbeton,
am Fein-Wasch-Klar-Sicht-Beton.
Beton, Beton, Beton –
Beton, Paradies aus Fertigbeton.

Ehe, Familie und Erziehung

D'Anni sagt auch, also sie sagt, daß die Leut ihren Kindern keine mehr schmieren, ist doch ein Unfug. Sie sagt, manchmal könnte sie diesen Kindern rechts und links eine reinhauen.

Der Schubiduu

Sag doch nicht immer wieder Schubidu zu mir,
Sag lieber Schabidawai.
Wenn du mich liebst.
Sag Schnibbeldabu
Aber niemals Schubidubidu.
Schabidawai und Schnibbeldabu,
Aber niemals Schubidubidubidu

gesprochen
»Baby, als du von mir gingst,
Waren deine letzten Worte:
Schnibbel Schnabbel Schnibbel dabbel Schubidu.
Du standst in der Tür
Mit Tränen in den Augen und sagtest:
Schnibbel Schnabbel Schnibbel dabbel Schubidu.
Du hast mir so weh getan mit deinem
Schnibbel Schnabbel Schnibbel dabbel Schubidu.«

Wenn du mich liebst,
Sag Schnibbeldabu,
Aber niemals Schubi dubi dubi duuu ...
Oh no.

Mai Ling

Herr Grundwirmer und Mai Ling sitzen in einer Möbel-Krüger-Sofaecke.

GRUNDWIRMER Sag amal schön Grüß Gott, Mai Ling, Grüß Gott! – Ich habs erst seit drei Wochen. – Mai Ling hoaßts, des is – des hoaßt – ich heiß ja eigentlich Grundwirmer, und sie natürlich jetzt eigentlich aa. Oiso sozusagen Mai Grundwirmer, geborene Ling. – 2758 Mark und a bissl was, ab Bangkog Airport, hab ich bezahlt, ah, hab ich kommen lassen. Ich muß sagn, des is relativ preiswert, wenn man bedenkt, ah, sie is aus der Provinz. Weil, in Bangkog selber kauft net amal mehr der Amerikaner ein. Des is alles zu verseucht, zu rein marktmäßig. 500 Demark mehr, und ich hätt a Fitnamesin habm kenna – de san noch etwas robuster – des mag sein, da gehn jetzt die Meinungen auseinander, aber, schaun Ses an, de is doch net schlecht, oder? Also ich bin sehr zufrieden. Sie ist äußerst sauber, sie schmutzt nicht, wie der Asiate anundfürsich überhaupt nicht schmutzt. Ich mein ich bin sehr zufrieden, wissen Sie. – Ge, Mai Ling, simmer zufrieden, hahaha, ge, ja ... Freilich, Anpassungsschwierigkeiten lassen sich nicht ganz vermeiden. Rein küchenmäßig betrachtet, ich vertrag ja des Chinesische net aso, mir ham ja da ganz andere Vorstellungen, schon beim Besteck ... I hob glei gsagt, Mai Ling, diese Staberl da – ich habs dann eingschürt, ich habs verbrennt, a paar hab ich ihr glassen, da kanns dann Mikado spuin damit. Nix dagegen. Und ich muß sagen, sie is da sehr flexibel und anschmiegsam. Überhaupts des Schlafzimmer, da sans ja berühmt, die Asiatinnen, da kanntens Deitsche sei. Ich hab ein Schleiflackschlafzimmer, wissen Sie, und ich muß sagen, pikobello, es spiegelt sich alles darin. Und sie is auch ausgesprochen leise. Wenns irgendwo knarzt oder so ein kleines Pochen, ge, könnt ma moana, des is a Mäuserl, des is sie. Sie tritt ja fast kaum auf, sie schwebt förmlich, weils aa nix wiegt. – Sie is a bissl gelb ankommen, ah, i moan, des woaß ma ja vom Asiaten, aber sie is scho sehr gelb ausgfallen, obwohl, sie paßt hier sehr gut rein. Geimpft is aa, geht ja net anders, ich mein, bei Importen is des immer so, da werd sehr drauf gschaut. Obwohl, es hat geheißen: 1 Meter 49 is sie groß. Sie is aber 3 cm länger ankemma, als ma zerscht gedacht hätt, weil ich hab gmeint, a Verwandte von mir, de Anni, de hat a Kinderbett ghabt, da hab i glaubt, daß ich s reinbring, na ja, vom Mobiliar her hab ich halt a bissl – umdisponieren müssen. Des sind halt amal Kosten, mein Gott, die kann man halt sozusagen als Anschlußkosten, äh, ich muß überhaupt sagen, diese Kosten, Taxi vom Flughafen, Anfahrtswege, Standesamt, Gesundheitspaß, Ausweisgebüh-

ren, sie werd ja nachad a Deitsche, des wird extra berechnet. Ich sag des nur für weitere Interessenten – es gibt da Leute, die sind dann doch überrascht, was für eine Kostenlawine sich da auf sie zubewegt. Ich möcht auf alle Fälle sagen, ich bin sehr zufrieden, obwohl ich Einzelabnehmer bin. Auch diese Flitterwoche, die sozusagen absolviert worden ist, hat eigentlich unsere Erwartungen durchaus, – Sie verstehen. Ich war sehr überrascht, diese enorme Exotik, die da plötzlich auf einen zukommt, und drum hat der Asiate auch diese Nachfrage, äh, diese Resonanz in breitesten Kreisen der Bevölkerung. Jetzt passen S' amal auf: Ah, Mai Ling, hol amal Zigaretten, da drüben sinds, Zigaretten – gel, sie versteht schlecht – Zigaretten und Zündhölzel – die da am Tisch liegen, hols amal her, da brings her Mai Ling ... die Zigaretten sollst holen, Zigaretten ...
Mai Ling steht auf und holt Zigaretten und Zündhölzer.
Schaun S', ich hab früher an Ding ghabt, an Schäfer, der is ungern ins Wasser ghupft, ge, wenn ma ihm an Stecka neigschmissen hat, is er auch ... Mai Ling, Zigaretten. Ja, also, sehen Sie, es geht, es ist ein Geduldspiel, die ham ja ein ganz anderes Zeitgefühl. Ma muaß a Geduld habn und a gewisse praktische Psychologie, nachad geht ois.

Punk in der Bank

Evi Zapf und Gerti Meier, beide in wilder Punk-Aufmachung, sitzen im Bank-Betreuungsseparée von Herrn Klaus Röder.

EVI Weil, im Februar ham mei Verlobter und ich uns gedacht, soll die Hochzeit sein, des is a guter Termin, wei, da kennen mir uns dann genau drei Jahre.

GERTI Am 19. Februar wars.

HERR RÖDER Ja, Fräun Zapf, Herr Meier, da darf man ja wohl gratulieren.

EVI Ja, dankschön, ja …

GERTI Und im Spätherbst kimmt dann was Kleines.

HERR RÖDER Ja, was hört man da! Da kann man ja gleich nochmal gratulieren. Moment mal. *Zieht Sparschwein aus der Schublade.* Hier, für den neuen kleinen Erdenbürger.

EVI Ja, dankschön, gel, vielen Dank.

HERR RÖDER Tja, Herr Meier, auf was tippt denn der angehende Vater, n Junge oder n Mädchen?

GERTI Mir waar a Bua liaba, damit der Name erhalten bleibt.

EVI Ja, aber a Mädl waar schon auch süß, und ich hab ghört, da gibts doch dieses Baby-Sparen …

HERR RÖDER Sehr richtig, 50 Mark pro Monat, praktisch das Kindergeld. Vater Staat spart mit, hahaha …

EVI Ja, genau, und da ham mir uns dann gedacht, daß ma des Baby-Sparen vielleicht kombinieren könnt mit m 624-Mark-Gesetz …

HERR RÖDER Tja, Fräun Zapf, n sehr guter Vorschlag, könnte direkt von mir sein, haha, Baby-Sparen und 624 Mark, da kommt schön was zusammen.

EVI Ja, und dann hätt ma noch a Frage …

HERR RÖDER Bitte, dazu sind wir ja da …

EVI Wei, da Gerti hat von seiner Oma a Baugrundstück gerbt …

GERTI 531 qm in Lochham …

HERR RÖDER Ja, da kann man ja nur noch gratulieren. Herr Meier, was hört man da …

EVI Ja, und Sie ham doch damals gsagt, daß mir die Lebensversicherung, die wo mir bei Ihnen ham, auch für sowas kapitalisieren könnte.

HERR RÖDER Natürlich nur teilweise, und unter den entsprechenden Voraussetzungen. Sie meinen, wegen Ihrer Hauspläne.

EVI Ja, genau.

HERR RÖDER Sicher geht sowas, aber ich würde dann aber doch auch vorschlagen, auf alle Fälle n Bausparvertrag.

EVI Des ham mir scho, zwoa.

GERTI Beide scho fast zuteilungsreif.

HERR RÖDER Ja, wunderbar, sehr schön, alles paletti, da nehmen wir noch ne kleine Hypothek, und dem Häuschen steht nichts mehr im Wege.

GERTI Weil, mir ham uns gedacht ...

EVI Der Gerti hat si dacht ...

GERTI Halt dei Mei, wenn i red. Ah, mir brauchn a Doppelgaragn, wega meiner Maschin.

HERR RÖDER Na prima ...

GERTI Und in Keller kimmt a Hobbyraum.

HERR RÖDER Ja fabelhaft ...

EVI Ja, da is jetz no was: De Raten für des Motorrad, de san ja im März abbezahlt, da kannt ma doch glei mit demselben Betrag in an Prämiensparvertrag einsteign, des waar ohne Risiko, wei, da Gerti möcht ja auf alle Fälle im Angestelltenverhältnis bleibn.

GERTI Wei, wissen S', selbständig gangad im Augenblick zwar mehr, aber i wui mit sechzig schuldenfrei in Rente geh, wer woaß, was no ois kimmt.

HERR RÖDER Sehr vernünftig, Herr Meier, da haben Sie vollkommen recht, aber so vernünftig, wie Sie an die Sache rangehn, kann ja eigentlich nichts mehr schiefgehn. Vorausgesetzt natürlich, Sie bleiben gesund, toi toi toi, apropos, ist in Ihrer Lebensversicherung Invalidität mit einbegriffen?

GERTI Ja Himmiarschundzwirn, varreck, wo isn mei Ohrring?

HERR RÖDER Äh, wie bitte?

GERTI Hast man wieda net gscheid higmacht, du blöde Sau!!! Des is jetz scho da dritte Ring!

EVI Weist oiwei z feig bist, daß i dar a Loch ins Ohrwaschl bohr ...

GERTI Zefix!! Wiari einikemma bin, war er no dro. *Sucht.* Jetz suach halt mit, gefälligst!! *Evi sucht auch.*

HERR RÖDER Kann ich irgendwie behilflich sein?

EVI Naa ...

HERR RÖDER War der Ring sehr kostbar?

GERTI Naa, a ganz a billigs Glump ...

HERR RÖDER Äh, ja, nochwas. Haben Sie schon mal was von nem Familiendarlehen gehört?

EVI Naa ...

HERR RÖDER Das wäre doch genau das Richtige für Sie. Das würde ich mir an Ihrer Stelle aber wirklich mal überlegen. Ich darf Ihnen einstweilen hier auf diesem kleinen Merkblatt die Bedingungen mitgeben, das schaun Sie sich dann zuhause in Ruhe mal durch ...

GERTI Kruzifix, grad hab i'n no ghabt ...

EVI Ja so eine Scheiße, oiwei de deppatn Ring ... Ah, da is er ja!

HERR RÖDER Na also, Gottseidank.

GERTI Da hast a Maßl ghabt. Himacha!

EVI *befestigt den Ohrring wieder an Gertis Ohr.* Ja, also, Herr Röder, des Familiendarlehen, des mach ma doch auf alle Fälle, dad i sagn.

HERR RÖDER Ich schlage vor, direkt nach der Heirat, das sind wirklich traumhafte Konditionen, glauben Sie mir.

EVI Ja, dann hätt ma noch a letzte Frage, ah, gibts net auch noch sowas wie a Versicherung, für die Versicherungen, die wo mir bei Ihnen abgschlossn ham?

HERR RÖDER Ja, aber zu was denn?

GERTI Mei, ma woaß ja nie, mir ham uns halt denkt, für alle Fälle …

HERR RÖDER Ja, aber Fräun Zapf, ein kleines Restrisiko läßt sich im Leben doch nie ganz ausschalten, aber ich an Ihrer Stelle würde doch nicht ganz so pessimistisch in die Zukunft schauen.

EVI Mei, mir ham uns denkt, nur nix am Zufall überlassn.

Zukunftsaussichten

ERNST Als Kunstmaler könnt er an Haufen Geld verdienen.

HILDE Ja, aber bloß, wenn er berühmt is. De meisten von dene verhungern. Ich bin der Meinung, der soll sei Abitur machen, am besten humanistisch, weil des is immer noch ein Fundament. Und dann auf alle Fälle ein Studium. Malen kann er dann immer noch als Hobby, wenn er was Ordentliches glernt hat.

ERNST Aber dann is vielleicht für seine Entwicklung schon zu spät. Als Kunstmaler muß er ganz früh anfangen, sonst werd er nix.

HILDE Soweit dadst as du kemma lassn, daß der an ganzen Tag im Bett liegt und auf a Idee wartet. Da mach ich net mit. Warum soll er denn kein Jurist werdn? Oder Zahnarzt? Des san Spitzenverdiener.

ERNST Mei, aber wenn er Kunstmaler im Blut hat, dann befriedigt ihn des alles net. Dann muß er malen, sonst is er unglücklich.

HILDE Zerscht muß er mal was leisten, wie alle andern auch. Weil, am Numerus clausus, da scheiden sich die Geister. Beim Staat nehmens heut nur noch Einserabgänger, und de wissen, warum.

ERNST Und was is, wenn er Malerei studiert?

HILDE Geh, hör doch auf, des is doch koa Studium, da kannt er dann glei genauso Musiker wern oder Schauspieler.

ERNST Ja, warum net?

HILDE So schaust du aus. Du tatst des Kind total verlottern lassn.

ERNST Mei, wenn mir uns net einigen, macht er vielleicht eines Tages einfach des, was er will. Am Schluß werd er Politiker.

HILDE Mach koane Witz, des Kind kommt zum Staat, als Beamter. Da kann er dann durchaus a Künstler werdn, aber nur fest angestellt beim Staat, A 13 oder so was. Dann meinetwegen.

ERNST De Künstler gehn aber net gern zum Staat, und der Staat nimmts aa gar net gern.

HILDE Eben, drum verhungerns ja alle.

ERNST Der Albrecht Dürer war aa net beim Staat, und er hat gut glebt.

HILDE Vielleicht hat er a Metzgerei nebenher ghabt, des weißt ja du net. Und so, wie der gmalt hat, hat der sicher a Studium hinter sich ghabt.

ERNST Ja, Malerei …

HILDE Ach! *Fast weinend* Ich find des so gemein, daß du dem Kind alle Zukunftschancen nimmst. Wie soll er denn so amal a ordentliche Existenz aufbaun? Du singst ja aa bloß im Hobbyraum drunten und hast kein Beruf draus gmacht.

ERNST Ich hab ja auch schließlich was anders glernt. *Ein Säugling quäkt.* Hilde, dein Kind schreit.

HILDE *geht zur Wiege, beugt sich beruhigend hinein* Ja, Buzele, der Hansi, jaja, gel, des tust du deiner Mammi nicht an. Du wirst mir amal kein Kunstmaler, gel, jaja …

Mensch-ärgere-dich-nicht

Karl und Gudrun spielen mit ihrem Sohn Heinz-Rüdiger Mensch-ärgere-dich-nicht.

KARL *würfelt* Sechs. Eins, zwei, drei, vier, fünf, sechs und *würfelt* Drei. Eins, zwei, drei. Haha, jetzt muaßt naus, Heinz-Rüdiger. *Setzt ein Spielhütchen wieder an den Anfang.*

GUDRUN *würfelt* Vier. Eins, zwei, drei, vier. Haha, nomal naus. *Setzt ein Spielhütchen auf Anfang* So, jetzt bist du dran, Heinz-Rüdiger.

HEINZ-RÜDIGER *will nicht.*

KARL Da wird schön anständig gewürfelt!

GUDRUN Des Spiel heißt Mensch-ärgere-dich-nicht. Gel, komm jetz spiel schön anständig.

KARL Ja was is denn? Werd da gspielt oder net?!
Wütend Des muaßt von der heiteren Seite nehmen, is doch a Spiel! Da, jetzt würfel gefälligst!

HEINZ-RÜDIGER *bockt.*

GUDRUN Ja Herrschaftzeitn, hörst du schlecht?! Du bist dran! Malefitzkrippl, jetzt wird gwürfelt!

KARL Jetz wennst net glei würfelst, na würfel ich für dich!!

GUDRUN Hast des ghört? Tu an Bappa net reizen. Jetz spiel schön ordentlich, sonst spielt der Bappa für dich!

HEINZ-RÜDIGER *bockt.*

KARL Gut, dann spiel ich für dich. *Würfelt.* Eins … Haha, bloß an Einser.

GUDRUN Siehst, des hast jetzt davon.

KARL Jetzt hast dann verloren. So, und jetzt komm ich … *Würfelt* Drei … Da schau her! Jetzt bist ganz draußen.
Karl und Gudrun lachen.

HEINZ-RÜDIGER *räumt das Spiel ab.*

GUDRUN Ja spinnst jetzt du?!

KARL Du Rotzlöffel!! *Haut Heinz-Rüdiger eine runter.* Dir werd ichs Spielen no beibringen, mei Liaba!! Jetzt baust es wieder auf, genauso wies war, und dan werd anständig gspielt! Ja, wo sammer denn?

GUDRUN Dir wern mas Spielen no beibringen, du Saukerl. Des machst net nomal!!

KARL Und des sag i dir glei, wenn mir jetz nach Italien fahrn, na werd des Spiel mitgnommen. Na werd solang gspielt, bis du den Ernst von so am Spiel begreifst, du Hundsbua!

GUDRUN Daß des Kind a so infantil is. Der hat zum Spielen einfach koa richtige Einstellung.

Kinderdressur

Karl und Gudrun Bäumel sitzen im Wohnzimmer in zwei Sesseln. Tochter Yvonne steht unbeteiligt herum.

GUDRUN Yvonne, jetz mach amal schön deinen Purzelbaum …

KARL Jetz machts gleich an Purzelbaum, jetz passen S' auf …

GUDRUN Purzelbaum!

KARL Machn amal, mach amal schön den Purzelbaum.

GUDRUN Sie kann ihn nämlich.

KARL Kimm jetza, Yvonne, mach amal den Purzelbaum.

GUDRUN Mach schön Hoppihopp …

KARL Sie machtn glei, jetzt warten S' …

GUDRUN Hoppihopp!

Yvonne bohrt in der Nase.

KARL Ja was is jetz, mir ham doch gsagt Purzelbaum. Ham mir net gsagt Purzelbaum? – Gel mir ham gsagt Purzelbaum.

GUDRUN Sonst machtsn immer mit Begeisterung. Yvonne, schön hoppihopp.

KARL Manchmal braucht ma a Geduld. Yvonne, Purzelbaum. Purzelbaum!

GUDRUN Vielleicht liegts am Föhn …

KARL Geh, heut is doch gar koa Föhn.

GUDRUN Freilich ham mir heut an Föhn …

GUDRUN Tu amal pfeifen … Schön pfeifen …

KARL Wie geht denn pfeifen?

GUDRUN Pfeifen!

KARL Sie pfeift aa gern. – Tu amal pfeifen!

GUDRUN *beginnt zu pfeifen.*

KARL Net du, as Kind soll pfeifen.

GUDRUN I machs ihr ja nur vor, wies geht.

KARL A geh, sie kanns doch schon …

GUDRUN Manchmal muß mas ihr vormachen. *Pfeift wieder.*

KARL Wenns pfeift, des is goldig. Ehrlich …

GUDRUN So, Yvonne, jetzt wirds aber Zeit, jetz machst amal endlich dein Purzelbaum.

GUDRUN Herrschaft, Yvonne, Hoppihopp, mach gefälligst dein Purzelbaum!! Hoppihopp!!

KARL Befehlen hilft garnix. Befehlen hilft garnichts.

GUDRUN Also, i versteh des Kind net. Sonst machtsn doch auch immer …

KARL I gib ihr jetzt passen S auf – wo ham mir denn die Keks?

GUDRUN Keks ham mir koa mehr, bloß noch an Schoklad.

KARL Hol ihn!

GUDRUN *steht auf und holt Schokolade.*

KARL Jetzt gibts Guti. – As Wort Schoklad verstehts no net. Sie sagt zu

[NOCH KARL] allen Süßigkeiten Guti. Aber, wissen S', was sie scho sagn kann? Blätterteig. – Sag amal Blätterteig. – Sagst du Blätterteig ...

GUDRUN *kommt mit Schokolade.* Da, Yvonne, feines Guti, aber dann machst an Purzelbaum.

KARL Naa, Blätterteig solls sagn.

GUDRUN Nanaa, an Purzelbaum solls machn.

KARL Geh red koan Schmarrn. Zerscht solls Blätterteig sagn. Du bringst ja des Kind ganz durchanand.

GUDRUN Du bringst as durchanand. Da, Yvonne, tu schön Schokolad essn. Feines Guti ...

KARL Wissen S', was aa scho sagn kann? Des Wort Finderlohn.

GUDRUN Wo ses nur herhat ...

GUDRUN Schön Purzelbaum, Yvonne, schön Purzelbaum – Hoppihopp! Hoppihop ... Ja, was is denn, Hoppihopp!

KARL Psst, sei stad, mach mas anders. Jetz paß auf schau her, Yvonne ...

GUDRUN Jetzt paß auf, was der Pappi macht.

KARL Soo ... *macht Purzelbaum.*

GUDRUN *dazu* Hoppihopp. So is schön.

KARL So gehts. Sie kann ihn fei aa.

GUDRUN Sie machtn scho genausoguat ...

KARL Wissen S', sie soll amal Eiskunstläuferin werdn.

GUDRUN Oder Paarlauf.

KARL Oder Ballett.

GUDRUN Nein, nicht Ballett, Eiskunstlauf.

KARL Spezialisiern kann sie sich ja dann immer noch.

GUDRUN As Wichtigste is, daß ma mit sowas ganz früh anfängt.

KARL Wissen S', so Pirouetten drehn und so ...

GUDRUN An Trainer ham mir schon.

KARL Es is a Kindertrainer, der trainiert nur Kinder.

GUDRUN Der hat aa gsagt, man kann garnicht früh genug anfangen.

KARL Kost fei a Heidngeld.

GUDRUN 50 Mark in der Stund –

KARL Und d Stund hat nur 45 Minuten bei de Kindertrainer. 50 Mark muaß ma scho hilegn, unter 50 Mark geht garnichts.

GUDRUN Aber der Trainer hat auch gsagt, daß sie sehr begabt is. Gel, Yvonne, mir sind sehr begabt – wo isn?

KARL Ja, wo issn?

GUDRUN Yvonne? Yvonne, wo bist du?

KARL Yvonne, wo bist du!?

GUDRUN Yvonne, Hallo? – Is nausganga ...

KARL Geh, hols wieder rein. Sie hat no koan Purzelbaum gmacht ...

GUDRUN *geht* Sie is nausganga ...

KARL *wartet* Herrschaft, wartens S' *Geht auch.*

Leere Sessel. Nebenan Stimmen.

KARL Yvonne, jetz geh ma wieder da nei …

GUDRUN Du sollst doch Hoppihopp machn. Du hast doch dein Hoppihopp noch garnet gmacht.

KARL Und Blätterteig hats aa no net gsagt.

GUDRUN Sie wui aa den Schoklad net, i woaß garnet, was isn mit ihr los …

KARL So, Yvonne, jetz geh wieder nei ins Wohnzimmer, und dann machst schön dein Hoppihopp.

GUDRUN Purzelbaum, schön Purzelbaum.

KARL Und Blätterteig, schön Blätterteig …

KARL So, Yvonne, jetz mach amal endlich dein Purzelbaum! Des Kind is heut wie verstockt.

GUDRUN Hoppihopp!! Zum letztenmal, Yvonne, mach deinen Purzelbaum!! – Sonst derfst heut nicht fernsehn.

KARL A ganze Woch derfs nimmer fernsehn. Eine ganze Woche darfst du nicht mehr fernsehn, daßd as genau woaßt.

Yvonne macht einen Purzelbaum.

KARL Ja, endlich.

GUDRUN Is ja aa Zeit worn.

KARL Sehn Sie, es geht.

GUDRUN Sie is halt a begabtes Kind.

KARL Gel, mir hams immer gwußt, sie kann des. Mühelos.

YVONNE *völlig unbeachtet* Finderlohn.

Liebe Trudl

Karl und Gudrun Bäumel sitzen in einer Wohnküche, ein Kassettenrecorder steht aufnahmebereit auf dem Küchentisch. Heinz-Rüdiger sitzt mürrisch daneben.

KARL Also, hör mir uns amal an, was mir scho habn. *Schaltet Band ein.*

STIMME KARL Liebe Trudl, wir machen jetz amal ganz was Neues, mir schicken euch amal statt am Brief eine von uns besprochene Kassette nach Australien.

STIMME GUDRUN Zuerst amal, liebe Trudl, alles Gute zum Geburtstag …

STIMME KARL Ja, alles Gute zum Geburtstag …

STIMME GUDRUN Bleib gesund und munter …

STIMME KARL und laß amal wieder von dir hören, wenn du diese Kassette …

STIMME GUDRUN Also, liebe Trudl, uns …

STIMME KARL abgehört hast. Im Zeitalter der Technik is des ja direkt a Erleichterung, ich war ja sowieso kein großer Briefschreiber, wie du weißt. Hahaha …

STIMME GUDRUN Also uns gehts allen gut, und wie gehts euch so? unser …

STIMME KARL Es is scho a echte Erleichterung, man muß diese neuen Techniken bloß ausnutzen …

GUDRUN Da, hörst as selber, du laßt mich nie zu Wort kommen …

KARL Psst! Hör zu …

STIMME KARL Mir ham bisher immer nur diese Musikkassetten gehabt, aber so a eigene Bandaufnahme, des is halt amal ganz was anders …

STIMME GUDRUN As Wichtigste is doch, daß ma gsund is, und weil mir schon bei der Gsundheit sind, hoffentlich seid ihr auch gesund.

STIMME KARL Wenn ihr jetzt das Band gehört habt, könnt ihr uns dann ja auch eine besprochene Kassette zurückschicken …

STIMME GUDRUN Der Heinz-Rüdiger hat bis vorige Woche die Masern ghabt, aber er hats jetz gut überstandn.

STIMME KARL … des hat den Vorteil, daß ihr uns dann keinen Brief schreiben müßts.

STIMME GUDRUN Die ersten Tage danach hat er noch …

STIMME KARL und mir können des dann auch hier wieder abhören …

GUDRUN Also nie laßt er mich ausredn …

KARL Psst, horch amal, i glaub, des eiert …

STIMME KARL … also, es is scho gigantisch, wenn ma sich vorstellt, deine Stimme geht dann um die halbe Welt, und unsere jetzt dann praktisch auch.

STIMME GUDRUN Jedenfalls, der Heinz-Rüdiger is wieder wohlauf.

STIMME KARL So, da hab ich jetz auch den Heinz-Rüdiger neben mir sitzen, und der will dir auch noch was sagen … *Nichts kommt.*

GUDRUN Du hättst ruhig was sagn können, Stoffel.

STIMME GUDRUN Sag halt was!

STIMME KARL Ja was is denn?!

STIMME GUDRUN I glaub, er geniert sich a bißl ...

STIMME KARL Da is des Mikrofon, da werd neigred!

KARL Irgendwie eiert des.

GUDRUN Aber ma versteht eigentlich ois.

STIMME KARL Ja Herrschaftszeitn Malefitz, hörst du schlecht, du sollst der Tante Trudl zum Geburtstag gratulieren!

STIMME GUDRUN Schalt as Band aus.

STIMME KARL Du elender ... *Bandaufnahme reißt ab.*

KARL Des lösch mir am Schluß.

GUDRUN Weilst aber auch einfach net neigred hast!

KARL As nächstemal sagst was! So Achtung, Band läuft wieder. Ja, jetz hab ich mirs grad anghört, wahrscheinlich eiert des bei euch a bißl ...

GUDRUN Aber mir hoffen, ihr versteht alles ...

KARL Wenns eiert, liegt das nicht unbedingt an euerm Recorder, sondern vielleicht am Band. So, aber der Heinz-Rüdiger is wieder neben mir und will unbedingt auch was sagen.

GUDRUN Sag halt was.

KARL Saubua. – Ja, der Heinz-Rüdiger kommt mit den neuen Techniken noch net so ganz klar, aah, mir nehmen halt derweil was anderes auf.

GUDRUN Aber er läßt auf alle Fälle schön grüßen, und er bedankt sich auch sehr für den schönen australischen Medizinmann. *Heinz-Rüdiger bohrt in der Nase.* Laß des!!

KARL *schaltet das Band ab.* So und du derfst jetz nix mehr auf des Tonband sagn, daßt es genau woaßt, Saubua. – Ja was kannt ma eahna no aufnehmen?

GUDRUN Mei, nimm doch de neue Geschirrspülmaschine auf, des is für die Trudl sicher interessant, weil sie selber hat ja koane, sowas ham de net in Australien.

KARL Ahja, des is a Idee. Also paß auf, du gehst jetz an die Maschine, und wenn ich dir a Zeichen geb, dann laßt as laufn, und ich nehms auf.

GUDRUN Da, iß den Sandkuchn vollns auf, weil, wenn mas scho laufn laßt, na spül ma auch glei was.

Gudrun nimmt den Sandkuchenteller und räumt ihn in die Spülmaschine, Karl präpariert das Mikrofon und beißt in den Sandkuchen.

KARL Achtung Aufnahme!

Gudrun schaltet Maschine ein.

KARL Halt halt, no net, erst wenn ich Zeichen geb!

GUDRUN Naa, jetz laufts scho ...

KARL *laut* Liebe Trudl, was du jetz hörst, des is unsere neue Geschirrspülmaschine, die hat sogar einen eingebauten Trockner.

GUDRUN Den Trockner hört ma aber net.

KARL Die Maschine spült 10 Geschirreinheiten komplett in 17 Minuten. *Eine Trambahn fährt vorbei.*

GUDRUN Aus, machs aus, d Trambahn ...

KARL Naa. Ah, Trudl, des Nebengeräusch, was du jetz grade gehört hast, des war die Trambahn.

GUDRUN Des is unsere Linie 4.

KARL Aber ich hoffe, du hast doch an Eindruck, wie so a Geschirrspülmaschine ungefähr funktioniert, obwohl dieses Modell nicht nach Australien exportiert wird. – Jaa ...

GUDRUN Uns gehts gottseidank allen recht gut ...

KARL Des ham mir schon. *Schaltet ab.* Ja, was könnt mir denn noch ...

GUDRUN Wieviel ham mir denn schon aufm Band?

KARL Ungefähr fünf Minutn.

GUDRUN Wieviel hatn so a Band insgesamt?

KARL Neunzig Minuten.

GUDRUN Was, so vui, des werd ja nie voll ...

KARL Ja, so schnell net ...

GUDRUN Weißt was, schreib mir ihr halt derweil zum Geburtstag noch amal an Brief, und schicken ihr die Kassette as nächstemal.

KARL Obwohl, des reicht doch derweil, da hats dann aa scho an Eindruck.

GUDRUN Naa, fünf Minutn, des is zwenig, da müß ma scho an Begleitbrief dazuschickn.

KARL Also gut. Aber auf den Brief schreibt dann er auch an Gruß drauf. *Deutet auf Heinz-Rüdiger.*

Fredis Geburtstag

Oma Hienrainer trägt ein kleines Schächtelchen herein, stellt es auf einen gedeckten Tisch, neben die Geburtstagstorte, Opa Hienrainer kommt mit einer Schachtel, stellt die Schachtel neben Omas Schächtelchen, will hineinschauen, Oma kommt mit einer Kerze.

OMA Laß doch, setz dich her, jetz muß er gleich kommen.

OPA Ja, er kimmt gleich, unser Bub. Was hast denn du eahm gschenkt? Laß mi neischaugn.

OMA Naa, jetz is scho zuabacklt. – Is des von dir? Sag?

OPA Ja, des is fürn Bub.

OMA So. Was hast denn drin? Ha?

OPA Ja, das werd ich dir jetzt nicht sagn, net, des is ja für dem Fredi.

OMA Des woaß i scho, meinst, des meine is net fürn Fredi?

OPA Es is schon ein erfreulicher Tag.

OMA Ja, da hast recht. *Versucht, in Opas Schachtel zu gucken.*

OPA Laß das stehn, da, gell, da wos hinghört, damit ers gleich hat, dann. *Oma räumt die beiden Geschenke in eine symmetrische Reihe.*

OPA Damits auch a Gsicht hat, wenn er kommt ...

OMA *versucht wieder in Opas Schachtel zu schauen.* Mit was fangt denn deins an?

OPA Da werd net neigschaut, gell, des ist eine Überraschung für dem Fredi.

OMA Sag halt wenigstens die Anfangsbuchstaben ...

OPA Eigentlich, ist es ein, eigentlich ist es ein – ein Ka.

OMA Mit Ka?

OPA Mhm.

OMA Kasterl?

OPA A Kasterl, i werd so blöd sein und in des Kasterl a Kasterl reintun, net. Da kann er ja nix anfangen. Nein, es ist etwas Nützliches, net.

OMA Kugelschreiber ...

OPA Nein, etwas Nützliches und beginnt mit Ka.

OMA Kugelschreiber!

OPA Wo er doch fast nie schreibt, der Bub. Er hat doch ganz andere Interessen. Net.

OMA Ja, des is wahr, gschriebn hat er uns nie, wie er so lang weg hat müßn, seinerzeit.

OPA Ja, schreiben tut er wirklich sehr ungern.

OMA Aber durchsetzn, des kann er sich.

OPA Er hat an Appetit, den hat er immer ghabt, aber schreibn, naa.

OMA Scho gut, wenn ma a selbständigs Kind hat.

OPA Es ist schon ein erfreulicher Tag. – Jetzt sag amal, was is jetz da drin?

OMA Da?

OPA Sagst as net?

OMA Mit Er fangts an.

OPA Mit Er fangts an, aha, er – ein er, ein ernstes Buch?

OMA Ah geh, lesn tut er doch auch net.

OPA Ja, des stimmt auch wieder. – Ein Radioteleskop?

OMA Geh, wo kann da a Radio drin sei?

OPA Ja, heutzutag, wo die Technik a so fortschreitet, net, des woaß ma nie. Aber vielleicht ist es ein …

OMA Er – I …

OPA Hackbrett!

OMA Warum, des fangt doch mit Ha an.

OPA Ja, aber Brrrett, ah so ja, da hast jetz du wieder recht. – Des geht fei net, also so ham mir des net, gell, es is doch ein Krampf, wenn der Bub reinkommt, und sieht die Sachen, und nachher muß er erfahren, daß mir die Sachen selber noch net gsehn ham. Net.

OMA Ja, eben, genau.

OPA Was macht denn des für an Eindruck? Ha?

OMA Hahaha, a Ketterl hat er.

OPA Finger weg!

OMA Du, i hab fei a Ringerl.

OPA So.

OMA Komm, jetz zeigst es ganz.

OPA Aber mir schaun gemeinsam. Müß ma aber aufpassen, daß mir nix, daß mirs genauso wieder hinlegen.

OMA Gell, net daß er merkt, daß mirs scho wissn, net. Also, aufdiebläze, feertig …

Man hört ein schweres Motorrad näherkommen. Opa geht zum Fenster, Oma springt auf, holt Streichhölzer und zündet die Kerze an.

OMA Mei, schnell, schnell …

Man hört Krachen und Fluchen von draußen.

OMA *zündet Kerze an* Hörstn?

FREDI *stürmt herein* Servas. *Setzt sich an den Tisch, packt die Geschenke aus. Omas Päckchen: ein Schlagring.* Do habts aba aa net den teierstn kaaft. I hätt doch den aus Mangan wolln. *Haut mit dem Schlagring auf den Tisch.* Der da is a Glump. *Wirft ihn auf den Boden, Oma hebt ihn wieder auf. Fredi packt Opas Päckchen aus: eine Motorradkette. Er strahlt.* Siehgst Oma, da Opa woaß, was unsaoana braucht. *Haut mit der Kette in die Geburtstagstorte.* Geh weider Oma, hast nix Gscheids zum Essn da?

OPA Geh, also na …

OMA Jaja, unser Fredi …

Fredi schmeißt die verstümmelte Torte aus dem Fenster.

Das Abitur

U GSCHWENDTNER Guten Tach, Frau Fitztum.

FRAU FITZTUM Ja grüß Gott, Frau Gschwendtner, was kriegen wir denn?

U GSCHWENDTNER Geben Sie mal zwei Eier und ein Viertel Butter. Wie gehts sonst, Frau Fitztum?

FRAU FITZTUM Ja mei, es muaß schon, Sie wissen ja, mei, unser Anni, wissen Sie, mir schwitzen, weil unser Anni macht jetzt das Abitur, net, mir habn gsagt, mei, bitte, mir habn gsagt, gel, mir habn jetzt einen Perserteppich, net, wir haben einen Farbfernseher, gel, also aufs Abitur kommts jetzt auch nicht mehr drauf zamm, habn mir gsagt, gel.

Köstlichkeiten aus Küche und Keller

D'Anni hat also auch gsagt, sie würd a Salmonellenvergiftung jeder Fischvergiftung vorziehn.

Mahlzeit

Ein Mann und eine Frau stehen in einer Kantinenschlange. Andere Kantinenbesucher kommen vorbei.

MANN Ah, Mahlzeit ...

FRAU Mahlzeit.

MANN Ja, was gibts denn heute, Hackbraten mit ... *Zu einem Passanten* Mahlzeit – Heut gibts Hackbraten mit gemischten ...

PASSANT Mahlzeit.

MANN Mahlzeit.

FRAU Mahlzeit.

MANN ... mit gemischten Gemü ...

PASSANT Mahlzeit.

MANN Ja, Mahlzeit.

FRAU Mahlzeit.

MANN Heute Hackbraten mit gemischten Gemüse, aber des hats doch gestern, ham mir doch ghabt, Königsberger Klopse ...

PASSANT Mahlzeit.

MANN Mahlzeit.

FRAU Mahlzeit.

FRAU Also, Königsberger Klopse, das glaub ich nicht, die gabs doch am Dienstag ...

PASSANT Mahlzeit.

MANN Mahlzeit.

FRAU Mahlzeit.

FRAU Am Dienstag, da gabs ah, geschmorten ...

MANN Naa, da habn Sie nicht recht, weil ...

PASSANT Mahlzeit.

MANN Mahlzeit.

FRAU Mahlzeit.

MANN Des glaub ich nicht, weil, geschmorte Rippchen, jetz weiß ichs, die geschmorten Rippchen, hats am Donnerstag gegeben ...

PASSANT Mahlzeit.

MANN Ja, Mahlzeit.

FRAU Mahlzeit.

MANN ... wo sie – *zu Passanten* Mahlzeit – wo Sie, eh Schweinefleisch chinesisch, des war am Mittwoch.

PASSANT Mahlzeit.

MANN Mahlzeit.

FRAU Mahlzeit.

FRAU Schweinefleisch chinesisch war Montag ...

MANN Heute gibts ein Eisbein ...

FRAU Heute gibts den Hackbraten. Mahlzeit.

MANN Ja, richtig, heute gibts den Hackbraten. Jetz ham mirs, der vorige-Woche-Hackbraten, der is ja abgeschafft worden, weil, da ham sie doch diese Fleischklöße mit dieser …

PASSANT Mahlzeit.

MANN Mahlzeit.

FRAU Mahlzeit.

MANN … mit dieser Tomatensoße ham sie dann – Mahlzeit – eingeführt.

FRAU Also, ich weiß nicht, ich kann mich, also meine Galle, ich ich, ich geh nach meinem Magen, nach meinem Wohlbefinden, nich wahr. Also mir kommt vor allem Donnerstag, es ist ganz egal ob das Kassler ist, oder dieses Kabeljaufilet, es ist immer …

PASSANT Mahlzeit.

MANN Mahlzeit.

FRAU Mahlzeit.

FRAU … gerade am Donnerstag kommt mir besonders problematisch vor.

PASSANT Mahlzeit.

MANN Mahlzeit.

FRAU Mahlzeit.

PASSANT Guten Appetit.

Der Mann und die Frau starren entgeistert dem Passanten nach.

FRAU Wer isn das?

MANN Mei, a Neuer …

Ein Lebenskünstler

Zwei Herren sitzen sich an einem Tisch in der Kantine des Allianz-Versicherungskonzerns gegenüber. Der eine Herr spricht den anderen an.

HERR Na, schmeckts? Ja, also ich muß auch sagn, also, die Debreciner sind ja drüben bei der BMW besser. Gestern ham mir ja, gestern, am Dienstag war des, ja, da ham mir Kalbsragout bürgerlich ghabt, des hab ich aber drübn gessn, in der Münchner Rückversicherung. Des war ganz gut durch, also, es geht. Aber des Tiroler Gröstl bei der AGFA, des is Spitze. Also des is einwandfrei. Gel. Und so, sagn mir mal, was Deftiges, Wollwürste und so was, da würd ich sagn, nur zum Siemens. Da würd ich garnet wo anders hingehn, net. Spaghetti napolitain, des kann ma mal an am Mittwoch oder so essn, da geht ma halt amal ins Kultusministerium rein oder zur Stadtverwaltung, nicht schlecht, aber sagn mir mal: auch net des ... Kaiserschmarrn am Freitag oder Forelle frisch, da würd ich ja unbedingt versuchen, zur Landesbausparkasse reinzugehn, weil die sind nicht zu schlagen. Diese Forellen, die sind also wunderbar, die zergehn auf der Zunge, gel. Aber Weihnachten, da eß ich dann doch lieber daheim.

Der internationale Feinschmecker

Ein Imbißwohnwagen, daneben ein Resopaltisch zum Stehverzehr. Rauch von altem Öl aus dem Inneren des Wagens. Zwei Herren nähern sich in angeregter Unterhaltung dem Imbißstand.

HERR I Skandinavien, gastronomisch eine Wüste, ich bitte Sie, Knäckebrot, Seelachs – äußerst einseitig. Was habens denn sonst da droben? Von Finnland möcht ich lieber ganz schweigen. Was diese armen Hunde zu sich nehmen müssen!

HERR II Aber vielleicht …

HERR I Ach hören Sie mir doch auf damit! Spanien! Habn Sie mal a Paellia gessen?

HERR II Ja.

HERR I Na also, dann wissen Sie ja, was los is. Und dann diese Weine. Brrrr!! Entsetzlich. Ich meine, Italien, natürlich vielleicht gibts hie und da mal eine Lokalität, wo man speisen könnte, aber insgesamt betrachtet muß man auch Italien ad acta legen. Diese ewigen Teigwaren, ich kanns nimmer sehn. Auch gewürztechnisch is der Italiener doch infantil.

Die beiden sind an dem Wurststand angelangt.

HERR I Ach bitte, geben Sie mir ein Nierenschaschlik. Mit doppeltem Ketschap.

HERR II Mir ne Cörrywurst, bitte.

HERR I Auch hier in Deutschland, mein Gott, ein paar Schmankerln, aber sonst, die deutsche Küche is ja praktisch tot. Das heißt, sie is ja garnicht existent, eigentlich hat es sie ja noch nie gegeben. *Neue*

[NOCH HERR I] *Fettwolke aus dem Imbißwagen.* Die deutsche Gastronomie is ja ein Widerspruch in sich, verstehn Sie. Wissen Sie, ich habe mir angewöhnt, wenig zu essen, aber wenn, dann ohlalá!

HERR II Geben Sie mir ne Fanta.

HERR I Ja, mir auch. Wissen Sie, eine Mahlzeit, kein Futter, das gibt es doch nur in Frankreich. Eventuell noch was Chinesisches, aber selbst das … *Winkt ab.* Ich sage nur: Bocuse, Häberlin, besser gesagt Aberlää, Winzigmann … Mmmh, diese Sorbets, diese Parfaits, haben Sie schon mal Cuisson au court bouillon gegessen, oder ein Volaille des Bresse à la broche?

HERR II Sie meinen Brathuhn?

HERR I Ach! *Winkt unwillig ab.* Oder Poularde des Bresse truffée mère Brazier, paupiettes de veau undsoweiter und dazu einen 67er Sancère oder einen 64er Chablis. *Nimmt einen Schluck Fanta.* Zum Wild dann eher Bordeaux. Wissen Sie, hier ernährt man sich. Aber essen, richtig essen kann man nur in Frankreich. Nur in Frankreich! *Beißt in sein Nierenschaschlik, mit Kennermiene* Mmm, sehr gut.

Der Softbiß

VERTRETER Ich habe hier ein paar Knäckebrote. Darf ich Ihnen was anbieten? Wenn Sie vielleicht einmal unser Rustikalknäcke versuchen wollen? Bitte.

EINE DAME Danke. Knack, knusper knusper knurpsch.

VERTRETER Mh? Schmeckts Ihnen gut?

EINE DAME Mhm. Knirsch knursch knurpsch.

VETRETER Ist nicht schlecht? Oder wir haben unseren Smörrebrödknäck, versuchen Sie doch mal –

PUBLIKUM knurpsch kau kau schluck.

VERTRETER Oder unser Lapplandcracker, das ist der Schlager, äh, der sich seit, äh, schon seit Monaten bewährt hat, ein neues Produkt. Darf ich Ihnen mal einen Lapplandknäcker –

EIN HERR Mhm, sehr gut. Krunsch, krups krups krups.

VERTRETER Dann haben wir hier einen Extraknäck. Die Dame vielleicht, ein Extraknäck?

EINE DAME Danke. Knirsch knursch rumpsch. Mhm, sehr gut.

VERTRETER Finnisches Landknäcke, wenn Sie versuchen wollen? Hier der Herr vielleicht? Ein finnisches Landknäcke, ist sehr gut. Oder ein Bioknäck? Das ist unser Reformschlager. Wenn Sie mal vielleicht versuchen wollen?

EINE DAME Mhm gern, danke. Krach kruch krucks rucks rucks.

VERTRETER Und dann haben wir ein, ein –

EINE DAME Mmmmm –

VERTRETER Ein gutes Milchknäckebrot, das auch sehr gut ... schmeckt es Ihnen?

PUBLIKUM Mhm. Mhm. Schlurz, schluck, gülp.

VERTRETER Sind Sie zufrieden?

EINE DAME Mhm ja, sehr gut.

VERTRETER Vielleicht unser Milchknäcke, wenn Sie mal versuchen wollten?

EIN HERR Knirps knirsch knirsch krach rumps pumps pumps.

VERTRETER Dann hätten wir ein nordnorwegisches Hirtenknäcke, äh, das ist für verträumte Stunden. Wenn Sie vielleicht mal versuchen wollen –

EINE DAME Krich. Mhm. Krungs, klings, rupsch.

VERTRETER Ist gut gell? Ja?

EINE DAME Sehr gut. Kau kau.

VERTRETER Dann haben wir Seemannstod. Das ist besonders knackfreudig, äh, ein ganz besonders gutes, äh –

EIN HERR Seemanns ...?

VERTRETER Seemanns ... äh-tod, heißt es, ja. Dann vielleicht ein Holzfällerknäck aus Mittelschweden. Wenn Sie mal versuchen wollten?

EIN HERR Aha. Krach kruch kracks knirsch rumps rumps.

VERTRETER Also unser ... wir haben also uns bemüht, wirklich, mit unseren Variationen ... Oder für die Kleinen, da komm mal her, ein Knacki-Knusperle!

KIND Mampf mampf knirps.

MUTTER Wie sagt man?!

KIND Danke! Knacks knirsch mampf.

VERTRETER Dann haben wir ein bröselfreies Diätknäcke. Wenn Sie mal vielleicht versuchen wollen?

EINE DAME Mhm, danke. Schluck schlürf schlürf.

EIN HERR Darf ich noch so ein Hirtenknäcke haben?

VERTRETER Selbstverständlich, bitte ein Hirtenknäcke. Vielleicht ein Bioknäck?

EIN HERR Danke.

VERTRETER Ja, und dann hätten wir noch aus Dänemark etwas Besonderes, das ist etwas ganz Neues, das ist unser Flauschiknäck, ein smarter Weichknäcker mit dem Softbiß.

HERR Mhm, sehr gut. *Stille.*

VERTRETER Das ist der Weichknäcker ...

HERR Mmh. *Stille.*

VERTRETER Und das ist der Softbiß. Ist mal was ganz anderes, oder?

Pommes frites

In einer Diskothek läuft in voller Lautstärke der Saisonhit »Baby Baby, I like it«. Dazu eine kraftvolle Unterhaltung zweier Gäste.

GAST I Früher hats doch gar keine Pommes frites gegeben!!

GAST II Wen?!

GAST I Pommes frites!!

GAST II Wen? Fritz?!

GAST I Nein, Pommes frites hats doch früher nicht gegeben!!

GAST II Ja, des kann schon sein!!

GAST I Früher haben die doch gar keine gute Soße, die haben die doch früher ...!!

GAST II Ja, ich verstehe, die haben ja, früher gabs ja noch gute Soßen!!

GAST I Was?!

GAST II Gute Soßen!!

GAST I Ja, gute Soßen!!

GAST II Jaja, gute Soßen, und nicht immer diese Pommes frites!!

GAST I Ja, diese Pommes frites, des is ja ...!!

GAST II Das nimmt ja ständig überhand, weil man ständig nur diese Pommes frites hat!!

GAST I Ja genau. Ich kann sie schon nicht mehr sehn, diese Pommes frites!!

GAST II Wen?

GAST I Pommes frites!!

GAST II Ja!!

GAST I Und a gute Soße, könnens gar nimmer machen, gel!!

GAST II Nein, eine gute Soße machen sie heut nicht mehr!!

GAST I Ja genau. A gutes Soßerl findet man ja nirgends mehr, weil sie nur Pommes frites machen!!

GAST II Ja genau, Pommes frites. Hähä, Pommes frites, gel!!

LAUTSPRECHER Baby Baby, I like it, do it do it do it do it do it do it again.

Der Kaiserschmarrn

KELLNER Buongiorno signore.

GAST Buongiorno. Eh, prego la la carta.

KELLNER Si, si, prego signore.

GAST Eh, vogliamo, mh, una mhmh, una bistecca, una bistecca con insalata e poi un, mh, un una diserto, prego. Was möchtest du Schatz? Mh, ja mhmh, vogliamo una ... vielleicht einen Karpfen? Carpe, aa ... avete avete carpe? Eheh, poi una ... vielleicht ein kleines, ein Dessert? Nehmen wir vielleicht Kaiserschmarrn. Wir ... vogliamo ... vogliamo narretia del imperatore, si, ma subito, nichtwahr. Subito, perchè abbiamo fame e sete.

KELLNER Also entsuldigen Sie mein Herr, aber is ich so, weil die Kuchel hat son geslossn, ge, kemmer gar nix mehr machen, nur noch Getränke gibts.

Die Fleischfliege

EIN WIRT Ja, in meinem Restaurant sind eigentlich ganz wenige Gäste gestorbn, genauer gesagt, bloß oana, und da is des dann doch eine Gemeinheit, wenn da ständig behauptet wird, daß mir die Gäste da herin nur so wegsterbm, weils immer sagn wega meina Gulaschsuppn. Sollte eine Gulaschsuppn jemals an Oguu ghabt ham – a bißl a Wasser, net, etwas Zitrone, ja, da hab ich noch jeds Supperl auf Vordermann bracht. Wenn einer an so ana Suppn stirbt, na muaß er scho vorher was ghabt habm. – Überhaupts, mit dem Sterbm, des is so eine Sache. Ich erinnere mich genau, mir ham in Niederbayern gwohnt, in der Nähe vom Friedhof, net – es war ein heißer Sommertag, Augusthitze, mir ham gspielt, ich und meine Spielkollegen, na denk ich mir, schaust amal nei ind Auslag. Vom Leichenschauhaus. – In einem herrlichen Eichensarg liegt er drin. Da Grünäugl. Ringsumher wars ganz stad. Auf einmal seh ichs bsssssrrrrsssrrr – so groß, grünlich schillernd, unappetitlich, eine Fleischfliege, ein Brummer, is se am Grünäugl auf d Prat ... auf d Händ naufgflogn, de wo er gefaltet ghabt hat zum letzten Gebet. Jetzt kimmts: Brrrssssoorrroroorr ... is s am Grünäugl ins Mäu neigflogn. Der Grünäugl hat überhaupts keinen Muckser net getan. Sie, des san fei scho Sachn, wenn einem amal a Fleischfliege im Mäu umanandfliegt, und es is einem gänzlich wurscht. – Überhaupts, alles woins ham heutzutage: Geschirrspülautomat, Farbfernseher, Schwimmingpuhl – bloß sterbm, des woins net. Aba da beißts aus. – Da werdns noch spitzn ...

Gesellschaft und Geselligkeit

D'Anni hat gsagt, daß diese Frau Mittermeier, daß die aso nachtragend is, des, sagt sie, des vergißt sie ihr nie.

Wiedersehn

ALTER I Ja wen seh ich denn da?

ALTER II Ja Sie sinds?

ALTER I Ja, daß man Sie einmal wieder sieht.

ALTER II Ja, jetzt hammer uns schon lang nimmer gsehn, gel …

ALTER I Ja gleich wie Sie reingekommen sind, hab ich mir denkt, äh, da schau her, hab ich mir denkt, seh ich jetzt richtig oder …

ALTER II Ja, nein, nein, hä, Sie haben schon richtig gsehn, ich bins.

ALTER I Ich glaub, daß wir uns schon nicht mehr gesehen haben, seitdem der Ding gstorben is. Na ja, Sie wissen schon …

ALTER II Ach ja, der, der der Ding, aber den hab ich aber auch schon lang … also bevor er praktisch gestorben ist, nicht mehr gesehen.

ALTER I Ja, so, ja, so lange haben wir uns schon nimmer gsehn.

ALTER II Jaja, das letzte Mal, wo wir uns gesehen haben, da hat er, da hat er noch gelebt.

ALTER I Man sieht, in der Zwischenzeit ist halt doch wieder was passiert.

ALTER II Ja also dann, gel, auf Wiedersehen, vielleicht sehen wir uns amal wieder.

ALTER I Ja, lassen Sie sich halt amal wieder anschaun, net.

ALTER II Ja, ich, ich bin nur da, eh, weil ich mich halt wieder a bissel umschauen möchte.

ALTER I Da haben Sie recht, also Wiedersehen.

ALTER II Wiederschauen.

Eine Entdeckung

ALTER I Sie, jetzt schaun Sie da rüber, sehn Sie es?

ALTER II Wo?

ALTER I Ja da schaun Sie doch amal. Sehn Sie nicht, da bewegt sich doch was.

ALTER II Was?

ALTER I Ja sehn Sies denn nicht?

ALTER II Ja, ich seh gar nix.

ALTER I Ja psst, psst, ganz still, da hinten bei dem Busch, da rührt sich was.

ALTER II Ich kann nix entdecken.

ALTER I Ja Herrschaft, pssst, ganz leise, jetzt schaun Sie amal hin. Sehn Sies? Was da rauskommt?

ALTER II Ja, jetzt seh ich was.

ALTER I Psst, Sie, das is ja, das is ja a Kind.

ALTER II Ja, a Kind, genau.

ALTER I Ja, psst, ja, ruhig, Sie, da is ja noch eins, da sind ja zwei.

ALTER II Ja richtig, da sind ja zwei.

ALTER I Zwei Kinder, gibts denn das aa?

ALTER II Ja genau, zwei.

Net Vui

Herr Knut trifft Herrn Meier zufällig an einer Straßenecke.

HERR KNUT Ja, Grüß Gott, Herr Meier, wie gehts oiwei?

HERR MEIER Aja, es geht scho. Mei, was soll ma sagn, net vui los, net ...

HERR KNUT Ja, und ah, was machans immer aso?

HERR MEIER Aja, net vui eigentlich, amei – mei, was soll i sagn, mei, es is, i kannt net sagn irgendwas Bsonders, gel. Mei, jamei, eigentlich nix.

HERR KNUT Ah geh? Ah so?

HERR MEIER Naa, eigentlich net vui.

HERR KNUT Und was dean's sonst so? I moan, sonst, die ganze Zeit aso?

HERR MEIER Naja, mei, i bin amal dahoam, gel, i bin meistens dahoam, gel.

HERR KNUT Ja, riesig, ha! Und? Ah ... was ham's jetz so vor, was macha S' so die nächste Zeit? Überhaupts? Was, was steht im Busch?

HERR MEIER Ja – o mei, net vui. Gel. Amal, i woaß net, gel, also, vui net. Net. I wer dahoam bleibn, tua abundzu mal fernsehn, gel ...

HERR KNUT Ja, sagenhaft!

HERR MEIER Aja, und manchmal schaug i net amal nei, gel. I woaß aa net, in der letztn Zeit hab i praktisch net amal ferngsehn, vui, gel, i woaß aa net, es, es is ja – es is ja ... fad, gel.

HERR KNUT Ja, ha! Ja, toll, na machan Sie solchene Sachen!!

Der Willi

Klaus entdeckt seinen Spezl Willi in einem Lokal.

KLAUS Hargottsakrament, wen siag i denn da? Da Willi, haha, der Willi. Ja Servus nachad, Willi, ja was is des ha, ja bist es du?

WILLI Griaß di nachad.

KLAUS Ja, hahaha, ja der Willi, ja wos is ja des gibts ja garnet, ha, ja Hargott wo bist jetz du allweil gwesen? Seit vierzehn Dog hob i di scho garnimmer gseng.

WILLI Ja, wieso, i war allweil dahoam.

KLAUS Ja, haha, ja der Willi, ja Willi, ja, hahaha, ja Willi, sag amal, ja der Willi, i hob ma denkt, gehst amal rein, kafst dir a halbe Bier, wen sieg i do, der Willi! Hahahaha! Der Willi sitzt da herin!

WILLI Ja wieso soll jetz i nachad do net do herin sitzn, oder?

KLAUS Haha, der Willi, ja, du, was is, Willi, sag amal was is, is da frei, na setz i mi glei her?

WILLI Naa, do is bsetzt.

Servus, Erwin

Hubert döst und schwadroniert in seinem Wohnzimmer vor sich hin. Das Telefon schrillt auf. Er nimmt ab.

HUBERT Ja, hallo? Ja, der Erwin, wie gehts dir? Ja? Schön, gel, ja, wie wars im Urlaub? Ja, ja, schön Ah so, ja, ja Ja so Ja, also Jaja, also dann Ja? Jaja, klar, also Hahahaha, sehr gut, also Ja, okay dann, also Jaja, also dann okay Danke ja Okay ja Also dann Okay. Ja, ich ich ruf dich an Können wir machen, ja also, okay dann Servus Erwin! Jaja, okay dann also, Erwin Ja, okay Ja so, okay, Erwin, also dann Ich würde folgendes Ja, ich würd folgendes vorschlagen Mhm Ja, ich ruf dich auf alle Fälle an, ja, okay, also dann, nett daß d angrufen hast Ebenfalls Gut, ja dann also, servus Erwin, Servus, ja, Servus Erwin. *Legt den Hörer auf.* Blöde Sau!

Der angebrochene Abend

Ein Wirtshaus, aus der Musikbox Musik. Stopherl, Mike und Richard sitzen trist an einem Tisch, Gertie steht an der Bar.

MIKE Geh ma?

STOPHERL Ja, geh ma. Gertie, zahln!

GERTIE I kimm glei!

RICHARD Mir bringst no a Halbe und dene Buam bringst an Schnaps, und mir aa no oan.

STOPHERL Naa, i trink koan Schnaps! Mir gehngan.

RICHARD Es bleibts da und trinkts an Schnaps!

MIKE Naa, mir müaßn geh.

GERTIE *bringt ein Bier und einen Schnaps.* So, Richard, da, dei Bier und dei Schnaps, und es habts ghabt zwei Spezi 4 Mark 80.

MIKE *zahlt* Stimmt scho.

RICHARD Ja, und was is mit dem Schnaps für de Buam?

GERTIE Geh, Richard, tua de Buam net verführn, de wolln geh.

RICHARD So, es gehts scho, ja wo gehts es denn hi?

STOPHERL Hoam.

RICHARD Hoam?! Haha, da kennas eich doch scho, was wolltsn es dahoam?

MIKE Mei …

RICHARD Jetz um de Zeit?! Hoam?!

MIKE Mei, warum net …

RICHARD Was wolltsn es dahoam? Wia i in eierm Alter war, so alt wia es, da hätt mir oana was sagn solln, vo wega hoamgeh! Mir! Haha!! Mei Voda, mei Voda, wenns Mäu aufgmacht hätt, der hat froh sei miassn, daß i eahm koan Spitz gebn hob. Ab dem 14. Lebensjahr, da war Sense, mit mir net, aba scho wirkli net. Jetz bringst dene an Schnaps, was waar denn des sonst für a Jugend.

STOPHERL Naa, i mog koan Schnaps net, ehrlich.

RICHARD Da hoaßts oiwei, die Jugend waar so rebellisch, diese Jugend da, dabei sans zahme Hund … schaug das o, hoamgeh wollns. Jetz trinkts an Schnaps, na vazähl i eich, was früher los war …

STOPHERL Naa, a andermal, mir wolln hoam.

RICHARD Oh mei, es habts ja koa Mark in de Knocha, kein Mark. Habts es übahaupts scho mal gfeglt?! Habts es übahaupts scho mal eine Frau ghabt, wia ma so sagt? Ha? Gertie, was is mit de Schnäpse?!

GERTIE Jetz laß doch de Buam grad hoamgeh!

RICHARD Naa, zwoa Schnaps für unsere Jugend!! Und no oan für mi! Des is eine Bestellung!! – Ja, habts es jetz scho mal gfeglt oda net? – Meingottnaa, diese Jugend …

Stopherl und Mike ziehen sich ihre Anoraks an und richten sich zum Aufbruch.

RICHARD Wißts was, i zahl eich as Puff. Daßds amal as Leben kennenlernts. Was is, gehts mit, trauts eich, i zahl eich as Puff. Ehrlich. Ich war scho in Marseille. Von wegn hoamgeh ...

GERTIE *bringt die Schnäpse.* Da. Trinkts halt den Schnaps gschwind aus, der gibt heit sonst koa Ruah nimmer. Er zahlts ja eh ...

MIKE Naa, mir gehngan hoam.

STOPHERL I mag koan Schnaps.

RICHARD Dann bring doch de jungan Herrn eine Buttermilch! Prost! *Trinkt seinen Schnaps.*

MIKE Also, Servus, Richard ...

RICHARD Jetz bleibts halt da. I zahl eich as Puff. Mei Liaba, i war scho in Marseille ...

STOPHERL Kimm Mike, jetz pack mas. Also, Richard, pfüat di.

RICHARD Gehts es scho? Was is nachad mit dene Schnaps? Jetz sans doch scho da.

STOPHERL Mei ... oiso, Servus ...

RICHARD Jetz bleibts halt no da, i zahl doch ois! I zahl eich as Puff! He, habts net ghört, i zahl eich as Puff! Bleibts doch no a weng da ...
Stopherl und Mike sind gegangen.

RICHARD Jetz san de einfach hoamganga. Mit dera Jugend is nix mehr los. Oda?!
Gertie reagiert nicht, zuckt mit den Achseln, Richard kippt noch einen Schnaps. Gertie sucht an der Musikbox.

RICHARD I war ja scho in Marseille ... Stimmts net? Oda? *Kippt den dritten Schnaps.* I hätt dene vui von Marseille vazähln könna ...

GERTIE Oh, mei, Richard, des kenn ma doch scho ois ...
Die Musikbox setzt ein.

Der Witz

Herr v. Bornstedt erinnert sich.

V. BORNSTEDT Ah, wir warn da gestern eingeladen bei diesen ah, Schmitzberger, da hats also so Erdnüsse gegeben und solche Chips, ah, ich vertrags ja anundfürsich nicht, aber es war ein reizender Abend. Da war so ein, ah, Herr da vom Siemens oder irgend so einer Großfirma, glaub ich oder so ähnlich, und der hat dann einen Witz erzählt, also, wir habm uns gebogen vor Lachen. Meine Frau und ich. Also wirklich, es hätte uns beinahe zerrissen – so ein Vergnügen, nein, und es gibt ja Situationen, wenn man einen Witz, ah, und der Herr konnte diesen Witz wirklich phantastisch erzählen, also, wie er ihn vorgetragen hat schon, nicht, und dabei dieses Gesicht, diese Mimik, einfach phänomenal. In diese sowieso schon heitere, lockere Atmosphäre, wenn dann jemand noch mit einem solchen Witz hereinprasselt, und auch die anderen, die haben – also gelacht wurde da, man möchte es nicht für möglich halten, eine solche Bombenstimmung, wirklich wahr. Wissen Sie, es gibt Witze, die entbehren nicht an Hohlheit, aber dieser Witz war anundfürsich anspruchsvoll und doch obszön, also, wenn Sie verstehn, was ich meine. Ich muß sagen, auch ich, ich habe fast geweint vor Lachen – und, ah, wir sind aber dann doch früh gegangen.

Leberkäs Hawaii I

Alfons Schweinberger sitzt in seiner Wohnküche. Neben ihm ein unbesetzter Stuhl. Aus dem Radio die charakteristischen Töne und Klänge von Bayern 3.

SCHWEINBERGER Ja, einen schönen guten Abend allerseits – ah, an Moment noch. *Gießt sich Tee ein und sieben Löffel Zucker.* – Wissen S', ich habn gern süß. So, also: Einen schönen guten Abend. Ich bin jetzt praktisch, ah, mir fangen jetzt an. – Ja, mein Bekannter, der Rudi Löhlein, der wollte Sie auch begrüßen, ich wart noch auf ihn, aber, er muß, er muß jeden Augenblick eintreffen. Er hat mir sein Erscheinen persönlich zugesichert. Aber wie Sie sehen – *Geste auf leeren Platz* – naja, mir fangen halt derweil an. Also nochmals, ein herzliches Grüß Gott – beisammen. – Ja, das wärs dann eigentlich schon gewesen. *Bayern-3 – Verkehrsdurchsage über Unfall bei Wasserburg.* – Moment. – *Hört zu* – Naa, des betrifft an Rudi net, er wohnt in Unterschleißheim. Also, wie gesagt – ah – net. – *Blickt auf die Uhr.* – Herrschaftseitn, daß der no net da is, der Löhlein Rudi. Es werd eahm doch nix passiert sei. Sie wissens ja selber, wias is heute. Bis ma schaut, hats ein dabröselt, net. – Naja. – *Geheimnisvoll* – Wissen S' was, jetz passen S' amal auf. *Steht auf, geht ans Buffett und holt eine Zweiliterbilligweinflasche und ein Glas, setzt sich wieder.* Da, schaun S' amal. Ein Spitzenwein. Den hab ich entdeckt. Beim Supermarkt hab ichn rauszogn. A Sonderangebot. Zwei Mark zwounddreißig. Ein echter Südtiroler. *Schraubt die Flasche auf.* Bauerntrunk heißt er. Ein Tafelwein. Also nix Ordinäres. Und was des Gute is, der is in Deutschland abgefüllt, hier, bei uns, also nicht in Italien. Bei de Italiener weiß ma ja nie. *Schenkt genüßlich ein, riecht, schlürft, schmeckt.* Exquisit. Ein Jahrhundertwein is des. Den muaß ma richtig beißen. Schad, daß der Löhlein no net da is. Der versteht auch was von am guten Tropfen. *Schweinberger hat sich einen Schweinsbraten aufgetan. Er ißt und meditiert zwischen den Bissen und Schlucken.* Wenn natürlich ... verstehen Sie ... wissen Sie ... man könnte auch ... oder wie sollte ich ... weil – *Winkt einem eventuellen Einwand ab* – die in sich oder an und für sich ... oder Gelegenheiten ... deuten darauf hin, daß ... daß beide ... beide Möglichkeiten ... sowohl als auch ... in, ah, in Betracht kommen ... Ja, es ist Ihnen sicher schon aufgefallen, dieser Löhlein is immer noch net da. Naja wissen S', der Rudi, der pünktlichste war der ja noch nie. Aber trotzdem, ich muß sagen ich wunder mich, weil, das ist einfach allerhand. Mir warten und der kimmt einfach net. Wenn i an Rüdiger Wolf eingladen hätt, der waar sicherlich kemma. Naja, vielleicht is eahm was passiert? – Ich hab ihn kennenglernt, an einem Kiosk hab ich ihn kennenglernt, den Rudi, und zwar, ich weiß nicht, wie er halt ... Der Rudi hat Ding gessn, a Cörrywurscht und ich a Rindsbratwurscht, ge, weil ich weiß nicht genau, wie das gangen is, ich hab zu dem gsagt, ich krieg dasselbe, zu dem im Kiosk, und hab gemeint ich krieg auch ein Nierenschaschlik, und dann habn mir die eine Rindsbratwurscht gebn, und da sind wir dann so ins Gespräch gekommen übers Essen im allgemeinen, und da hab ich gmerkt, daß der Rudi, der versteht was vom Essen, und da hat er mir ein Rezept verraten, ge, das hab ich mir also gmerkt. Das is Leberkäs Hawaii, es is sagen wir kein Schnellgericht in dem Sinn, aber es is, sagen wir doch a Sach, die was hermacht, wenn man entsprechende Beilagen dann dazu verwendet, also man kann dann, sagen wir mal, also Red Beans kann man dazu nehmen oder an Cörryreis, Pommes frites sind auch gut. Da nehmen S' hundert Gramm Rindsleberkässcheibe, in die Pfanne rein, mit sehr viel Rinderfett gel, durchbräunen, daß er also schön schwarz ist, dann kein Ei drauf, da müassen S' aufpassen, daß kein Ei draufkommt, kein Eiweiß irgendwie, da darf gar nix rein, dann wenden Sie den Leberkäs herum auf die andere Seite, gel, wiederum bis er ganz schwarz is, und dann eine Scheibe Ananas drauflegen, gel, und man kann dann a bissel a Ketschap oder sowas nehmen, übrigens würzen mit Thymian, mit Oregano oder ein Thymian das is sehr gut, und wer, sagen wir mal von Ihrem Besuch bissel was Pikantes mag, der kann ja diese Mixd Pickels nehmen, die kann man sich ... da braucht man net extra, die gibts ja in Büchsen und so ... Also des Rezept ist vom Rudi Löhlein, gel. Sie werden lachen, ich habs noch in keinem Restaurant bis jetzt so richtig kriegt. Sie, jetzt bin ich aufrichtig in Sorge. Was isn los? Dieser Löhnlein-Rudi – heut is doch Samstag? Mein Gott, wie schnell ist ein Menschenleben verwirkt. A Autounfall, irgendwas Unvorhergesehenes, und schon gehts dahin. Schaun Sie, ich gelte als Tierfreund. Aber was ich da schon Verluste hab hinnehmen müssen. Ein Hamster von mir, ein echter syrischer Goldhamster, der Hansi – in der Nacht, ich geh hinaus auf die Toilette, mach die Schlafzimmertür zu, ein Quieken, ich mache Licht – also grauenvoll. Weils immer so neugierig sind, diese Syrer. – Ein anderer Hamster aus meinem Besitz, sitzt in der Zuckerdose. Der Besuch erscheint, ruft: Pfui Deifl, a Ratz – eine Ratte quasi, ich will noch sagen: Halt, des is doch mein Lothar – is er schon derschlagen. Und die Zuckerdose war auch hin. Wissen Sie, Hamster graben halt so gern. Es ist grauenvoll, wenn man Tiere so liebt wie ich und dann sowas. – Schaun Sie, unsere Nachbarn geben mir immer, ah, vielmehr, haben mir immer ihre Sittiche in Pflege gegeben. Koko und Kuku. Wies der Teufel will, es war Hochsommer, ein Fenster

·CH SCHWEINBERGER] bleibt offen, huiit, waren sie schon davon. Wohin, weiß kein Mensch. Ich bin dann in eine Tierhandlung gegangen und hab gsagt, bitte nomal dasselbe oder haben S' so was ähnlichs, naja. *Seufzt.* Ganz schön peinlich is so was. A Schildkröte hab ich ghabt, eine griechische Landschildkröte, net. Sie will überwintern, die Dorothee, hat sich zurückgezogen, im Frühjahr schau ich nach hinter der Zentralheizung, trocken wie ein Knäckebrot. Also des hätt ich auch nicht gedacht. Nix mehr zmachen. – Mein Aquarium, gel, die Pumpe is immer gut eingestellt. Eines Tages liegens auf dem Teppich. Die Zierfische, der Perserteppich, alles verkleckert. Aber wissen Sie, ich geb nicht auf. Ich mag die Viecherln halt so. Ich schaff mir jetzt a Katz an. Weil, meine weißen Mäuse sind ja jetzt perdu – die ham so a Seuche kriegt, net, und a Katz is doch relativ robust. Da muß scho einiges daherkommen, daß da was schiefgeht. – Aber der Rudi, wo der nur bleibt. *Schüttelt den Kopf.* Sowas naa ... Wissen Sie, der Löhlein, dieser Löhlein, wie soll ich ihn beschreiben, mei, schad, daß er net da is. Er is so a blonder, bleicher. – Er is ungefähr an Meter neunundsiebzig groß. Oder einsachtzig. Sei Onkel hat ein Elektrogeschäft in der Innenstadt. Er selber is beim Siemens oder so a Großfirma. Auch sowas Elektrisches jedenfalls, aber seim Onkel gehts glaub ich finanziell überhaupt net gut. Naja, Einzelhandel, Sie verstehn. – Ich muß sagn, ich hab da vorgsorgt. Ich bin jetzt sehr gut versichert, mir kann nix mehr passieren. Muß ma ja auch machen, gerade heute im zwanzigsten Jahrhundert. Weil neulich war dieser Versicherungsagent da, und ich hab mich überzeugen lassen. Weil, ich war ja auch wirklich total unterversichert. Schaun Sie, mein Mobiliar, das wird ja immer wertvoller. Weil, wenn heute was passiert, und ich wäre gezwungen, mir dasselbe nochmal zu kaufen, ich könnt mirs gar nimmer leisten. – Dann hab ich noch eine Lebensversicherung, Haftpflicht sowieso, Hausrat, wie gesagt. Wenn heute irgendwie was is, Erdbeben, ein Wirbelsturm – in Japan und Amerika sind die ja gang und gäbe – da wenn S' nicht versichert sind, is der Arbeitseinsatz von Jahrzehnten praktisch vernichtet. Also gegen Wasser, Sturm und Diebstahl bin ich gewissermaßen gefeit. Schaun Sie, auch wenn sich heute ein Dieb meiner Schrankwand bemächtigt, krieg ichs anstandslos ersetzt. Wenn mir was zustoßen sollte, ist alles in besten Händen. Ich hab eine erstklassige Sterbeversicherung. Jetzt. – Man muß schließlich bis zuletzt denken. Es passiert ja heutzutage dermaßen viel, daß s eigentlich a Wunder is, wenn einem nix passiert. – Sie, der is fei oiwei no net da, wahrscheinlich is ihm was zugstoßn, sonst gibts des garnet. – *Das Telefon läutet.* Augenblick. *Nimmt ab.* Ja, Hallo? Ja, Rudi, bist es du? Der Rudi Löhlein – ja, mir ham gmeint, dir is was passiert. Dem is garnix passiert. – So, ja heut hättst kommen sollen, du Schlafhaubn. – Er hätt gmeint morgen. – Ja, da kann ma nix machen, machs gut. – Im Stüberl. – Ja, ich werds ausrichten. Er sagt, as nächstemal ganz bestimmt. – Ja, also dann, Servus, ja Servus Rudi. *Hängt ein.* Also, er läßt sich entschuldigen, er hat sich geirrt, er hat gmeint morgen, daweil wars heut. Dieser Löhlein, also sowas naa, dem werd i was verzähln. – Ja, Sie, ich sag derweil Wiederschaugn, gel, und, daß der Löhlein net kommen is, des steht nicht in meiner Macht. Gottseidank is ihm nix passiert. Gel, aber er sagt, as nächste Mal kommt er dann ganz sicher. Er sagt, es sei denn, es passiert ihm was, aber sonst kommt er. – Also, dann, also, Wiederschaun, ja, das wärs dann eigentlich schon gewesen, net, also, Wiedersehn, ja also, auf Wiedersehn.

Das Ereignis

Ernst und Elfriede Weitel stehen vor einem Geschirrschaufenster. Elfriede zeigt Ernst ein Service, Ernst ist wenig begeistert.

ELFRIEDE Weißt, und die Kanne könnt ma dann auch gleich kombinieren mit unserm Rosenservice, und dazu tat dann sehr gut de Tischdecke von der Tante Marga passn.

ERNST Mhm ...

ELFRIEDE Mir könnten natürlich auch da des da hintn, siehst as, des spinatgrüne ...

ERNST Mhm.

ELFRIEDE Da tät dann wieder das Erbsenmuster hervorragend dazupassn.

ERNST Jaja, komm jetz geh mer.

ELFRIEDE Jetz sag halt was.

ERNST Ja, spinatgrün, sehr schön.

ELFRIEDE Mit dir kann ma einfach nix planen, daß du jetz überhaupts kein Interesse hast, du benutzt es doch dann genauso! Da. Mei, schau mal, mei süß! *Zeigt auf neues Service. Ein Mann fliegt rückwärts zur Tür neben dem Schaufenster heraus. Ein zweiter Mann springt ihm nach und schlägt auf den Mann I ein. Mann I wehrt sich.*

MANN II Du Sau!!

ERNST Ui schaug, Elfriede, schaug, da ...

ELFRIEDE Also sowas, naa, daß s des gebn derf.

ERNST *begeistert* Schaug her, jetz hat ern!

MANN II Du elende Sau!!

Mann I hat sich hochgerappelt, die beiden raufen.

ERNST I glaub, für den Kloana schaugts schlecht aus. Hahaha, der hat gsessn!

ELFRIEDE Geh, also naa.

MANN II *trommelt mit den Fäusten auf Mann I ein.* Du Sau!! *Mann I bricht zusammen.*

ERNST Haha, ja sagenhaft, ja, der haut nei. Allwei desselbe: De Kloana provozierns, und dann schaugns blöd. Jetza, jetz bluat er aus der Nosn. Selber schuld.

Die beiden wälzen sich ringend am Boden.

ELFRIEDE Geh Ernst, sag eahna doch amal, de solln aufhörn. Da muaß ma einschreitn ...

ERNST Jaja ...

ELFRIEDE Des kann i nimmer mitanschaugn, der bringt den ja um ...

ERNST Naa, so schnell net, er hatn halt am Krawattl.

PASSANT *im Joggingdress, im Vorbeigehn* Kinders, seid doch friedlich, das hat doch keinen Sinn ...

ERNST *zum Passanten* Schaun S' der hatn ganz schön am Krawattl, ha?

PASSANT *geht weiter.* Is unsportlich, sowas …

ERNST Haha, satt! Und no oane – hahaha, batsch …

ELFRIEDE Jetz Ernst, sag dene, de solln aufhörn, sonst hol i d Polizei.

ERNST Ah geh, Polizei, red doch koan Schmarrn …

ELFRIEDE De solln sofort aufhörn, i hol d Polizei. Ernst!

ERNST Jaja, is scho recht. *Geht zu den Raufern, tippt Mann II an, der gerade auf Mann I eindrischt.* Ah – ah, hallo, Sie, ah, hallo …

MANN II Du Sau!! *Schlägt auf Mann I ein.*

ERNST Ah Sie, Sie solln jetz aufhörn. Lassn S' doch, der tuat Eahna doch nix mehr … *Greift Mann II an der Schulter.* Sie, jetz hörn S' doch auf.

Mann II läßt von Mann I ab, richtet sich auf und schlägt Ernst. Zwei knappe Schläge, Ernst fällt zu Boden, Mann II richtet seine Kleidung und geht, Mann I bleibt blutend am Boden liegen, steht dann auch auf und geht hinter Mann II her.

ERNST Elfriede, haltn fest! Hol d Polizei! Der hat mir oane neighaut!

ELFRIEDE Halt! He, Sie, stehnbleibn! Mir holn d Polizei!

ERNST Haltetsn fest! Polizei!

MANN I *matt* Halts Maul, du Arsch …

ELFRIEDE Haltet ihn! He, stehnbleibn, Polizei!

ERNST Da hat er mir herghaut, und da. Für was ham an mir a Polizei …

Aktion Miserio

Herr Waschke sitzt im Wirtshaus und liest Zeitung. Ein Ersatzdienstler schiebt einen Behinderten im Rollstuhl an den Tisch.

BEHINDERTER Ist da no frei?

WASCHKE *reagiert nicht*

BEHINDERTER Verzeihung, ist da no frei?

WASCHKE *zum Ersatzdienstler* Jaja, stelln S'n ruhig da hin ... *Liest weiter.*

BEHINDERTER Verzeihung, wie hat denn Bayern gspielt?

WASCHKE *zum Ersatzdienstler* Interessiert er sich fürn Sport?

ERSATZLER Jaja, sehr.

WASCHKE Des findet ma fei häufig, daß sich Leut a grad für Sachen interessiern, die für sie garnimmer so in Frage kommen. Aber i finds guat, daß er sich für was interessiert. Was hat er denn? War er net geimpft?

BEHINDERTER Ich bin querschnittsgelähmt.

WASCHKE Des Impfen is fei unheimlich wichtig. Da wenn ma net aufpaßt, macht ma sich a ganzes Leben lang hinterher Vorwürfe. Drum kann mers garnet oft genug sagen: Leut, laßts euch impfen!

BEHINDERTER Ja, aber ich bin vom Garagendach runtergefalln.

WASCHKE *zum Ersatzdienstler* Und Sie pflegen eahm praktisch?

ERSATZLER Ja, doch ...

WASCHKE San Sie a Kriegsdienstverweigerer oder sowas, Haferlschiaber hams bei uns allweil gsagt, hahaha ...

ERSATZLER Ja.

WASCHKE Respekt, da ghört fei allerhand dazu her. Also i mechads net machen, des muaß i zugebn. Aber, da schaun S' her, heut wieder, in der Zeitung stehts, da, a Crash am Irschenberg, Autobahn. Aa oana schwer verletzt und zwoa Dode, also, da muaß jetz i sogn, sagn mer mal, in am solchen Fall, also i wiassad fei ned, ob ich den Lebensmut aufbringen dad zum Weiterleben, i kannt ma fast vorstelln, daß s besser waar, wenn ma glei hi waar, und für die andern oder Angehörigen is es vielleicht eher a Erlösung.

BEHINDERTER Ja, aber Sie, ich hab doch auch noch was vom Leben, ich kann doch ...

WASCHKE Obwohl ma natürlich scho sagn muaß, ma muaß so an Lebenswillen, also so a Lebensmut ghört scho aa irgendwia respektiert, also, ob is könnt, ich wüsserts fei net ...

BEHINDERTER Mein Gott, diesen Schwachsinn hör ich fast jeden Tag, komm Fritz, gehn wir ...

WASCHKE Was is, mag er a Bier? Derf ers trinken? I zahl eahm a Bier.

BEHINDERTER Naa, vielen Dank, da hintn is jetz frei worn ...

WASCHKE Nana, bleibts ruhig da, er kann ruhig da bleibn, Emmi, bring dem Herrn da a Halbe!

Der Stammgast

Vor einer Discothek mit Guckloch fährt ein Taxi vor. Hasi und Biggi steigen aus.

HASI Warst scho mal drin?

BIGGI Nee.

HASI Ich verkehr häufig da herin, ich bin ja praktisch sowas wie a Stammgast. I sitz allweil beim Giorgio unten an der Bar.

BIGGI Ehrlich, mei toll ...

HASI Da trink i mein Zombie. Kennst des?

BIGGI Naa, was is des?

HASI A Zombie, des werst jetz nachad glei sehn. Des nirgends so gut wie hier. Und eine Musikpower ham de da drin, des bläst dich in den Sessel, ehrlich. Des musikalische Equipment hat an die 200.000 Mark kost.

BIGGI Mei, sagenhaft. Ehrlich?

HASI Vielleicht is der Charlie aa scho da, na lernst amal an Charlie kennan.

BIGGI Der mit dem Stingray?

HASI Ja, genau, der. *Läutet, Guckloch geht auf.* Servus, i bins, is der Charlie scho da?

PORTIER Guten Abend, leider nur für Mitglieder.

HASI Geh red doch koan Schmarrn ...

PORTIER Tja, tut mir leid, leider ...

HASI Was is, kennst mi net, bist du neu da? *Guckloch geht zu.* Des muaß a Neuer sei. Sonst steht oiwei der Adi an der Tür. *Läutet wieder, Guckloch wieder auf.* Is der Adi nimmer da?

PORTIER Bin i a Auskunftsbüro? Geh aufd Seitn.

Ein poppiges Paar wird eingelassen.

HASI Hol halt an Giorgio rauf, der kennt mi. Ehrlich. *Guckloch wieder zu.*

BIGGI Hasi, was is jetz?

HASI Des ham mir glei.

Ein poppiger Mensch kommt, läutet, wird eingelassen.

PORTIER Servus Hupsi.

HASI *nimmt Biggi und versucht sich anzuschließen* Kimm ...

PORTIER Ich hab doch bereits gesagt: Nur für Mitglieder. Die Dame kann jederzeit rein ...

HASI Aber de is doch aa koa Mitglied.

PORTIER Kanns aber werden.

HASI Und wie werd ma Mitglied? *Zieht Geldbeutel.*

PORTIER Des is meine Sache. *Guckloch zu.*

BIGGI Was mach mir n jetzt?

HASI Da werd scho glei einer kemman, den wo i kenn, na geh ma nei. Des gibts ja garnet, des kanns ja garnet gebn.

BIGGI Lang steh ich hier nimmer rum, mir is so kalt da heraußt.

HASI Glei ham mirs. *Läutet wieder, Guckloch geht einen Spalt auf und gleich wieder zu. Tür auf, ein dynamisches junges Paar verläßt angeheitert das Lokal.*

TYP Was is, fahr ma zu mir?

SIE Weißte sonst was Besseres?

HASI *zu den beiden* Servus Heinz, is der Giorgio drunt?

HEINZ *reagiert überhaupt nicht, die beiden ab.*

HASI *zum Portier* Geh sag halt, was dad jetz des kostn, wen i da Mitglied werd?

PORTIER Für Sie ist hier heute geschlossen. Weg.

BIGGI So ein Schmarrn, komm geh ma.

HASI Naa, jetz möcht is wissen. Weil, bin i a Stammgast, oder net ...

BIGGI Geh komm, gehn ma, mir is saukalt.

HASI Jetz wart halt amal. – Des gibts ja net. Am Giorgio, wenn i des verzähl, na fliegt der Typ da, hochkantig, ehrlich ...
Ein Mercedes mit drei Disco-Typen rollt vor. Die drei gehn zum Eingang, läuten, zwei gehn rein, Berti bleibt stehn.

BERTI Ja, Biggi, was machst n du da?

BIGGI Mei ...

BERTI Kimm, geh mit nei. Heut feiern mir am Giorgio sein Geburtstag. Des werd a Mordsgaudi. – Was is, kimm doch ...

BIGGI Okay. Also Hasi, Servus derweil. Komm halt dann nach. Gel? *Verschwindet mit Berti.*

HASI Hey, was is denn? *Drückt nach, Portier hält ihn auf.*

PORTIER Bitte werden Sie hier nicht lästig, sonst muß ich die Polizei holen. *Schiebt Hasi raus, Tür zu.*

HASI *klingelt wieder.* He, Aufmachn!! *Guckloch auf.*

PORTIER Kimm, jetz schleichst di, Spezi, wei, sonst lernst mi kenna. Hammer uns verstandn, ha?

HASI *kleinlaut.* Ja. *Guckloch zu.* A so ein Saftladn. Aber de ham mi gsehgn, da geh i so schnell nimmer nei. Mit mir net. Jetz geh i ins Greyhound, zum Robbi.

Leberkäs Hawaii II

Alfons Schweinberger sitzt endlich mit seinem Besuch Rudi Löhlein in seiner Wohnküche.

SCHWEINBERGER Ja, also, es is soweit, mir fangen an, ich hab Ihnen hier heute meinen Bekannten, den Rudi Löhlein mitgebracht. – Also, wenn ich vorstellen darf: Das is der Herr Löhlein, und des ... ah ja, ja ah, net, also – des wärs dann soweit ...
Also, der Rudi, gut daß er jetz da is, weil, er hat immer so interessante Gschichten auf Lager. Wenn der loslegt, des müaßatn S' amal hören. Also Wahnsinn. Der hat Witze auf Lager ... wo ers nur immer herkriegt, möcht ma net glaubn. Dabei is er auch noch so gebildet. Ma siehts eahm gar net o, was er ois drauf hat. Naa, er is scho a Pfundskerl, a richtiger Hundling is er, der Rudi, gel, Rudi ...!?

LÖHLEIN *reagiert nicht.*

SCHWEINBERGER Geh weiter, Rudi, jetz sag amal was. Red doch amal. – Sag halt amal was, Rudi. – Er sagt jetzt nur nix, weil, er hat irgendwas im Sinn. Irgendwas führt er im Schilde, sonst hätt er scho längst was gsagt. – Wissen Sie, der sagt lang nix, aber wenn er was sagt, dann ... mein lieber Schwan. Gel, Rudi?!

LÖHLEIN *sitzt schweigend da.*

SCHWEINBERGER Ja, mei ... – ... – ... Hmmm ... – ... – ... – ... – ... – ... – ... –
Geh weiter, Rudi, jetz sag halt amal was. Sie, i woaß net, was mit eahm los is, weil, er is sonst eher a richtiger Schwerenöter, a echter Aufreißer, wissen S', bei de Weiber, wie der die ored, des hat er drauf. Also unnachahmlich, gel, des macht eahm koana nach. Gel Rudi, des macht dir keiner nach? – Magst an Schluck? – Magst was trinken? – I woaß net, aber heut is er wie verstockt. Jetzt warten S' amal, vielleicht, wenn er was trinkt. Jetzt gebm mir eahm mal was. Da, Rudi, trink amal! – Prost Rudi!

LÖHLEIN *trinkt.*

SCHWEINBERGER Da, jetzt trinkt er ... Sie, des tut mir jetz aufrichtig leid, wer hätte des denkt, also entschuldigen S' scho, gel, aber, der is heut irgendwie, Sie sehen ja selber, irgendwie, der hat irgendwas. Vielleicht hängts mitm Wetter zamm. Oder, mei, wissen S', a jeder hat amal an schlechten Tag. Ich kann mir des überhaupt net erklären. – Finanzielle Probleme hat er eigentlich auch net, aber er is anscheinend in einer Art Formkrise. Also, tut mir leid, aber, vielleicht taut er doch noch auf, ha Rudi? – *Zeigt ein Foto.* Schaun S' amal her, des is a Foto, des is vor zwei Jahren, des war in Griesbach. Jetz schaun S' her – da, da is er auch drauf. Da bist du auch drauf, Rudi! Also, des is jetz er, der Rudi, er hat sich kaum verändert, gel. Der da hinten, des bin ich. Und das is sei Schwester, die Margret. Und des – wer is jetz des glei wieder, ich glaub, des is eine Art Verwandter, oder a Bekannter. Er is jedenfalls mit drauf aufm Bild. Des war ein sehr schöner Tag, des woaß i no, er, der Rudi war vielleicht in Fahrt. Er hat da einen Witz erzählt, also, was mir da gelacht habn. Eine solche Gaudi. Woaßt es noch, Rudi? – Er war wie ein Feuerwerk, er war nicht mehr zum Bremsen. Am Schluß ist nachad no a Bierglas umgfalln. Mein Gott, war des eine Gaudi ...

LÖHLEIN *gähnt.*

SCHWEINBERGER Sie, des wär doch gelacht, wenn ma den Rudi jetz net in Schwung bringen. Des gibts doch net. – Woaßt as, Rudi, das find i jetz nimmer lustig. Des wennst dahoam machst, is des dei Privatsache, aber i moan, des geht doch net. A so ein Schmarrn. Was isn? Was hast denn, Rudi? Mir kannst es doch sagn. Magst an Schluck Wein? – Er is a Bayernfan. – I tendier ja mehr zu 60! – Sie, im Moment is ja grad eh net viel von Belang. Also, i bin glei wieder da. – I kimm glei wieder, Rudi. Brauchst koa Angst habm, i bin glei wieder da. – Bis gleich. *Steht auf und geht.*

LÖHLEIN *schaut auf die Uhr.* Wissen Sie, ich halte das nicht mehr aus. Es ist unerträglich. Ich kanns mir nicht mehr anhören. Dieses ständige Geschwätz. Entsetzlich. *Steht auf und geht.*

Schweinberger kommt zurück, stutzt, setzt sich.

SCHWEINBERGER Ja, Sie sehn ja selbst, der Rudi is grad gegangen. Schad, gel. Schad, daß mir heut so an schlechten Tag erwischt ham. Der Rudi is nämlich blitzgescheit. Er is ein Akademiker. Er hat ja ein Studium hinter sich. Und er hat einen unverwüstlichen Humor. Aber mei, des sieht ma natürlich auch nur, wenn er bei Laune is. Also, sei Stärke is mehr, wenn ma zu mehrern is, wenn mehr Leut beinand san. Dann legt er los. Während so rein privat, da kanns vorkommen, daß er a bißl abfallt, net, des ham S' ja heut gesehn, aber da kenn i oan, der is da ganz guat. A richtige Stimmungskanone. Also, as nächstemal, da lad in ei, da wern S' spitzn. Der Breitenberger Manfred, der is a interessante Persönlichkeit, ein echtes Urviech, der bringt a Stimmung her, des sag i Eahna, also sagenhaft. Ehrlich.

Ja, aber

MANN Es ist doch so, daß das Hochland von Peru mit diesen Inkas, die haben ja Erstaunliches geleistet, also man muß wirklich sagen, dieses Matschupitschu, diese Festung, wie das ganze, überhaupt ohne Eisen, wie die das zusammengebracht haben, das ist wirklich, also Hut ab, muß man da sagen.

FRAU Ja, da habn Sie scho recht, aber, aber wissen Sie, ich hab zu meim Mann gsagt, wenn er, wenn er drauf insistiert, wenn er so weitermacht, hab ich gsagt, des laß ich mir nicht mehr bieten, weil des is eine Niveaulosigkeit.

MANN Jaja, Niveau, aber wissen Sie, und der Inka hat anundfürsich, ich meine, diese Leute waren syphiliskrank, das weiß man heute, diese Leute waren geschlechtskrank, und trotzdem diese Kultur, es ist erstaunlich, wie sies hingebracht haben.

FRAU Ja, da haben Sie recht, des is hochinteressant, aber mein Mann, wissen Sie, wenn der so weiter macht, dann hab ich gsagt, eine Scheidung ist nicht ausgeschlossen. Ich hab gsagt, die Kinder kriegst du, du kannst dann schaun, wos ihr Bildung herkriegen, du Gloiffl, gel, hab ich zu meinem Mann gesagt.

MANN Ja, aber, da haben Sie vollkommen recht, Sie haben vollkommen recht, ich gebe Ihnen da vollkommen recht, aber ich sag Ihnen, dieses ganze Südamerika, ist, ich meine, rein zivilisatorisch betrachtet, schon so interessant, also, diese Phänomene, die, von Brasilien wollen wir gar nicht reden, weil da ist mehr der Buschindianer zuhause, während im Hochland, ich spreche mehr vom Hochland.

FRAU Ja, des schon, ich versteh des sehr gut, aber, weil mein Mann, weil er halt überhaupt keine Ruhe gibt, verstehn Sie, er läßts einfach nicht sein, und außerdem, wie wars denn früher, da hat er ja auch schon angfangt. Vorm Krieg, hab ich gsagt, wie wars n da?

MANN Ja, also Kriege, Sie haben recht, aber Kriege führten auch diese, also dieser Cortez, jetzt weiß ich nicht mehr, Fernandez Cortez oder so ähnlich hieß dieser Spanier, imponierend, er hat also dann das fabelhaft organisiert, ist dann hinein nach Kusko, Cuzco oder so, und hat die Kinder und Frauen erschlagen, es war grauenhaft, kann ich Ihnen sagen.

FRAU Grauenhaft, ja, aber wissen Sie, mein Mann gibt halt keine Ruhe. Ich glaub, der macht des schon bald absichtlich, bloß um mich zu ärgern, ich hab gsagt, ich wander aus, nach Südamerika, oder so wohin, hab ich gsagt, dann kannst schaun, wo ich bleib.

MANN Ja, Südamerika ist sowieso, da haben Sie vollkommen recht, Südamerika ist sozusagen das Ursprungsland der Emigration.

Eine Invitation

Anneliese Jacobson und Bertolt Faltermeier sitzen in einem Café.

HERR FALTERMEIER Herr Ober, bitte zahlen …

FRAU JACOBSON Nein, nein, lassen Sie, das übernehme ich …

HERR FALTERMEIER Ah geh, lassen S' mi doch …

FRAU JACOBSON Nein, nein, kommt überhaupt nicht in Frage, hier in München sind Sie mein Gast.

HERR FALTERMEIER Herr Ober …

FRAU JACOBSON Nein, lassen Sie. Bitte! Wir haben zu dritt bei Ihnen gewohnt, drei Wochen haben Sie uns phänomenal bewirtet, nein, also hier in München sind Sie mein Gast. Wo kommen wir denn da hin …

HERR FALTERMEIER Ja, aber …

FRAU JACOBSON Kein aber, Herr Ober!

KELLNER Also, wer zahlt denn jetzt …

HERR FALTERMEIER Was macht des bitte?

FRAU JACOBSON Lassen Sie. Hier in München sind Sie mein Gast. Herr Ober, wir hatten zwei Tassen Kaffee …

HERR FALTERMEIER *Während Frau Jacobson zahlt.* Des hätts aber net braucht.

FRAU JACOBSON Keine Diskussion mehr, Sie sind eingeladen, das war ich Ihnen endlich mal schuldig.

HERR FALTERMEIER Ja, aber braucht hätts as net …

FRAU JACOBSON Bitte keine Widerrede, hier in München sind Sie mein Gast, das war so ausgemacht.

HERR FALTERMEIER Ja mei, dann Dankeschön …

FRAU JACOBSON Keine Ursache. Sie hätten ruhig ne Portion nehmen können.

HERR FALTERMEIER Nanaa, a Tasse war scho gnua … Also pack mers.

FRAU JACOBSON Moment – Herr Ober, ich bekomme noch zwanzig Pfennige von Ihnen!

HERR FALTERMEIER Zum Telefonieren?

FRAU JACOBSON Nein nein, ich bekomme noch zwanzig Pfennig vom Kellner. Zwei Tassen Kaffee sind doch 3 Mark 80, Trinkgeld ist da schon inbegriffen.

KELLNER Tschuldigung …

HERR FALTERMEIER Aber Sie, ich hätt fei mei Tasse scho aa selber zahlen können …

FRAU JACOBSON Aber nicht hier in München, wenn ich dabei bin.

HERR FALTERMEIER Ja, also dann, nochmals vielen Dank.

KELLNER *haut beleidigt zwanzig Pfennig auf den Tisch.* Dankeschön!

FRAU JACOBSON Bitte, keine Ursache. *Im Aufbruch* Was meinen Sie, zum Bahnhof gehn wir doch zu Fuß?

HERR FALTERMEIER *schaut auf die Uhr.* Mei, vielleicht is a bißl knapp.

FRAU JACOBSON *schaut auf die Uhr.* Nein nein, Ihren Zug schaffen wir noch bequem. *Beide gehen los, Herr Faltermeier trägt die Koffer.*

Der Empfang

GESCHÄFTSFÜHRER *zu Kellner* Herr Kratochwil, koan Zahnstocher servieren S' mehr da herin, bis nicht eindeutig geklärt ist, wer das Ganze hier bezahlt.

KELLNER Soll ich derweil schon kassieren?

GESCHÄFTSFÜHRER An Moment warten S' noch, aber bleiben S' auf der Hut. Jedenfalls Nachtisch streichen, keine Getränke mehr.

GAST I Wo bleibt denn mein Beaujolais?

GAST II Ich weiß auch nicht, ich hatte doch noch etwas Krabbensalat ...

GAST I Das ist ja n Service.

GAST III *flüstert* Ich habe gehört, Schmidt-Pfeil soll verhindert sein, oder Verspätung, oder – was ist denn da los ...?

GAST IV Hmm, das dauert wieder ...

GAST V Wer?

GAST III Schmidt-Pfeil.

GAST V Ach so, Schmidt-Pfeil, Prost.

GAST III Ich habe leider nichts mehr ...

GAST V Tja ...

GAST III Irgendwas ist da faul, wenn Sie mich fragen.

GAST I Herr Ober!! Herr Ober, ich hatte doch noch eine Flasche Beaujolais ...

KELLNER Sie wollen zahlen?

GAST I Nee, wie kommen Sie denn darauf? Das ist doch eine geschlossene Gesellschaft ...

KELLNER Ja, Augenblick.

GAST II Komm, wir haun ab, da ist der Wurm drin ...

SEINE FRAU Ja, aber ...

GAST II Da drüben kassiern die schon.

GAST V Ich habe gehört, Schmidt-Pfeil hat abgesagt.

GAST VI Na und ...

GAST V Tja, ich meine – Schmidt-Pfeil ist doch immerhin – hier ... *Geldgeste.*

GAST III Na und ...

GAST VII Ja also, dann wolln wir mal, nicht wahr Käthe ...

KÄTHE *mit vollem Mund* Mmm, sofort ...

GAST VIII Was, vor dem Dessert gehts ihr schon?

GAST VII Tja, wir müssen noch, Sie verstehn ... Also, wiedersehn ...

GAST IX *vor einem großen aufgehäuften Teller* Ja, also dann ... *Schnallt Serviette ab.*

GAST X Roland, ich habe das Gefühl, da stimmt was nicht, wir gehn auch besser ...

GAST IX Ach was, wir sind eingeladen, jetz wird gessen.

VORSITZENDER *entfernt, pocht an sein Glas* Meine sehr verehrten ...

Ein paar weitere Gäste brechen auf.

GAST I Herr Ober, könnte ich bitte jetzt schon meinen Kaffee ...

KELLNER Es tut mir leid, mein Herr, aber ich habe meine Anweisungen.

GAST I Ja aber, ich gehöre doch hier dazu, zu diesem Empfang ...

KELLNER Ja eben ...

GAST I Wieso, ja eben. *Kellner geht.*

GAST *zu Nachbar* Verstehn Sie das?

NACHBAR Ja, ich werde dann auch so langsam ...

Weitere Gäste daneben verabschieden sich.

GAST I Ach so, ja, hmm, ja Herr Ober! Herr Ober, dann bringen Sie mir doch den Kaffee bitte ins Foyer, ich trinke dann meinen Kaffee unabhängig von dieser Gesellschaft, als Privatperson, draußen ...

GAST IX Geben S' mir doch bittschön das Brot rüber.

EINER Er soll ja auch den Kulturförderpreis der Stadt Koblenz erhalten haben ... Herrschaft, ich hatte doch noch etwas Kräuterbutter bestellt ...

EIN ANDERER Tja, der Service hat spürbar nachgelassen.

GAST I Schmidt-Pfeil kommt nicht ...

GAST III So ein Schwein ...

GAST IV Mensch, dieser Schmidt-Pfeil, das ist ja das letzte. Tja, Schnuckimaus, ich glaube, wir werden dann auch ...

GAST V Wie steht dann der Verband da ...

ESCHÄFTSFÜHRER *zum Kellner* Herr Kratochwil, schnell abkassieren, die gehn ja schon alle ...

GAST X Roland, los wir packens ...

GAST IX Jetzt laß mich doch grad aufessen. Was hast es denn so eilig?

GAST X Nun schau doch!!! Wir gehn jetzt endlich. Schmidt-Pfeil kommt nicht, sagt dir das was?

GAST IX Naaa. *Ißt weiter.*

Eine Traube von Gästen drängt sich zum Ausgang. Der Kellner will einen Gast zum Zahlen bewegen.

GAST IX Wo denken Sie hin, ich bin eingeladen. Hier schaun Sie ...

ESCHÄFTSFÜHRER Ja, aber Sie, das ist jetzt was anderes, weil da ist niemand da, der das Ganze hier zahlt.

GAST IX Das interessiert mich doch nicht, hier, klären Sie das mit meinem Anwalt. Guten Abend. *Reicht Visitenkarte und geht.*

ESCHÄFTSFÜHRER *leise* Scheiße ...

Inzwischen ist der Saal deutlich leerer, der Vorsitzende redet immer noch.

ESCHÄFTSFÜHRER Das gibt ein Donnerwetter.

GAST X Roland, jetz mach doch endlich, reiß dich los, wenn du noch Hunger hast, können wir noch was essen gehn, die sind doch schon fast alle weg.

GAST IX Ah geh, laß mir mei Ruah. *Zum Kellner* Sie, i hätt no gern ...

KELLNER Gibt nichts mehr.

GAST IX Wieso?

KELLNER Weils nichts mehr gibt.

GAST IX Holn S' mir den Geschäftsführer! *Nimmt den Rest einer angebrochenen Flasche, gießt sich ein.*

GAST X Na siehste!!! Los, wir gehn.

GAST IX *ißt weiter* Na geh halt schon derweil.

GAST X Also Roland, du bist unmöglich.

GESCHÄFTSFÜHRER *beim Vorsitzenden* Jetzt hörn S'auf zum reden und sagen S' mir endlich mal: Wer zahlt jetzt das Ganze?

VORSITZENDER Ja, ich habe bereits erklärt, eine wichtige Person des öffentlichen Lebens, Herr Schmidt-Pfeil ...

GESCHÄFTSFÜHRER Was geht mich Ihr Dings an, wir haben über 4000 Mark Außenstände ... *Kellner tippt den Geschäftsführer an und deutet auf Gast IX.*

VORSITZENDER Ja aber, ich ...

Hier sind fast alle Gäste, bis auf Gast IX und X sowie den Vorsitzenden, bereits weg.

GESCHÄFTSFÜHRER *zu Gast IX* Sie wollten mich sprechen?

GAST IX Wieso gibts jetzt nichts mehr? Was soll denn das?

GESCHÄFTSFÜHRER Ja, wollen Sie für das Ganze hier aufkommen?

GAST X Roland, du bist wohl wahnsinnig!

GAST IX *kauend* Wievui warn denn des?

GESCHÄFTSFÜHRER Wir sind bei zirka vier komma sechs.

GAST IX *zieht Brieftasche, sucht Scheckbuch.* Bringen S' mir doch bittschön noch a Crêpe Suzette und an Himbeersorbet, i richt derweil an Scheck her ...

GESCHÄFTSFÜHRER Sie kommen also für den ganzen Empfang auf?

GAST IX Ja, warum net?

GAST X Roland!!

GESCHÄFTSFÜHRER Also gut, dann ist ja alles geklärt. Wir waren bei 4600 Mark ohne Nachtisch.

GAST IX Ah, na mach ma 5000, nachat stimmt der Laden wieder – und zum Sorbet bringen S' ma no an Champagner.

GESCHÄFTSFÜHRER Sehr gern ...

GAST IX Sie, aber fei ja kein Sekt net, gel!

GESCHÄFTSFÜHRER Selbstverständlich.

Geschäftsführer und Kellner verschwinden.

GAST X Also Roland, du bist wohl total übergeschnappt, willst dich hier wohl als großen Mäzen aufspielen?!

GAST IX *leise* Ah geh, sei stad. *Greift zur Börse.* Da hast zwei Zehnerl, jetzt rufst sofort an Dr. Noske an, 470 47 40, des is sei Privatnummer. Er soll morgen glei als allererstes ganz in der Früh den Scheck sperrn. *Laut* Prost, Herr Brasch! *Zum Kellner* Und bringen S' mir doch bittschön noch an Espresso.

Ein Airportgespräch

HERR SÖDERBOHM Ja guten Tach, Herr Schmitz.

HERR SCHMITZ Ach, Herr Söderbohm, na guten Tach, wie geht es Ihnen denn?

HERR SÖDERBOHM Ja, es geht. *Lacht.* Naja, ich hab Geburtstag, wie wärs, kommen Sie vorbei?

HERR SCHMITZ Ja, äh, wann haben Sie Geburtstag?

HERR SÖDERBOHM Am 17. April.

HERR SCHMITZ 17. April, lassen Sie mich mal kucken. Ja, nein mein Lieber, nein mein Lieber, da kann ich nicht, 17. April da bin ich in Neuseeland.

HERR SÖDERBOHM Ach, da sind Sie in Neuseeland.

HERR SCHMITZ Haben Sie April gesagt oder war es März?

HERR SÖDERBOHM Nein April.

HERR SCHMITZ Moment, Moment, April, ja, neinnein, da hab ich mich geirrt, April geht ganz schlecht, April bin ich in Feuerland, und dann drüben in Brasilien, und dann muß ich mal schnell rüber nach Kapstadt, warten Sie mal …

HERR SÖDERBOHM Und wie wärs, wenn ich, äh, den Geburtstag einen Tag verschieben könnte auf nen Samstag, ja den 18.?

HERR SCHMITZ Hm, Moment, 18., ach ach, da bin ich auf den Kanarischen Inseln. Tut mir leid, da hab ich nen wichtigen Termin, ne, der läßt sich nicht ändern, nein, hab ich voll gebucht, voll gebongt, alles …

HERR SÖDERBOHM Ja, was machen wir denn da?

HERR SCHMITZ Ja und wie siehts nächstes Jahr aus? Sie haben doch nächstes Jahr wieder Geburtstag, mein Lieber.

HERR SÖDERBOHM Ja, das schon.

HERR SCHMITZ *blättert in seinem Terminkalender* Hm, oder wie wärs, sagen wir, Moment, am 17. Oktober? Können Sie doch auch feiern. Wie wärs?

HERR SÖDERBOHM Ja, das ginge schon. *Blättert in seinem Terminkalender.* 17. Oktober, aber da hab ich 'nen Termin.

HERR SCHMITZ Na, den sagen Sie ab. *Lacht.* Mein Lieber, freut mich, wo fliegen Sie denn hin?

HERR SÖDERBOHM Meine Maschine geht um 17 Uhr 10.

HERR SCHMITZ Na wohin denn?

HERR SÖDERBOHM Weiß gar nicht, hm, ja, also dann, ich muß mich beeilen. Wiedersehen. Tschüß dann.

HERR SCHMITZ Ja also, tschüß, ich freue mich, bis bald, mein Lieber, bis bald. Tschüß.

HERR SÖDERBOHM Tschüß.

Das Mitbringsel

OTTO Da, die Zuckerdosn, wie waarsn mit der?

ERIKA Geh Schmarrn, er is doch Diabetiker, des wäre taktlos.

OTTO Oder da, die Vase?

ERIKA Die is doch von eahna selber!

OTTO Was, die is vom Rüdiger Wolf?

ERIKA Freilich is die vom Rüdiger Wolf.

OTTO Greuslich gnua is' ja, aber des hätt ich jetz nimmer gwußt.

ERIKA De hams uns doch mitbracht, damals, gleich as erstemal, wie mas ham eiladn müßn.

OTTO Ahso, damals, wegam Andy.

ERIKA Ja, genau, damals, wies mitm Andy kommen sind, und da hams uns die Vasn mitbracht.

OTTO *schaut sich um* Mei, schwierig ...

ERIKA Warum hastn die Einladung überhaupts angnommen, de Beziehung war so schön eingschlafn, des hätts doch jetz wirklich net braucht.

OTTO Mei, es ist nimmer anders ganga. Die bohren und bohren, sie vor allem, i hab ja scho viermal abgsagt. Irgend wann waarn ma eh nimmer auskemman.

ERIKA Oder a Buch? *Sucht.* Da: »Sein bester Freund, Geschichte eines Schlittenhundes« ...

OTTO Naa, des hab i selber no net glesn, des bleibt da. Eher scho des da: »Allein ums Kap der guten Hoffnung«.

ERIKA Des hat an Fettfleck. Schad. Sonst schaugats noch aus wie neu.

OTTO Und da, wie waars mit dem Zinnteller?

ERIKA Ja, gib her, der ist guat, i packn ei.

OTTO Gel, der macht was her, also, i mach mi vollens fertig ...

ERIKA Jessas, Otto, da, schaug her, des geht net.

OTTO Wieso?

ERIKA Da is doch as Zeichen von der Sparkasse eingeprägt.

OTTO Was? Wo? Zoag her?

ERIKA Da.

OTTO Von wem ham mir denn den Teller?

ERIKA Den hat uns der Seiser mitbracht.

OTTO Ahso, na hat ern selber gschenkt kriegt.

ERIKA Des werd ich ihr aber bei Gelegenheit amal hinreibn. Jessas, wie spät ham mirs denn?

OTTO Ja, jetz müß ma nachad gehn, sonst schauts blöd aus, wenn mir scho so bald wieder hoamgeh.

ERIKA Ja hoffentlich geh ma bald, du hast doch allweil so a Sitzfleisch ...

OTTO Aber net beim Rüdiger Wolf, mit seine sauren Diabetesweine ... Also, was schenk ma eahna jetz?

ERIKA Ja, mei, ich weiß auch net, du hättst ja schließlich dro denka müassn, daß mir heut abend eigladn sin.

OTTO Ja, jetz is es zu spät. D Lädn san zua, jetz kriegn ma nix mehr.

ERIKA Des Tischfeuerzeug?

OTTO Naa, des kennens, des hams bei uns scho gsehn.

ERIKA Schad.

OTTO Des schaugt doch nach am Verlegenheitsgschenk aus, wo er doch jetz in Bauausschuß neikomma soll. Und wenn mir dann wirklich noch anbaun wollen, dann brauch mirn.

ERIKA Gel, aber den Anbau bringst heut amal wirklich zur Sprache, net daß dn wieder vergißt.

OTTO Naa, heut denk i gwiß dro.

ERIKA As Wichtigste vergißt allweil.

OTTO Jaja, i mach des scho. Da, des Zierkerzerl?

ERIKA Z kloa. Und vor am Nachtisch sagst as, gel.

OTTO Mei, der mit seine Nachtisch, wie kemman mir bloß dem Nachtisch aus ...

ERIKA Laßn halt steh. Da, de Spieluhr?

OTTO Bist du wahnsinnig, de hat 150 Mark kost, de kriagt er net.

ERIKA Irgend a Bild?

OTTO Ham mir koans. Du, i habs! A Rasierwasser. Da hab i no oans. So a 48 12, von der Oma, den Geruch mog i eh net. Herrschaft, wer hatn des jetz scho wieder obatzt? Was mach man?

ERIKA Füll halt a bißl Eau de Toilette dazua.

OTTO Moanst, des merkt ma net?

ERIKA Naa. Außerdem steht ja da Firmenname drauf.

OTTO Genau, des riacht halt aso. Ham mir irgendwo an kloana Trichter?

ERIKA In der rechtn Badschublad.

OTTO Ahja, da, guat, na füll is auf.

ERIKA Aber für sie ham mir dann immer no nix.

OTTO Jetz schaug halt a bißl ...

ERIKA Aber bevor er wieder seine Film auspackt, samma spätestens ganga. Er hat am Telefon angedeutet, daß er uns sein Urlaubsfilm vom letztn Jahr aa no zoagn wui.

OTTO *seufzt* Des aa no, mir glanga scho de Dias. Aber, was sagn mirn nachad?

ERIKA Du redst vom Föhn, und dann merk ich, daß ich Kopfweh hab. – Bist fertig?

OTTO Ja, glei hab is. – Und nachad kannst du no sagn, daß des wahrscheinlich von dieser Umwelt kimmt. Und i kannt dann sagn, daß i vielleicht as Licht am Auto hab brenna lassn, und dann kanntn mir uns zurückziehn.

ERIKA Ja, so ungefähr mach mas. Schaug, für sie hab i jetz aa was gfundn ... *Zeigt Pralinenschachtel.*

OTTO Oh jeh, die oidn Hund von Pralinen, de san ja scho guate zwoa Jahr alt.

ERIKA Aber noch originalverpackt, de kann ma durchaus noch essn.

OTTO Ja, pfuideifi, naja, isja wurscht, i muaß' ja net fressn. Wer hatn uns damals eigentlich de Pralinen bracht?

ERIKA Warn de net vom Dr. Kerstens?

OTTO Ahja, vom Dr. Kerstens san die. Wer woaß, wo der die Pralinen wieder herghabt hat.

ERIKA Kaaft hat er die sicher net ...

OTTO Ja, aber wer schenktn am Dr. Kerstens solchene Pralinen ...

Beim Sauerbraten

Rosa und Ernst Lichtblau und der Besuch Alfons Beizel sitzen im Salon um einen festlich gedeckten Tisch. Arnfried Edler v. Ecksteyn versucht, einen Sauerbraten mit herkömmlichen Mitteln zu tranchieren.

BEIZEL Bayern steigen ab.

ERNST So ...

v. Ecksteyns Bemühungen scheitern, er geht in die Küche.

BEIZEL Bayern steigt heuer ab.

ROSA Also, mir warn neulich wieder in der Oper drin, an Lohengrin hams gspielt, as Bühnenbild schauderhaft, mit so Laserstrahlen und so, gel, und statt am Schwan hams an Pinguin verwendet ...

ERNST Naa, des war ein Flamingo.

ROSA Geh red doch net, a Pinguin wars, weil die werden immer moderner da drin, und dieser Rodriguez, der hat an Ding, an Telramund gsungen, also des war kein Ohrenschmaus. Dem sein hohes C hat einfach keinen Pfiff. Der hat sich anghört, wie wenn er an Schnupfn ghabt hätt.

ERNST So an Stockschnupfn ...

ROSA Mei, er kommt vom Süden, die ham a ganz a anders Klima, die singen da meistens mehr im Freien, gel.

ERNST Obwohl, bei so ara Starbsetzung, ko ma eigentlich scho was verlangen, gel, mir ham über 120 Mark zahlt pro Kartn, Premierenabonnemaa.

ROSA Ja, aber nimmer lang, weil, wenn die so weitermachen, na kündigen mir. Schaugn S', mir warn im Ballett ...

ERNST An Nußknacker ...

ROSA ...und na ham mirn uns angschaugt, diesen Nurejew, gel, also, er ist ja schon eine Spitzenkraft, schon ein Könner, aber ich hab den Eindruck, der hupft auch nimmer so hoch wie früher.

ERNST I glaub, der hat des auch garnimmer nötig.

v. Ecksteyn tranchiert jetzt den Braten mit einem lauten Elektromesser.

ERNST Sehr schön, Arnfried. Sehr schön machen Sie des. Des macht er gut, gel.

BEIZEL *nickt* Jaja, aber ich glaub, Bayern steigt heuer ab.

ERNST Ja, scho möglich, aber mir warn ma heuer in Algerien in Urlaub, mir ham in am Firstclasshotel gewohnt, also, servicemäßig einwandfrei, mir ham an Blick aufs Meer ghabt, und auf der andern Seitn von der Terassn an Blick aufs Armenviertel ...

ROSA Also sehr malerisch ...

ERNST Da hat mas dann auch genau gsehn, wies da gebettelt ham und so, also, wirklich, sehr malerisch.

ROSA Aber die Gerüche.

ERNST Ja mei. Diese Gerüche. Da steigen also diese Gerüche auf, und dagegen unternehmens nix.

ROSA Daß ma da net irgend an Spray oder sowas einsetzt ...

ERNST Also ich muß sagn, da fahrn mir nimmer hin. Danke, Arnfried. Des kann er gut, des Servieren. Er ist aus bestem Hause, fast a Herzog.

ROSA Er is a echter Edler von Ecksteyn.

ERNST Mei, aber total verarmt. Zerscht hams eahm sei Burg weggnommen, und an Rest hat eahm as Finanzamt zwickt. Vom Ismeier Winfried hammern übernommen, der hatn vor uns ghabt.

BEIZEL Der Ismeier is doch pleite.

ERNST Genau, sonst hätt man garnet kriagt ...

ROSA Der Ismeier hätt ihn nie hergeben, weil er is so treu.

ERNST Arnfried, krieg ich noch a Kroquette, und geben S' am Herrn Beizel aa no oane. Sie mögn aa no, oder?

BEIZEL Mm. Danke. Also, wenn S' mich fragen, Bayern steigt heuer ab.

ROSA Tatsächlich? Also, mir ham uns extra wegen am Arnfried lauter Meißen kemma lassn, weil, was anderes rührt er gar net o. Er is a ganz a Feingsponnener.

ERNST In seiner Freizeit geht er immer ins Museum, weil, er is klassisch gebildet. Ah, Arnfried, geh, legen S' was auf, aber was leichts.

ROSA Und dann bringen S' as Sorbet.

ERNST Wie er sich bewegt, unnachahmlich. Der hat scho Manieren. Entfernt is er mit de Mittelsbacher verwandt, er hat scho an Stil, gel, a bißl lauter, Arnfried! Er selber mags lieber klassisch. Morgen gibts wieder an Mozart, gel Arnfried?!

ROSA Er hats scho gut bei uns. Er kriegt fast 1000 Mark im Monat, und essen darf er umsonst.

BEIZEL Jaja, das glaub ich. Aber eins is ganz klar: Bayern steigt heuer ab.

Herr Tschabobo

Hanna und Egon Stoiber sowie Bubi, Opa Stoiber und Besuch Romy und Herbert Schwalbe sitzen vor einem gedeckten Kaffeetisch.

HANNA Naja, mir ham ihn dann doch gnommen, weil er is ausgesprochen sauber. Also er wäscht sich, und er schwitzt auch gar net.

EGON Obwohl ma ja sonst vom Neger im allgemeinen sagt, daß er immer so transpiriert.

HANNA Nein, des is also jetz bei unserm garnet der Fall. Also, ma riecht fast garnix. Er ist auch aus bestem Hause. Sei Vater is irgendwie a König oder so, in Tschurangrati.

OPA Eine Art Häuptling oder Stammesfürst.

ROMY So. Und er is mitten aus Schwarzafrika?

EGON Ja, aber des war früher mal a Kolonie.

HANNA Obacht, i glaub, jetz kimmt er. Kommen S' rein, Herr Tschabobo, gleich gibts an Kaffee! *Tschabobo erscheint.* Also, des is Herr und Frau Schwalbe, und des is der Herr Tschabobo, unser Untermieter.

HERBERT Angenehm.

ROMY Sehr nett.

TSCHABOBO Guten Tag.

HANNA Nehmen S' doch Platz, Herr Tschabobo, mögen S' amal an Gugelhupf probiern? Des wern S' wahrscheinlich no net kenna, des is eine Spezialität.

EGON Des werns net kennen, da druntn, des gibts da gewiß net, bei dene.

HERBERT Na, an Gugelhupf kennens sicher net, woher solln s'n auch kennen, an Gugelhupf.

HANNA Gel, an Gugelhupf kennen Sie nicht, Herr Tschabobo, aber sowas wie a Gebäck, des gibts doch sicher auch bei Ihnen da drunten.

TSCHABOBO Ja, wir haben schon Gebäck, aber Gugelhupf gibt es nicht.

EGON Gel, an Gugelhupf kennens net. Er sagts ja selber.

OPA Obwohl der Neger ja zeitweise mit der deutschen Küche in Berührung kam, unter Lettow-Vorbeck. Speziell als Küchenpersonal. Davor wurde ja dort noch Menschenfleisch verzehrt. Nich wahr, Herr, ah, Tschabobo, bei Ihnen werden ja die Gerichte sagen wir mal mehr auf der Basis von Bananen entwickelt, und diesen Kokosnüssen, oder?

HANNA Jetz laßts halt amal an Herrn Tschabobo in Ruhe sein Gugelhupf probiern. *Schiebt ihm ein Stück hin.* Da, jetz beißen S' amal nei. *Herr Tschabobo beißt.* Es is koa Zucker drin, sondern nur a Süßstoff. Schmeckts?

Herr Tschabobo würgt den trockenen Kuchen im Mund.

HERBERT Für an Neger muß des doch hochinteressant sein, amal so an Gugelhupf probiern.

EGON Vor allem, wenn er'n no net kennt hat, vorher.

HANNA Essen S' ruhig auf, mir ham scho noch. Sie kriegen gern noch a Stückl, wenn S' wolln. Mei Mann vertragt'n net, ich eß sowieso kein Kuchen, und der Bubi hat zur Zeit seine Hamburgerphase. Was is, Herbert, Romy, mögts ihr no a Stück?

HERBERT Naa, dankschön.

ROMY Später vielleicht.

HANNA Aber an Hamburger kennen Sie schon, Herr Tschabobo?

TSCHABOBO *mit vollgeklebtem Mund* Mhm.

EGON Freilich kennt er an Hamburger, an Hamburger kennt heut a jeder, außer am Ostblock vielleicht. Aber de da drunten, de ham sicher an Hamburger.

HERBERT Natürlich hams Hamburger, sogar Cheeseburger. Ich kenn doch die Verhältnisse da drunten. Mir ham vorigs Jahr doch diese Pauschalreise nunter gmacht. 922 Mark, nach Kibi. Da hamsn immer am Strand serviert, vom Hotel aus. Kennen Sie vielleicht zufällig as Hotel Elfenbein? *Herr Tschabobo schüttelt den Kopf.* Da is sehr nett, da müaßatn S' direkt amal hifahrn. De Schwarzen, de da bedienen, sand sehr freundlich. Freilich, im Landesinneren, da hams kein Hamburger. Mir ham so a Safari gmacht, in so an Negerkral, und da hams kein Hamburger ghabt, weil der Hamburger muß ja tiefgefroren sein, und de ham ja kein Strom, drum essen ihn dort nur Leute aus besseren Kreisen.

OPA Also die Volksgrundnahrung ist nach wie vor Kokosnuß und Banane.

EGON Bananen san doch nix Schlechts, oder, Herr Tschabobo?

TSCHABOBO *würgt noch am Kuchen* Mmm ...

EGON Da, er sagts selber, Bananen sans gwohnt, de mögns.

HANNA Aber jetz is er scho mal da bei uns, der Herr Tschabobo, und bei uns, da kriegt er jetz an Gugelhupf. So, da nehmen S' jetz noch a Stück.

TSCHABOBO *macht abwehrende Geste* Mmm.

HANNA Sie brauchen Eahna nix denken, es is genug da. *Legt ihm noch ein Stück auf den Teller.* Er is ja so bescheiden, unser Herr Tschabobo. Is er gut?

EGON Is halt amal was anderes, gel.

TSCHABOBO *kaut mühsam* Mhm.

HERBERT Was's aa sehr gern essen da druntn, des is a so a grünes Ding, aso rund ...

ROMY Des san Kiwi.

HERBERT Naa, Mango.

EGON Ah, Mango ...

ROMY Naa, Kiwi.

OPA Ach so, Mango und Hirse ...

HERBERT Naa, a so rund und grünlich is es. Aber mehr rund.

ROMY Kiwi.

EGON Rohe Orangen oder Zitronen vielleicht.

HERBERT Naa, de essens net, Mango heißens.

ROMY Naa, Kiwi!

HANNA Fragts halt an Herrn Tschabobo, der muß es doch wissen. Ah, Herr Tschabobo, wie heißen jetz diese Früchte? Grün sans, und rund.

EGON Is des jetz Mango oder Kiwi?

TSCHABOBO Beides ist möglich.

EGON Ja, da hat er recht. Gar net blöd.

ROMY Trotzdem warns Kiwi.

HERBERT Naa, Mango.

HANNA Ah, Herr Tschabobo, Ihr Herr Vater is doch König.

TSCHABOBO Ja, so könnte man sagen.

HANNA Da hat ers sicher auch net leicht. Weil, früher war des was anders, aber heut is schwierig wordn.

EGON Sand Sie auch irgendwie politisch tätig?

TSCHABOBO Ja, etwas schon.

EGON Gel, ma muß allweil aufm laufenden sein ...

OPA Politisch ist man da unten lange nicht so interessiert wie bei uns.

EGON Ma hört ja selten was Gscheids von da druntn. Im Fernsehn, wenns was bringen, is des meistens nix Gscheids.

HERBERT Aber des Hotel, Elfenbein hats gheißn, des war so gut organisiert. Gel Romy. Der Strom is halt zweimal ausgfalln, aber des Hotel so anundfürsich, ja ... es is auch unter a deutschen Leitung.

OPA Ist Ihre Region schon christianisiert, ich meine, sind Sie bereits missioniert?

TSCHABOBO Wir haben einen katholischen Bischof.

HANNA Ah geh? Und die Protestantn, sin auch vertreten?

TSCHABOBO Wahrscheinlich ...

HANNA Ah, jetz amal ganz was anders, Herr Tschabobo, was treibt Sie denn eigentlich hier her zu uns, ich mein, was machen Sie so, beruflich, ich mein, genauer ...

TSCHABOBO Tja, äh, ich war längere Zeit in Cambridge und Yale, habe dann eine Assistentenstelle in Frankfurt angenommen bei Professor Horrowitz, und zur Zeit promoviere ich gerade über molekulare Spektralanalyse.

EGON Ah so, des is sicher hochinteressant. Da müssen S' wahrscheinlich viel arbeiten ...

TSCHABOBO Es geht.

HANNA Ah, Herr Tschabobo, mir ham da an ganz an persönlichen Wunsch. Wissen S', unser Bubi, der hat a neue Trommel kriegt. Und wie er ghört hat, daß Sie heut kommen, hat er gmeint, ob Sie net amal ihm a bißl was vortrommeln könntn, könnten S' net so a bißl Urwaldatmosphäre, ... fürn Bubi wärs halt a Mordsfreude. *Hält ihm eine Trommel hin.* Könnten S' net a bißl drauf musiziern, weil Sie können doch des ...

EGON Sonst hört mas ja bloß noch im Radio.

HERBERT Im Hotel ham mirs Tag und Nacht ghört. Mir hams as Fenster zugmacht, sonst hätt ma net schlafn können, gel Romy ...

TSCHABOBO I'm sorry, Madame, aber ich bin nicht vom Busch ...

HANNA Da, bitte, Herr Tschabobo, fürn Bubi ...

TSCHABOBO ... bitte, wenn Sie meinen ... *Nimmt die Trommel.*

HANNA So, Bubi, jetz paß auf, jetz gehts los.

EGON Jetz hörst as Tam-Tam.

Herr Tschabobo trommelt matt.

OPA Hochinteressant ...

EGON Sehr gut. Des hat er halt im Blut, der Neger.

Der Groschen

Ein paar Nachzügler verlassen die Oper, darunter Herr und Frau Söderbohm. Ein Bettler kauert am Treppenhaus zur Tiefgarage.

ANKE Wo bleibt denn Dr. Schmitz?
HORST Der is noch auf der Toilette.
ANKE Also, Othello im Frack, ich weiß nich.
HORST Aber der Tenor war Klasse, ne.
ANKE Naja, ich weiß nich ...
HORST *sieht den Bettler* Anke, haste ma'n Groschn?
ANKE Nöö, wozu?
HORST Naja, hier ... *Deutet auf den Bettler.*
ANKE Nö, n Groschn hab ich nich.
HORST *Geste zum Bettler* Moment. *Sucht.*
DR. SCHMITZ *kommt eilig* Tschuldicht, Kinners, aber das lange Sitzen ...
ANKE Also, wohin gehn wir denn nu? Französisch oder vietnamesisch?
DR. SCHMITZ Egal, Hauptsache, gute Küche.
HORST Ach, Herr Dr. Schmitz, haben Se nich grade was Kleingeld bei sich?
DR. SCHMITZ Moment. *Zieht eine pralle Geldspange heraus.* Hier, Zehner, genügt das?
HORST Nenee, um Gotteswillen, viel zu viel.
DR. SCHMITZ Ja, wozu denn?
HORST Na, hier ... *Deutet.*
DR. SCHMITZ Achsoo ...
ANKE Also Kinners, nu macht doch endlich, ich schlage hier Wurzeln ...
BETTLER Gehnga S' ruhig weita ...
HORST Nenee, das kriegen wir schon. Das wär doch gelacht.
BETTLER Macht doch nix, gehnga S'zua ...
DR. SCHMITZ *hat auch gesucht* Hier, zwei Mark?
HORST Nöö, zwei Mark is zu viel, n Groschen oder so.
DR. SCHMITZ Tja, n Groschn ...
BETTLER Is scho recht, lassn S' ...
ANKE Nu laßt doch diesen Mann in Ruhe, äh, sagen Se mal, hier soll son französisches Lokal sein, Le Brasserie Bertier, gleich um die Ecke ...
BETTLER Ja mei, naa ...
DR. SCHMITZ Nee, Groschen is nich, tut mir leid.
BETTLER Des macht nix.
HORST Tja, Pech. Also los, gehn wir. Ich würde vorschlagen Da Pipo ...
ANKE Ach nöö, die ewigen Italiener, kann ich nich mehr ab.
DR. SCHMITZ Dann gehn wir doch wieder ins Le Gourmet, essen wir provençale.
ANKE Au, Klasse, aber da kriegt man doch nie'n Platz.
DR. SCHMITZ Ich kenn Jean Claude. Der kriegt 20 Mark, und die Sache is gebongt.
HORST Tja, dann man ran, wir nehmen aber n Wagen, würd ich sagen ...

Der Heimweg

Heinz Bindel und James Grützner stehen im Eingang einer Villa. Frau Dr. Käfer verabschiedet die beiden. Von innen Kammermusik.

FRAU KÄFER Finde ich aber wirklich schade, daß Sie schon so früh …

HERR BINDEL Ja, leider, Frau Dr. Käfer, aber ich muß an Herrn Grützner noch zum Flughafen nausbringen.

FRAU KÄFER Um diese Zeit, fliegt denn da überhaupt noch was?

HERR GRÜTZNER Des is a Sondermaschine, gnä Frau.

FRAU KÄFER Ja, aber da könnte ich Ihnen doch auch ein Taxi rufen …

HERR GRÜTZNER Naa, gnä Frau, des is mir zu unsicher.

FRAU KÄFER Oder Ahnfried könnte sie doch genauso …

HERR GRÜTZNER Vielen Dank, gnä Frau, aber des is wirklich net nötig.

HERR BINDEL Wissen S', wir können dann unterwegs auch noch das ein oder andere besprechen. Des is wirklich schad, Frau Dr. Käfer, aber jedenfalls, vielen herzlichen Dank für diesen schönen Abend, also wirklich …

HERR GRÜTZNER Gnä Frau, dem kann ich nur beipflichten, Sie haben das alles so fabelhaft arrangiert.

FRAU KÄFER Ja, aber Sie haben doch kaum etwas gegessen.

HERR BINDEL Ja mei, gnä Frau, aber zur Zeit, wissen S' meine Linie.

FRAU KÄFER Aber Herr Bindel, grade da ist Naturkost das Allerbeste …

HERR BINDEL Ja, schon, aber auch nur in Maßen.

HERR GRÜTZNER Helmut, ich glaub mir müssen jetzt dann schön langsam … Gnä Frau, es hat mich sehr gefreut. *Gibt Handkuß.*

HERR BINDEL Ja, es war wirklich, Sie verstehn …

FRAU KÄFER Nein nein, das Vergnügen ist ganz auf meiner Seite. Aber vielleicht kommen Sie bald mal wieder vorbei, wie wärs nächsten Dienstag, da geben wir eine kleine Soiree, Rüdiger Wolf liest aus seinem neuen Gedichtband.

HERR GRÜTZNER Ah, der Rüdiger Wolf.

FRAU KÄFER Ja, und dazu haben wir noch ne anatolische Volkstanztruppe eingeladen, das wird sicher hochinteressant, auch für Sie, Herr Grützner.

HERR GRÜTZNER Ja, das glaub ich.

FRAU KÄFER Da kommen Sie beide doch einfach wieder vorbei.

HERR BINDEL Ja, schön, wann haben Sie jetzt nochamal gsagt, gnä Frau, nächsten Dienstag?

FRAU KÄFER Ja, nächsten Dienstag, so ganz zwanglos, gegen 19 Uhr beginnen wir.

HERR BINDEL So viel ich weiß, gnä Frau, ist es doch der Vierzehnte …

HERR GRÜTZNER Ja, das ist der Vierzehnte. Genau.

HERR BINDEL Auauau, da siehts ganz schlecht aus. Wissen S', wir baun jetzt doch auch in Ibiza, verstehen Sie, also, ich kanns versuchen, aber …

FRAU KÄFER Und Sie, Herr Grützner, mit Ihnen kann man doch wohl rechnen?

HERR GRÜTZNER Gnä Frau, Messe, sie wissen was das für uns bedeutet.

FRAU KÄFER Naja, Sie werden ja sehen, ich würde mich jedenfalls freun.

HERR GRÜTZNER Also dann, Frau Doktor, nochmals Dank für Speis und Trank ...

FRAU KÄFER Oder kommen Sie doch am Achtzehnten zu unserem Hausmusikabend, das is n Wochenende ...

HERR BINDEL Ja, äh, sehr gern, äh, wenn sichs einrichten läßt, des kann ich Ihnen so aus m Hut nicht so genau sagen, was war am Achtzehnten, ja is äh ja, aber, prinzipiell sehr gern, gnä Frau.

HERR GRÜTZNER Ich wers mir auf alle Fälle vormerken, aber entschuldigen S', gnä Frau, daß ich jetzt a bisserl drängel, aber mein Flieger ...

FRAU KÄFER Oder Sie können auch mal einfach so spontan vorbeischaun, das werden oft die nettesten Abende.

HERR BINDEL Jaja, des mach mer amal, äh, ich hab glaub ich nix vergessen ...

HERR GRÜTZNER Heinz, jetz müss mers dann aber wirklich packen ...

FRAU KÄFER Tja also, ich will Sie nicht länger aufhalten.

HERR GRÜTZNER Gnä Frau, es war mir ein Vergnügen. Nochmals vielen herzlichen Dank.

HERR BINDEL Frau Dr. Käfer, ebenfalls, also, vielen tausend Dank für diesen unvergeßlichen Abend ...

FRAU KÄFER Na, nu übertreiben Sie mal nicht, äh, Ahnfried, begleiten Sie bitte noch Herrn Bindel und Herrn Grützner zum Ausgang.

HERR BINDEL Naa, also, des brauchts doch net.

HERR GRÜTZNER Vielen Dank, aber, also dann ...

FRAU KÄFER Nun beeilen Sie sich, sonst versäumen Sie noch Ihren Flieger.

HERR GRÜTZNER Ja, genau, also dann, wiederschaun ...

FRAU KÄFER Tschüß, bis bald.

HERR BINDEL Jaja, also, wiederschaun, äh und äh, wir bleiben auf alle Fälle in Kontakt. Also dann, wiederschaun ...

HERR GRÜTZNER Wiederschaun ...

FRAU KÄFER Tschüß ...

Ahnfried begleitet Grützner und Bindel zum Gartentor, hält das Gartentor auf, die beiden bedanken sich, Ahnfried geht zurück zum Haus, Bindel und Grützner sehen Ahnfried nach, Bindel rülpst, Grützner gibt einen Leibeswind frei. Beide stellen sich an die Gartenhecke und entleeren.

HERR GRÜTZNER I hobs am Schluß einfach nimmer ausghalten. I sog das ganz ehrlich, a so a gspinnerte Goaß ...

HERR BINDEL Und de Deppen, die allweil bei ihr umanand hocken.

HERR GRÜTZNER A so a bläde Hennen.

HERR BINDEL Naja, aber jetz ham mer uns amal wieder seng lassen, jetz brauch ma so schnell nimmer hi.

HERR GRÜTZNER Mir ham jedenfalls des unsrige getan. Den Auftrag ham mer so guat wia im Kasten.

HERR BINDEL Mei, aber ganz kimmst ihr halt net aus, aber des Fressen bei ihr is für mi allweil des schlimmste. Zerscht diese roten Ruam, pfui deifi ... *Rülpst erneut* ... und dann der braune Gsundheitsbaaz, was war denn des?

HERR GRÜTZNER Irgendso a Sojapampf. Aber des hob i ja scho vorher gwußt, i hob ma davor no zwoa Hamburger eipfiffen.

HERR BINDEL Ja, aber i sog das, i hob jetzt einen Kohldampf beinander, des is nimmer feierlich.

HERR GRÜTZNER Ja bestens, i hob im Greyhound an Tisch bstellt. Da freß ma jetzt an Mozart-Toast und an Salad Nissoise, un na schwoam mer den Sanatoriumsfraß wieder owa.

HERR BINDEL Genau. I brauch jetzt auf alle Fälle zerscht amol an Schnaps.
Die beiden gehen zum geparkten American-Car.

FRAU KÄFER *steht noch im Eingang und winkt* Tschüüüß.

HERR BINDEL Gnä Frau ...

HERR GRÜTZNER Ja, äh, nochmals ... äh ... *Beide steigen ein und fahren davon.*

Urlaub, Reisen und Verkehr

D'Anni hat auch gsagt, äh Englisch ist doch heutzutag keine Fremdsprache mehr. Sie selber sagt, also sie selber sprichts zwar nicht, sagt sie, aber Englisch spricht doch heutzutag fast a jeder.

Der Stau

Kurz vor Sonnenaufgang auf der Autobahn, normaler Verkehr, im Auto von Familie Löhlein: Oskar, Ingeborg und Heinz Rüdiger. Oskar Löhlein ißt am Steuer ein ›Raider‹. Aus dem Radio die übliche fröhliche Musik bis zum frühen Morgen.

OSKAR Wenn ma guat san, na samma nor vor Elfe da.

INGEBORG Mei, hoffentlich, weil, ab Mittag werds oiwei so hoaß. *Hält Oskar einen Thermosflaschendeckel mit Kaffee hin.* Magst no an Schluck ...

OSKAR Mhm ... *Schlürft.*

INGEBORG Obacht!! *Man sieht stehende Autos auf der Fahrbahn.*

OSKAR Ja was is des ... *Bremst scharf.*

Der Wagen steht. Man hört Bremsen quietschen von Wagen, die hinten auffahren. Fast zwanzig Sekunden nur Motorenstandgeräusch.

ERN DURCHSAGE Hier ist Bayern 3, die Servicewelle von Radio München. Auf der Autobahn Salzburg im Raum Hofolding stehender Verkehr infolge mehrerer Auffahrunfälle. *B-3-Zeichen.*

INGEBORG Weils allweil so rasen.

Oskar bläst Luft durch die Backen und sieht auf die Uhr.

9 Uhr vormittags, gleiche Stelle, gleicher Stau. Oskar Löhlein steht mit Feldstecher im Auto und schaut aus dem Schiebedach nach vorne. Ingeborg steht neben dem Wagen und schaut zu Oskar auf. Heinz Rüdiger spielt im Straßengraben mit zwei Spielzeugautos Autorennen.

HEINZ RÜDIGER Tatü, tataa, brrmmbrmm ...

Alle Motoren ringsumher sind abgeschaltet. Von Ferne undeutlich verschiedene Autoradios; Leute, die neben ihren Autos stehen, es scheint ein heißer Tag zu werden.

OSKAR I siehg nix.

Man hört entfernt ein Auto anlassen, alle steigen in ihre Wägen, einer nach dem anderen läßt sein Auto an, der LKW vor Löhleins bläst Oskar eine schwarze Dieselwolke ins Gesicht, Oskar setzt sich, Ingeborg und Heinz Rüdiger steigen ein, allgemeines Türenklappern, Wagenanlassen, Oskar kann fast eine Wagenlänge vorwärtsfahren, eine Zeitlang Motorenstandgeräusch, dann allmählich allgemeines Motorenabschalten.

11 Uhr, gleiche Stelle. Die Bayern-3-Durchsage wird wiederholt; es wird allmählich heiß. Eine provisorisch gedeckte Tafel am Boden des Löhleinschen Wohnwagens, die Türen sind geöffnet, Ingeborg und Oskar sitzen auf Campinghockern auf der Straße davor, Heinz Rüdiger hockt daneben auf der Leitplanke.

VOM NEBENAUTO Na, schmeckts?

OSKAR Ja mei, was soll ma sonst machn …

INGEBORG Heinz Rüdiger, iß schön anständig!

OSKAR Salz!

Ingeborg reicht ihm das Salz. Der Mann vom Nebenauto wienert seine Motorhaube.

13 Uhr, flirrende Hitze. Familie Löhlein sitzt erledigt im Auto und brütet vor sich hin. Die rechten Seitentüren sind geöffnet. Oskar raucht eine Zigarette. Eine Fliege surrt an der Windschutzscheibe, von weiter weg hört man den folgenden Dialog.

STIMME I Was, in acht Stunden nach Italien? Donnerlüttchen!

STIMME II Freilisch. In sechs Stund fahr isch nach Venedisch. Isch hab jetz die hundertsechzisch Pe-Es-Maschin, des genücht eichendlich, frailisch, isch main, fizzisch Pe-Es mehr, in de Tii-Ausführung, is scho noch schpürbar besse, vor allem im middleren Beraisch un baim Übeholle, abe isch main, wann fährt ma sowas scho mal rischdisch aus, nä. Obwohl, mai Vedde, der hat de Tii – nä, der schafft Venedisch in fünf Stunne.

STIMME I Donnerlüttchen.

STIMME II Un im Verbrauch is braktisch kai Unnerschied, bloß im Raifeverschlaiß, aber wisse Se, isch bin kai Schbrinde, nä, isch fahr maine hunnerdachzisch Sache un des muß genüche. Des is a soliede Raisegeschwinnichkaid, un kai so Hedzerai. Un ma kommd doch züchich voran, nä. Also isch kann aufs Fluchzeuch direkt verzichte. Isch main, auf Kurzschdregge, ned im Inderkondinendalvakehr …

STIMME I Komplett meine Meinung.

STIMME II Schau Se, isch fahr jetz für vier Dag nunne nach Kalabrie, nä, des sin hin un redur je zweidausend Killomede. Am Middwoch had mai Eldesde Gebottsdach, da mus isch zurück sai, weil, wisse Se, mai Frau, die liecht noch im Krangehaus, die hat an Audounfall gehabd, also schaue Se, mid am normale Fahrzeuch da schaff isch des niemals. Mid a nommale Bleschkisde brauch isch da gar nisch erst antrede.

Zwei vollbeladene Tramper marschieren zwischen den beiden Autobahnschlangen in Richtung Süden. Sie halten an Löhleins PKW.

TRAMP Eih Mann, haste ma Feuer?
Oskar hält wortlos seine Zigarettenkippe zum Fenster hinaus, der Tramp bedient sich. Okay dann, schön Tach noch. *Die beiden Tramper gehen weiter.*

STIMME II Sache Se mal, wie schbäd hammen Sie?

STIMME I Dreizehnuhrdrei.

STIMME II Aah is gud, dann wedd isch amal de Weddeberischt aischalde. Alsdann, a gude Rais noch.

STIMME I Vielen Dank, und Ihnen eine gute Fahrt.
Zwei Autotüren knallen, die Fliege an der Windschutzscheibe nimmt einen neuen Anlauf.

---

16 Uhr. Auf der leeren Gegenfahrbahn fährt ein junger Mensch mit seinem Cabriolet vorbei, aus dem laute Musik dröhnt; er beobachtet mit Genuß und Interesse den Stau. Familie Löhlein und andere Staumenschen schauen ihm mißbilligend nach. Oskar sieht auf die Uhr.

OSKAR Jetzt waar was z'essen recht.

INGEBORG Magst an Schwedenhappen ...

OSKAR Ja, is recht.
Ingeborg fängt zu suchen an, entdeckt ein zerlaufenes Eis, sucht weiter.

INGEBORG I finds net.

OSKAR Schaug halt unter de Tomaten, bei de Pfirsiche ...

INGEBORG Hab i scho.

OSKAR Oh mei ... *Geht zum Wohnwagen.*
Oskar und Ingeborg suchen jetzt gemeinsam. Heinz Rüdiger spielt Auto.

HEINZ RÜDIGER Tatü tataa, brmm brumm ...
Oskar und Ingeborg räumen verbissen den ganzen Kofferraum und den Wohnwagen aus.

OSKAR Am Schluß hast as vergessn.

INGEBORG Da is's ja.

OSKAR Wo wars jetz?

INGEBORG Zwischen de Zwiebeln.
Die beiden beginnen wieder einzuräumen.

19 Uhr. Familie Löhlein sitzt auf Campingklappstühlen an einem Campingklapptisch vor dem Wohnwagen beim Abendbrot.

HEINZ RÜDIGER Bappa, wann fahrn mir denn wieder?

OSKAR *haut ihm plötzlich unbeherrscht eine runter* Frag net so saudumm. *Von ferne Abendglockenläuten.* Salz!

Ingeborg reicht das Salz. Allgemeines Anlassen, Familie Löhlein sitzt im Dieselqualm des LKW.
Schnell, pack zamm.
Ingeborg kramt hastig das Essen zusammen, Oskar eilt ans Steuer. Läßt an. Der Stau fährt schon ein wenig. Oskar will losfahren.

INGEBORG Halt, halt, no net!!
Oskar wartet, ein Sportwagen mit Pirmasenser Nummer schert aus der linken Spur aus und klemmt sich zwischen den LKW und die Löhleins. Die Autos stehen wieder.

OSKAR Ja, Sie, wie ham mas denn!!

INGEBORG A so ein Büffel ...
Oskar hupt. Daraus entsteht kurzes allgemeines Hupkonzert. Dann schalten alle die Motoren wieder ab. Ingeborg räumt das Essen wieder her.

OSKAR Weilst allweil so trietschelst.

23 Uhr 30. Die Autobahn im Mondlicht. Familie Löhlein sitzt im Auto, gedämpftes Innenlicht. Oskar studiert den Autoatlas, Ingeborg schaut zu, Heinz Rüdiger döst vor sich hin.

OSKAR Und dann fahr ma da bei Vicenca, fahr ma links weg, auf der Landstraßn. Und daa, beim Trasumener See fahr ma wieder auf d Autobahn. Na spar ma an Haufen Zeit und Gebühren.

INGEBORG Genau, so mach mas. *Gähnt.*

OSKAR Un nachad, dad i sagn, fahr ma vier Dag eher wieder zruck, daß ma net in Stau neikemman.

INGEBORG Genau.

OSKAR Weil, durch den Stau hier, da ham mir jetz schon fast an ganzen Dag verlorn.

Der PS-Rock

1. STROPHE
Mir ham an 8-Zylinder-Reihenmotor
und an Doppelscheinwerfer Halogen davor,
hab an Doppelvergaser, zwoa Ralleystreifen,
Aluminiumfelgen und Stahlgürtelreifen,
ham a Quarzuhr, a Drehstromlichtmaschin
und a Einspritzpumpn, daß ma schneller sind
180 PS, des is net zvui
und mir ham alle asselbe Ziel:

REFRAIN
Fahr ma abi in Süden, wos wärmer is,
brech ma nei in des Ferienparadies,
fahr ma alle miteinanda zu gleichen Zeit
an des Allejahrwiederplatzl, des uns so gfreut,
fahr ma abi in Süden, wo d Sonna scheint,
fahr ma alle mitm Auto, des is uns a Freud,
fahr ma alle miteinanda zum selben Strand,
nachad samma im Urlaub wieda alle beinand.

2. STROPHE
Mir ham an Superradio 4-Kanal
mit 6 Programmtasten, frei nach Wahl,
ham a Sportlederlenkrad und Schalensitz
und a Klimaanlag, daß ma net aso schwitzt,
ham an Amperemeter, an Drehzahlmesser
und a Dreiklanghupen, damit fahrt si's besser.
Unser Weg zurück zu der Natur führt heut auf einer breiten Spur:

... und glei nomoi! Haha, scho wirkli gel, aba scho ehrlich!

Die Kulturreise

FRAU MITTERWIESER Mir samma heuer nach Italien abi, ham mir amal so a Kulturreise gmacht. Gel, aber scho in Bozen ham mir so a Panne ghabt, na ja, irgendwie, a Reifen is uns platzt, ich glaub, vielleicht hams uns neigstochn ghabt, i woaß net. Na warn mir noch in Verona, und da ham mir a sehr gutes Kalbfleisch gessen, na samma runter dann da, da nach, wie heißts, Florenz, da ham mir aber nachad schlecht an Parkplatz kriegt, net, is ja alles verbaut da bei dene. Und in Perugia, da hat der Franz dann sein Durchfall kriegt, vom Obst, net, obwohl mir ja sonst die Lebensmittel alle selber dabeiham, weil, da drunten des is ja z gfährlich, net. Aber mei, und dann sammir, mir ham versucht, dieses Carabinieri da zu finden, da sin mir also ständig rumgfahrn, des war auch irgendwie, ich weiß aa net, die ham a schlechte Beschilderung. Und dann in Rom hams am Franz ja die Geldbörse rausgstohln, net – grad in Rom. Naja, naja, sonst is ja net schlecht da drunt, s nächstemal fahrn mir aber nach Spanien.

Vom Boden essen

Ein italienisches Straßenlokal. Otto und Ute sitzen am Tisch. Am Nebentisch sitzt eine Dame.

KELLNER So bitte, was darfs sein?

OTTO Prego, vogliamo due Calamari diabolo, e poi ...

KELLNER Irgendwas dazu?

OTTO Ja, äh, prendiamo una insalata mista e un poco di pane.

KELLNER Also zweimal Tintenfisch, gemischter Salat und Brot.

UTE Herr Ober, könnten Sie nicht hier ein bischen abwischen, das ist ja schauderhaft schmutzig. Sehen Sie mal. *Sie fährt mit dem Finger über den Tisch.*

KELLNER Sofort. *Wischt Tisch ab, schüttet Abfälle auf den Boden.*

UTE Wissen Sie, wir sind das nicht gewohnt, solchen Schmutz, bei uns in Deutschland gibt es Lokale, da könnte man direkt vom Boden essen. Sogar italienische Restaurants übrigens.

KELLNER Jaja, schon gut. Wir essen auf dem Tisch, gnä Frau.

UTE Ich sagte auch nur, man könnte ...

OTTO Sag mal, Knipsi, welchen Italiener meinst de denn bei uns?

UTE Na, zum Beispiel Rosario in der Türkenpassage.

OTTO Na, aber vom Boden essen würde ich bei dem auch nicht unbedingt.

UTE Ich sagte ja nur, man könnte. Außerdem gibt es ja auch noch deutsche Lokale – denke an Brunnhof oder Kirchsteiger.

OTTO Naja, da hast de recht, da blitzt alles.

UTE Igitt, Otto, kuck dir das an, dieser Köter, mitten zwischen die Tische, pfuii ...

Ein Straßenköter hat gerade sein Geschäft verrichtet, mitten zwischen den Eßtischen.

OTTO Ja, das ist eine Sauerei, dieses Vieh, pfui?

UTE Pfui, pfui, gehst du weg!

OTTO *steht auf und verjagt den Hund* Das ist ja allerhand, das ist ja allerhand. Das gibt es auch nur hier.

UTE Mir ist richtig der Appetit vergangen. *Fährt über den Tisch.* Hier sieh mal.

OTTO Möchte nicht wissen, wies in der Küche aussieht.

Der Kellner serviert am Nebentisch ein Gericht.

UTE Sieht aber ganz ordentlich aus ...

OTTO Bon appetito.

FRANÇOISE Merci.

OTTO Ich sagte gerade zu meiner Frau: Hier möchte ich nicht vom Boden essen.

UTE In Deutschland haben wir Lokale, da könnte man direkt vom Boden essen, so sauber ist dort alles.

FRANÇOISE Pardon?

UTE Sie versteht nicht.

OTTO In Germania habiamo restaurante possibile mangare, was heißt Boden?

UTE Terra.

OTTO Terra, hier …

UTE Das ist hier in Italien nicht möglich, hier muß man auf dem Tisch essen. Tavola.

OTTO In Italia mangare tavola.

FRANÇOISE Pardon?

UTE Das hat se nich verstanden. Speak english? Very dirty here, not clean.

OTTO You must eat from the table.

FRANÇOISE Pardon, je n'ai pas compris.

OTTO French?

FRANÇOISE Oui.

UTE Laß mich mal: Ici al' Italy on n'est peu pas manger la ba – *Deutet.*

FRANÇOISE Où.

OTTO La ba – *Deutet auf den Boden.*

FRANÇOISE Ah oui, c'est pas bon.

OTTO Was heißt denn Schmutz?

UTE En Almagne on peu manger de la terre.

FRANÇOISE De la terre?

UTE Ouioui …

OTTO Nein. Nonno. Man muß hier essen, manger la – *Klopft auf den Tisch.*

FRANÇOISE Ouioui, manger sur la table, oui.

OTTO Oui. Was heißt den Schmutz, compost?

UTE En Alemagne on peu manger de la terre.

FRANÇOISE Iiii, manger de la terre, uä, la ba, uä.

OTTO Nonnon, in Germania possibile. Nicht immer, aber manchmal, non sempre.

UTE Das versteht se nich.

FRANÇOISE Pourquoi vous mangez de la terre?

UTE No, nous ne mangeons pas de la terre, ma nous pouvons.

OTTO Wir müssen hier essen – *klopft auf den Tisch* – weil es hier nicht möglich ist – *deutet auf den Boden* – Schau mal nach, was heißt den Schmutz?

UTE Ich hab nur Deutsch-Italienisch.

OTTO Herrgott, wie erklären wir ihr das? Haben Sie n Wörterbuch?

UTE Avez vous une dictionaire Francaise-Italien?

FRANÇOISE Ouioui.

UTE Un moment. *Sieht im Deutsch-Italienisch Lexikon nach.*

OTTO *zu Françoise* Gleich, gleich, moment. Moment. Moment …

UTE Ah, hier, moment. *Geht zu Françoise an den Tisch, sieht in Françoises Italienisch-Französisch-Wörterbuch nach.*
La ...

FRANÇOISE *liest* Ah, oui, ici c'est très sale par terre, oui, c'est vrai.

OTTO Jaja, genau. Imposible manger la ba.

FRANÇOISE Oui, c'est certement impossible ...

UTE Ma, on Alemagne on peu manger de la terre ...

FRANÇOISE Ah, par terre. Vous voulez dire par terre.

UTE Ah natürlich, par terre, par – *zu Otto* – par terre, sagt man.

OTTO Ah ja, par ...

KELLNER So, meine Herrschaften, die Calamari sind da, wo soll ich servieren, wollen Sie auf dem Boden oder ...

OTTO Machen Sie keine Witze, Herr Ober.

FRANÇOISE Bon appétit.

KELLNER Guten Appetit.

OTTO Merci.

UTE Merci.

Die beiden probieren.

OTTO Hmm, sehr lecker.

UTE So frisch kriegst de die nur hier in Italien ...

OTTO Ja, bei uns sind se immer tiefgefroren. Also wirklich Klasse ...

UTE *Seitenblick zu Françoise* Übrigens, in Frankreich sind die, was Sauberkeit anbelangt, auch nicht gerade pingelig ...

Campingfreuden

CAMPER Also wir fahren praktisch jedes Jahr nach Jugoslawien, dann nach Istrien und auf an Campingplatz, ach das Camping das is so, man hat ein ungebundenes Leben, gel, es is, man hat sei Freiheit, man ißt, wann man will, wie man will, net, man braucht sich nicht umziehn dazu, da schaut kei Mensch danach, gel, bloß sagen wir halt, diese Campingplätze da drunten, die sind ja schmutzig, also ein Dreck, es is ja wahnsinnig, also man glaubt es kaum, net, dieser Sozialismus, es is, ja also die Toiletten sind verstopft, und die Leute habn ja reihenweise hamse diese Darminfektionen, alle Touristen praktisch, net, und vor allem die Deutschen, net, also wir habens ja schon ghabt, bevor wir überhaupt hinkommen sind.

Im Urlaub

Familie Stadler, Roland und Maria sowie die Kinder Bengt und Carmen sitzen im Ferienappartement in Jugoslawien. Es regnet. Maria kocht Tee, Roland liest im Reisebüro-Prospekt, Bengt und Carmen spielen ein Computer-Spiel.

BENGT Babba, wann fahrn mern wieder.

ROLAND Ah, sei staad, mir san doch grad erscht kommen, des hört scho wieder auf.

MARIA Jetz sei net so ungeduldig Bengt, mia san ma hier im Süden.

ROLAND Des is hier der Mittelmeerraum, des Klima is hier mediterran.

MARIA Mir san ja erst an fünften Tag da ...

Es klopft.

MARIA Ja, herein!

Herr Kaschke steht triefnaß mit Schirm und Regenbekleidung in der Tür.

MARIA Ah, Herr Kaschke, kommen S' rein, mögen S' a Taß Tee, mir trinken grad an Tee.

ROLAND Mögen S' a Tasserl?

KASCHKE Neenee, lassen Se sich nich aufhalten, ich wollte Ihnen nur sagen, das mit dem Grillfest morgen, das fällt ins Wasser, also buchstäblich ...

ROLAND Wieso des woas ma net. Vielleicht is morgen scho a tadelloses Wetter. Mia san je hier im Mittelmeerraum.

KASCHKE Tja, das wollen wir nicht mehr abwarten, wir streichen die Segel.

MARIA A geh, fahrn Sie scho, mei, des is aber schad.

KASCHKE Wir sind jetzt seit zehn Tagen praktisch ständig unter Wasser. Sogar die beiden Holländer fahrn.

ROLAND Was, die auch?

MARIA Mei, jetz hätten die Kinder so nett spieln können mitanand.

KASCHKE Wissen Sie, das ist wie verhext, voriges Jahr in Sylt, vor zwei Jahren Normandie, jedes Mal dasselbe. Also dann, n schönen Urlaub noch.

MARIA Ja, Ihnen auch.

ROLAND Mia halten derweil die Stellung.

KASCHKE Ja, und viel Spaß noch.

MARIA Und fahrn S' fei schön vorsichtig bei dem Regen.

KASCHKE In Deutschland ist n Traumwetter, jedenfalls laut Wetterbericht.

ROLAND Jaa, hier werds aa boid besser, mir san ja hier im Mittelmeerraum.

KASCHKE Ja, da wünsch ich ihnen viel Glück. Wiedersehn.

ROLAND Wiederschaun.

MARIA Wiederschaun.

KASCHKE Also dann ... *Geht.*

MARIA Roland, an Tee zum Aufwärmen?

ROLAND Ja.

MARIA Carmen laß den Pullover an, sonst verkälst di noch. Daß die net amoi a Heizung da herin ham.

ROLAND Ja mei, des is der Mittelmeerraum ...

Roland sucht im Radio einen deutschen Sender, findet Sender mit Nachrichten, Maria schaltet den Mixer an.

ROLAND Pssst, hea auf, Wetterbericht!

Maria schaltet den Mixer ab. Während des Wetterberichtes aus dem Radio läßt der Empfang spürbar nach, Roland versucht nachzuregulieren, Wellensalat, es funktioniert nicht.

Wenn ich an Wetterbericht hör, kannst du doch net an Mixer anmachen.

MARIA Und wie is es Wetter?

ROLAND Angeblich schön. *Zu den Kindern* Jetz gehts amal runter vom Bett, herrschaftzeitn, da ist der Tisch, da werd anständig gspielt.

MARIA Mei, weils aa net naus können ...

BENGT Babba, wann fahrn mer den wieder?

ROLAND Du, gell!

Ein Gewitter. Der Raum ist fast dunkel. Man sieht einen Mann als Silhouette im Eingang stehen.

ROLAND Hier alles dunkel, kein Licht, no luce, finster.

MANN In ganz Dalmatien kein Strom, großes Katastroph.

MARIA Ja, un mit was soll ich hier kochen?

MANN Weiß nicht.

MARIA Gut daß ma Konserven dabei ham.

ROLAND Ja aber, sie müssen doch irgenwie wieder an Strom herbringen. Des is jetz scho an ganzen Tag!

MANN Tud mir leid. Rieca kein Strom. Opatja kein Strom, nix Strom.

ROLAND Ja aber, sagn S' amal, werd denn des Wetter wieder besser?

MANN Jajaja, schon, bald besser.

ROLAND Es muß ja, mir san ja hier im Mittelmeerraum.

MANN Jajaja, Mittelmeer.

Bengt und Carmen kommen durchnäßt zur Tür herein.

MARIA Ja um Gottes willen, Bengt wie schaugts'n ihr aus.

ROLAND Mei, die müssen ja auch amal naus.

MARIA Ja aber schau dir das an. Des is doch a Sauerei. Wenns wenigstens länger drauß bliebn warn ...

ROLAND Mei, bei dem Wetter jagt ma net amal an Hund naus. Da könnens garnet länger drauß bleim. Der oane Däne hat des aa gsagt, er sagt, so a Wetter hat er im Mittelmeerraum noch nie erlebt.

MARIA Da, des kriagt ma ja garnimmer raus, diesen roten Dreck, es nächste Mal ziehts eure Schuh aber draußd aus.

ROLAND Der Däne hat aber gut lachen, weil, der hat an Wohnwagen mit Heizung ...

Familie Stadler sitzt auf dem Bett eng zusammengerückt, es regnet, der Fernseher läuft. Ein jugoslawisches Programm. Roland steht auf, geht zum Apparat, schaltet ein anderes Programm ein, wieder jugoslawisch. Roland schaltet den Fernseher ab.

ROLAND Bei uns waar jetzt Sportschau ...

MARIA Was is, mach mer a Spiel?

Es regnet, regnet, regnet. Die Kinder sitzen apathisch rum, Roland liest den Reisebüroprospekt. Maria strickt.

ROLAND Wenn ma jetz a Video hätt ...

MARIA Was?

ROLAND I sog, jetz wenn ma a Videogerät dabei hätt ...

ROLAND *am Fenster* I glaub, des hellt jetz auf ...

MARIA Was, wo? *auch zum Fenster.*

ROLAND Da. *Deutet.*

MARIA Wo?

ROLAND Jessas, scho wieder. *Rennt aufs Klo.*

MARIA I siehg da fei nix, daß's heller werd.

ROLAND *aus dem Klo* Doch doch! Vom Süden her!

MARIA A Schmarrn. *Ein Kind niest.* Des hat no gfehlt. Was eß ma heut!?

ROLAND Mach halt a Bohnenbüchse auf!

MARIA Konserven san fast alle aus!

ROLAND Dann kauf aber fei ja nix mehr ei, vor allem koan Paprika!

MARIA Gehts da scho besser?
Statt Antwort die Klospülung.
Roland, was is, geht s da scho besser?

ROLAND Frag net so blöd.

BENGT Babba, die Dänen san jetz aa weg.

ROLAND Vo mir aus.

MARIA Warum fahrn an mia net?

ROLAND *kommt aus dem Klo* Mia kanntn scho fahrn, aber mia ham doch ois scho zahlt, mit allen Schikanen.
Carmen niest wieder.

MARIA Des hot no gfehlt.

Carmen liegt im Bett, Bengt sitzt apathisch rum, Maria schreibt Urlaubspostkarten, Roland sitzt wieder auf dem Klo.

ROLAND Hast am Rüdiger-Wolf scho gschriebn?!

MARIA Sowieso!

ROLAND Was hastn eahm gschriebn!?

MARIA Mei des übliche: erholsamer Urlaub un so ...

Klospülung. Roland erscheint.

ROLAND Hast aber scho geschriebn, daß mers schö ham.

MARIA Sowieso. Und so, mei, hammers ja eigentlich auch ganz schön ...

BENGT Des stimmt doch garnet, Mami.

ROLAND Du halst di da raus, Saubua! Jessas ... *Verschwindet wieder.*

MARIA Wie gehts? Nimm noch a Kohletablette!

ROLAND Des vergeht scho wieder.

MARIA Soll ich an Dr. Gropper auch an Gruß schicken?

ROLAND Freilich, mach!

BENGT Mutti, schau, da kommen wieder zwei Wohnwagen.

MARIA Du, da kommen wieder zwei neue Wohnwagen.

ROLAND Jaja, werst sehn, des werd jetz dann besser, mir san ja hier im Mittelmeerraum!

Ein Ostblockplayboy

HERR BERZELMEIER Mir samma heier nach Ungarn gfahrn, weil des Italien und des Spanien, des macht ein wirklich müde. Na samma nüba. Mir war ma zwoa Porsche und drei BMW. Also, mir warn ma insgesamt an Haufn Kubik. Der Ede hat glei amal an Christbaum angezündet und hat de ganzn Wartburg weggscheicht, geht ja net anders, weil de blockiern ja alles. Na samma in den Ort nei, wia hoaßt des glei wieder, ah ja, Budapest, genau, na sog i zu oam dadorten: Sog amal Chef, wos soll des sei, a Großstadt? Des soll a Großstadt sei? Des zerbräselt ja ois, des is ja wia a Sandkuacha. Habts es koa Geld zum investiern, oder wia is des da bei eich? Nacha samma obi zu dera Drecklacha, Plattensee, oder wia der hoaßt. Da war an unserm Tisch a so a Ostmensch ghockt, a Ostdeitscher, a ganz a gebildeter Typ, irgendwie Kernforscher oder so, was er war. Na sog i zu eahm, sag amoi, Meister, wiavui Scheine machst du so im Monat? Weil kannst du von dem, was du vadeanst, bloß an Trabant oder so an Scheißdreck kaffa? Des is ja garkoa Auto, sog i, schaug mi o, i fahr jetzd an 928ger, weil des is ja vui rationaler, i fahr ja mit Normalbenzin. Und sonst, mir ham gor net bsonders aufgedreht. Ab und zu hat der Ede an Scheinwerfer gspuit, damits buckelt ham, aber den Hummer und den Kaviar und den ganzen Baaz hob i scho boid nimma sehng kenna. Die Weiba, de san da wia de Fleischfliang, weils nur auf Devisen aus sand, und des Kracherl, der Krimsekt, i hobn scho nimma oschaung kenna, mir hamman unterm Tisch abi gschütt, weil, glaubst as, i hobn scho nimma derbrunzn kenna.

Ein Energiesparer

Herbert Einweg fährt an eine Bahnschranke, die Schranke geht gerade herunter.

EINWEG *sieht zum Fenster raus* Herrschaftseitn, scho wieder zu. Wissen Sie, ich fahre jeden Morgen präzise zur selben Zeit weg, und jedesmal is hier die Schranke zu. Des is doch eine Energieverschwendung ersten Ranges, wenn man ständig bremsen muß, was da Energie verschwendet wird. Man muß doch heute scho mehr bremsen, als was ma fährt, dabei heißts doch freie Fahrt für freie Bürger. Oder? Ich bin ja durchaus energiebewußt. Ich fahr ja nur Normalbenzin. Is ja viel rationaler. Da spar ich vier Pfenning pro Liter, und was des Gute is, je mehr ich verbrauch, desto mehr spar ich dabei. Ich brauch pro Kilometer ungefähr an halben Liter, das heißt ich spar zwei Pfenning pro Kilometer, des san bei 30 000 Kilometer im Jahr san des 600 Mark und in zehn Jahren sans 6000 Mark, also drei Waschmaschinen und zwei Farbfernseher. Am sparsamsten wär mei Karrn ja bei 80 Kilometer, da braucht er bloß 38 Liter, aber ma derf ja bloß 50 fahrn. Was da Energie weggedrosselt wird. Genauso, wenn i an ara Schui vorbeischleich, im ersten Gang, weil ma nur 30 fahrn derf, was da an Energie verpufft! Überhaupt, dieses Drosseln is doch ein Wahnsinn. Schaun Sie, ich hab die 8-Liter-Maschin, damit könnte man locker 350 Pferde frei machen, und so muaß i jetzt mit 212 PS haushalten. Da steckt doch a energiefeindliche Ideologie dahinter. Genauso, schaun Sie, dieses Fahrzeug is optimal geeignet fürs Gelände so zum Fahrn, amal in am Naturschutzgebiet, an Berg nauf oder so, aber wo gibts denn des heut noch? Wo kann ma denn seinen Wagen heut no gscheid ausfahrn? Sie sehn ja, wies heutzutag ausschaut, ma steht scho bald mehr umanand, als was ma fährt.
Der Motor geht aus. Herrschaftseitn, is scho wieder so weit. *Steigt aus, geht zum Reservekanister.* Schad ums Benzin …
Die Schranke geht hoch. Einweg füllt Benzin nach. Ein kräftiges Hupkonzert setzt hinter ihm ein.

Der 750-Kubik-Ledertyp

Einer der letzten Abenteurer, der kompromißlos die Freiheit lebt. Einer, der bereit ist, für diese Freiheit Opfer zu bringen.

LEDERTYP *kommt mit einer Kawasaki angefahren, bremst, spielt mit dem Gashebel, hupt,* Auffüllen, Meister!

TANKWART Tut mir leid, Benzin ist leider aus.

LEDERTYP Hast wenigstens an Schoko-Schocker da für mei Sozia?

TANKWART Wie? Schalten Sie doch bitte den Motor ab, man versteht ja nichts!

LEDERTYP Spinnst du, Meister, naa, nix. I mach grad an Aufwärm-Ritt mit meine neian Slicks, wei, mir müaßn heit no nach Murnau reitn, in des Unfallkrankenhaus, da liegt a Kamerad. Da Pat. A astreiner Ledertyp, 750 Kubik. Er hat an kloana Crash ghabt, gel. Mir san auf am Ritt durch an Naturschutzpark, na is eahm so a Birkhuhn ins Mäu nei gflogn, bei satte 160. Da Pat, gel, hat as Mäu voller Bluat und Federn ghabt, Sendepause, gel, no more sightseeing, na hat er an Lichtmast mitgeh lassn. Zwia Lendenwirbel brocha, Schädelbasisbruch, mei, halt des Übliche, gel, also in 0,3 Sekunden fast im Jenseits, gel, hahahaha. Jetz bsuach ma'n. I moan, er selber hat wenig davon, weil, er hat ja kein Bewußtsein zur Zeit, er liegt im Koma seit September vorigen Jahres. Aber, was bei uns zählt, des is a astreine Kameradschaft, und des full power, gel, also, wenn da Pat aufwacht, nachad stellt eahm da George, woaßt, unser Leader, der stellt eahm glei a neie 1000er Kawa sauber eigfahrn direkt vors Krankenhaus. Service, verstehst. Na wittert er Morgenluft, wenn er aufwacht. Mei, vielleicht is da Pat beim Herbstspeedway scho wieder dabei. Also, was ist jetz, mit dem Schoko-Schocker?

TANKWART Tut mir leid, aber hier ist geschlossen.

LEDERTYP Aja, macht nix. Sie werd sonst eh z fett. Wei, mächst net glaubm, wia schwaar des is, astreine 45 weibliche Kilo herzkriagn, da derlebst Sachen, ihre Vorgängerin – *deutet aufs Wammerl* – waar genau des gewesen, aber wir fahren auf Nürnberg aufi, hats mir glei dreimal gespiebm; jedesmal hab ichs kurz absteigen lassen müssen, da war mei persönliche Bestzeit im Eimer, verstehst; aber a fetts Wammerl, wennst hint drauf hast, des nimmt dir glei sämtliche Beschleunigungswerte, und ma merkts aa sofort im Verbrauch. Wei, ma muaß ja heut aa ans Benzinsparn denka. Des is derselbe Schwachsinn wia des mit de gedrosselten Motoren. So a gedrosselte Maschin des is ja ein Schub ins Leere, a richtige Energieverschwendung, wenn so a Maschin satte 220 Sachen macht, und nachad schaffts nur noch müde 180. Woaßt, Meister, i bin a astreiner 1000-Kubik-Rider, bei an so am Blödsinn, da mach i net mit. Des is doch a Wahnsinn. Also, habe d Ehre Meister. *Fährt donnernd los.*

As Abblendlicht

An einem Wirtshausstammtisch.

MANN Ja, heit hots oan dabaatzt.

FRAU Geh wos, dabaatzt hots oan?

MANN Jaja – a so an Ausflügler. Net. Er ist beim Schnapperwirt, is er vorbeigfahrn, ins Leitzachtal, gel, na hot er d Kurvn nimma dawischt, na hotsn obilossn.

FRAU Ah, geh, obilossn?

MANN Jaja, na hotsas dabaatzt, gel. Zwoa Kinda san dringhockt, net, de warn praktisch hi, net, d Frau de wo dringsessn ist, de hots praktisch aa vollkommen dabaatzt.

FRAU Geh, naa, des is ja furchtbar!

MANN Jaja, mei, wos soist sogn – er hot an Ding, ghabt, einen aah – Schädelbasisbruch, ge, oiso, es war nicht mehr vui los mit eahm, aba vier fümf Mäta, bois di obilaßt, net, nacha, na schaugst schlecht aus, gel.

FRAU Ja, des is ja klar, vier fümbf Meta, wanns di obilaßt, na bist ja praktisch dabaatzt.

MANN Jaja, er hot aa a ganz scheene Gschwindigkeit draufg habt, ge. Er is obigsaust, wie ein Propeller, ge. Unten nachad hotsn aufgschlogn, ge, nachad, direkt am Baam vorbeizischt, richtig neibohrt hot er si inn Erdbodn, net, und na hotsas praktisch ziemlich dabaatzt.

FRAU Ja oiso, is ja klar, i moan, des is ja wie ein Geschoß förmlich.

MANN Jaja, genau. Net. Obwoi, i muaß sogn, interessant is jetza: Ich hobs genau gsehgn: As Abblendlicht bei dem Wogn, des hot no vollkommen funktioniert, net. Der Blinka, da rechte und da linke Blinker, de san no ganga. Ge. Des Wesentliche an dem Wagn war noch in Ordnung.

Die Einkehr

Ein herrlicher Tag, Biergartenwetter, im Biergarten eines Ausflugslokals sitzt Klaus Dimpfl und dimpflt vor sich hin. Ulf und Wibke Kassebohm und Tochter Nina kommen auf drei Fahrrädern angeradelt, halten, und beginnen, sich an Dimpfls Biergartentisch niederzulassen.

NINA Pabba, kuck mal, hier is Klasse.

WIBKE Ulf, sperr dein Fahrrad ordentlich ab. *Stellt Picknick-Korb auf den Tisch, nimmt Tischdecke.* Ulf, bring bitte noch den Rettich aus der linken Satteltasche!

ULF Wibke, hast du die Brotzeittüchlein?

WIBKE Hach, ist das hier alles schmutzig. *Beginnt, den Tisch zu wischen.*

ULF *setzt sich* Tach.

DIMPFL Sie könnan Eahna ruhig hinsetzn, da is no frei.

ULF Sehr freundlich. *Will Brotzeit auspacken.*

WIBKE Halt, noch nicht, erst die Tischdecke ...

ULF *zu Dimpfl* Tja, ein Wetterchen ist das heute ...

DIMPFL Ja, schön is.

ULF Wissen Se, bei uns hier in Bayern ist auf das Wetter selten Verlaß.

DIMPFL Ah geh ...

WIBKE Wo ist denn die Rettichschneidemaschine?

ULF In der Kühltasche.

WIBKE Nina, hol mal eben die Rettischschneidemaschine aus der Kühltasche. Und bring gleich Spezi mit. – Ulf, reich mir mal eben die Pappbecher.

ULF Hier, da, Servietten ...

BEDIENUNG *kommt mit vollen Maßkrügen vorbei* So, wer kriegt da no was?

ULF Ja, hier! Geben Se mir mal ne Maß. Wibke, mein Geldbeutel ...

BEDIENUNG *stellt eine Maß ab* I kimm glei zum Kassiern.

ULF Zünftig is es hier, nicht wahr?

DIMPFL Jaja, sehr zünftig.

ULF Wir sind schon den ganzen Tag unterwegs. Son Wetter muß man ausnützen.

DIMPFL Ja mei ...

ULF Wir waren aufm Taubenberg. Ich weiß nicht, ob Ihnen dasn Begriff ist. Is ne urige Gegend.

DIMPFL I hob fuchzehn Jahr da im Holz garbat, i kenn an ganz guat an Taubenberg.

WIBKE Taubenberg is ne traumhafte Landschaft, das müssen Se sich unbedingt mal ansehn. – Ah, kennen Sie sich vielleicht aus hier mit dieser Rettichschneidemaschine?

Dimpfl begutachtet den Rettichschneider.

ULF Die hat bei Warentest am besten abgeschnitten, n französisches Modell.

DIMPFL I woaß net, i schneidn oiwei mitm Messer ...

WIBKE Wissen Sie, Rettich muß immer hauchdünn geschnitten werden, sonst verliert er sein Aroma. Nina, kein Kaugummi vor dem Essen.

DIMPFL *nimmt den Rettich, zieht Messer aus der Tasche, halbiert den Rettich.* Schau mer halt amal ...

WIBKE He, was machen Sie?

ULF Laß mal ...

DIMPFL *schneidet eine Scheibe Rettich ab, beißt rein, spuckt aus.* Den könna S' wegschmeißn, der is holzig. *Schmeißt einen halben Rettich weg.*

ULF Na, hören Sie mal ...

DIMPFL Der is holzig, glaub mas. *Wirft die andere Rettichhälfte weg.*

WIBKE Unmöglich. Den Rettich habe ich bei Tellermeier gekauft. Biologisch-dynamisch gedüngt. Was erlauben Sie sich eigentlich ...

DIMPFL Ah geh, Schmarrn.

WIBKE Der Rettich hat eine Mark neunzig gekostet.

DIMPFL Vui z teier, da hams eich bschissn ...

WIBKE *Zieht Tischdecke mit Brotzeit einen halben Meter von Dimpfl weg.* Nina, nimm dein Besteck! Ulf, komm ...

Ulf rückt ebenfalls von Dimpfl ab.

DIMPFL Was habts jetz es da für a Wurscht? *Beugt sich zum Aufschnitt, nimmt ein Wurstrad.*

WIBKE Lassen Sie gefälligst Ihre Finger von unserer Wurst! Wer sind Sie denn eigentlich?

DIMPFL I schreib mi Dimpfl. *Riecht an der Wurst, beißt rein.* Ja, i woaß net, wo habtsn de her ...

WIBKE Das geht Sie zwar nichts an, aber das ist ne einwandfreie Göttinger, Handelsklasse 1 ausm Supermarkt.

DIMPFL A geh, a Göttinger, jetza Moment ... *Nimmt neues Wurstrad.* Da geh her, Blacky ...

WIBKE Sie, Sie!! Ulf, sag doch was!

DIMPFL So Blacky, jetz probier amal ... *Wirft dem Hund das Wurstrad hin.*

ULF Also, was erlauben Sie sich!

DIMPFL Stad sei! – Der Hund versteht was von ara Wurscht.

WIBKE Sie, Sie, also Ulf!! Tu doch was!

Alle sehen zu, wie Blacky das Wurstrad frißt.

DIMPFL Ja, des schmeckt eahm. Feines Wurschti, gel. *Greift flink nach neuem Wurstrad.*

ULF Hören Sie mal, das ist unsere Wurst!

DIMPFL Jaja, des woaß i scho. *Zum Hund* Die Wurscht is von de Herrschaften, gell, da ... Eahm schmeckts trotzdem.

WIBKE Kaufen Sie sich doch Ihre eigene Wurst!

DIMPFL Da geh her, Blacky ... *Füttert.* Jaja, des is was feines, feine Göttin-

[NOCH DIMPFL] ger. *Nimmt Ulfs Bier, setzt an.* Prost! *Setzt ab.* Heit is zünftig, ha?

ULF He, Sie ...

WIBKE Ulf, das ist doch dein Bier.

ULF Los, pack zusammen, wir ziehen um.

DIMPFL Geh weida, kaaf da halt aa a Maß. *Trinkt nochmal lang und kräftig.*

ULF He, Sie Sie trinken an meinem Bier, guter Mann ...

DIMPFL *setzt ab, wischt sich den Schaum vom Mund.* Ha, guat is. Geht doch nix über a frische Maß Bier. – Soso, na wards es heut scho am Taubenberg ... Da is schee, ha?

WIBKE Das geht Sie nen feuchten Kehricht an. Nina, hol den Rettich, wir gehn annen anderen Tisch. Ulf, hast dus?

ULF Wiedersehn!

Die Kleinfamilie zieht empört ab, Ulf versucht noch, sein Bier zu retten, aber Dimpfl hat den Krug schon wieder angesetzt.

DIMPFL Jetz bleibts halt no da. I hobs eich doch gsagt, da ist no ois frei ... *Trinkt kräftig weiter.*

Die Auskunft

Ein offensichtlich Einheimischer ist auf seinem Fahrrad mit Anhänger unterwegs. Eine Dame fährt in ihrem PKW langsam an den Einheimischen heran und will von ihm offensichtlich etwas wissen.

DAME Hallo, Verzeihung. Hallo, wissen Sie, wo hier die Desirée-Beauty-Farm ist?

Der Einheimische radelt ungerührt weiter. Die Dame holt ihn wieder ein.

Hallo? Ah, Sie ...

Der Einheimische radelt ungerührt weiter, die Dame holt ihn wieder ein.

Entschuldigung, Sie, ich hätte eine Frage ... *Schnauft* hach ...

Der Einheimische radelt ungerührt weiter, die Dame holt ihn wieder ein.

Laut Hallo, Sie, Verzeihung!!

Der Einheimische bringt sein Fahrrad zum Stillstand.

Entschuldigen Sie bitte, ich habe eine Frage. Kennen Sie sich hier aus? Ich suche die Desirée-Beauty-Farm ...

EINHEIMISCHER Ha, wia?

DAME Die Desirée-Beauty-Farm ...

EINHEIMISCHER Was?

DAME Die Desirée-Beauty-Farm. Wissen Sie, wo das ist?

EINHEIMISCHER Wem?

DAME Ich suche die Desirée-Beauty-Farm. So eine Art Schönheitsinstitut. Die muß hier sein irgendwo.

EINHEIMISCHER Ah so. Wo?

DAME Das muß hier ganz in der Nähe sein. Wissen Sie, wo das ist? Die Desirée-Beauty-Farm. Hier irgendwo ...

EINHEIMISCHER Der Mellinger, der war da, aber der is ja wegkemma, weil den hat ja der Großberger aufkauft. Des is ja scho drei Jahr mindestens her. Aber der Großberger, der hat ja dann aa pleite gmacht. Großberger Eisenwaren, net.

DAME Soso, ja, nein, ich möchte, ich suche die Desirée-Beauty-Farm.

EINHEIMISCHER Der alt Großberger hat si ja derrennt, und da Junior hat si net auskennt, net, no hats kemma miaßn, wias kemman ist. Da huift aa koa Spendiern, de scheinheilige Bruat, de miserablige ...

DAME *merkt, daß nicht viel zu holen ist* Ja, dann vielen Dank, Wiedersehn.

EINHEIMISCHER Der Ammesmeier Sepp hat aa gesagt, koan Kreuzer gibt er eahna, weils alle ausgsacklt ham vorher und nachad kamadn sie daher, hat er gsagt ...

DAME Ja, vielen Dank. Sie wissen also nicht, wo die Beautyfarm ist. *Will anfahren.*

EINHEIMISCHER Ja, i wers doch wissn, ja i war ja scho da, wo de alt Großbergerin, de Mistamsel, de verreckte, de hat ja des Ganze aufbracht. Da Mellinger hätt ja nia net verkauft, i war ja persönlich bei Gericht, i muaß doch wissn ...

DAME Ja, schön, schön, guter Mann, ja, dann Wiedersehn.

Die Dame will anfahren, der Einheimische schiebt seinen Kopf noch tiefer in den PKW und rollt mit seinem Fahrrad mit.

EINHEIMISCHER Ja, na san Sie die Kusine?! Da Maxl hat mir scho verzählt ...

DAME Ja, vielen Dank, Wiedersehn ...

EINHEIMISCHER Ja, warum ham denn Sie dann nix gsagt?! Und was is mitm Martin? Sie ham doch des aa gwußt, wie s'n eigliefert ham, Sie hättn ja was sagn müaßn, und der Gunnetsrainer, der hat sie ja net auskennt in dera Sach. I war ja praktisch aa bloß als Zeuge, net.

DAME Soso, ja, also nochmals vielen Dank.

Die Dame fährt langsam, aber bestimmt an. Der Einheimische muß seinen Kopf zurückziehen und stürzt fast.

EINHEIMISCHER Sie! Ja, was is des! *Droht ihr nach.* Des hätt i mir glei denka könna, daß de Großbergernichtn aa so oane is. De wann ma nomoi kimmt! ...

Touristikinformation

MODERATOR Und nun meine Hörer haben wir Herrn Edenkofler von der Informationsstelle Touristik in Südtirol am Apparat. Hallo Herr Edenkofler, hallo, Herr Edenkofler?

EDENKOFLER Jaja, ich höre ja schon.

MODERATOR Herr Edenkofler, Frage: wie siehts denn aus bei Ihnen unten, nach dem schrecklichen Attentat, jetzt?

EDENKOFLER Ja, es isch herrlich. Also das Wetter ist ganz hervorragend, schon die letzten Tage war es auch sehr guet ... und der Herbscht isch hereingebrochen ...

MODERATOR Nein, wir haben doch gehört, Herr Edenkofler, das Krankenhaus bei Meran ist doch in die Luft gesprengt worden ...

EDENKOFLER Der Wein steht wirklich guet, und das Laub, die Sonne, wo hineinscheint, Zimmerlen sein frei, also das ganze Eisacktal hat ja jetzt mehrere Zimmerlen frei, seitdem die Autobahn, da is es gar kein Problem mehr für Stammgäschte, e Zimmerle zum kriegen.

MODERATOR Nein, Herr Edenkofler, aber wir haben gehört, deutsche Touristen sollen verletzt worden sein.

EDENKOFLER Ja, ich han bloß ghert e bissel ganz leicht, aber jetzt isch ja die Zeit, wo man sich an Kachelofen hinsitzen tuet, wo man sichs gmietlich macht und e Weindele trinkt und nachher e Edelkaschtanie hat und e bissle Muusig, nid ...

MODERATOR Ja, Herr Edenkofler, aber ich meine, man hat gehört, die Attentäter haben angekündigt, die Bahn in die Luft zu sprengen.

EDENKOFLER Ja, also ich glaube, wenn man pünktlich wegfahrt, dann kemmt man auch pünktlich an. Im Himmel isch no a jeder pünktlich kemmen. Eh, wenns eso sein soll, aber es isch wirklich herrlich wie selten. Die Temperaturen sein zwischen 18 und 21 Grad. Es isch also …

MODERATOR Was sagt die Polizei dazu? Die Attentäter planen doch weitere organisierte Verbrechen, Herr Edenkofler?

EDENKOFLER Das Herbschtlaub gibt diese Beschaulichkeit wieder, wies jetzt im Herbscht isch und das Südtirol eintaucht in ein malerisches, pittoreskes Bild wie mers sehr selten …

Detonation einer Bombe.

MODERATOR Hallo, Herr Edenkofler, hallo, hallo Herr Edenkofler? Ja so viel nun aus Südtirol, meine sehr verehrten Damen und Herren, und wir schalten jetzt um in unser Touristikinformationsbüro in San Sebastián im Baskenland.

Die Zukunft der Bahn liegt in der Luft

Eine stillgelegte Bahnstrecke, ein Prellbock, eine Bahnschranke, daneben ein Streckenwärterhäuschen, aus dem ein Streckenwärter kommt.

STRECKENWÄRTER Gell, hinterm Prellbock ist die Welt für Schienenreisende zuende. *Deutet auf den Prellbock.* War ja auch höchste Zeit, weil, wenn die Eisenbahn hier im Streckenabschnitt 14 weitergfahrn wär, hätts ja gar koa Zukunft mehr ghabt. Die Eisenbahn muß doch auf andere Verkehrsmittel ausweichen, wenns heutzutag mithalten will. Ich sage nur Omnibus, Flugzeug, von mir aus auch Luftballon oder Zeppelin, aber eins steht doch fest: Runter von der Schiene! Die Eisenbahn is der Tod von der Bundesbahn. – Schaun S' die Züge müssen doch nur noch fahren, weils immer no Leut gibt, die wo damit fahrn. Die vielen Senioren zum Beispiel, des war eine ruinöse Idee. Ma kann ja garnimmer in Ruhe stillegen, weil nur, wenn mir beweisen können, daß niemand mehr fahrt, kann man die Strecke auch einstelln. Aber die Leut san ja wahnsinnig, die fahren um jeden Preis. Was glauben Sie, was mir ham kämpfen müssen, bis die Strecke hier stillglegt worn is. Ich bin ein leidenschaftlicher Bahnbeamter und ich kenn mich in der Materie aus! Natürlich, es wird hier und dort rationalisiert, bitte, die Strecke hier is eingstellt wordn, und da, schaun S' die Schranke, die wird jetzt auch auf Vollautomatik umgstellt, des is natürlich schon eine Erleichterung, aber im Endeffekt is des doch alles nur Flickwerk. Die Zukunft der Eisenbahn liegt doch eindeutig in der Luft! Schaun Sie, die Bundesbahn is heutzutage praktisch eine soziale Institution mit einer eigenen Eisenbahn für ihre Angestellten. Aber welcher auch nur halbwegs normale Bundesbahnbeamte fährt heut noch mit der Eisenbahn? Er fliegt, net! Bitte, mir san jahrelang nach Sylt oder so gfahrn mit der Bahn. Was des uns belastet hat! Sowas verträgt kein Unternehmen. Diese Defizite, des müssen Sie sich amal vorstelln. Schaun Sie, ich würd gern amal, also ich wär gern bereit, auf Bahnkosten auch amal nach Ceylon fliegen, als Sparmaßnahme, des würde dann die Bundesbahn entlasten. Weil Fliegen is doch zeitgemäßer und preiswerter. Obwohl, mit dem Verreisen hab ichs jetz nimmer so. Ich habs ja hier inzwischen recht schön, seit diese lauten Züg nimmer fahren. Und jetz, wos Haus renoviert wird, is ja logisch, nach der Beförderung steht mir ja eine standesgemäße Unterbringung schließlich zu. Da, gleich hinterm Prellbock, da bau ich jetz mein Swimmingpool hin. Am liebsten fahr ich gleich gar nimmer weg. Ich versteh des sowieso nicht, wie die Leut allweil umanand fahren …

MENSCH UND TIER

D'Anni hat gsagt, also sie sagt, a Sittich ist doch am dankbarsten, aso a Vogel der hält ja mindestens seine fünf bis sechs Jahre.

Der Hundebesitzer

Karlheinz Halter, Hundebesitzer, sitzt mit seinem Schäferhund auf der Parkbank eines Kinderspielplatzes.

HALTER *gibt dem Hund ein Stück Wurst* Jajajaja, wo is er denn. Ja brav is er. – Am Mittag kriegt er allweil a Stück Wurscht, auch amal a Stückl Preßsack, also mehr was Leichteres, weil, er hat ja schon ausgiebig gefrühstückt. Also da legt er großen Wert drauf, da is er heikel. Zum Frühstück mag er sei Leber, leicht angedünstet, oder wissen S', was er auch mag? – A Marmeladenbrot mit Konfitüre. Net, und dann hat er auch schon a gute Laune. Gel, da sammir gut gelaunt. – Er hat eine Seele wie pures Gold. I sags Ihnen auch gleich, wies is, er is mir auch lieber wie praktisch a jeder Mensch. Weil er so an Charakter hat. Er besitzt eine solche Menschenkenntnis, also, a Mensch, den er ablehnt, an dem is was faul, da können Sie sich hundertprozentig drauf verlassn. Er ist a Vollschäfer, reinrassig, er ist ein echter Urenkel vom Onkel vom Hund vom Adolf Hitler, aus direkter Linie. Mir samma grad beim Gassigehn, gel, hier hat er seinen Auslauf, und er hat seine Büsche, obwohl er anundfürsich de Kinder net so mag. Wissen S', die Kinder können sich einfach net so einstellen auf so ein Tier. Die ham da kein Verhältnis. Die langen immer wieder hin, obwohl er dann schnappt. Net. Vor 14 Tag, auch hier, an dem Kinderspielplatz, er macht grad sein Geschäft, kommt so a Kind daher, direkt auf ihn zu. Er is so furchtbar derschrocken, aber dann is er fuchsteufelswild wordn. Des Kind liegt heut noch im Spital. Aber die Eltern von dem Kind ham dann auch selber zugeben, daß das Verschulden eindeutig auf seiten des Kindes lag. I sag immer zu de Kinder: Finger weg, ein Schäfer ist kein Spielzeug.

[NOCH HALTER] Er is ja auch sagenhaft treu. Er weicht einem nicht von der Seite. Er is immer bei mir, auch nachts kommt er immer zu mir ins Schlafzimmer. Und er hat einen untrüglichen Instinkt. Wen er net mag, der kann glei wegbleibn, da verlaß ich mich nur auf ihn. Genau wie er nur auf mich hört. Er leistet einen onbedängten Gehorsam. Also, wenn ich jetz zum Beispiel sag: »Faß!«, schaugn S', wie er aufmerkt, also ich mein, ich sag jetzt net »Faß«. *Zum Hund* Nicht »Faß«! – Gel, also »Nicht Faß«, aber ich könnte »Faß« sagen. Und wenn ich »Faß« sag, und auf Sie zeig, dann packt er Sie. Und net zu schlecht. I habs scho a paarmal erlebt, was er dann macht. – Natürlich nur, wenn ich »Faß« sag, aber i sag ja net »Faß«, Sie brauchen da garkeine Angst haben, i sag jetz net »Faß«. Ja brav is er, gel, ja, mir lassen uns von de Menschen net drausbringen …

Hindemith

Paul telefoniert mit seinem Freund Herbert.

PAUL Ah, hallo, grüß dich ... Du ich wollt dich bloß amal fragen – pfui, ja gehst du weg da, he, gehst du weg, ja läßt du des. – Nein, net du Herbert, Entschuldigung. Du ich wollt dich bloß fragen, weil wir fahren doch in Urlaub nach Spanien – pfui, ja gehst du weg da, he, was hast denn da an der Vitrine zu tun, gehst du weg, nicht da kratzen, gell – Herbert, Entschuldigung, ja, also paß auf: Wir fahren doch nach Spanien runter in Urlaub drei Wochen, jetzt wollten wir dich fragen, ob du nicht unseren Hindemith – Hindemith gehst du weg, haut da die Spreißel raus – Herbert, du paß auf, ich wollt dich nur mal fragen, wir fahren doch nach Spanien runter drei Wochen in Urlaub, jetzt wollt ich dich fragen, ob du – pfui, ja, gehst du weg, ja, Hindemith, hörst du net – ob du, Herbert, ob du, Entschuldigung, ja, ob du unseren Hindemith nicht drei Wochen – pfui, jaja, was machst du, jetzt is er schon wieder am Perser, ja Hindemith, gehst du weg da vom Perser, na – Herbert, Entschuldigung, du kennst doch den Hindemith, der is ja immer so lieb, drei Wochen nimmst du ihn uns vielleicht in Pension – he Hindemith, pfui, ja Herrschaft, pfui, ja gehst du weg da, Herrschaft – Entschuldigung, Herbert, jetzt muß ich – ja pfui, ja alles verschissen, ja Herrschaft – Herbert, ich ruf dich wieder zurück, gell. Was, du hast kei Zeit?

Das Terrarium

Otto und Martha Zapf, Sohn Heinz-Rüdiger sowie der Besuch Heimo und Ilse Friesecke stehen um ein Terrarium.

OTTO Proteidae hoaßns auf lateinisch. Also, die ganze Gruppe der Olme. Da unser is ja a Grottenolm.

MARTHA Aber auch mit Kiemen- und Lungenatmung gleichzeitig …

OTTO De Olme san praktisch Dauerlarven …

MARTHA Im Gegensatz zum Axolotl …

OTTO Da Schädel is so mehr knorpelig, un de Gliedmaßen san zurückgebildet, also stark zurückgebildet …

MARTHA Im Unterschied zum Axolotl …

HEIMO Ja, aber wo ist denn das Tierchen?

OTTO Da drin.

MARTHA 710 Mark hat er kost, also fast a Farbfernseher.

OTTO Ja, da kimmt dann aber noch Zoll und Mehrwertsteuer drauf, er is ja importiert aus Südamerika …

MARTHA Des Terrarium ham mir aber noch ghabt von dene Axolotl, diese Querzahnmolche, die uns dann eiganga san.

HEIMO Ja, aber wo ist denn das Tierchen, man sieht ja garnichts.

OTTO Aber da drin is er.

ILSE Wo? Ich seh nix.

MARTHA Da drin.

HEIMO Ich würde ihn gerne mal sehn.

MARTHA Ja, er is sehr scheu. Er is noch scheuer wie die Axolotl, die mir ghabt ham.

OTTO *klopft an das Glas.* Man erkennt ihn von hausaus schwer, der is wie a Chamälion. Ma muß a Auge ham.

ILSE Tut mir leid, ich seh überhaupt nichts.

OTTO Aber drin is er.

MARTHA Des merkt ma scho daran, weil am Morgen immer etwas von der Nahrung fehlt.

OTTO Er kriegt immer an Schilddrüsenextrakt mit Thyroxin, das mag er, eine Olm-Spezialnahrung quasi.

MARTHA Ja, aber mir hams noch von unsere Axolotl, also von unsere Querzahnmolche übrigghabt, die uns dann eiganga sind.

HEIMO Ach ja, die sind euch ja eingegangen.

OTTO Weil, die ham aa a Thyroxin kriegt, aber wenns Terrarium zu trocken werd, na wandeln sich die Kiemenlarven um in a lungenatmende Landform, sowas ähnliches wie an Furchenmolch, oder so …

MARTHA Und de Landform vertragt as Thyroxin net, und des ham mir net gwußt. Im Wasser hams noch so fröhliche Balzspiele gmacht, vor der Paarung, halt, richtig süß …

OTTO Aber mit Nachwuchs is nix mehr wordn, weils vorher eiganga san.

HEIMO Ja, aber ich würde ihn gerne mal sehn.

OTTO I dadn euch scho rausnehma, aber des derf ma net, des is schädlich, weil, der Grottenolm braucht die Feuchtigkeit, sei Lebenselixier is des quasi ...

MARTHA Weil im Gegensatz zum Axolotl san des Dauerlarven, de wo Kiemen- und Lungenatmung ham.

ILSE Ah so. Schad.

OTTO Drum vertragn die auch des Thyroxin. Je, Herrschaft, heut is er aber arg scheu. Da unter dem Stoa sitzt er sonst aa manchmal immer gern.

ILSE Ganz schön warm is es hier bei euch.

OTTO Mei, er is a Mittelamerikaner, der brauchts fast subtropisch.

MARTHA Des war dann wieder der Vorteil vom Axolotl, weil der is Zimmertemperatur gwohnt. Jetz müß ma halt immer ziemlich heizn.

OTTO Und dabei die entsprechende Luftfeuchtigkeit, weil, da schlagt des Thyroxin besser an.

HEIMO Soso, interessant, aber wo ist denn jetzt dieser Olm, ich würde ihn gerne mal sehn ...

OTTO *kriecht unter das Terrarium.* Von unten sieht man'n manchmal.

HEIMO *kriecht auch unter das Terrarium.* Wo is der denn?

OTTO Ja, i woaß aa net. Irgendwie is er grad weg. Er muß sich irgendwo verschloffn habn.

ILSE Also, ich halte das nicht mehr aus, diese Hitze is ja mörderisch, wie inner Sauna.

HEIMO Zieh deine Jacke aus, Schnuckimaus.

MARTHA Ja, i dad sagn, mir trinkn derweil an Kaffee, und schaugn nachher wieder. Vielleicht ham mir dann mehr Glück.

OTTO Mir sehn ihn manchmal auch tagelang net.

HEIMO Und dann noch die vielen Leute ...

OTTO Ja, genau, des stimmt, er is sehr scheu.

MARTHA Also, i dad sagn, geh ma nüber an'n Kaffeetisch. Heinz-Rüdiger, für dich hab ich an Kakau ...

Alle fünf setzen sich in Bewegung in Richtung Kaffeetisch. Heimo rutscht auf einmal aus.

HEIMO Autsch!! Sakrament ...

OTTO Ja, was isn los?

ILSE *stützt Heimo* Is was passiert?

HEIMO Weiß auch nicht, ich bin ausgerutscht.

MARTHA Ja, um Gottswilln, so a Sauarei, ja, Heimo, was hastn da gmacht?! Otto, schau mal ...

OTTO Ja, was is des ...

ILSE Iiih!!

HEIMO Ja, sowas. *Wischt an seinem Schuh.* So eine Sauerei ...

MARTHA Des war der Olm.

OTTO Ja, aber wie kimmt denn der da raus?

MARTHA Pfui Deifi, der ganze Teppichbodn total versaut.

ILSE Heimomäuschen, is dir was passiert?

HEIMO Nenee, Schnuckimaus, laß mal. Ich brauch was zum Abwischen.

OTTO Des versteh i net. Der war immer da drin. Wie der da rauskimmt, is mir ein Rätsel.

MARTHA Da, hast a Stückl Zeitung zum Abputzn ...

OTTO Aber hoffentlich net die heutige!

MARTHA 710 Mark im Eimer, ohne Teppichreinigung ...

ILSE Marthaschätzchen, denk dir nichts, wir sind haftpflichtversichert.

OTTO Ah so, seids versichert, ja, des könnt ma scho in Anspruch nehman.

HEIMO Schade, tut mir leid, ich hätte ihn wirklich gerne gesehn.

MARTHA Ja, schad, jetz könn man euch nimmer zeign.

OTTO Aber, wißts was, i hab a Foto da von eahm.

ILSE Tschuldigt, aber kann ich n Augenblick lüftn?

OTTO Ja, mach nur auf ...

MARTHA Jetz is ja wieder wurscht ...

OTTO *zeigt Foto.* Da, schaugts her, so schaut er normalerweis aus. A bißl größer, da aufm Foto war er no jünger.

HEIMO Ah ja, interessant. Sehr nett.

ILSE Zeig mal, Heimomäuschen. Süß ...

MARTHA Ja, gel nett. Der Grottenolm is a Verwandter vom Axolotl, vor allem in der Musterung ... *Schrubbt dabei den Teppichboden.*

KULTUR, KUNST UND FERNSEHEN

D'Anni hat gsagt, also, diese jungen Priester, die sind nimmer des, net, die reden daher wie die Studenten.

Kulturelles

Olaf Sven Unzengruber und Dr. Antje Perzborn-Legewie sitzen auf Unzengrubers Terrasse in der Abendsonne.

.S. UNZENGRUBER Dieses globale Elend, diese schrecklichen Ereignisse von heute, der Hunger, auf der anderen Seite der Überdruß, das Übermaß, die Hybris des Homo sapiens heute, das muß einem sensiblen Beobachter doch zu denken geben.

DR. PERZBORN-L. Herr Unzengruber, soweit wir mit der Materie Ihres neuen Stückes vertraut sind, spielt sich aber die Geschichte des Bodo v. Wetterstein doch im Mittelalter ab.

S. UNZENGRUBER Unbestritten. Gerade weil wir das Stück ins Mittelalter verlegt haben, wollten wir besonders einen heutigen Bezug herstellen, insbesondere, was die Ökonomie betrifft. Schauen Sie: Melzer oder auch die schwangere Magd Theres, das sind vollblütige Menschen von heute, die gerade durch ihre Verlegung ins Mittelalter – oder in irgendeine Epoche halt – an Attraktivität und konkreter Aktualität gewinnen.

DR. PERZBORN-L. Ihr Stück subsumiert ja auch allerhand Themen der Jetztzeit. Also im hic et nunc werden heiße Eisen wie Schwangerschaftsabbruch und Eigentumsverteilung kritisch erörtert, und andererseits ...

S. UNZENGRUBER Ich glaube, Sie haben mich falsch verstanden, Frau Dr. Perzborn-Legewie, was heißt hier »subsumiert« hier wird überhaupt nichts subsumiert, hier werden Konflikte ausgetragen.

DR. PERZBORN-L. Aber realitätsbezogen, modern.

S. UNZENGRUBER Selbstverständlich realitätsbezogen modern. Wir haben uns gefragt: Ist Tragik heute noch tragbar? oder anders gesagt: Trägt Tragik heute überhaupt noch?

DR. PERZBORN-L. Eine hochinteressante Fragestellung. Diese Tragikthese könnte schon fast wieder Thema eines Ihrer nächsten Theaterstücke sein ...

S. UNZENGRUBER Ja, ich bearbeite diesen Stoff, äh seit zwei Jahren arbeitet dieser Stoff in mir, Sie wissen ja ...

DR. PERZBORN-L. ... aber mir scheint doch in Ihrem jetzigen Stück vor allem kurz vor der Peripetie – bei aller Tragik – doch ein gewisses gerüttelt Maß sozialen Engagements im Vordergrund zu stehen. Melzer, der Taglöhner, wird quasi zur Hauptfigur, zum Thesenträger.

S. UNZENGRUBER Melzer steht praktisch für das Elend der arbeitenden Bevölkerung, und wie Sie wissen, Frau Dr. Perzborn-Legewie, ist dieses Elend eines meiner Hauptanliegen, insbesondere im Kontext von Abhängigkeit, Verfall, Dekadenz und Miserabilität en gros, im metaphysischen Sinn, versteht sich.

DR. PERZBORN-L. Jaja, metaphysisch. Herr Unzengruber, in der Literaturszene gelten Sie ja schon länger als einer der großen leidenschaftlichen Vorkämp-

[NOCH DR. PERZBORN-L.] fer für die Unterjochten, Unterdrückten, Zukurzgekommenen, die, ich will es kurz sagen, leidende Spezies Mensch überhaupt.

O. S. UNZENGRUBER Sie haben recht. Ich bin der Advokat dieser Leidenden. Im Leiden steckt für uns sinnliche Menschen, uns Menschen mit Theaterblut, eine besondere Attraktivität. – Herrschaft, wo bleibt denn mein Whisky?! – *läutet eine Personalglocke* – Ah, durch die leidende, durch Unterdrückung abhängige Kreatur, die sich durchs Leben quält ...

DR. PERZBORN-L. In Ihrem Stück die schwangere Magd Theres, Herr Unzengruber ...

O. S. UNZENGRUBER Und nicht zu vergessen Melzer, ebenfalls lohnabhängig – die Unterdrückten lassen Symptome aufflackern, wie ich sie aus meinem Alltag nur zu gut kenne. Glauben Sie mir, ich weiß, wovon ich schreibe ...

DR. PERZBORN-L. Der kategorische Imperativ Kants zieht sich ja wie ein roter Faden durch all Ihre Werke. Mann kann also sagen, diese einfachen Menschen setzen eine Art Katharsis in Gang.

O. S. UNZENGRUBER Katharsis im Sinne von Abschreckung einerseits und andererseits der Mut zum Durchhalten. Mein Herz schlägt für die arbeitende Bevölkerung, ich mache da kein Hehl daraus.

Ein Butler serviert Whisky und Campari-Soda.

O. S. UNZENGRUBER ... auch wenn – Danke – auch wenn dies unbequem erscheint.

DR. PERZBORN-L. Und die Zukunftsperspektive liegt ja schon – vielen Dank – in der Gestalt des Edlen von Mornac.

O. S. UNZENGRUBER Achim! Verdammt, ich habe doch ausdrücklich angeordnet, drei Eiswürfel! – Diese Domestiken sind heutzutage gnadenlos dumm. Und dreist obendrein. Was stehn Sie hier noch herum?! Drei Eiswürfel, Sie hören wohl schlecht! In Worten drei, loslos, Mann, laufen Sie.

BUTLER Verzeihung, sehr wohl. *Geht.*

O. S. UNZENGRUBER Und um so eine Kreatur sollte man dann noch froh sein. Der einzige überhaupt akzeptable von 27 Bewerbern.

DR. PERZBORN-L. Ich kenn das, Herr Unzengruber. Ich habe in den letzten vier Monaten dreimal die Putzfrau wechseln müssen, entsetzlich. Dienstleistungspersonal heute ist eine einzige Katastrophe.

O. S. UNZENGRUBER Sehen Sie, Frau Dr. Perzborn-Legewie, auch unser Jahrhundert der sozialen Errungenschaften birgt Schattenseiten in sich. Glauben Sie mir: Daß ich gewisse gesellschaftlichen Prozesse ins 13. Jahrhundert verlege, hat seine Gründe.

DR. PERZBORN-L. Wie wahr, Herr Unzengruber. Nun zu Erfreulicherem, was man so hört, arbeiten Sie an einem neuen, globaleren Werk. »Weltall, Erde, Mensch« ist dem Literaten Unzengruber anscheinend thematisch zu eng geworden.

O. S. UNZENGRUBER Ja. Der Reibungsverlust, Materie an sich, Sie verstehn, Kosmos, Eschatologie, das Endgültige, das Universum, Totalität im Globalen, Sie verstehn, das Gigantische im Zwergenhaften und das wiederum ambivalent, nicht wahr …

DR. PERZBORN-L. Sie meinen Mikrokosmos im Makrokosmos, das Universum im Sandkorn.

S. UNZENGRUBER Ja genau und umgekehrt, glauben Sie mir …

BUTLER *serviert neuen Whisky.* Bitte, drei Stück Eis.

S. UNZENGRUBER Frau Dr. Perzborn-Legewie – jaja, schon gut – was ist der Mensch? Der Mensch ist ein Krümel im Angesicht des Universums. Dies hier ist ein Jammertal, um einmal den Prediger Kohelet zu zitieren.

DR. PERZBORN-L. Der Themenkreis klingt vielversprechend, also, auf ein gutes Gelingen Ihres neuen Werkes. CinCin.

S. UNZENGRUBER Glauben Sie mir, ich mache es mir nicht leicht, also, Prösterchen. Übrigens, waren Sie schon mal surfen?

DR. PERZBORN-L. Neinnein, aber in meinem Bekanntenkreis. Henzelberger surft auch schon.

S. UNZENGRUBER Henzelberger surft?

DR. PERZBORN-L. Ja, Henzelberger surft. – Er hat mir auf den Mainzer Literaturtagen zwei Stunden lang vom Surfen vorgeschwärmt. Das muß toll sein.

S. UNZENGRUBER Ich will es mal so sagen: Surfen entschlackt uns Kulturschaffende vom literarischen Ballast, äh, wenn Sie verstehn …

DR. PERZBORN-L. Und wie ich Sie verstehe. Wir kreativen Menschen haben doch die schwersten Bürden zu schleppen.

S. UNZENGRUBER Wie wahr. Äh, noch ein Campari?

Schauspielunterricht

Ein betuliches Wohnzimmer, Herr Rösner und Herr Mechoff in Probenkleidung, Rösner als Apiani, Mechoff als Marinelli, Frau Menschel-Tietze beobachtet, soufliert und sortiert Rechnungen.

HERR MECHOFF Man hat Exempel, Herr Graf, daß sich Hochzeiten aufschieben lassen.

HERR RÖSNER Daß ich mit Ihnen darüber stritte! Genug, sagen Sie dem Prinzen, was Sie gehört haben: daß es mir leid tut, seine Gnade nicht annehmen zu können; weil ich eben heut eine Verbindung vollzöge, die mein ganzes Glück ausmache.

HERR MECHOFF Wollen Sie ihn nicht zugleich wissen lassen, mit wem?

HERR RÖSNER Mit Emilia Galotti.

HERR MECHOFF Der Tochter aus diesem Hause?

HERR RÖSNER Aus diesem Hause.

HERR MECHOFF Hm! Hm!

HERR RÖSNER Was beliebt?

HERR MECHOFF Ich sollte meinen, daß es sonach umso weniger Schwierigkeiten haben könne, die Zeremonie bis zu ihrer Rückkunft auszusetzen.

HERR RÖSNER Die Zeremonie? Nur die Zeremonie?

HERR MECHOFF Die guten Eltern werden es so genau nicht nehmen.

HERR RÖSNER Die guten Eltern?

HERR MECHOFF Und Emilia bleibt Ihnen ja wohl gewiß.

HERR RÖSNER Jawohl, gewiß? Sie sind mit Ihrem Jawohl, ja wohl ein ganzer Affe!

HERR MECHOFF Mir das, Graf?

HERR RÖSNER Warum nicht?

HERR MECHOFF Himmel und Hölle! Wir werden uns sprechen.

HERR RÖSNER Pah! Hämisch ist der Affe; aber – *Peinliche Anschlußpause.*

HERR MECHOFF Tod und Verdammnis! Graf, ich fordere Genugtuung.

HERR RÖSNER Das versteht sich.

HERR MECHOFF Und würde sie gleich itzt nehmen; nur daß ich dem zärtlichen Bräutigam den heutigen Tag nicht verderben mag.

HERR RÖSNER Gutherzig Ding! Nicht doch! Nicht doch! Nach Massa mag ich mich heut nicht schicken lassen; aber zu einem Spaziergang mit Ihnen habe ich Zeit übrig. Kommen Sie, kommen Sie!

HERR MECHOFF Nur Geduld, Graf, nur Geduld!

FRAU TIETZE Ja, das war im Ansatz schon mal nicht ganz verkehrt, ja, es schmeckt schon etwas nach Lessing. Aber jetzt müssen wir natürlich die Szene mal gründlich durcharbeiten.

HERR MECHOFF Er muß mehr Druck machen.

HERR RÖSNER Das war ja erst ne Kaltprobe.

FRAU TIETZE Jajajaja gut, also Kinders, jetzt gleich mal ran an den Speck, also, auf Position …

HERR RÖSNER Freundschaft und Freundschaft um das dritte Wort, mit wem red ich denn? Des Marquese Marinelli Freundschaft hätte ich mir nie träumen lassen.

HERR MECHOFF Ich erkenne mein Unrecht, Herr Graf, mein unverzeihliches Unrecht, daß ich ohne Ihre Erlaubnis Ihr Freund sein wollte. Bei dem allen, was tut das?

HERR RÖSNER Allerdings.

HERR MECHOFF Nun, so kommen Sie.

HERR MECHOFF Naa, Herr Rösner, des is unfair, wenn sie so weit hinten stehn, dann muß ich alles nach hinten sprechen.

FRAU TIETZE Jaja, Herr Mechoff, die exakten Positionen legen wir noch fest, aber wir müssen erst noch einen tieferen Einstieg in den Text, Herr Mechoff, Sie haben Ihre Figur noch nicht, Sie müssen sich diesen Marinelli einverleiben, nicht nur Text abliefern ...

HERR MECHOFF Ja mei.

FRAU TIETZE Wir müssen uns fragen, was will hier Apiani einerseits, und was will Marinelli?

HERR RÖSNER Apiani will heiraten.

FRAU TIETZE Ja richtig, sehr gut, Herr Rösner, Apiani will heiraten; was will Marinelli?

HERR MECHOFF Ja, i wuis verhindern.

FRAU TIETZE Ja, eben! Übrigens, nicht wui, sondern will, will, Herr Mechoff.

HERR MECHOFF Jaja, will. Des wui is mer so rausgerutscht.

FRAU TIETZE Lessing war kein Bayer, also auf auf, ich würde sagen, nochmal von Anfang ... *Sortiert wieder Rechnungen.*

HERR MECHOFF Man hat Exempel, Herr Graf, daß sich Hochzeiten aufschieben lassen.

HERR RÖSNER Daß ich mit Ihnen darüber stritte! Genug, sagen Sie dem Prinzen, was Sie gehört haben: daß es mir leid tut, seine Gnade nicht annehmen zu können; weil ich eben heut eine Verbindung vollzöge, die mein ganzes Glück ausmache.

HERR MECHOFF Wollen Sie ihn nicht zugleich wissen lassen, mit wem?

HERR RÖSNER Mit Emilia Galotti.

FRAU TIETZE Eine herrliche Szene, so dicht komponiert. Aber hier muß es knistern, Herr Rösner.

HERR RÖSNER Ja, hat es das nicht?

FRAU TIETZE Nein nein, das muß viel intensiver, aus der Tiefe, von innen, hier, schaun Sie, hier, Lessing verlangt hier den ganzen Schauspieler, das ist, verstehen Sie ...

HERR MECHOFF Ja, ja, da haben Sie recht, Frau Menschel-Tietze, aber schaun S' her, er steht scho wieder so weit hinten. Ich muß alles nach hinten sprechen.

HERR RÖSNER Höö, wieso ...

FRAU TIETZE Jaja, das ist schon gut so, an dieser Stelle führt Apiani die Szene, Apiani, straffen Sie sich! – Mensch Rösner, Haltung!

HERR RÖSNER *strafft sich.*

FRAU TIETZE Jaaa, nein, nein, doch nicht so ... Also bitte.

HERR MECHOFF Sie müssen noch heute abreisen.

HERR RÖSNER Wann sagen Sie, noch heut? *Geht zwei Schritte zurück.*

HERR MECHOFF Lieber noch in der nämlichen Stunde als in der folgenden. Die Sache ist von der äußersten Eil.

HERR MECHOFF Jetzt steht er scho wieder da, schaun S' wo ich hinsprechen muß.

FRAU TIETZE Herr Rösner, seien Sie doch etwas nett zu Ihrem Partner.

HERR RÖSNER Ja, aber Sie haben doch gesagt: »was, noch heute« zwei Schritte zurück.

FRAU TIETZE Jaa, aber mehr zur Seite.

HERR MECHOFF Ham S' es gehört, zur Seite, net nach hinten, sonst red ich mir noch hier an Wolf.

FRAU TIETZE Die Choreographie kommt ganz von selbst, wenn die Szene sitzt, wenn ihr die Situation ganz gefressen habt, Kinders.

HERR MECHOFF Ich hätt eigentlich auch lieber an Apiani gspuit.

HERR RÖSNER Nein, jetzt hab ich ihn schon gelernt.

HERR MECHOFF Ja, aber mir dad er vui mehr liegen, des aa eigentlich mei Rolle.

FRAU TIETZE Er würde Ihnen mehr liegen, er wäre Ihre Rolle, Herr Mechoff, doch bitte etwas mehr Sprachsensibilität ...

HERR MECHOFF Ja, ich habs noch drin, von wie ich bei di kleinen Verwandten gspuit hab, Thoma ...

FRAU TIETZE Haach, Mensch, vergessen Sie endlich Ihre Laienspielvergangenheit, hier sind wir bei Lessing.

HERR MECHOFF Jaja Lessing, des scho.

FRAU TIETZE Na also!

Sie spielen eine Zeitlang weiter.

FRAU TIETZE Stütze, Herr Rösner, Stütze, mehr Stütze. Apiani ist doch hochgradig erregt. Sie müssen diese Erregung mehr aus dem Zwerchfell nehmen, äh, aus dem Zwerchfell, mit Stütze, sonst bleibt der Griff zum Degen wirkungslos. Das verpufft dann: Körper und Sprache müssen eine Einheit sein. Felsenstein hat immer zu mir gesagt: Hildegard, merk dir eins: Stütze ist das A und O.

HERR MECHOFF Ja genau, er greift an, aber er muß mehr da vor zum Angriff, weil – mir gehört ja dann praktisch auch der Szenenschluß ...

FRAU TIETZE Egal von wo er angreift, er muß gut stützen ... Also, etwas weiter zurück, daß Apiani in Rage kommen kann.

HERR RÖSNER Bis wo?

FRAU TIETZE *sieht im Text nach.* Genug, sagen Sie dem Prinzen ...

HERR RÖSNER Genug, sagen Sie dem Prinzen, was Sie gehört haben ...

HERR MECHOFF Wollen Sie ihn nicht zugleich wissen lassen mit wem?

Das Telefon läutet

HERR RÖSNER Mit Emilia Galotti ...

FRAU TIETZE *hebt ab* Menschel-Tietze ...

[NOCH FRAU TIETZE] Ja ja, nen Antonius ja, ja, jaja soo, in Dinkelsbühl, ja, fabelhaft, ja, ich werde mal nachsehen ... tja ich denke drüber nach. Jaja, ich melde mich, hahaha, einstweilen, vielen Dank ... *Hängt ein.* Tschuldigt, Kinders, ich habe den Schluß nicht ganz mitbekommen, also, wo fangen wir an?

HERR RÖSNER Beim Prinzen.

HERR MECHOFF Nein, ich brauch den Satz davor, sonst komm ich net rein. Er is weiter hinten gstanden ...
Schiebt Rösner nach hinten.

HERR RÖSNER Genug, sagen Sie dem Prinzen, was Sie gehört haben.

HERR MECHOFF Wollen Sie ihn nicht zugleich wissen lassen mit wem?

FRAU TIETZE Herr Mechoff, das geht nicht.

HERR MECHOFF Was?

FRAU TIETZE Schaun Sie doch, wie Sie da stehen. Das ist unmöglich, Marinelli ist Kammerherr. Kammerherr! Das ist nicht irgendwer, das ist, das ist ... was machen Sie gleich wieder beruflich?

HERR MECHOFF Datenverarbeitung ...

FRAU TIETZE Tja, schaun Sie, Sie müssen wachsen, in diese Rolle hineinwachsen, atmen Sie mal tief durch.

HERR MECHOFF *schnauft* So?

FRAU TIETZE Gründgens hat immer ganz richtig zu mir gesagt: atmen, atmen, atmen und nochmals atmen. Schaun Sie, ein, aus, und ein, und aus ... Fühlen Sie mal.

HERR MECHOFF Meinen Sie, des werd was?

FRAU TIETZE Der Atem ist der Sitz der Seele. Ein, aus, und ein und aus.

HERR MECHOFF Jaja, des schon.

FRAU TIETZE Marinelli ist ein Schurke, aber ein Herr, ein Schurke von Kammerherr.

HERR MECHOFF Ich weiß schon, ich müßt alles beides spielen.

FRAU TIETZE Ja, aber bisher seh ich weder noch ...

HERR MECHOFF Ich glaub, des werd nix mit mir. Des hat koan Sinn.

FRAU TIETZE Aber Herr Mechoff, Sie mit Ihrer Begabung ...

HERR MECHOFF Meinen S' ...?

FRAU TIETZE Übung macht den Meister.

HERR RÖSNER Faust.

FRAU TIETZE Nein, Tell. Jaja, Herr Rösner, ja, also Kopf hoch! Solche Krisen macht am Theater jeder durch, das macht das Theater erst eigentlich aus.

HERR RÖSNER Ja, das stimmt.

HERR MECHOFF *seufzt tief durch.*

FRAU TIETZE *begeistert* Jaa!!

HERR MECHOFF Was war jetz?

FRAU TIETZE Jetzt haben Sie richtig geatmet, ganz spontan, von unten nach oben. Also, können wir wieder?

HERR MECHOFF Ja, mach mer weiter …
HERR MECHOFF Himmel und Hölle, wir werden uns sprechen.
HERR RÖSNER Pah, hämisch ist der Affe, aber …
HERR MECHOFF Tod und Verdammnis, Graf – Sie ham Ihr Hosentürl auf.
HERR RÖSNER Was?
HERR MECHOFF Ihr Hosentürl …
HERR RÖSNER Ahja, danke …
FRAU TIETZE Ja, was ist denn los?
HERR MECHOFF Nana nix.
FRAU TIETZE So geht das nicht. Hier wird gearbeitet, Kinders. Sie schmeißen die ganze Szene, Herr Mechoff …
HERR MECHOFF Nein nein, also, Tod und Verdammnis, Graf, ich fordere Genugtuung.
HERR RÖSNER Das versteht sich.
HERR MECHOFF Und würde sie itzt gleich nehmen …
FRAU TIETZE Jetzt greift er zum Degen, Marinelli ein Schritt zurück, Ausfallschritt Apiani, Apiani zieht, Marinelli Deckung. Jaa, nein, das ist noch zu zäh, nein, das braucht viel mehr Feuer, da müssen wir noch viel üben, Herr Rösner, also, gleich dieselbe Stelle nochmal …
Die Streitszene Marinelli-Apiani auf dem Höhepunkt, es klingelt.
FRAU TIETZE Tja, Kinders, um mit Brecht zu sprechen, immer wenn's am schönsten wird … Also, wir machen hier das nächste Mal weiter. Übrigens, Kinders, denkt auch an Meister Lessing: Kunst geht nach Brot, da kann ich auch nich drumrum.
HERR MECHOFF Jaja, da, ham S' an Fünfziger …
FRAU TIETZE *quittiert.* Herr Rösner, was ist mit Ihnen?
HERR RÖSNER Ja, entschuldigen Sie, das ist heute im Augenblick …
FRAU TIETZE Was, schon wieder! Also nun muß ich Ihnen sagen, jetzt ist meine Geduld am Ende.
HERR RÖSNER Ich hab gedacht, das nächste Mal ganz bestimmt …
FRAU TIETZE Nein nein, so geht das nicht! Ich kann so nicht arbeiten. Sie sind jetzt die vierte Doppelstunde im Verzug.
HERR RÖSNER Aber ich könnte doch …
FRAU TIETZE Nein! Aus! Vorbei! So geht das nicht. Es tut mir leid, Herr Mechoff, aber Sie verlieren jetzt ihren Partner, unter diesen Umständen habe ich keinen Apiani mehr für Sie.
HERR RÖSNER Aber …
FRAU TIETZE Aus! Vorbei! Das haben Sie vorher gewußt, Herr Rösner. Es tut mir nur so leid für Sie, Herr Mechoff …
HERR MECHOFF Ja, mei, wissen S' was, i legs eahm halt derweil nochamal aus.
FRAU TIETZE Nein nein! Nicht schon wieder. Das kommt doch nicht in Frage! Sie können doch nicht schon wieder für Herrn Rösner mitbezahlen.
HERR MECHOFF Mei, er kanns mir ja dann zurückzahlen, wenn mir engagiert san …
Zieht Geldbeutel, Rösner nickt beschämt.

Der Auftritt

Auf der Bühne sitzt die Königin auf einem Thron, vor ihr steht ein Statist.

KÖNIGIN Sagt dem Herzog von Wellington, ich werde nicht eher ruhen, bis den ruchlosen Fallsboroughs sein Schicksal ereilen wird. Ich habe Nachricht von Engeland, Sir Douglas befinde sich auf dem Wege hierher, mit neuer Zeitung in dieser Sache ...

Das Geschehen auf der Bühne nimmt seinen Fortgang. Einmal eine heftige Unterbrechungssequenz. Der Ruf: Wache! Herr Mechoff in historischem Gewand ist gerade in ein intensives Gespräch mit dem Feuerwehrmann verwickelt.

MECHOFF Diesen Einfall hatte ja Fehling von Gründgens geklaut, und Pallmann fällt nun nichts Dümmeres ein, als diese Idee nochmals zu verbraten. Das weiß keiner mehr, aber das ist Plagiat.

FEUERWEHRMANN Jaja ...

MECHOFF Überhaupt, diese Newcomer Dorn, Flimm und wie sie alle heißen, da muß ich doch fragen, wo bleibt hier der Schauspieler? Wir sind es doch, die den Thespiskarren ziehen.

FEUERWEHRMANN Ja, und wie lang machen Sie des schon beruflich?

MECHOFF Kortner, Hilpert, Nölte, meinetwegen auch Pütz, das verstehe ich unter Schauspielerregisseuren.

FEUERWEHRMANN Sie san also praktisch in dem Geschäft scho länger dabei?!

MECHOFF Ich erinnere mich an eine Probe unter Pütz, es war »Danton«, nein, warten Sie, nein, es war »Minna«, es ging damals um die Frage: Tellheim und das Preußentum, aber Pütz hat sich nie am Schauspieler vorbeigemogelt.

FEUERWEHRMANN Gell, Sie san scho a alter Hase, Herr Mechoff, Sie ham scho a Routine drauf, des bewunder ich so an Ihnen.

MECHOFF Sagen Sie das nicht. Mit Routine ist das nicht getan, man muß jeden Abend sein Publikum aufs neue kriegen. Wissen Sie, das sind Schwingungen zwischen Zuschauer und ... Augenblick! ...

Mechoff rennt los und stürmt auf die Bühne.

MECHOFF Majestät, hier ist der Brief. *Überreicht einen Brief.*

KÖNIGIN Ist gut, entfern er sich. – Mein guter Graf, verweilen Sie doch noch einen Augenblick. Gar zu selten weilt ein Gast von solcher Artigkeit in meiner Runde. Das Gemeine macht sich breit ...

Das Geschehen auf der Bühne nimmt seinen Fortgang. Mechoff strebt dem Ausgang zu.

FEUERWEHRMANN So, Herr Mechoff, na hätt mas wieder für heut. Sie hams guat, Sie können scho hoam geh. Der Schinken dauert noch drei Stunden.

MECHOFF Wo denken Sie hin, ich habe noch zwei Sätze im vierten Akt.

Folterkammerführung

FÜHRER Meine sehr verehrten Damen und Herren, wenn Sie bitte folgen wollten, wir betreten jetzt die Folterkammer, äh, Ladies and Gentlemen, if you follow me, we are entering, äh, the chamber of torture, eh, here in the middle, wenn Sie hier im Mittelpunkt schauen wollten, hier ist das Rattenverlies, bitte, wenn Sie hier mal hinunterschauen wollen. Der Delinquent wurde dort hinabgelassen, verbrachte dort mehrere Monate, manchmal auch Jahre, je nach dem, wie die Konstitution war. The delinquent had to spend a lot of time in this, äh in this whole of rats. The rats accompanied him and sometimes it could happen that he was eaten up by themselves. Hier zur Linken, wenn Sie mal schauen wollten, äh, das ist eine der interessantesten und größten Peitschensammlungen Mitteleuropas: Nilpferdpeitschen, Peitschen aus Hölzern aller Schattierungen, bis zur ganz ordinären Haselnußstaude. Äh, ganz da oben auf der rechten Seite sehen Sie ein Prokrustes-Bett, benannt nach dem berühmten Erfinder Prokrustes. Ja, es tut mir leid, meine Damen und Herren, mit Elektroschock kann ich Ihnen natürlich nicht dienen, äh, aber bitte, wenn Sie hier noch auf die linke Seite schauen, noch, äh, eine Möglichkeit, teeren und federn. Das war doch, eh, der Schlager des 15. Jahrhunderts. Eh, to tar and to feather was one of the most popular, äh, äh, ways of torturing. Äh, ja, das wär das Ende gewesen, meine sehr verehrten Damen und Herren, äh, äh, sollten Sie sich …

TOURIST Ja was is denn dieser Pfahl da?

FÜHRER Dieser Pfahl ist zum Pfählen, eine Uraltmethode, die bei den Assyrern angewendet wurde. Wir kommen zum Ende, meine Damen und Herren, äh, unser Folterstüberl steht Ihnen nach Beendigung der Führung, äh, bereit. Eh, dort gibt es Leberkäs, eine kleine Erfrischung, wenn Sie etwas zu sich nehmen wollen. – Naja, das muß ned sein, nicht nötig, no, ja. *Münzen klimpern.* Vielen Dank, ha, thank you very much, thank you, thank you, haha, dankeschön, sehr nett, sehr freundlich, dankeschön.

Der Individualist

Herbert Einweg, Individualist, liegt in einer idyllischen Waldlichtung unter seinem Chevy-Blazer. Die Motorhaube und die Heckklappe sind geöffnet. Einweg angelt mit der Hand nach einem Schraubenschlüssel.

EINWEG *ächzt* So. – Mach mern wieder zua. *Kriecht unter dem Wagen vor.* Der Ölwechsel waar scho seit 4000 Kilometer überfällig. Im Winter hab i a 10/30er ghabt, jetz nimm i wieder a 20/50er, des kaf i allweil in so am Großeinkaufscenter, so a Discountladen. Sie, da spart ma fei doch allerhand. *Füllt Öl nach.* I bin ja schließlich koa Ölscheich, oder, diese Araber, die machen Kohle, da bist als einfacher Angestellter direkt a Depp, ein Waisenknabe. Jetz hams wieder Oberwasser, da drunt im Orient. Weil, a paar tausend Jahr war ja da druntn Ebbe, gell. A paar Kameltreiber, a paar Dromedare, und sonst zuadraht. *Schließt Motorhaube.* Obwohls früher ja a Hochkultur warn. Mecht ma net glaubn, aber da war scho was los, da drunt, gell, i hob mas angschaut, diese Ausstellung von dem Tut-Ench-Amun, so a Kaiser, des hoaßt, er war ja eigentlich nur a Prinz, aber i muaß sagn, des warn Hundling, de ham Kultur ghabt. *Ächzt.* Des war a Stil, des war damals direkt, kannt ma sagn, epochemachend. *Wirft alten Ölofen in Wassertümpel.* I hoaz jetz nur noch mit Holz und Brikett, die Ölofenzeit ist restlos passé. Dann hams so kloane Figurn aus Gold und so Käfer, so Skarabäus, ois echt Gold, ham die scho gmacht. *Fegt seinen Wagen aus.* Und dann hams so Schalen ghabt, auch aus Gold, da warn dann de Innereien drin von de Opfertiere und von de Prinzen. Und dann hams so Weiber ghabt, angeblich Priesterinnen, Sie, da war was los. Des sieht mer ois an dene Abbildungen, direkt pornographisch. *Wirft Matratze dem Ofen hinterher.* Des is dann alles ausgstellt, in de Vasen hauptsächlich. So a kloans Sofa hams auch ausgstellt, auch vom Tut-Ench selber, des war sei Lieblingssofa, sein Lieblingskanapee, obwohl er wahrscheinlich nie draufglegn is, weil des war aa ois aus purem Gold. Ja, de ham scho glebt, de Hund, obwois immer Zahnweh ghabt ham, damals. Schmerztabletten hats no koane gebn, gega solchene Sachen warns hilflos. *Leert Aschenbecher aus.* Was s damals gessn ham, mei des is auch kaum überliefert, wahrscheinlich mehr Obst und so Südfrüchte. Nüsse ab und zu ... *Sieht sich um.* So, na ham mer ois. Naa hoit, hoit, de hätt i fast vergessn. *Wirft vier abgefahrene Reifen aus dem Wagen.* De ham guat ghoitn. Mit dene hob i 60000 Kilometa owigradelt ... Jetz fahr i dann nach Italien nunter. Um diese Jahreszeit herrlich. Schaug i mi a bisserl um. Auf den Spuren Roms, Venedig, Florenz und so, mei, i mag halt diese alten Kulturvölker, wei, de ham echt was drauf ghabt, ehrlich. Wissen S', da bin ich ein Individualist, i schaug mir des gern o, diese Paläste und so. Kirchen weniger, aber so Paläste. *Steigt in sein Auto.* So, na ham mirs wieder. Aber Sie, wenn diese Tut-Ench-Amun-Ausstellung amal bei Eahna in der Nähe is, ein Tip, genga S' nei. Des is was für Individualisten, des is sagenhaft, wirklich brillant, ehrlich ...

Fährt los, wirft im Wegfahren eine leere Fanta-Büchse aus dem Fenster.

In der Buchhandlung

KUNDE Grüaß Gott, Fräulein! Ich hätt gern ein Buch!

BUCHHÄNDLERIN Ja, guten Tag, was hätten Sie sich denn da gedacht?

KUNDE Ja, es is aso, wissen Sie, mei Kusaa, der Alysi, er hat Geburtstag, jetz hammer uns gedacht, mei, Sie verstehn? Ein Paperback, des is halt doch – äh – zu dünn, net? Des, macht doch net viel her! Jetz hammer uns gedacht, halt doch irgendetwas, was etwas hermacht, verstehen Sie?

BUCHHÄNDLERIN Ja, also haben Sie irgendeine Vorstellung von einem Inhalt?

KUNDE Ja, mei, es is aso, also der Alysi hat ja die Zeit nicht, verstehen Sie, also wenn er reinschaugt – äh – nachher sogn mer amal, er möchat lacha ... lachen, verstehen Sie?

BUCHHÄNDLERIN Ja, also gut, da hätte ich hier zum Beispiel eine Jubiläumsausgabe von Wilhelm Busch.

KUNDE Hähähä, jo mei, hähä! ... Na, der Alysi is scho 40 Jahre, wissen Sie! Nein, nein, kein Kinderbuch, hähä, ja der Struwwelpeter und so ... ich kenn mich aus, hähä! Nein, nein, es soll etwas sein, sagn mer mal, etwas Repräsentatives. Der Alysi ist altdeutsch eingerichtet. Jetza sagn mer mal so: wenn man hereinkommt, man kommt beim Alysi, von der Diele kommt man herein, jetzt wenn man ins Wohnzimmer kimmt, daß man es vielleicht auf einen Tisch legen kann oder so, daß man halt dann gleich das sieht, und bevor mer Kaffee trinkt oder so, daß mers halt auch sieht. Verstehn Sie, das wärs gewesen.

BUCHHÄNDLERIN Ja also, hier – da hätten wir noch etwas anderes, das wäre eine Ausgabe von Immanuel Kant, das wären sozusagen 1300 Seiten, ein Buch, das durchaus zeigen würde ... das Niveau verbreitet, nicht wahr? Und das sofort demonstriert, in welcher Haushaltung man sich da befindet.

KUNDE Hä, ja, eh, ja, des klingt net schlecht, net? Emanuel Kant, ja, jetzt, was sagt dieser, äh, Kant, dieser Emanuel Kant aso?

BUCHHÄNDLERIN Immanuel Kant beschäftigt sich mit der hermeneutischen Fundamentalonthologie als Analythik der Existenzialität des Denkens, des Wesens vom Sein, nur in etwas anderer Art als Heidegger ... aber ich würde doch sagen, in einer etwas spezifizierten Art und Weise.

KUNDE Hä, ja, hähä, ja, do werd, hä, do werd er schaugn, der Alysi! Ja, ob er jetz natürlich, äh, hm, vielleicht ham S' doch was anderes, sagn mer mal ein Tierbuch, hähä, oder sowas, wissen S' schon, gel, Tierbuch oder so, äh. Aber wissen S', Fräulein, genauso schwer, net? Also, und auch so an grünen Einband!

BUCHHÄNDLERIN Ja, also da hätte ich an Tierbüchern hätten wir hier ein Buch, eh, das ist eine Beschreibung der Fauna und Flora der letzten 500000 Jahre, in einigen Passagen sehr elektrisierend beschrieben, mitreißend sozusagen und sehr veranschaulichend.

KUNDE Ja, ja, des klingt net schlecht, net?

BUCHHÄNDLERIN Ja, wissen Sie, also hier wird zum Beispiel eine Beschreibung des Aussterbens des Mastodon sehr spannend geschrieben. Ich würde sagen, also durchaus ein gewichtiges Werk, das über die letzten 500000 Jahre geschrieben wurde.

KUNDE Ja, ah, ja, Fräulein, wie sagen Sie, äh, wie hoaßt der Mast-, der Mast-, äh, der Mastdarm ... eh, Mast-?

BUCHHÄNDLERIN Mastodon! Mastodon, das war sozusagen der Flegel der ausgehenden Eiszeit ...

KUNDE Ja, hahaha, also Sachen, ein Treibauf, gel? Hähähä, Mastodon, ein Treibauf, hähähä, ja, das klingt nicht schlecht! Fräulein, wissen S' was? I glaub, des nehm i ...

Zeitschriftenvertreter

Ein Vertreter rechnet mit einem Händler gerade über verkaufte und nicht verkaufte Exemplare der Nationalzeitung ab.

VERTRETER Ja wieso ham denn Sie die Zeitung so weit da hinten? Da siehts ja koa Mensch. Koa Wunder, wenns dann net kauft werd. Ham S' as selber scho mal glesn? Des is fei hochinteressant. Weil, da kommen auch de anderen Tatsachen mal ans Licht. Sonst, sagens, sieht mas bloß im Fernsehn, und da sagens, is des eine primitive Greuelpropaganda. De sagen, des is zwar schon auch bedenklich irgendwie, daß es Opfer gegeben hat, irgendwie, aber no vui schlimmer is des doch dann, wenn des aa no dargestellt wird und wenn ses dann aa no ausposaunen, und des no im Fernsehn, wos a jeder sieht. Daß des einseitig is, des is doch überhaupts keine Frage für an intelligenten Menschen, schreibens, weil de zeigen des ja immer nur aus der Sicht von de Opfer. Ma müaßad des doch auch amal aus der Sicht der SS sehn, weil de hams ja aa net leicht ghabt, und de warn ja aa direkt betroffen irgendwie. Was de geleistet ham, davon red koana. Weil, die Vorgänge damals, de warn sehr kompliziert. Des soll ma doch de Leut überlassen, de wo was davon verstehn. Zum Beispiel der Begriff »Reichskristallnacht«, den hats ja im Dritten Reich gar net gebn, schreiben de. Des is eine nachträgliche Erfindung. Und außerdem heißt des auch net Nazi, sondern Nationalsozialist. Da sieht ma, wie die mit der Sprache umgehn. Des, was wirklich passiert is, davon red gar koana. Und des is jetz aa interessant, de schreibn da zum Beispiel, daß des Auschwitz, des is ja gar net in Deutschland, des is ja in Polen, des is in Polen, net in Deutschland, wer weiß denn des denn? Daß da Fehler gemacht wurden, des gibt ja jeder zu, aber, bitte – und des schreiben die auch – was war denn im alten Rom? Oder in Babylon? Davon red koa Mensch mehr, bloß bei uns wird ständig im Dreck gewühlt. Da sagens, da muaß jemand dahinterstecken, weil, sonst tät des ja koan Mensch mehr interessiern, weil, erfreulich is des nicht. Und fürn Fasching, sagens, is des Programm denkbar ungeeignet, und geschmacklos, wenn ma so was bringt, grad im Fasching. Und sie sagen auch, sie sagen auch, sie san auch de einzigen, die sowas Ungeheurliches schreiben, ja, wieviel nehmen ma jetzad?

HÄNDLER Danke, brauche nichts, kein Interesse bei der Kundschaft.

VERTRETER Ja, dann nehmen S' doch wieder Pornos, die gehn immer. Besonders de aus Skandinavien und de vo de Linken. Des san de besten.

Gebrauchslyriker

Im Regieraum eines Tonstudios sitzen Hupsi und Berti, daneben ein Tonmeister. Im Aufnahmeraum steht Desiree vor dem Mikrofon und singt.

DESIREE *singt* Bis dahin, bis dahin war mein Leben ohne Sinn, bis dahin war mein Leben so leer ...

BERTI Is doch sinnlos mit dem Wammerl. Die bringt doch keinen vernünftigen Ton raus. Null groove, echt zum Vergessen.

HUPSI Nanaa, also i find, des is im Ansatz scho recht dufte. Und mir liegen damit aa voll auf am derzeitigen Trend. *Drückt Sprechtaste.* Ah, Desiree, an kleinen Moment.

DESIREE War das gut so?

HUPSI Jaja, Desie, alles okay bei dir.

DESIREE Is was nich in Ordnung?

HUPSI Naa, Desie, bei dir is alles okay. Einfach riesig. Ehrlich. Es war wega uns.

BERTI Wie die des »Leben ohne Sinn« singt, des hat koan drive, glaub mas.

HUPSI Geh, Berti, mir ham doch no koan Hall drauf. Und de Public-Relation lauft scho fullpower auf Hochtouren. Da Alfredo sagt, er macht uns den Markt heiß. Jetz müaß ma de Sache nauspushen. Und wenns ganz Scheiße werd, na tean mas auf de B-Seitn.

DESIREE Was ist denn, Kinders, ich habe heute nochn Date, ich mußn Interview geben.

HUPSI Jaja, mir können wieder. Ah, wennst bei »Leben ohne Sinn« a kleines Bißl mehr power gibst ...

DESIREE Aber dann kommt das lonely feeling nich so raus.

BERTI So eine Arschgeige ...

HUPSI Des macht nix, Desie, a kleins bißl mehr drive, dann is es top. Ehrlich. Also, mir können ...

DESIREE Okay, ready ...

TONMEISTER Band läuft.

DESIREE *singt* Bis dahin, bis dahin war mein Leben ohne Sinn, bis dahin war mein Leben so leer ...

HUPSI Satt, jetzt hat ses drauf ...

DESIREE *singt* Doch dann kamst du, ja duuu, mit deinem Bausparvertrag daher, und du, ja duu, du sagtest zu mihier ...

BERTI Des geht doch net. Des haut naus.

HUPSI Was?

BERTI Des »Bausparvertrag«, des bremst, vom Text her. Des kannst beim Grand Prix net verkauffn.

HUPSI *drückt Sprechtaste* Halt, Desie, an kleinen Moment ...

DESIREE Wasn jetzt schon wieder?

HUPSI Glei. – Naa, des find i net, Berti. Woaßt, i find, des bringt eine neue Dimension. Und des liegt genau aufm Trend. De meisten Texter weigern sich, aus am romantischen Dings heraus, des Heutige praktisch zu bringen. Des sagt der Alfredo auch, woaßt, er sagt, du muaßt bedenken, mir ham heute 20 Millionen Bausparer, daran kann der Musikmarkt net einfach vorbeigehen.

BERTI Aber »Bausparvertrag«, des is so i woaß net.

HUPSI Wieso, des geht doch. *Summt:* Bausparvertrag ... Astrein. *Drückt Sprechtaste* Du, Desie, kannst du des »Bausparvertrag« ein kleines bißchen softer bringen?

DESIREE Aber Hupsi, das ist doch die Message. Das muß knallen!

HUPSI Des schon, aber es braucht a bißl an groove, verstehst ...

DESIREE Okay, I try it ...

HUPSI Also, Lady, come on, Band läuft ...

Die Tür geht auf, und Alfredo federt herein.

ALFREDO Hi, Männer, na, wie läufts?

HUPSI Klasse. Servus Alfredo. Knockt ehrlich, satt.

BERTI A Riesenidee, des mit dem Bausparvertrag.

ALFREDO Nich wahr? Männer, ich sags euch, diese Scheibe läuft auf der glasklaren Profitour. Voll aufm Trend. 50000 Singles würgen wir damit mindestens rein.

DESIREE Was ist Kinders, macht mal, denkt an mein Interview. – Alfredo, Bussi!

ALFREDO Bussi, darling.

HUPSI Okay, mir hams wieder, Desie, und denk an »Bausparvertrag« – soft, aber mit a bißl groove.

DESIREE Wo steigen wir ein?

HUPSI Bei »Du mit deinem Bausparvertrag«, okay?

DESIREE Okay, I'm ready ...

TONMEISTER Band läuft ...

DESIREE *singt* Doch dann kamst du, ja duu
mit deinem Bausparvertrag daher,
und du, ja duhuu, du sagtest zu mir:
wir bauen uns ein Häuslein fein,
Häuslein klein, Häuslein mein,
dann ziehn wir in unser Häuslein ein,
Häuslein fein, Häuslein mein,
soll niemand andres drinnen sein,
wie du allein, wir zu zwein,
wir wohnen in dem Häuslein fein,
Häuslein klein, Häuslein mein,
Hey hey hey hey, Häuslein fein,
Häuslein mein, Häuslein dein,
Häu-Häu-Häuslein klein, klein aber mein ...

HUPSI Des pfeift ein, ha?

BERTI Aber sie kann doch net »mein« singen, des muaß »unser« heißen.

HUPSI Geh, Berti, du redst daher wie a Oberlehrer. De Betonung liegt doch auf »ein«! »Unser Häuslein« klingt doch net. »Häuslein mein«, des fetzt ganz anders. »Häuslein mein« hat an ganz andern drive.

BERTI Abers is unlogisch.

ALFREDO Da hat er recht. Logischer wäre »unser Häuslein«.

HUPSI Halt, Desie, mir ham grad an trouble, geduldige dich ...

DESIREE Aber Kinders, die Zeit ...

HUPSI I woaß, dei Interview. Glei ham mirs.

ALFREDO Sag mal, Desimaus, hast du irgendn Problem mit dem Text?

DESIREE Nee, der Text is klasse. Weißte, ich brauch diesen internationalen touch, und der is hier voll da.

ALFREDO *zu Hupsi und Berti* Na also.

DESIREE Wieso?

ALFREDO Neenee, is alles okay, darling.

HUPSI *in einem kreativen Anfall* Na mach ma halt aus »Häuslein mein« »Häuslein klein«.

BERTI Ja, des geht. Mach ma »klein«, dann is logisch.

ALFREDO Aber »Häuslein klein« klingt so nach wenig ...

HUPSI Geh, Alfredo, von dene 20 Million Bausparern san mindestens 19 Millionen Kleinsparer, vergiß des net, und außerdem groovt's ...

ALFREDO Okay, machen wir »Häuslein klein«.

HUPSI *drückt Sprechtaste* Ah, Desiree, a winzige Textkorrektur. Mir machen statt »Häuslein mein« jetzt »Häuslein klein«, gel.

DESIREE Okay, »Häuslein klein«. Vor oder nach »Häuslein fein«?

HUPSI *an Alfredo und Berti* Davor, oder danach??

ALFREDO Vor ...

BERTI Vor, natürlich!

HUPSI Vor »Häuslein fein« natürlich.

DESIREE Also »Häuslein klein, Häuslein fein«?

HUPSI Baby, you got it. Riesig! Also okay, so mach mas. Ready?

DESIREE Okay, ready ...

TONMEISTER Band läuft ...

DESIREE Bis dahin, bis dahin
war mein Leben ohne Sinn,
bis dahin war mein Leben so leer
doch dann kamst du, ja duu
mit deinem Bausparvertrag daher
und du, ja duu,
du sagtest zu mir:

Wir bauen uns ein Häuslein fein,
    Häuslein klein, Häuslein fein
dann ziehn wir in unser Häuslein ein,
    Häuslein klein, Häuslein fein
soll niemand andres drinnen sein
    wie du allein, wir zu zwein,
wir wohnen in dem Häuslein fein,
    Häuslein klein, Häuslein fein
Heyheyheyhey Häuslein fein, Häuslein dein, Häuslein mein,
Heyheyheyhey Häuslein fein, Häuslein klein aber fein ...

Und wieder war ein deutscher Hit geboren.

Nachtstudio

In einem Rundfunkstudio sitzen Moderator und Professor Sonnblum. Im Senderaum langweilt sich Fräun Zacharias. Ein Techniker kommt dazu.

TECHNIKER Bitte da hineinsprechen, in dieses Mikrofon, und ungefähr soviel Abstand ... Hier, wenn dieses Rotlicht aufleuchtet, dann Obacht, weil das wird dann gesendet. Und da ist das Telefon.

MODERATOR Psst, der schlaft no. I sags eahm dann. Fräun Zacharias, geh, bittschön, machen S' mir doch gschwind a Tass Kaffee, extra stark, schwarz, ohne Zucker, ich hab eine furchtbare Nacht hinter mir, ich hab von gestern noch einen solchen Schädl auf ...

ZACHARIAS Erst nach der Ansage. An Augenblick noch ...

MODERATOR Ja, aber dann bittschön gleich. Und Sie, mögn Sie aa an Kaffee, hallo, Herr, ah ... Herr Professor ...

SONNBLUM *wacht reflexartig auf* Sonnblum.

MODERATOR Herr Sonnblum, auch a Taß Kaffee?

SONNBLUM Ja, bringen S' mir auch a Tassn.

TECHNIKER Achtung, Studio bereit.

MODERATOR Studio bereit.

TECHNIKER Ist der Professor wach?

MODERATOR Ja.

TECHNIKER Achtung, wir gehn auf Sendung ...

MODERATOR So, Herr Professor, jetz geht's los. *Gähnt.*

SONNBLUM Ja, is denn dies jetz ...

MODERATOR Psst, Ruhe!

ZACHARIAS Meine sehr verehrten Damen und Herren, in unserer Sendereihe »Das Nachtstudio« präsentieren wir Ihnen heute einen neuen Studiogast. Am Mikrofon plaudert mit Ihnen, wie gewöhnlich, Rudi Bückner in unserer Sendung: Zu Gast im Studio. Wir wünschen gute Unterhaltung.

MODERATOR *plötzlich dynamisch* Einen schönen guten Abend, meine sehr verehrten Damen und Herren, liebe Nachtfalter, draußen, unterwegs, zuhause, oder ... ich möchte jetzt hier nichts Anstößiges sagen, also zuerst mal die Zeit: Es ist jetzt genau sieben Minuten nach Mitternacht, und neben mir sitzt als Gast im Studio Professor Sonnblum. Professor Sonnblum wird Ihnen ... guten Tag, Herr Professor ...

SONNBLUM Guten Tag, ich habe ...

MODERATOR Professor Sonnblum ist Enzyklopädist und wird Ihnen sämtliche Fragen beantworten, die Sie bewegen; Fragen, die Sie heute im Laufe dieser Sendung, in den nächsten vierzig Minuten an ihn richten. Hier ist unsere Telefonnummer: neunundfünfzig-nullnull-achtundzwanzig und vierundvierzig, ich darf wiederholen: neunundfünfzig-nullnull-achtundzwanzig und vierundvierzig. Professor Sonnblum freut sich auf Ihre Fragen. Zunächst aber erstmal ein bißchen Musik!

TECHNIKER Okay, gestorben ...

MODERATOR *sackt zusammen* Mensch, so eine Scheiße, ich bin no halb blind. Auf der Herfahrt hätt i beinah a Kind zammgfahrn. *Reibt sich die Schläfen.*

SONNBLUM Ah, sagen Sie, is des da der Apparat?

MODERATOR Fräun Zacharias, was macht der Kaffee?

ZACHARIAS Is in Arbeit ...

Das Telefon läutet.

SONNBLUM *hebt ab* Ja, Hallo? – Hallo, hier Sonnblum? Augenblick. – Für Sie, Herr Bückner ...

MODERATOR Ja? – Du, Schnecki, i hab jetz koa Zeit, i ruf di z'ruck, wenn der Schmarrn aus is, okay? Servus derwei.

Fräulein Zacharias serviert den Kaffee.

SONNBLUM Mir bitte mit Milch und Zucker ...

ZACHARIAS Ach, hätten Sie auch einen wollen? Für Sie hab ich jetzt gar keinen ...

MODERATOR *zündet sich eine Zigarette an.* Rauchen Sie, Herr Professor?

SONNBLUM Danke, nein. Ich bin passionierter Nichtraucher.

MODERATOR *trinkt* Ah, so a Kaffee tut guat.

SONNBLUM Sagen Sie, wie ist denn das Echo so gewöhnlich?

MODERATOR Kommt drauf an, wer da is. An Paul Breitner ham mir as letztemal daghabt, da is uns direkt as Telefonnetz zammbrochn ...

TECHNIKER Achtung, wir senden!

MODERATOR *strafft sich* Meine Damen und Herren, es ist inzwischen null Uhr elf in unserer Republik und Professor Sonnblum freut sich auf Ihre Fragen. Bitte denken Sie an unseren Studiogast. Hier noch einmal die Telefonnummer: neunundfünfzig, nullnull, achtundzwanzig, vierundvierzig, neunundfünfzig, nullnull, achtundzwanzig, vierundvierzig. Ganz einfach anrufen, den Herrn Professor fragen, Professor Sonnblum antwortet zu allen Lebenslagen. Hahaha ... Einstweilen wieder Musik.

SONNBLUM Ja, sagen S' amal, da ruft ja überhaupts kein Mensch an. Was is n da los?

MODERATOR Ja mei, Herr Professor, um die Zeit, i sags Ihnen ganz ehrlich, um diese Zeit, i dad aa nimmer anrufen.

SONNBLUM Ja aber, wieso bin ichn dann überhaupts ...

MODERATOR Mei, wart ma's ab, meistens kommt dann doch no oana daher ...

TECHNIKER Achtung, Sendung!

MODERATOR Psst, null Uhr vierzehn, meine Damen und Herren, und Professor Sonnblum, unser Studiogast, ist allzeit bereit ...

SONNBLUM Sie könnten mich zum Beispiel fragen ...

MODERATOR Unsere Telefonnummer ist nach wie vor fünf, neun, null null, zwoacht und zwomal die vier.

SONNBLUM Sie könnten ja zum Beispiel fragen, wie hoch der höchste Berg der Welt ist, des is der Nanga ...

MODERATOR *überrollt Sonnblum* Ich wiederhole: fünf neun, null null, zwoacht und die doppelte vier, meine Damen und Herren ...

SONNBLUM ... oder auch sonst noch einiges, wenn Sie ...

MODERATOR Kontakten Sie Professor Sonnblum!

SONNBLUM Sie, wieso ruft denn da niemand an? Also ich versteh des nicht, daß da überhaupts kein Interesse besteht von seitn der Bevölkerung.

MODERATOR Ja, heut is Montag, im Vertrauen gsagt, heut is a ganz a schlechter Tag.

SONNBLUM Ich hab jetz extra meinen Urlaub unterbrochen wegen dieser Sendung; ich bin extra vom Gardasee hier in dieses Nachtstudio ... *Das Telefon läutet.*

MODERATOR Na, sehng S', Herr Professor, da ...

SONNBLUM *hebt ab* Hallo? – Hallo? Ja, hallo, hier Sonnblum?

STIMME Ja ...

SONNBLUM Ja, hier is der Professor Sonnblum.

STIMME Ja ...

SONNBLUM Ja, was ist denn?!

STIMME Ah, wie spät ist es denn bitte?

SONNBLUM Ja jetz is es ... ja, wie spät?

MODERATOR Null Uhr siebzehn.

SONNBLUM Es is null Uhr siebzehn. Wieso?

STIMME Danke. *Hängt ein.*

TECHNIKER Scheiße, ich hab vergessen, den Anruf zu senden. Aber jetzt: Achtung!

MODERATOR Null Uhr siebzehn, liebe Nachtfalter, neunundfünzig, null null, achtundzwanzig und vierundvierzig, Professor Sonnblum sitzt neben mir und freut sich auf Ihre Fragen. Er hat schon einige beantworten können, und dennoch, es ist die Nummer neunundfünfzig, null null, achtundzwanzig und vierundvierzig, wer Fragen hat, wählt diese Nummer ...

TECHNIKER Okay, wieder Musik ...

MODERATOR Ich habe gerade Herrn Professor Sonnblum während der letzten Zwischenmusik eine Frage stellen dürfen, und ich fragte ihn: was hat denn son Professor für ein Lieblingsgericht? Das würde doch unsere Hörer sicher auch mal interessieren. Und der Professor sagte mir, er hätte eine besonders starke Zuneigung zu Reisauflauf mit Zimt.

SONNBLUM ... und dazu Zwetschgenkompott ...

MODERATOR Ja, meine Damen und Herren, Zwetschgenkompott, Sie haben es soeben selbst gehört, wenn Sie weitere Fragen haben, nach wie vor neunundfünfzig, nullnull, achtundzwanzig und vierundvierzig, und ab gehts wieder mit Musik: Die Appletrees!

SONNBLUM Marillenkompott geht auch ... Sie, ich muß mich doch schon sehr wundern, wieso fragt denn da niemand. Haben denn diese Leute überhaupts keine Fragen? ...

ZACHARIAS Herr Professor, möchten Sie vielleicht n Käsebrot?

SONNBLUM Ja, also störn Sie mich doch nicht, wenn Sie mich schon so sehen hier! Ich kann doch jetzt kein Käsebrot, ich kann doch hier nicht mit vollem Mund beantworten!

MODERATOR Sie moants ja net so. Tean Ses mir her, Fräun Zacharias. Mensch, war ich gestern angflaschlt, also dermaßen abgefüllt ... *Beißt in das Käsebrot.*

ZACHARIAS Da is ja ne Live-Sendung genau das Richtige ...

MODERATOR Naja, jetz ham mirs dann bald überstandn ...

TECHNIKER Achtung!!

MODERATOR *mit vollem Mund* fünf neun, null null, zwoacht und die vier vier ... die bewährte Nummer, meine Damen und Herrn, wenn Sie irgendeine Frage haben, Professor Sonnblum ist unermüdlich für Sie da, und das Telefon läuft heiß. Fragen Sie Professor Sonnblum, wählen Sie fünf neun, null null, zwoacht und die vier vier ... *Beißt wieder gierig in das Käsebrot ...*

TECHNIKER Okay, gestorben, Musik ... *Dann plötzlich erregt* Achtung, ein Anruf! Ich gehe auf Sendung!

SONNBLUM *hebt ab.* Ja, hallo, hier Sonnblum. Hallo hier Sonnblum!

STIMME Ja, Sie, ich hätt da eine Frage ...

SONNBLUM Ja, bitte?

STIMME Weil, des hätt mich schon lang interessiert ...

SONNBLUM Ja, also fragen Sie doch ...

STIMME Aah, wieviel verdienen Sie so im Monat?

SONNBLUM Ja, ich habe verschiedene Bezüge. Insgesamt dürfte das ungefähr ... *Wirft wütend den Hörer in die Gabel.* Eine Unverschämtheit! Sowas fragt ma net. Ich komm hierher in dieses Nachtstudio und da werd ich gefragt, wie spät es is und was ich verdien.

MODERATOR Null Uhr und ... Pssst!!

SONNBLUM Diese Leute nicht, des is ja ...

MODERATOR Meine Damen und Herren ...

SONNBLUM ... eine Ungezogenheit, ein ein eine ... ich ...

MODERATOR fünf neun, null null ...

SONNBLUM ... unterbreche doch nicht extra meinen Urlaub ...

MODERATOR zwoacht, vier vier ... ist die Telefonnummer ...

SONNBLUM ... um mir dann diese Pöbeleien ... so eine Ungezogenheit ...

MODERATOR *schreit Sonnblum an.* Halts Maul!! Maul halten!!

TECHNIKER Okay, gestorben, Musik!

Grüß Gott, Herr Polt!

Im Kolonialwarenladen. Ein Kunde mit reichlichem Warensortiment steht an der Kasse. Frau Schmelzer addiert.

FRAU SCHMELZER So, 34 Mark 80 alles zusammen. Ham mers dann, der Herr?

KUNDE Könnt ich bittschön eine Tüte haben ...

FRAU SCHMELZER Des kost aber 20 Pfennig.

KUNDE Ja, dann muß es so gehn ... *Lädt sich seine Waren auf.*

Gerhard Polt steht mit einem Joghurt als nächster an der Kasse.

FRAU SCHMELZER Ah, grüß Sie Gott, Herr Polt.

POLT Ja, Grüß Gott ...

FRAU SCHMELZER Wie gehts immer, Herr Polt?

POLT Ja, dank schön, geht scho.

FRAU SCHMELZER Machen S' wieder mal was im Fernsehn, wann kimmt n wieder amal was?

Der Kunde geht.

KUNDE Wiederschaun ...

FRAU SCHMELZER Ja, Wiederschaun. Ich habs mir neulich erst wieder anghört, oder naa, im Fernsehn wars, fei sehr nett ...

POLT Ah ja, das freut mich ...

FRAU SCHMELZER Gestern hob i aa wieder nei gschaugt. Irgend a Krimi wars, war fei großartig.

POLT Ah so ...

FRAU SCHMELZER An Schluß hob i nimmer ganz mitkriagt, weil mir gengan um zehne spätestens ins Bett, außer am Wochenend, da nehmen mir solche Sendungen ganz mit, aber meistens is es dann Sport ...

Eine weitere ältere Kundin geht auf Polt zu.

KUNDIN Ah, sagn S' mir amal, äh, san Sies, oder san Sies net?

POLT Ja ja, i bins.

KUNDIN Gel, i hob ma glei denkt, daß Sies san.

FRAU SCHMELZER Jaja, er is es.

KUNDIN I hob ma glei denkt, wia i Sie gseng hab: is ers jetzt oder is ers net, aber i hob recht ghabt, oder? Sie sans.

POLT Jaja, i bins scho.

FRAU SCHMELZER Jaja, er is es, leibhaftig. Rosa, Gusti, schaugts amal her, da is er!! So Herr Polt, was ham mir denn jetzt, Herr Polt?

POLT Ein Joghurt bitte.

SCHMELZER Ah ja, ein Joghurt fürn Herrn Polt, mach 74 Pfennige, Herr Polt, brauch ma a Tütn, Herr Polt?

POLT Naa, des kann i a so nehmen.

SCHMELZER Dean S' es her, i duas Eahna in a Tütn, na tragn S' es leichter, ham mers dann, Herr Polt?

POLT Ja, des wärs.

Rosa und Gusti schauen in den Laden.

SCHMELZER Da schaugts her, des is er.

GUSTI Ah, wer?

SCHMELZER Da, des is er, den mir neulich im Fernsehn, hab ich n euch zeigt.

GUSTI Ah ja, im Fernsehn, genau … *Verschwindet wieder.*

ROSA Sehr nett .. *Verschwindet ebenfalls.*

POLT Also dann …

SCHMELZER So, Herr Polt, hätt mers dann.

POLT Ja, dann ham mirs.

SCHMELZER Also dann, Herr Polt, bis zum nächsten Mal, Herr Polt, da herin, oder im Fernsehn mal wieder, hahaha.

Alle lachen. Polt geht.

SCHMELZER *zum nächsten Kunden.* Wissen S' wer des war? Des war fei der Herr Polt.

KUNDE Welcher Herr Polt?

Im Kreislauf des Jahres

D'Anni hat gsagt, also ihr persönlich, sagt sie, ises wurscht, ob einer evangelisch oder katholisch ist, d'Hauptsach is, er geht in d'Kirch.

Die Büttenrede

Erwin Wurster sitzt im Schlafanzug in seinem Schlafzimmer. Neben ihm ein Spiegel und seine Frau mit Lockenwicklern unter einer Trockenhaube.

WURSTER Ja, also, Sie müssen sich vorstellen, davor, also vor mir, war der Tünnes und der Scheel dran, die Garde hat einmal paradiert, und dann komm ich. Natürlich mit Narrenkappe und Ornat, das müssen Sie sich jetzt alles dazudenken, ich habe jetzt nur das Narren-Szepter dabei, mit dem ich dann beim Stimmungslied die Rittergilde dirigier. Also ich fange mal an. Es geht los mit meinem klassischen Begrüßungs-Vierzeiler ... Den mach ich jetzt seit sieben Jahren, also der kommt immer bombig an. Also: Liebe Närrinnen und Narren – da ist der erste Tusch – den wart ich ab, dann gehts weiter folgendermaßen:

Wir lassens heut besonders krachen,
Wir bringen heute was zum Lachen,
Für alle die da unten hocken,
Wenns kracht, dann bleibt kein Auge trocken.

Da is dann der nächste Tusch und der Applaus. I wink dann ab und sag: Nicht nötig, meine Damen, und dann lachens nochmal und klatschen noch mehr. So, wenn der Applaus vorbei is, na mach ich weiter und da kommt die eigentliche Rede. Da sag ich folgendes: Verkehrte Ladies und umgekehrte Geleemänner – da lachens dann wieder – *Hier liest er ab:* Ich kanns noch net ganz auswendig, jetzt warten S', sitz ich im Lokal, da tuns dann einen Hummer ins heiße Wasser. Dann frage ich den Hummer: Seit wann bist du denn ein Roter? – Da wieherns dann, die Leute. – Dann sagt der Hummer: Nein, ich bin kein Dummer, obwohls den Roten jetzt auch langsam heiß wird. An der Stelle kommt a Tusch: dadaa, dadaa, dadaa. Und die Leute applaudiern. – Im Lokal mir gegenüber sitzt mein Opa, und hustet ständig. Sag ich: Opa, was hustest denn, sagt der Opa: des kommt vom schwarzen Pfeffer sag ich: aber Opa, der Pfeffer is doch weiß. – Dann lachen die Leute, des wart ich ab, dann sag ich: sagt der Opa zu mir: ja, der Pfeffer is weiß, aber ich weiß des doch garnet. Tusch: dadaa, dadaa, dadaa, und da lachens dann wieder. – Dann, dann hab ich eine Weltreise gemacht, mein Opa war inzwischen gestorben, da lachens vielleicht a bisserl, dann ist mir am ersten Tag die Frau abhanden gekommen. Sagt mein Kabinennachbar: seien Sie doch froh, wenn die Alte weg ist. Sage ich: Naja, wer weiß. – Da lachens wahrscheinlich brüllend. Am nächsten Tag is die Alte von meinem Kabinennachbar ebenfalls weg. Sagt er: soviel Glück auf einmal, da is was faul dran. Da brüllens dann vor Lachen.

[NOCH WURSTER] Den hab ich schon mal gebracht, der is wahnsinnig angekommen, es geht aber noch weiter, passen S' auf: Am dritten Tag kommt ein Walfisch und spuckt die beiden Alten wieder an Deck. Sinniert mein Nachbar: Ja des würde ich jetz gerne wissen, hat der arme Fisch nun wegen deiner oder meiner Alten gekotzt? – Da gibts wieder Gelächter obwohl, was meinen Sie, des »gekotzt« is vielleicht a bisserl hart, aber wenn ich gespuckt sag, naja ich weiß nich – gespuckt is vielleicht aa net schlecht, aber des gekotzt kommt vielleicht besser an. Na, ah ja, ich habs, da mach ich ausspucken. Sagt er also: hat der arme Fisch jetzt deine oder meine Alte ausgespuckt? – Da lachens auch, doch, des müßt auch gehn. – Sag ich zu meinem Schiffsnachbarn: Jedenfalls der Fisch hat Geschmack, des merkt mer. – Da brüllens dann vor Lachen, Sie werden sehn, also, da muß ich länger warten, da kommt dann auch noch a Tusch rein, dann gehts weiter. – War ich im Gefängnis, frag ich meinen Zellennachbarn: Ja was haben Sie gemacht? Sagt er: Ja ich hab eine Sau geschlachtet. Frage ich: Wieso sitzen Sie dann hier? sagt mein Zellennachbar: Ja die Sau war zufällig meine Alte. Hahahahaha, der is gut, der is ganz gut, der is glänzend, also, des wird auch wieder a so a Höhepunkt. Da lachen dann die Leute wahnsinnig. Jetz muß ich also n bißchen länger warten, bis die ausgelacht haben, da kommt übrigens auch wieder ein Tusch rein. Dann sag ich: ich selber bin ja auch ein Sträfling, wissen Sie, ich hab einen Safe ausgeräumt, und Sie werden sich jetzt fragen, wieso sitzt der Mann, ja, ich kanns Ihnen verraten, ich hab die Alarmanlage zuerst ausgeräumt, weils heißt doch immer Safe di first. Das gibt wieder einen Lacher. Dann sag ich: Ja und jetzt bin ich natürlich in Sicherheit. Da lachens natürlich wieder. Aber wenn unser Staat so weiter macht, dann ham se vielleicht schon bald kein Geld mehr für das Wasser und Brot da herinnen. – Das is einer von meinen Spitzengags, des is also, ha, ich muß auch immer lachen. – Dann war ich bei der Bundeswehr. Mir sitzen grade beim Essen, fragt der Kompaniechef: Meine Herren, hat einer von Ihnen Bohnen gegessen? Sagen wir alle: nein, nein, nein, warum? Ja, dann hat sich doch eben grade ein Schuß von meinem Maschinengewehr gelöst. – Des is auch einer von den todsicheren Ankommern. Wissen S' und, äh, es geht noch weiter, warten S' – ja, sagt mein Freund Heinz: jetz is wieder Pilzsaison, was is, gehst mit in den Wald? Sag ich zu meinem Freund Heinz: Pilzsaison is bei mir das ganze Jahr. Ich brauch nur meine Socken ausziehn, da hab ich Fußpilz soviel ich will. Den sogenannten Champignon Pedalis. – Da brüllens dann wieder. Wissen S', den Champignon Pedalis muß ma richtig setzen, weil, sonst hörns des garnicht. Die Leute toben dermaßen, des muß mer abwarten. Aber ich hab da schon ein Gefühl daür, wissen S'. – Dann bin ich zum Pfarrer gekommen.

Sagt der Pfarrer zu mir: ja Sie, Ihr Sohn ist vielleicht dumm, der hat noch nicht einmal gewußt, daß Jesus tot ist. Sag ich zum Pfarrer: Ja, Sie sind gut, Herr Pfarrer, ich habe noch nicht einmal gewußt, daß er krank war. – Wissen Sie, des mit dem Pfarrer is schon heikel. Ich laß auch die ganzen Schwulenwitze weg, obwohl die besonders ankommen. Aber der Prälat Munzinger sitzt da unten und dann, ich bin ja auch, ich mein, ich sitz dann mit ihm wieder an einem Tisch bei der Wahl zur Narrengilde, naja, das geht so dahin, wissen S', ich mach, ich trage nicht alles vor, wo komm ich da hin, wenn ich jetzt schon alles verrate. – Am Schluß kommt halt dann das Lied, net, das Stimmungslied. Des is dann der Höhepunkt, also, da marschiert dann die Rittergilde auf, und dann gehts los: ein Vorspiel: Ranpfdadadada, ranftdada, da sing ich:

Wenn draußen der Kamin auch stinkt,
das Narrenvolk trotz allem singt –

jetzt singt die Rittergilde mit, passen S' auf –

Alaaf, hellau, alaaf, hellau,
der Schnaps schmeckt uns auch ohne Frau.

Des dirigier ich dann immer mit. Jetz kommt die zweite Strophe:

Das Narrenschiff geht niemals unter,
wir bleiben heiter, froh und munter.

Jetz wieder mit der Rittergilde eben: Alaaf, hellau ...
eine kleine Abwechslung ham mer da drin:

Der Schnaps schmeckt jetzt auch meiner Frau.

Ja, da lachens dann wieder. Dann fordert man die Leute alle zum Schunkeln auf, obwohl des kommt, der eigentliche Schunkelteil kommt erst in der Mitte, aber da, da könnens sich schon mal einschunkeln, wissen S'. Dann kommt die dritte Strophe und die geht dann aa so:

Und ist die Alte endlich voll,
dann wird der Abend doch noch toll.

Gell, der Text is guat, der Rüdiger-Wolf hat mir dabei geholfen. Der hat der Sache noch den letzten Schliff gegeben. – Ja, und jetzt kommt dann praktisch die Aufforderung zum Schunkeln. Da ruf ich dann: Und jetzt alle, mach mer alle mit, und hoch gehts. – Und dann springens alle auf, und die Rittergilde schunkelt vor, ich dirigier des Ganze, gell, und dann gehts: Humpf humpf, bubiba, dumpf, rumpf, trallala. Des kimmt dann drei Mal: humpf humpf, bubiba, dumpf, rumpf, trallala. – Ja, und wenn mer des ham, dann kommt nochmal die Rittergilde mit dem Refrain:

Alaaf, hellau, alaaf, hellau,
der Schnaps schmeckt uns auch ohne Frau.

Des kann mer dann variiern. Singt mer:

Der Schnaps schmeckt manchmal auch der Frau

oder dann singt mehr:

alaaf, hellau
der Schnaps schmeckt meiner Alten auch,

oder, und so, des kann mer dann beliebig, des is dann je nachdem von der Stimmung abhängig. Aber Sie wern sehn, des wird ein bombiger Abend, also sowas kommt immer an.

Im Schatten des närrischen Szepters

Ein schäbiger Nebenraum eines Ballsaales. Nebenan ein Faschingsball auf Hochtouren. Stimmungssumpfmusik. Max Heubl, Faschingsprinz in vollem Ornat, sitzt angeschlagen auf einem Barhocker, Anneliese Roth, Prinzessin, kümmert sich um ihn. Herr Donisl, Veranstalter, betritt das Separé.

HERR DONISL Herr Heubl, mir waarn soweit, es kann losgehn.

HERR HEUBL Ach, laßts ma doch mei Ruah.

FRAU ROTH Mir kommen gleich, Herr Donisl – ham Se sich übergeben müssen, Herr Heubl?

HERR HEUBL Ah, es is grauenhaft.

FRAU ROTH Sie müssen aufpaßn, wenns Ihnen schlecht is. Des schöne Gwand. *Putzt Heubel.*

HERR HEUBL Ach, laßts mir doch mei Ruah. Wo is mein Magenpulver? *Roth reicht ihm ein Glas.* Wo sam mir denn grad eigentlich?

FRAU ROTH Des is – *liest nach* – der Ball heißt »Wir schlumpfen in Hypinesien«. Des san so Bankangestellte.

HERR HEUBL Was für eine Ansprache soll ich halten? *Rülpst.* Irgend eine Rede?

FRAU ROTH Nur Eahna Standardwitz, oa Stimmungsliad und a paar Grußworte. Da, des is die Liste von dene, de wo Sie grüßen müssen. Lassen S' aber bittschön koan aus. Net daß wieder Beschwerden gibt.

HERR HEUBL I bin doch net dene eahna Trottel! *Greift nach der Liste.* Her damit. Herrschaftseitn, is mir schlecht.

FRAU ROTH Drei Tag no, na ham mirs überstanden. Mir ham aber heut fei no drei Auftritte, und oana wo da Bürgermeister mitwirkt.

HERR HEUBL Wer, wia, welcher?

FRAU ROTH I woaß net, wia der hoaßt, der dritte Bürgermoaster is.

HERR HEUBL Ah so. Der soll halt dahoam bleibm. Der ganze Fasching is doch eine Farce.

Ein Gardewammerl schaut herein.

WAMMERL Herr Heubl, mir müaßn, im Saal rasens. Und sonst schaff ma aa de andern Auftritte nimmer. Und heut wollt ma doch alle a bißl eher hoam ...

HERR HEUBL Jaja, i kimm glei. Nehmts daweil Formation ein. I muaß no meine Unterlagen studiern. *Liest Grußbotschaften.* Was, und de soll i alle grüßn? Von wem?

FRAU ROTH Geh, reden S' doch net, Sie sollen grüßen.

HERR HEUBL Ja, aber von wem?

FRAU ROTH Geh, von niemand. Der Vorstand von der Bank selber hat uns doch den Auftrag gebn, mir solln den Vorstand von der Bank grüßen.

HERR HEUBL Aber des san ja so vui, was des kost ...

FRAU ROTH Des werd pauschal abgerechnet.

HERR DONISL *erscheint wieder.* Also, Herr Heubl, was is denn jetz? Ham S' denn den Tusch net ghört? Jetz treten S' doch endlich auf! Mir laufen ja d Leut davon.

HERR HEUBL I kimm glei, Herr Donisl, ich studier nur noch meine Unterlagen.

FRAU ROTH Er muß noch de Grüße sortiern.

HERR DONISL Guat, daß es sagn, fast hätt ichs vergessn, ich hab noch a paar Grußbotschaften.

FRAU ROTH De san fei nicht in der Pauschale drin.

HERR DONISL Ja, i woaß, de wern extra berechnet. Aber jetz schicken S' Eahna, weil in ara Viertelstund kimmt scho unser Stargast, da brauch ma de Bühne ...

HERR HEUBL Also, Fräulein Roth, pack mas, geh ma naus. *Steht auf, fällt hin.* Herrgott, is mir schlecht.

FRAU ROTH Mir ham heut scho den 15. Auftritt, und jedsmal Sekt. *Hebt ihn auf und putzt ihn.*

HERR DONISL *sieht auf die Uhr.* Es is jetz 23 Uhr 47. Um 23 Uhr 49 san Sie auf der Bühne, sonst mach ich Sie regreßpflichtig. Immer dasselbe mit dene Faschingsprinzen.

HERR HEUBL *hat sich inzwischen gefangen.* Auf gehts!

FRAU ROTH Halt, vergessen S' net Eahna Szepter, Herr Heubl.

HERR HEUBL Meine Brille? Wo is meine Brille?

HERR DONISL Was, ein Prinz mit Brille?

FRAU ROTH De hat er nur zum Lesn. D Leut lachen immer, weils moana, des is a Witz ...

HERR HEUBL Meine Brille ...

Frau Roth, Herr Donisl und Herr Heubl suchen die Brille, das Gardewammerl erscheint wieder.

WAMMERL Herr Heubl, was is denn, mir stehnga scho lang in Formation. Ham S' den Tusch net ghört?

FRAU ROTH Glei, es geht no net. Sofort.

HERR HEUBL Meine Brille!

HERR DONISL Gehngan halt Sie schon derweil naus, Hoheit, und sagn S' halt irgendwas, i schick eahm dann nach. Schnell, gehngas, mein Gott ...

FRAU ROTH Naa, i geh net alloa naus. Mir san a Prinzenpaar, mir gehn nur zu zwoat naus.

HERR DONISL Ich mach Sie regreßpflichtig. Da, scho wieder ein Tusch!

HERR HEUBL Meine Brille, ich kann sonst net grüßn …

HERR DONISL Na grüßen S' halt pauschal, des is mir wurscht, aber jetz schaugn S', daß nauskemman.

FRAU ROTH Herr Heubl, i glaub aa, mir müaßn jetz.

HERR HEUBL Der Fasching is doch eine Farce. *Geht los, Herr Donisl drängt das Paar auf die Bühne, Herr Heubl dreht sich noch mal um.* Ah, wo san mir?

HERR DONISL Hypinesien!

FRAU ROTH Hypinesien!

HERR HEUBL Ah so. *Geht auf die Bühne, neuer Tusch.*

Das Prinzenpaar betritt die Bühne. Sie grüßen und singen das Stimmungslied

IEUBEL UND ROTH Heut haun wir auf die Pauke, bis die Pauke kracht,
Wir wollen einen heben die ganze lange Nacht,
Wir hauen auf die Pauke, bis ein jeder lacht,
Wenn die Alte auch vor Ärger in die Hose macht,
Wir hauen auf die Pauke die ganze lange Nacht.

Herrn Heubel ist es mittlerweile so schlecht, daß er in die Bühnenecke kotzt. Die Prinzessin singt mit dünner Stimme allein weiter.

FRAU ROTH Erst ein Schnaps, dann ein Bier,
Noch ein Schnaps, noch ein Bier,
Ein paar Jägermeister mal so zwischen rein,
Noch ein Schnaps noch ein Bier,
Zwei mal zwei sind schon vier.
Hörn wir auf und trinken ein Glas Wein.
Ei, der Wein, der schmeckt fein,
Schenk mir noch ein Glasl ein,
Wenn die Flasche leer ist, schmeiß die Flasche weg.

Herr Heubl hat sich wieder gefangen, wischt sich den Mund ab und singt im Sitzen wieder mit.

Mach ne neue auf und trinken einen drauf,
Nur nach Hause gehen hat noch keinen Zweck …

Nikolausi

SOHN Nikolausi …

VATER Hehehe, der Kleine, hehe, nein, das ist nicht Nikolausi, das ist Osterhasi, hehehe hehe.

SOHN Nikolausi …

VATER Hehehe, nein, das ist nicht Nikolausi, weißt du, jetzt ist ja Frühling. Es ist ja jetzt nicht mehr Winter, hehehehe.

SOHN Nikolausi …

VATER He, nein, he, das ist Osterhasi, weißt du, Osterhasi mit den Öhrli, hehehe, der bringt Gaggi für das Bubele, hehehehe, jaja.

SOHN Nikolausi …

VATER He, nein, also nein, nein, weißt du, das handelt sich hier nicht um, äh, um, um Nikolausi, das ist Osterhasi, net das ist ein Osterhasi, kein Nikolausi, gell?

SOHN Nikolausi …

VATER Ja also, nein, jetz hör doch mal zu, net, wenn ichs dir scho sag, das ist, es handelt sich hier nicht um ein Nikolausi, sondern um ein Osterhasi net. Jetzt sieh das doch mal endlich ein.

SOHN Nikolausi …

VATER Ja also, ja Rotzbub frecher, ja wie soll ichs dir denn noch erklären, also sowas nein, gleich schmier ich dir eine, net.

SOHN Nikolausi …

VATER Ja Herrschaftszeitenmalefitz, jetzt widerspricht er ständig, net. Jetzt jetzt hör doch amal zu, wenn ich schon sag, äh äh Nik … äh O … ähäh, das ist Osterhasi, net …

SOHN Nikolausi …

VATER Na, das ist kein Nikolausi, net, jetzt, also, wenn einer mal sich in einen Gedanken förmlich hineinverrennt, dann ist er ja wie vernagelt, net.

SOHN Nikolausi …

VATER *schreit* Ja, also so, ja also du Rotzbub, net, das ist ein Osterhasi, das ist kein Nikolausi, Osterhasi, verstanden, O-ster-ha-si!!!

SOHN Nikolausi …

Advent

Ein idyllischer verschneiter Bauernhof in Oberbayern, Spätnachmittagsstimmung, es wird bald dunkel, im Bauernhof sind die Lichter an, in der Stube blaues Fernsehlichtflimmern.
Die sakral-gedämpfte Reporterin steht dem besoffenen Gschwendtnerbauern im Hof gegenüber.

GSCHWENDTNER Advent, Advent,
ein Lichtlein prennt,
Advent,
hein Lichtlein preennt ...
Gschwendtner gönnt sich wieder einen Schluck Bier, rülpst, torkelt.

REPORTERIN Ja, das war sehr schön, und nun schreitet der Herr des Hofes, Herr Gschwendtner, auf uns zu und nun gleich die Frage: Äh ... Herr, ah ...

GSCHWENDTNER Ja?

REPORTERIN Herr Gschwendtner, Advent scheint ja auch im Oberbayrischen ...

GSCHWENDTNER Ja.

REPORTERIN ... eine alte, uralte Tradition zu sein.

GSCHWENDTNER Ja, des is wahr, Advent, net, des is quasi a so, ein Advent, net, ohne einen Advent, des waar praktisch so gut wia überhaupts kein Advent. Und drum, mir könnens auch kaum mehr derwarten.

REPORTERIN Das ist hochinteressant, was Herr Gschwendtner uns hier erzählt, und was ist nun das Typische an dieser typisch bayrischen, uraltchristlichen, äh Tradition?

GSCHWENDTNER Ja, mei, es is doch aso, net, sagen mir amal, mir könnens halt kaum mehr derwarten, weil, bis mir allweil Abfend feiern, net, mir ham also a Ding, as Fruahjahr, net, is dazwischen, nacha hamma an Fruahsommer, net, na gehts in Sommer nei ...

REPORTERIN Herr Gschwendtner, äh ...

GSCHWENDTNER Wia? *Rülpst.*

REPORTERIN Neinnein ...

GSCHWENDTNER Was is?

REPORTERIN Nichts.

GSCHWENDTNER Is was?

REPORTERIN Nein, ah ...

GSCHWENDTNER Wos wolln S' denn nachad? Oiso, ah, an Summa hamma scho ghabt, net, nachad kimmt da Spatsumma, des geht ja quasi bis in Herbst, net, und nachad is allwei no a Zeitlang hin, gell, bis daß ma sagn kunnt, daß asoweit is, und wenn ma nachad an Abfent ham, ah, nachad sagt ma si, ja jetzad, net, jetzad gehts quasi, also jetzt sammer so weid, daß bald is und mir könnens ja kaum mehr derwarten, net, weil mir scho ganz unruhig und nervös san – bis soweit is.

REPORTERIN Ja, das ist verständlich, äh. Sie haben hier in alter Tradition, gibt es wahrscheinlich irgendwelche spezifische Backwaren an Advent. Gebäck? – *Peinliche Pause* – Oder gibt es was Besonderes, was Sie in diesen festlichen Tagen zu sich nehmen?

GSCHWENDTNER Ja mei, gell, mir trinken an Abfent, also, da essen mir – an Schweinsbratn gibts, net, und an Knödel, wie anundfürsich sonst auch, mir trinken ein Bier, ah, i trink allweil praktisch, ich hab also, mir ham also des in dem Sinn jetz nicht – aber Abfent, sagen mir mal, is doch, ah – die Zeit der Erwartung. *Trinkt.*

REPORTERIN Schön. Sehr schön Advent heißt: Erwarten. Und worauf richtet sich eigentlich die Erwartung, Herr Gschwendtner?

GSCHWENDTNER Ja mei, des is aso, net, wenns so weitergeht, nacha samma bald im Fasching drin, net, und dann, des is ja doch eine Zeit, wo man sich darauf besinnt, net, weils ja nachad doch Ernst wird. Und des is, man muß sich schon Gedanken machen, ich mein, warum man auch, sagen mir mal, vom Herzen des kimmt, und mir also doch des auch ernst nehmen.

REPORTERIN Ja, wir wollen diese Andacht nicht zerstören, und nun singt uns Herr Gschwendtner noch eines dieser herrlichen inbrünstigen Adventslieder.

Die Reporterin gibt Gschwendtner einen Fünfzigmarkschein.

GSCHWENDTNER *verstaut das Geld und singt dabei* Abfeend, Abfeend,
hein Lichtlein preent …
Sie, des tuat ma leid, i muaß jetz nei, d'Sportschau fangt o …
Abfent, hein Liecht-lein …
Er stolpert und fällt hin. Sacklzementzefixhallelujahimmiarschundzwirnvarreck!!!

REPORTERIN Wir bedanken uns, und damit geben wir zurück ins Studio.

Die Weihnachtsgratifikation

RENTNERIN He Sie, hallo, hallo, wo bleibt denn meine Weihnachtsgratifikation? He, ja Herrschaft, hallo, es geht um meine Weihnachtsgratifikation. Ja Herrschaft, ist da niemand da? Meine, meine Weihnachtsgratifikation zu Weihnachten. Ja, Sie, wo bl … Sie, hallo, meine Weihnachtsgratifikation. Ich, ich erhalte eine Weihnachtsgratifikation von 14 Mark 80, wo, ich meine, wo ist denn die?

Sylvesterfeuerwerk

Die Betonbrüstung eines Balkons, dahinter Familie Bäumel. Sylvesterglocken läuten.

GUDRUN Mit was fang man o, mit de Bluestars?

KARL Naa, de Skyflowers nehm ma ... Maurice, Feuerzeug!

GUDRUN San des de mit de langa Stecka?

KARL Naa, doch, ja schick dich!!

GUDRUN Maurice, da!

Familie Bäumel brennt das Feuerwerk ab. Gudrun packt aus, Sohn Maurice steckt die Raketen in Flaschen, Karl zündet. Niemand schaut den fliegenden Raketen nach, ein einstudierter Ablauf, der keine Ablenkung zuläßt.

KALR Jetz de Orange-power-squirrel ...

GUDRUN Da san fei bloß zwoa da.

KARL Ja, her damit. Maurice, los, weiter ...

GUDRUN Jetz de Sunchryslers oder de Voyagers?

KARL Is wurscht, her damit.

GUDRUN Jetz san nur no Bluestars da.

KARL Und der Kanonenschlag fürn Schluß. Ja, Maurice, was is denn ...

Das Feuerwerk wird diszipliniert abgebrannt.

GUDRUN Da, des is da letzte.

KARL Ah so ... *zündet Kanonenschlag an.* Okay, dann ham mirs wieder für heuer.

Alle drei gehn ins Wohnzimmer. Der Kanonenschlag detoniert.

Tonis Tristesse

GIUSEPPE Was is los mit dir heute, Toni? Du sagst kein Wort, bist du müde?

TONI Weißt du, sag ich dir, hab ich erlebt Weltkrieg zweimal schon, Revolution fünfmal, Autounfall fünfzigmal, weiß nicht, vielleicht hundertfünfzigmal, aber manchmal im Leben ist stinklangweilig.

Von den letzten Dingen

D'Anni hat gsagt, also wenn ihr Mann praktisch später gstorben wär, hätt sie eine höhere Rente, aber sie sagt, so machts ihr auch nichts aus.

Katastrophen

FRAU AMRISWIL Diese Hausrat, die ist ja gegen Diebstahl und gegen Brand, also, wenns innen brennt, aber ihm ist ja das ganze Haus abgebrannt.

HERR BREZELMANN Ach ja?

FRAU AMRISWIL Wissen Sie, und dann hat er noch beide Beine verloren, und nicht versichert, also, schauderhaft ...

HERR BREZELMANN Ah geh ...

FRAU AMRISWIL Jaja. Albert, mein Bruder Albert, Sie wissen, der mit den Herzgeschichten, er ist jetzt leider auch schon tot. Herzversagen, Exitus. Also, Albert hatte ihn gewarnt.

HERR BREZELMANN Soso ...

FRAU AMRISWIL Er hatte schon vorher diese Gefäßverengung und jetzt ohne Beine, keine Rente, das ewige Sitzen, ständige Kreislaufbeschwerden, und dieses chronische Bronchialleiden ...

HERR BREZELMANN Jaja ...

FRAU AMRISWIL Meine Mutter hatte dieselbe Bronchitis, jahrelang. Ständige Beschwerden. Aber umgekommen ist sie ja, wie Sie wissen, bei diesem scheußlichen Autounfall ...

HERR BREZELMANN Ah ja, genau ...

FRAU AMRISWIL Der Beifahrer ist heute noch querschnittgelähmt. Übrigens sind seine Rentenansprüche ebenfalls abgeschlagen worden.

HERR BREZELMANN Naa?

FRAU AMRISWIL Der Mann sitzt mittellos da, mutterseelenalleine, mit fünf Kindern.

HERR BREZELMANN Geh, fünf?

FRAU AMRISWIL Seine Frau ist ihm nämlich auch noch durchgegangen, hat alles an Wertgegenständen mitgehen lassen.

HERR BREZELMANN Ah, ja?

FRAU AMRISWIL Sie is nach Amerika, aber dort hat sie ihren Gehirntumor gekriegt. Was man so hört, liegt sie jetzt seit zwei Monaten ohne Bewußtsein, wenn sie überhaupt noch lebt ...

HERR BREZELMANN Ja, so ...

FRAU AMRISWIL Übrigens, Gustaf ist zum zweitenmal beim Staatsexamen durchgefallen. Aus. Der Arme kann nicht wiederholen. Der ist praktisch erledigt. Gerade jetzt, wo er diesen riesigen Kredit aufgenommen hat. Ein richtiger Pechvogel. Seit er sich das Auge ausgestochen hat, ist er sowieso nur noch ein halber Mensch.

HERR BREZELMANN Jaja ...

FRAU AMRISWIL *schnuppert.* Sie, das riecht hier ... Um Himmelswillen, mein Schmorbraten!

HERR BREZELMANN Was?! Ja um Gotteswillen! Das ist ja fürchterlich, ja entsetzlich!! Schnell, schnell, laufen Sie, des is ja eine Katastrophe!! A Schmorbraten, des is ja die Tragödie.

Eine Bekehrung

Ein idyllisches verschlafenes Dorf. Ein Mormone sucht ein Haus, wo er missionieren kann.

MORMONE Ah, Hapflinger, let's try it here. *Klingelt.* Ah, it's really hard to get people convinced.

HAPFLINGER *öffnet.* Ja, Grüaß Gott, was, waswas, was is los?

MORMONE Ah, Sie sin Mister Hapflinger? Guten Morgen, Mister Hapflinger, es geht um Ihre Existenz.

HAPFLINGER Ja ah, ah, wia, was?

MORMONE Ja, ich möchte nur sagen, ah, daß die letzten Tage sind angebrochen, Mister Hapflinger, und deshalb bitte ich Sie, daß Sie hier links unterschreiben. *Hält Formular hin.*

HAPFLINGER Ja, ah, ah ja äh, was, ah wowawowawos wia? Welche?

MORMONE Ja, es ist also folgendermaßen: Sie können unterscheiden zwischen Himmel, ah, Hölle, oder Fegfeuer, Mister Hapflinger, ich würde Ihnen auf alle Fälle Himmel rekommandieren. Sie können jetzt den Hölleprospekt sehr günstig von uns bekommen, hier sehen Sie alles gut illustriert, hier ist Luzifer, Satan, und, ah, some other devils, and Sie werden gezwickt und, ah, wie sagt man, gestoßen und Sie werden schmachten bei Hitze und bekommen nix zu essen und und auch nix mehr zu trinken, und drum werden Sie in die ewige Verdammnis hineinkommen, und das können Sie hier, wenn Sie hier unterschreiben bitte wollten.

HAPFLINGER Ja, aber i, i bin doch bereits ah religiös net wahr …

MORMONE Ja, ha, das wird sehr oft behauptet, Mister ah, Hapflinger, aber trotzdem, ah, Herr Hapflinger, Sie können unterschreiben oder nicht, das, äh, wenn Sie nicht unterschreiben, das geht auf Ihr Konto.

HAPFLINGER Ah, ja, ah, ja, äh, also, wo, wo soll ich denn da …

MORMONE Hier, ah, gleich bitte, links unten …

HAPFLINGER Also nachad … *Unterschreibt mühsam.*

MORMONE Dankeschön, Mister Hapflinger, für Ihre Bestellung. Sie können Nachnahme oder auch in Vierteljahresraten bezahlen. Den ersten Band unserer Enzyklopädie erhalten Sie Anfang nächsten Monat. Ich wünsche Ihnen einen schönen Tag noch …

Die letzte Ölung

Ein Krankenzimmer, in einem Bett liegt eine alte Frau am Tropf, im anderen Bett die Oma Röhrl, daneben stehen Ottmar und Siglinde Lemp, geborene Röhrl, und Sohn Manfred. Ein Pfarrer spitzt zur Tür herein.

OTTMAR Glei, Hochwürden. Glei hammas. I sag S' Eahna, wenns soweit ist.

SIGLINDE So, Oma, brauchst keine Angst nicht zu haben, gel. Weil, der Doktor sagt auch, des kann jetzt sehr schnellgehn, hat er gsagt, und wega de Forsythien brauchst du garnichts zu befürchten, Manfred, laß die Finger davon, des is kein Spielzeug.

Manfred spielt am Tropf von der alten Frau herum, hört auf.

OMA Aah, ääh, i woit no ...

SIGLINDE Jaja, is scho recht, Oma, gel, die Forsythien ham mir jetzt umgetopft, gel, ja, umgetopft ham mir se, ja, umgetopft, und wega dem Perserteppich ham jetz mir gsagt, mein Gott, da gehn jetz halt mir derweil a bißl drüber, gel, mir ham gmeint vorsorglich, gel.

OMA Aah, uääh, i woit noo ...

SIGLINGE Ja, ja, Oma, is schon recht, Oma, ...

Ottmar gibt ein unverständliches Zeichen.

SIGLINDE *leise* Wie?

OTTMAR *flüstert* Schlafzimmer.

SIGLINDE Ah ja, Oma, und wega dem Schlafzimmer, hat der Onkel Albert gsagt, er tät sich schon fürs Schlafzimmer interessiern, hat er gsagt, rein vom Stil her, weißt ...

OMA Aah, ääh, i woit no ...

SIGLINDE Ja, und auch überhaupts, es geht alles in Ordnung, des sagt auch der Notar, es geht alles in Ordnung, alles so, wie du unterschrieben hast, Oma. Ja, und mit de Möbel auch, gel, ja, Oma ...

OMA Aah, aah ...

SIGLINDE Des Sparbuch und die Pfandbriefe, des is ja auch alles sicher hinterlegt, und die Forsythien ham mir auch umgetopft, umgetopft, und mir gießen auch schön fleißig, Oma ...

Der Pfarrer spitzt wieder herein.

OTTMAR Moment, Hochwürden, glei ham mirs. Sie sehn ja. – Ja Manfred, hörst du schlecht, weg da, laß des.

SIGLINDE Und auch wegen der Wohnung, Oma, ham mir gsagt, des is ja gar kein Problem, wegen der Wohnung, ich mein, wenn du zurückkommen solltest – des ist überhaupt kein Problem, da brauchst du dir garkeine Gedanken zu machen, gel.

OMA Aah, i woit no sagn ...

SIGLINDE Ja, Oma, is schon recht, Oma, ich mein, medizinisch und auch notariell bist du in den besten Händen, Oma, gel, schau und jetzt

[NOCH SIGLINDE] ham mir dir auch den Herrn Kaplan kommen lassen, für deinen inneren Frieden … *Gibt Ottmar ein Zeichen.*

OTTMAR *geht zur Tür und holt den Pfarrer.* Jetz gehts dahin. Wenn S' jetzt bittschön Ihr Amt versehen wollten, Hochwürden.

OMA I wollt no, i wollt no sagn, daß …

SIGLINDE Ja, Oma, mir wissens schon. Also, wiedersehn derweil …

OTTMAR Servus Oma, bis bald. *Zu Manfred* Sag schön Wiedersehn.

SIGLINDE Geh zu, du Stoffel …

OTTMAR Ja, was is, hörst du schlecht?!

PFARRER Ich darf doch um Ruhe bitten.

OTTMAR Ja, mir san scho ganga.

SIGLINDE Servus Oma, und, denk dir nix.

OTTMAR Also, laß dirs gut gehn, Oma.

Ottmar, Siglinde und Manfred ab.

OMA *noch einmal bei Kräften.* De Saubagage, de miserablige. Aber de erben nix! *Wieder schwach und sanft.* Ois kriagt d Kirch, Hochwürden, i hab ois da Kirche vermacht …

PFARRER *packt sein Ölzeugs aus.* In nomine domini … *Er segnet und ölt.*

Beileidsmänner

Rüdiger Wolf, Emanuel Wiemer und Klaus Ungnadner im Büro der Bavaria-Assekuranz AG, Abteilung Trauerhilfe. Wolf präsentiert eine Spesenabrechnung, Wiemer steht am Spind und zieht sich um: hellen Cordanzug aus, schwarzen Traueranzug und Krawatte an.

WOLF Da, des is de Übernachtung in der Pension Anni in Villingen, wo mir den Herrn Gattinger beerdigt ham.

UNGNADNER Gleich zwei Eier im Glas, und a Orangensaft, scho a bißl üppig. Und des da, diese 37 Telefoneinheiten, de können S' selber zahln.

WOLF Naa, des war alles a Dienstgespräch ...

UNGNADNER So, mit wem ham S' da telefoniert?

WOLF Des war a Gespräch mit der Versicherungszentrale, weil, der Herr Wiemer hat aa nimmer gwußt, wie der gheißn hat, den mir da in Bad Hersfeld ham beerdigen müssn.

WIEMER Müller hat er gheißn.

WOLF Ja, schon, aber an dem Tag san zwei Müller beerdigt worn, an Vornamen ham mir braucht.

UNGNADNER Naja, Schwamm drüber. Der IC-Zuschlag geht in Ordnung, sonst hätten S' des Mühldorf nimmer gschafft.

WOLF Und da, die Euroflor-Rechnung, der Friedhof in Marktredwitz, der war so unheimlich außerhalb, des war dermaßen schwierig mit ara Kranzbestellung, also die Kondolenz-Accessoires hab i über Euroflor abwickeln müssn.

UNGNADNER Naja, okay, was ham mir sonst noch an Sonderauslagen?

WOLF Da, der Herr Wiemer und der Herr Rösner ham a Taxi braucht, sonst hättens es nie mehr gschafft.

UNGNADNER Ja, apropos schaffen, Herr Wolf, mir ham da eh a Reklamation von unserer Versicherungsfiliale in Rinteln, weil, bei der Beerdigung vom Herrn Horstmann ist überhaupt kein Beileidsmann erschienen, obwohl von der Zentrale ausdrücklich angeordnet, dieser Horstmann hat ja an Umsatz in Rinteln in de letzten sieben Jahre immerhin verdreifacht, wie kann denn sowas passiern?

WOLF Aber Herr Ungnadner, da ham mir doch in Bruchsal den Herrn Ding, wie hat er gheißn, ah, Herr Wiemer, wie hat der gheißn, der die Kaskofiliale in Bruchsal so dynamisch aufbaut hat?

WIEMER Eppinger?

WOLF Ja, genau, Eppinger, den ham mir da beerdigt, wie hätt mir denn des schaffn solln? Der Rösner war ja grad in Urlaub ...

UNGNADNER Ja, Herr Wiemer, da hättn Sie ja schon vorausfahrn können, oder?

WOLF Nanaa, unmöglich, des war a Anordnung von der Zentrale, zwei Beileidsmänner mindestens.

WIEMER Der hat uns doch den Lebensversicherungsstand wieder saniert.

WOLF Um a Haar waar der Dr. Buschmann persönlich hingfahrn.

UNGNADNER Naja, in Zukunft lassen S' sich da was einfalln. Also, gehn ma de Route für de nächste Woche durch: Als erstes fahrn Sie jetz nach Murnau. Ein gewisser Dr. Koch, sagen S' halt irgendwas von dynamischer Aufbaupersönlichkeit und so, mehr das Übliche halt, dreißig Prozent mehr Umsatz, gel, in Murnau hoaßt des was. Ein Kranz, zwei Trauergebinde, des reicht. De Beerdigung is um 10 Uhr 30, nachad müssen S' aber sofort über Eilzug Direktanschluß Stuttgart-Sindelfingen, umsteign Böblingen an 14 Uhr 41, des is a ganz a wichtige Beerdigung, da, ham S' de Grabredn, dean S' as noch mit a paar persönliche Details garnieren, der Mann heißt Riegele und war in der Bankenbetreuung.

WOLF San beide Redn vom Dr. Buschmann?

UNGNADNER Ja freilich, von wem denn sonst? Sie übernachten in Böblingen in der Pension Stauffenritter.

WOLF *skeptisch* Stauffenritter?

UNGNADNER Is alles scho vorbestellt, dann übermorgen ham mir neben am Herrn Schlaffer, da brauch ma nur einen Beileidsmann, in Köln-Rösrath, ham mir noch an aktuellen Sterbefall grad reinkriegt in Erftstadt, des is auch mehr so a Routinesache, a einfacher Außendienstler, i dad sagn, da kann der Herr Wiemer amal allein hinfahrn, gel, aber vergessn S' fei ja net, drauf hinzuweisn, daß der letzte Gang von der Bavaria-Assekuranz begleitet wird, Kranz undsoweiter, des Übliche halt, normaler Trauerschmuck ...

WOLF Ja, aber sagn S' amal, Herr Ungnadner, wenn ich da in Köln-Rösrath bin, na schaff ich ja unmöglich de Feuerbestattung vom Dr. Klinger in Hannover, des is doch a ganz a wichtige Angelegenheit.

UNGNADNER Ja, san Sie wahnsinnig? Beim Dr. Klinger seiner Beerdigung, da ham doch Sie nix zum suchn, Sie müssn glei weiter nauf zum neuen Friedhof in Möhl.

WOLF Ja, aber ...

UNGNADNER Der Dr. Klinger is, vielmehr war doch im Vorstand. Und Vorstandsmitglieder wern doch grundsätzlich nur vom Vorstand persönlich beerdigt, da ham doch Sie nix zum suacha. – Da, ham S' Ihre Unterlagen, gute Fahrt, und bringen S' nix durchanander. Wiederschaugn ...

Wiemer nimmt noch eine Packung Trauerbinden aus dem Spind.

Feuerbestattung

Ostfriedhof. Krematorium. Ein Beamter steht im Eingang. Ein Trauerpaar geht auf den Beamten zu.

SIE Sie, entschuldigen S', die Beerdigung Meisinger Raimund, um 14 Uhr 30, samir da richtig da hier?

BEAMTER Ja, Moment, wer? *Sieht auf Liste nach.*

SIE Meisinger Raimund, Referend a. D. Um 14 Uhr 30 waar die Feuerbeerdigung, hats gheißn.

BEAMTER Ja, da sans scho richtig im Prinzip, aber es kann a Zeit dauern, weil, da is anscheinend a Prominenter dran. I sags Eahna dann, wenns soweit is. *Gähnt.*

ER Wie spät ham mirs denn?

SIE Woaß net.

ER *sieht auf die Uhr.* Scho fünf nach halb. *Pause.*

SIE *sieht sich um.* Ja, sag amal, san mir die einzigen?

ER Ja mei, anscheinend. Der Gustl hat net komma kenna, weil heut is ja Werktag.

SIE Aber de Tante Gerlinde hätt ruhig komma kenna, sie hat ja schließlich scho de zwoa Buidln kriagt vom Bappa.

ER Wahrscheinlich is dagegen, daß er verbrennt werd.

SIE Mei, wer ko si heutzutag no a Grab leisten …

ER Aber von der Firma hättns scho oan vorbeischickn könnan, er war ja schließlich 34 Jahr dabei, und er hat nie auf d'Uhr gschaut.

SIE Oder wenigstens a Danksagung in irgendeiner Form.

ER Und der Rüdiger Wolf is aa net da.

SIE Oh mei, der Rüdiger Wolf … *Pause.*

ER *sieht auf die Uhr, zum Beamten* Sie, wie lang dauertn des noch?

BEAMTER Da drin halt oana scho de dritte Rede. Des werd a Prominenter sei.

SIE Mei, Volker, ob mir des no schaffn?

ER Ja, es wird knapp. Weil, a Stund, hats gheißn, muaß ma eher da sein, a Stund mindestens.

SIE Mitm umziehn werds dann wahrscheinlich nix mehr.

Ein Trauergast geht auf die beiden zu.

TRAUERGAST Entschuldigen Sie, ist hier der Trauerfall Dr. Zimmermann?

SIE Naa, mir san Meisinger, 14 Uhr 30, aber es dauert noch, weil da is a Prominenter drin.

ER Warum, san Sie aa 14 Uhr 30?

TRAUERGAST Neinnein, 14 Uhr 40, Dr. Zimmermann.

SIE Mei, um gottswilln, des werd si ois verschiebm.

TRAUERGAST *zum Beamten* Sagen Sie, wie lange dauert das denn noch?

BEAMTER Schwer abzusehn. Da is jetz a Prominenter drin und danach kimmt Meisinger.

TRAUERGAST Soso, vielen Dank. *Geht.*

ER Mein Gott, des werd knapp. *Zum Beamten* Sie, können S' mir bittschön net wenigstens sagen, wie lang des ungefähr noch dauert?

BEAMTER Ja, jetz is des Requiem, nachad red no oana, und na kimt no a Posaunensolo. *Geht wieder.*

ER Dankschön. – Hast du as Sonnenöl einpackt?

SIE Ja freilich. Und an Mückenspray.

ER Du, jetz werds aber allmählich wirklich knapp.

SIE Guat, daß beim Bappa koana red.

Akner, ein zukurzgekommener junger Mensch, erscheint mit einem großen Kranz und blickt sich suchend um. Er entdeckt den Beamten, der gerade wieder erscheint.

AKNER Für Meisinger, von der Firma Stoiber.

Der Beamte nimmt den Kranz und verschwindet, Akner geht.

ER Des war oana von der Firma.

SIE Hams doch seiner gedacht. Des is a 200-Mark-Kranz.

ER Ja, er war ja immerhin 34 Jahre dabei und er hat nie auf d'Uhr gschaut.

Der Beamte erscheint wieder.

SIE Sie, tschuldigens, was steht denn auf dem Kranz?

BEAMTER Irgendwas mit Dank für 34 Jahr, de wo er dabei war ...

SIE Dankschön. Ah, Sie, Herr, war des Trompetensolo jetz scho?

BEAMTER Nanaa, der red no. Des muaß a Prominenter sei, des hört ja garnimmer auf.

ER Wissen S', mir müaßn heut no nach Mallorca fliegn, mir ham so a Reise gebucht. Eine Stunde vor Abflug müß ma spätestens da sein.

SIE Und mir ham ja mit dem Ableben vom Bappa ja gar net gerechnet ghabt. Des is auf oamal so schnell ganga. De zwoa Wochen, ham mir uns denkt, san auf alle Fälle no drin.

BEAMTER Wies halt allweil is. *Geht.*

ER Ja des stimmt. *Geht zum Eingang und lauscht.*

SIE Spuins scho?

ER Naa, es werd no gred.

SIE Also, des Umziehn, des könn ma jetz total vergessn. Da könn ma grad froh sei, wenn mas no schaffn.

ER Ja, auf uns wart der Flieger net.

Man hört von innen ein Posaunensolo.

ER Vierzehn Uhr dreiundvierzig. Is aa höchste Zeit worn.

SIE Sie, Herr, wie lang kann denn so a Solo no dauern?

BEAMTER Des is a Corelli, der dauert im Schnitt drei Minutn.

ER Mein Gott, des werd knapp.

BEAMTER Wann geht denn Eahna Flieger?

ER Um viere ...

SIE Sechzehn Uhr drei.

BEAMTER Ham Sie a Musik bstellt?

SIE Naa, Gottseidank net.

ER Is aa koana da, der wo red.

BEAMTER Ja, dann dürften S' des scho no schaffn. An guten Flug wünsch ich jedenfalls.

Ein Schwall mit poppigen jungen Menschen strömt aus dem Krematorium.

ER Ja, danke.

SIE Na ziehn ma uns halt erst in Mallorca um.

ER Ja, genau, mir ham ja ois dabei ...

Seebestattung

Leo Wasberger und Gerda Bemmerl in einem Bestattungsunternehmen. Im Hintergrund präpariert Frau Menzel einen Kranz.

HERR WASBERGER Grüß Gott, gnä Frau.

FRAU BEMMERL Ja, Grüß Sie Gott, Sie also, vorige Woche is mein Bruder Fritz, is bei am tragischen Unfall, wissen S' beim Surfen, also mit dera Surferei, meine Schwägerin is also nervlich vollständig, man kann sie praktisch überhauptsnet ansprechen, wissen S', und deswegen hab ich mir gedacht, weil einer muß es ja machen …

HERR WASBERGER Des is sehr vernünftig, gnä Frau, da ham Sie vollkommen recht, einer muß es ja machen.

FRAU BEMMERL Ja eben, sehen Sie, des hab ich dann auch gsagt, ich hab gsagt, vollkommen unvernünftig, was muß der alte Depp auch ausgrechnet bei am Gwitter umanandsurfen, und des war dann auch prompt die Quittung …

HERR WASBERGER Es passiert ja auch ständig was.

FRAU BEMMERL Ja, also, des nur nebenbei, also, ich hab dann jedenfalls gsagt, zu meiner Schwägerin, Gerti hab ich gsagt, denk dir amal nix, laß des mich jetzt machen, weil mit ihr is ja nix anzufangen im Moment, und ich hab ja schon unsern Vati beerdigt, des war damals allerdings a bisserl einfacher, weil, des war des Trauerinstitut, des Trauerinstitut war damals ans Altersheim angegliedert, Quietas ham die gheißn, des war ursprünglich so a Zaunfabrik, Zäune und so, Quietas …

HERR WASBERGER Ahja, Quietas, Kreitmaier Straße …

FRAU BEMMERL Ja genau, Kreitmaier Straße, genau, Sie die ham des fei sehr ordentlich gmacht, aber der Fritz war ja in keinerlei Sterbeversicherung, gell, er war ja erst fünfunddreißig, zwoa Autos hams ghabt, an Opel und an Kombi, aber an die naheliegenden Dinge denkens ja net, jetz muaß ma natürlich schaun, wie man sich da finanziell zurechtfindet, weil, es war ja auch kein Betriebsunfall, also des kann ma beim besten Willen net, ja sonst wärs natürlich a klarer Versicherungsfall worn …

HERR WASBERGER Ja äh, wie Versicherungsfall … äh, gnä Frau, äh besteht irgend a Familiengrab oder sowas?

FRAU BEMMERL Ach hörn S' auf, garnix hams, ghabt hättens eins, des hams auflassen. Zwei Autos hams ghabt, aber jetz müssens sich fei schwer einschränken …

HERR WASBERGER Jaja, so a Todesfall zieht doch immerhin allerhand nach sich.

FRAU BEMMERL Ja wem sagn Sie des, ich muß ja auch noch die Autos verkaufen, den Opel und den Kombi, weil sie is ja überhaupts nicht mehr belastbar, weil bisher hat des ja alles der Fritz gmacht für sie.

HERR WASBERGER Ja, schön, gnä Frau ...

FRAU BEMMERL Sie hat a Nervenköstüm wie Spinnweben.

HERR WASBERGER Ja, schön, gnä Frau ...

FRAU BEMMERL Garnet dran zu denken, wenn der früher gstorben wär, der is ja Ralley gfahrn, und solchene Sachen, des hat die sich fei alles bieten lassen ...

HERR WASBERGER Ja, schön, gnä Frau, beim Surfen sagen Sie is es passiert.

FRAU BEMMERL Ja, des war a Sommergwitter, d Leit ham noch an Kuchen gessn, die ham n noch gsehn, wia er gsurft ist, und auf einmal ein Schepperer, also furchtbar ...

HERR WASBERGER Ja, furchtbar, äh also, äh, ist der Leichnam Ihres verstorbenen Herrn Bruders geborgen?

FRAU BEMMERL Jaja, schon, des hat ein Vermögen gekostet, de ham hinglangt, mein lieber Schwan ...

HERR WASBERGER Ich weiß, sowas ist nich ganz billig, aber alle diese Kosten sind im Grunde standardisiert, gnä Frau, aber um der Sache näher zu kommen, gnä Frau, ham sie sich schon irgendein bestimmtes Arrangement vorgestellt?

FRAU BEMMERL Jaaa, ganz a normale Beerdigung halt.

HERR WASBERGER Aha, Beerdigung, schön, ja, also, da haben mir hier also die Kategorie eins bis vier, wobei natürlich jede Kategorie ihre eigenen Dekors und eigene Sets hat, Sie können allerdings ohne weiteres untereinander kombinieren, Sie können so also zum Beispiel in der preiswerteren Kategorie römisch drei beerdigen und des Zypressenset aus der Kategorie eins dazubuchen, wenn Sie hier einmal die Preisliste kurz einsehen wollen ... *Frau Bemmerl liest.* Dann erhebt sich noch die Frage – mit Musik, ohne Musik, Livemusik oder Musik vom Tonband, ein ganzer Musikzug, oder nur Harmonium oder Hammondorgel oder so was ...

FRAU BEMMERL *gibt Prospekt zurück.* Naa, Sie, da brauchen mir garnimmer weiterreden, des siag i scho, des is ja Wahnsinn, des is ja, des is, des is ja dann praktisch alles, was Sie dann anzubieten haben? Diese Preise, wenn i des meiner Schwägerin sag, na brichts ma glei wieder zam, schaun Sie, die zwei Autos stengan rum und kosten, und wissen S', mei Bruder war ja schließlich aa koa koa äh, der war ja koa koa Berufsfußballer oder Zahnarzt, verstehn Sie ... und ich kann des ja auch nicht, denn, was sagt denn da mein Mann?

HERR WASBERGER Ja, gnä Frau, Sie haben von einer Beerdigung, das heißt zu deutsch Erdbestattung gesprochen, und ich geh davon aus, daß Sie wissen was des is, des san alles seriös kalkulierte Preise, gnä Frau.

FRAU BEMMERL Ja, schon möglich, aber was machn mir denn dann?

HERR WASBERGER Mei, mir ham Erde, Feuer, Wasser ...

FRAU BEMMERL Ahso ...

HERR WASBERGER Darf ich amal fragen, was war denn Ihr verstorbener Bruder beruflich?

FRAU BEMMERL Mei, ganz normal, der war, glaub ich Sachbearbeiter bei der Landesboden-Kreditanstalt.

HERR WASBERGER Ja, dann kommt ja praktisch nur die Seebestattung in Frage. Da, wenn Sie hier amal sehen wollten, des is im Prospekt hier.

FRAU BEMMERL *liest* Seebestattung, jaa, aha, und was dad des jetz dann kosten?

HERR WASBERGER Voraussetzung wäre natürlich eine Feuerbestattung, außer wenn innerhalb zweimal vierundzwanzig Stunden kein Hafen erreichbar wäre, aber das war ja in Ihrem Fall nicht der Fall.

FRAU BEMMERL Nana, des net, aber, aber, dann waar ja die Feuerbestattung des Allerbilligste? – Wenn man eh verbrennen muaß ...

HERR WASBERGER Auf den ersten Blick schon, gnä Frau, aber, jetz rechnen S' amal mit: mit der einmaligen Seebestattungspauschale von 1019 Mark 50 sind für Ihre Frau Schwägerin ein für allemal sämtliche Nachfolgekosten erledigt, da schaun S' her, a einfaches Urnengrab kost heut schon nahe an die 1000 Mark, dann Blumenschmuck, Grabgebühren, Grabpflege undsoweiter, dann auch das Traueressen, ich mein wenn Sie nicht persönlich an der Zeremonie teilnehmen wollen, weil für vier Personen wär des bei Seebestattung pauschal 2600 Mark.

FRAU BEMMERL Naa, des sowieso net, auf des kannt ma verzichten.

HERR WASBERGER Ja, er is ja dann auch in guten Händen ...

FRAU BEMMERL Ja, soweit is des mit dera Seebestattung also schon ganz einleuchtend, aber wieso kost des dann gleich über 1000 Mark?

HERR WASBERGER Ja, gnä Frau, da is also einmal 78,50 Mark die Urne, dann 91 Mark die Überurne, des is ein Spezialmörtel, der sich dann im Salzwasser zersetzt, auf die Weise kommt dann Verbindung mit dem Meer zustande, und wenn sich amal die Urne selber zersetzt hat, na hat Ihr Herr Bruder dadurch praktisch direkten Kontakt zur See.

FRAU BEMMERL Ja aber, jetz san mehr erst bei 169 Mark 50 ...

HERR WASBERGER Jaaaa, 850 Mark die Bestattungskosten selber, ab Wedel, des is da bei Hamburg, wahlweise die Ostsee oder die Nordsee. Ham Sie irgendeine Präferenz?

FRAU BEMMERL Wie meinen Sie des?

HERR WASBERGER Soll Ihr verstorbener Herr Bruder in der Ostsee oder in der Nordsee beigesetzt werden? Wo wolln Se n lieber haben? Preislich es selbe ...

FRAU BEMMERL Ja, in dem Fall, wenns es selbe kost, nehmen ma lieber Nordsee oder? Ostn, i woaß net.

HERR WASBERGER Unser Vertragspartner muß in beiden Fällen ein hochseetüchtiges Schiff samt Besatzung ausschicken, bis sechs Windstärken wird beigesetzt, fünf Seemeilen außerhalb der Küstenzone, im sogenannten schmutzigen Gewässer. *Zeigt an einer Seekarte* – wo keine Fischerei und dergleichen betrieben wird.

FRAU BEMMERL Ahso ja. *Rechnet leise für sich* 850,–, 169,50. 1019,50, ja, des stimmt dann genau, und des wär dann alles an Kosten ...

HERR WASBERGER Ja, halt halt, halt, da hätt ich jetz beinah vergessen – die 75 Mark kommen noch dazu.

FRAU BEMMERL Wieso, für was?

HERR WASBERGER Ja, des san net mir, des is die Bundespost, die Urne wird ja in am Spezialpaket überführt, verstehn Sie.

FRAU BEMMERL Ja, mei, is halt doch immer a Haufen Geld.

HERR WASBERGER Aber es is eine eindrucksvolle Zeremonie, ich darfs Ihnen amal auf Tonband vorführn, sowas kriegt Ihre Frau Schwägerin dann auch, als Erinnerung, ich darfs Ihnen amal kurz vorführn. *Fährt Tonband ab.* Da is jetzt allerdings noch a Schifferklavier dabei, des dad dann noch amal extra kosten ... *eine wehmütige Weise: Man hört Meeresrauschen eine Seebestattung: die Mannschaft salutiert, der Kapitän spricht ein letztes Ahoi, anschließend folgt ein letzter Seemannsgruß mit der Schiffshupe.*

FRAU BEMMERL *gerührt* Ja, Sie, sehr schön, äh, des Schifferklavier kost extra ham Sie gsagt ...

HERR WASBERGER Ja, des kost extra.

FRAU BEMMERL Des Schifferklavier, des nehmen mir scho, des nehmen mir dann dazu, da laß ma uns net lumpen. Des kann net d Welt kosten.

HERR WASBERGER Ja, gell, des is schon sehr stilvoll, ich darf also mit anderen Worten eine Seebestattung für Ihren verstorbenen Herrn Bruder vormerken?

FRAU BEMMERL Ja, einmal ...

HERR WASBERGER Wie war gleich der Name Ihres verstorbenen Herrn Bruders?

FRAU BEMMERL Bemmerl, Fritz.

HERR WASBERGER Ja, Bemmerl, Fritz, schön.

FRAU BEMMERL Ah, Sie äh, weil i scho grad da bin, ich hätt noch a Frage, äh ...

HERR WASBERGER Bitte, gnä Frau?

FRAU BEMMERL Äh, Sie brauchen net zufällig grad an Kombi?

I hob koa Freud

Ein Jodler vorweg.

I hob koa Freud.

I woaß ned, wia spats is,
wei ma d Zeit ned vageht.
I sieach halt, wia stads is,
bal mi koana vasteht.

As Bier
schmeckt ma nimma.
Mei Oide
werd schlimma,
und Arbat
werd ma zvui,
und i woaß nimma,
was i wui ...

Ein Jodler danach.

Besinnlicher Ausklang

D'Anni hat gsagt, also praktisch, mit diesen Chinesen, sie sagt, die seien ihr vollkommen gleichgültig, weil sie sagt, sie war noch nie in China, und d'Anni sagt auch, sie fahrt auch da niemals hin.

I sag nix

Vollständiger Wortlaut der zehnminütigen Live-Übertragung anläßlich der Verleihung des Deutschen Kleinkunstpreises 1981 an Gerhard Polt. Er betritt mit einer Fünfminuteneiersanduhr das ZDF-Studio, stellt die Uhr auf den Tisch.

POLT Ja, ah, was wollt ich jetz sagn – ah ja, schwierig, weil, man kann in fünf Minutn a so vui falsch machn, gel, also unheimlich viele Fehler machn. – Ja, also, fang ma an ... *Dreht Eieruhr um.* Da Sie sehn, die ersten fünf Minutn laufn schon – schaun S' amal auf d Uhr, obs auch fünf Minutn san, bei Ihnen – i find, des san genau fünf Minutn. – Sie, also, i hab mirs genau überlegt, also: I sag nix. Ehrlich, i sag nix. Naa, also nicht garnichts, sondern nix, und zwar konsequent. Fünf Minutn lang – sag i nix. – Wenns bei Ihnen im Fernsehen daheim nur drei Minutn san, wo i nix gsagt hab, dann fehlen bei Ihnen praktisch zwei Minutn, wo i aa nix gsagt hab, ich mein, inhaltlich. Also, inhaltlich nix gsagt hab. Es gibt ja Sachn, de wo inhaltlich drei Minutn dauern, aber zeitlich mindestens fünf Minutn brauchn, aber die Zeit ham mir ja nicht. De ham mir net. – Mir ham hier vorläufig fünf Minutn, wieviel ham mirn scho weg? *Sieht nach.* Jetz ham mir no drei, und dann nomal fünfe ... wenn ichs dann nachher nomal umdreh. Ja, Sie, wenn ich des daheim mach, is des natürlich wesentlich preiswerter, weil, im Fernsehn kosten ja so fünf Minutn allerhand, um nicht zu sagen viel ... Ja, also, kommen wir zum Wesentlichen, gel, also, wie gesagt, aus mir ist nichts herauszubringen, i sag nix, weil, ich hab ja schließlich a Familie. Sie ham da leicht lachen, Sie hams ja leicht, Sie san Publikum, Sie lachen vielleicht einmal – vielleicht – und ich, ich muß es dann ausbadn. Mit mir nicht. I sag net so, und i sag net so, dann kann keiner behauptn, i hätt so oder so gsagt.

Des is doch absolut ausgewogn, oder, findn Sie net? I find, des is ausgewogn. – I moan, natürlich, ich könnt jetz zum Beispiel sagn – ... – Naa, i sags lieber net. Sonst kunnt is am End gar mit ara Rechtsabteilung zu tun kriegt haben können, und i selber hab ja koa Rechtsabteilung – höchstens vielleicht an Rechtsanwalt oder Advokat, aber des kost dann aa scho wieder, und die vielen Instanzn, die kannt i mir garnet leistn, während so a Rechtsabteilung, für die vom ZDF is des a Klacks, was zum Beispiel dieser Löwen – ... naa, i sag nix. Sie sehn ja, ich hab meine Gründe, weil ehrlich gsagt, Sie, Sie dadn hier an meiner Stelle aa nix sagn, und des sag ich hier jetz in aller Öffentlichkeit, weil, des muß doch amal gsagt werdn. Oder? – *Sieht nach der Uhr.* So, jetz ham mirs bald, na dreh mirs um. Da, schaun S' hin, wie die Zeit vergeht. Des sieht ma direkt ... Natür-

[NOCH POLT] lich, ich könnte, bitte, ich könnte auch gewisse Sachen, de wo ich net sag, singen. – Aber i sings aa net. Also i net, ich nicht. I sing jetz amal prophylaktisch gar nix, also keinen Ton. *Die Uhr ist abgelaufen.* So, jetza schaun S' amal auf d Uhr, bei mir san fünf Minutn rum. Bei Eahna aa? – Eigentlich schnell ganga, oder? Dreht die Eieruhr um. Jetz san die nächstn fünfe dran ... Wenn ma sowas wie an Inhalt genügend leidenschaftlich vertritt, vergeht die Zeit ja wie im Flug. *Lange lastende Schweigepause.* Wissen S', was geh dad? Ich könnt ja zitiern. Also, andere hier zitiern. Da waar i ausm Schneider, weil, ich hätts dann nicht gesagt, sondern nur vorgetragen. Also, gsagt hams dann die andern. Ich wär dann sozusagen nur der Anlaß für so a Rechtsabteilung, mei, de müaßn aa lebn – aber ich wär jedenfalls nicht das Objekt, wenn ich zitier. – Mei, schlecht is dann halt nur, wenns hinterher heißt, ich hätt besser nicht zitieren solln ... Also, des Zitiern, des hat der Deifi gsehgn, und dann heißts: falsch zitiert, oder, am falschen Ort zitiert ... und dann sagens, der, den wo ma zitiert hat, der wär gar koa Satiriker gwesn, sondern a Avantgardist oder Minister oder sowas, gel, also, i zitier aa lieber nix. – Aber dann hab ich mir wieder gedacht, es waar scho was, wenn ich ... oder? – ah – Soll ich? – Soll ich zitiern? I moan,

reizn dads mi, obwohl – ah naa – andererseits, ich kann Sie ja nochmals darauf hinweisn, und zwar in aller Öffentlichkeit: Ich zitiere bloß, ich sag selber nix, gel, also, ich sag ein Zitat. Obwohl, ich dann derjenige bin, der wo zitiert, des is mir schon klar. – Des Zitat muß ja nicht meine Meinung sein. – Und trotzdem ... ja, ah andererseits, nein, mei, ah, die Zeit läuft uns davon, und ich hab immer noch nix gsagt, aber das hab ich Ihnen ja von Anfang an gsagt ... Ja ... *Gibt sich einen Ruck.* Ja, also, ah: Wer nicht wagt, gewinnt nicht. Des waar jetz auch schon ein Zitat gewesn, aber des wollt ich eigentlich garnet zitiern, aber Sie, jetz zitier ichs einfach – auch, wenns manchem unbequem sein mag. Ich zitier jetz, also, passen S' auf: »Wer andern eine Grube gräbt, fällt selbst hinein.« So. Zitat-Ende. So, jetz werd mir amal schaun, was des Zitat für Konsequenzn habn wird. Ich hab jedenfalls nur zitiert. – Guten Abend. – Schaun S' noch amal auf d Uhr ...

Wissenschaftlicher

ANHANG

D'Anni sagt auch, also d'Anni hat gsagt, also in am Apfelstrudel hat ihrer Meinung nach eine Sultanine nichts zum Suchen.

Kleine Heimatkunde

POLT Die Heimat ist vorrangig ein Zuordnungsgefühl, ein Beispiel: Der Mandi spricht nicht Chinesisch. Also, im Chinesischen ist er nicht daheim. Wer aber eine Heimat »gefunden hat«, gibt sie nur unter Druck und äußeren oder inneren Zwängen wieder auf. Ein paar Beispiele: Bei Auswanderern treffen meistens beide Gründe zu. Die Hugenotten entheimateten sich aus religiösen Gründen, der Indianer dagegen, mein Gott, der Indianer, der war halt mehr im Wege. Die Schlesier, die sind ja jetzt bei uns daheim. Wissen Sie, so Kriege bringen immer Heimatverschiebungen mit sich. Also, der Einheimische wird aufgrund zunehmender Katastrophen oder Kriege immer seltener, aber auch Neuheimaten werden gegründet wie jetzt der Alpenraum. Der Alpenraum, früher Heimat der Dinarier, der Kelten, der Römer, der Helvetier, der Alemannen, der Bajuwaren: jetzt die Heimat teutonischer Zahnärzte sowie deren Steuerberater und Rechtsbeistände – aus der norddeutschen Tiefebene. Mobilität – als Heimatgefühl. Immer mehr Menschen, die diesen Trend erkennen, wollen ihre gemietete Heimat in ein Eigenheim umwandeln, deshalb ist der seelische Ausdruck modernen Heimatgefühls der Bausparvertrag.
Eine Heimat-Vision zum Beispiel ist: 531 qm in Lochham. Großprojekte – das sind Mülldeponien, Großflughäfen, Kernkraftwerke, Autobahnen, Teststrecken für Auto-Firmen – genießen außer Steuervergünstigungen eine absolute heimatliche Priorität. Wer nicht flexibel reagiert, stirbt aus. So der Steinadler. Im Alpenraum ist er beheimatet, aber ausgestorben. Wo Heimat aufgehört hat, Heimat zu sein, entsteht das Heimatmuseum oder das Reservat. Ergo: die wichtigste Grundlage eines neuen Heimatgefühls ist die Mobilität, pars pro toto: der »Hamburger«, nicht zu verwechseln mit dem orthographisch gleichen Hamburger. Der Hamburger wohnt ja noch in Hamburg. Der »Hamburger« hingegen ist auf der ganzen Welt beheimatet, er ist faktisch ein »Weltburger«. Mahlzeit.
Apropos – die Heimat der Salmonellen ist nicht ausschließlich der Kartoffelsalat.

Kleines Dialektbrevier

GSCHWENDTNER Sie, Fräilein, bin jetz i do richtig do herin, i soid – aah – i soiad eppas üba Kuidur – bei dera Kuidursendung do soi i midmacha.

SEKRETÄRIN Was? Sie? Kultur? Wie ist denn Ihr Name?

GSCHWENDTNER Ja, Gschwendtner hoaß i.

SEKRETÄRIN Soso, äh, ja, zu wem wollen Sie denn um Gottes willen?

GSCHWENDTNER Jo, do – zum Radio.

Glauben Sie, daß dieser Mann in einer Kultursendung im Rundfunk jemals zu Wort kommen wird? – Die Signale, die er ausstößt, werden offensichtlich nicht überall verstanden. Der Kulturmensch pflegt ein ganz anderes Grundgeräusch. Vielleicht so:

V. KNIRSCH Guten Tag, gnä Frau, mein Name ist v. Knirsch. Pardon, bin ich hier richtig in der Sendung »Kultur am Nachmittag«?

SEKRETÄRIN Bitte nehmen Sie Platz, Herr v. Knirsch, Sie werden schon erwartet.

In anderer Umgebung muß eine hochdeutsche Ausdrucksweise nicht zwangsläufig zum Vorteil des Sprechenden gereichen:

GSCHWENDTNER Geh weida, Spezi, dua amoi dei Graffe do wegga schiabm, host me, do ko ma si do ned hihocka. Oda?!

V. KNIRSCH Wiebitte? Was meinen Sie?

GSCHWENDTNER Ja, Herrgottzack du soist dei Gfrast soist wegga doa do, oda, wei ja si sonst koa Mensch do ned hihocka ko, oda – host as oiwei no ned dagneist. Ha?

V. KNIRSCH Äh, wiebitte?

GSCHWENDTNER Schleich di, Spezi!

Herr v. Knirsch hat nun Herrn Gschwendtner sicher verstanden, – akustisch – aber dergneist hat er gar nichts. Warum soll er sich schleichen – also von dannen ziehen, wo doch Herr Gschwendtner vertraulich das »Du« anbietend ihn einen »Spezi« heißt? Hochdeutsch und Dialekt trennen offensichtlich zwei Welten. Aber es gibt Zwischentöne der Verständigung.

V. KNIRSCH Guten Tag, Herr Bierbichler, wie geht es Ihnen?

BIERBICHLER Ja, grüaß God, no, wia schaugts allwei aus?

V. KNIRSCH Danke der Nachfrage, mir geht es ausgezeichnet.

Bierbichlers moderates Bayrisch scheint für Herrn v. Knirsch zugänglicher, aber haben sich die beiden wirklich verstanden? Herr v. Knirsch stellt eine präzise Frage: »Wie geht es Ihnen?« Herr Bierbichler antwortet mit einer indifferenten Gegenfrage: »No, wia schaugts allwei aus?« Wodurch sich Herr v. Knirsch bemüßigt fühlt, mit präzisen Informationen über sein Wohlbefinden aufzuwarten. Den verschiedenen Dialektformen entsprechen anscheinend verschiedene Denkmuster. Ist also ein Dialekt wie Bayrisch nur ein Dialekt? Ein paar Beispiele. Kolonialwarenhändlerbayrisch:

VERKÄUFERIN Dange sehr, Frau Mitterwieser, hammers dann, nix vergessen? Spekulatius, Gnäckebrod, Kaffee – ja, gut dann also, Wiedersehn Frau Mitterwieser, Kasse!

Eine Art Politikerbayrisch:

POLITIKER Als entschlossene Demokraten werden wir diesen Unruhestiftern mit aller Entschiedenheit entgegentreten und damit unseren mündigen Bürgern die Sorge um die Zukunft unseres Bayernlandes beherzt abnehmen.

GSCHWENDTNER Richtig.

Ein anderes Politikerbayrisch:

POLITIKER Liebe Leut in unserem Lande, das Ursprüngliche soll auch des weiteren ursprünglich bleiben. Und deshalb sag ich euch ein grübiges Prost.

GSCHWENDTNER Bravo!

Oder:

POLITIKERIN Die Zukunft Bayerns bestimmt die Maxime unseres Handelns. Mit Bayern, für Bayern, in Bayern.

GSCHWENDTNER Wia? Wos sogts?

Dieses Politikerbayrisch ist leider etwas hochdeutsch ausgefallen. Ein gestochen klares Chefbayrisch:

CHEF Ah, wir haben ah unsere Abschlüsse ah bereits im Juno ah getädigt, – ah und muß ich Ihnen midteilen, Herr Geschwendtner, ah daß wir Sie nadierlich in dieser Hinsicht jetzt nicht mehr ah berügsichtigen könen. Hochachtungsvollundsoweider …

Ein ländliches Oberbayrisch:

BAUER I Bal des aso weida ganga waar, hätts eppa sei kenna daß aso wurad, wias bessa ned hätt sei kenna.

BAUER II Ja.

BAUER I Weil nix gwiß eh koana ned woaß.

BAUER II Genau.

BAUER I Woher hätt mas aa gwißt habm solln, weil, ah, bal des aso weider ganga waar, hätts eppa sei kenna, daß aso wurad, wias schlechta ned hätt sei kenna …

BAUER II Genau …

BAUER I Weil nix gwiß eh koana ned woaß …

BAUER II Do host recht …

BAUER I Woher hätt mas aa gwißt habm solln, weil ah, bal des a so weidaganga waar …

Die Form des Irrealis wird hier gerne gebraucht, da sie eine ausgiebige konfliktlose Verständigung gewährleistet. Jeder hätte eine Möglichkeit gehabt. Und der Konjunktiv kommt auch nicht zu kurz:

BAYER Sie Fräulein, i dad gern no a Bier trinkn, wenns gangad.

BEDIENUNG I kimm scho.

Das Hochdeutsche zieht in solchen Fällen gerne den Imperativ vor:

HOCHDEUTSCHER Frollein, bringen Se man nochn Bier!

BEDIENUNG Hob koa Zeit!

Wie man sieht, trennt oder verbindet ein Dialekt Menschengruppen, je nachdem, ob sie diesem Dialekt nahe oder fern stehen. Für Herrn Gschwendtner ist also eher das Hochdeutsche die Fremdsprache:

GSCHWENDTNER Ja, i, i woiad nur, ah, ich wollte, tschuldigens scho, ned, ah, bedingt also, weil quasi … mei, wia ko ma des sogn, ah, sagen …

V. KNIRSCH Sagen Sie, was wollen Sie denn eigentlich?

GSCHWENDTNER Jo mei …

Der im Wirtshaus so eloquente Herr Gschwendtner verliert rapide an Form, wenn man ihn aus seiner gewohnten Umgebung herausschält. Offizielle Belange werden aber heutzutage immer hochdeutscher abgehandelt. Viele dialektsprechenden Menschen verschiedener bayrischer Schichten haben sich daher linguistische Überlebensstrategien aneignen müssen:

V. KNIRSCH Ja, was wollen Sie denn eigentlich, guter Mann?

GSCHWENDTNER Da, ah, schaugn S', do, wias do drinsteht, do, des mecht i. Verstehngan Sie mich?

Übertriebene Anpassungsversuche an die Schriftsprache wirken meist gequält, oder scheitern:

LEHRERIN Alles aufpassen. Hinsetzen und nicht schwätzen. Wir fahren fort:

MAXL Wos hoaßt des, Frau Lehrerin?

LEHRERIN Des heißt nicht »hoaßt«, Maxl, sondern des hoaßt »heißt«.

Der jeweilige Grad der Anpassung an die Hochsprache entlarvt die soziale Position und das Selbstwertgefühl des normalerweise Dialektsprechenden. Der in sich geschlossene Wohlklang des Dialekts ist jedenfalls zerstört. So schwer es dem bayrischsprechenden Ureinwohner fällt, sein Anliegen ins Hochdeutsche zu übersetzen, so schwierig ist es auch für den hochdeutschen Heimatsucher, bei der zünftigen Kontaktaufnahme im maßgeschneiderten phonetischen Gewand zu erscheinen.

ULF Grüß di Gott, Serrvus beinanda, i bin der Ulf. I bin vom Tegernsee. I hab da an Bungalof. Habidere. Da Ulf bin i.

ROCKER Ui, eahm schaug o, spinnt da Beppe, ha, Soiznega, breid Suiz, zäfix, da ander, da ganz da anda, da Schwoolä, geh, woaßt, i bin a guada Spezi, aba eahrli, ha, schiali woahr, ge …

Dieser Sprach-Code ist zwar aus bayrischen Klanglauten zusammenmontiert, genießt aber die Verachtung aller bayrischsprechenden Dialektgruppen, auch die von Ulf. Den Letzten beißen eben die Hunde.

ROCKER Wos host gsogt, wia, ha? Oba scho wiarkli ned. Gei … Breida Siedla …

Die Pseudorenaissance des Dialekts verdanken wir nicht zuletzt dem Umstand, daß in sich arrivierenden Kreisen gilt, was chic ist, also hierzulande: -tümelndes Bayrisch mit Bildungs- und Status-attitüden:

ARRIVIERTE Also mir ham jetza gsagt, es war ein schamanter Abend bei euch. De Schrimps warn ehrlich süperb, gei, des had mich unheimlich angetörnt. Ehrlich, ge. Muaß ma eich scho konzipiarn. Aba jetzad fahrn ma erstmoi fullpaua hoam. Wei: Wariazio delektad. Kimmt S' doch amoi auf a spontane Visite, nachad mach ma a kloans Odöva, oda wos zum Essn. Oiso nachad, Tschüß!

TEIL II

Ja mei...

Mit Zeichnungen von Volker Kriegel

*Der Deutsche ist in Australien sehr beliebt,
fast wie der Japaner. Sonst ist der Deutsche nur noch
in Südafrika beliebt.*

Einführung

Genau genommen sinds ja alles Ausländer. Nur der Deutsche nicht, und sogar da gibt es Grenzfälle.

i. A. Deutelmoser

und teilen Ihnen hiermit fristlos mit komma daß der PH-Wert einer Leberknödelsuppe nur in mittelbarer Korrelation steht zur Schadstoffspeicherung von Schwermetallen wie Blei komma Arsen komma Quecksilber o. ä. der Leber desjenigen Schlachtviehs komma dessen Leber bei der Leberknödelsuppenverarbeitung passiv im Knödel zur Anwendung gebracht wurde Komma d. h. komma es besteht kein – kein unterstrichen – direkter Zusammenhang zwischen dem Vergiftungs Bindestrich komma Säure Bindestrich komma als auch dem Geschmackskoeffizienten des in der Leberknödelsuppe verwendeten Leberknödels komma woraus eindeutig hervorgeht komma daß die in der Schlachtviehleber gespeicherten Schwermetalle somit als geschmacksneutral einzustufen sind und beim Verzehr der Leberknödelsuppe ergo nur in Form eines kaum quantifizierbaren erhöhten spezifischen Gewichtes des Leberknödels selbst durch die hohen spezifischen Gewichtsanteile der in der Schlachtviehleber abgelagerten Schwermetalle ausgewiesen werden könnten komma wenn nicht der Schwermetallanteil der im Leberknödel ebenfalls eingearbeiteten Petersilie einer eindeutigen Quantifizierung im Wege stünde komma d. h. komma der Gesamtschwermetallanteil des Leberknödels kann wiederum ebenfalls nur bedingt dem Schwermetallanteil der im Leberknödel verarbeiteten Leber zugeordnet werden komma da die Verwendung von Petersilie im Leberknödel einerseits nach Übereinstimmung aller – aller unterstrichen – relevanten in Bindestrich und ausländischen Leberknödelsuppenrezepte unabdingbar ist komma andererseits die Petersilie heutzutage über einen extrem hohen Sättigungsgrad von Blei Klammer auf lateinisch Plumbum Klammer zu und Quecksilber verfügt Punkt

Hochachtungsvoll

i. A.

Deutelmoser

(Deutelmoser)

Anlagen: 1 Buch, bedruckt
1 Schutzumschlag, abnehmbar

Inneres und Innerdeutsches

Und das eine kann ich Ihnen sagen: es ist nie ein Fehler, wenn man frühzeitig weiß, was man will. Mein Elmarlein wollte als Kleinkind schon, schon als kleiner Bub wollte er Beamter werden, und jetzt ist er Beamter, weißgott.

Die unantastbare Dimension

FESTREDNER N° 11 Meine sehr verehrten Damen und Herren, ich selber bin kein Freund großer Worte, ich möchte mich aber dem Anlaß entsprechend meinem Vorredner anschließen und in dieser Stunde einmal uns allen noch einmal die Möglichkeit geben, doch daran zu denken, was uns bewegt. Zwotausendzwoundvierzig, bereits im Jahre vor Christi Geburt, erbaut Cheops die berühmte Cheops-Pyramide, bereits im Herbst wird jener Cheops schon mumifiziert, dessen Nachfolger – Mykerinos nochmal mit einer Pyramide praktisch auf den Markt kommt. Daraufhin haben wir die großen Ramses, nicht wahr, gefolgt der Zwote, dem der Erste vorangegangen war. Wir haben Ägypten ... wir gehen hinüber in diesen Raum von Tigris und Babylon, der Turm, dann haben wir die Hethiter, Griechenland nicht zu vergessen, Sokrates, die Denker, nicht wahr, dann die Schöngeistigen, nicht wahr, wie unter ihnen auch Alkibiades, der schwer zu veröffentlichen war. Wir haben Troja, nicht wahr, Herodot, dann Schliemann. Wir haben Rom, nicht wahr, die Ciceros, 753, nicht wahr, durch die Sage bereits angekündigt, nicht, Äneas und Rom, die Gründung und die Urbanisation, nicht wahr. Später versuchen Underdogs, nicht wahr, Grachtentum, also soziale Spannungen werden praktisch initiiert. Daraufhin folgt schon die Zeit des Kaisers, nicht wahr, Augustus. Nicht zu vergessen das Christentum, welches sich einschiebt, dem ja auch der Islam gefolgt war, epigonenhaft, aber das Mittelalter, dessen Renaissance herrausragend, nicht wahr, ich sage nur da Vinci, nicht wahr. Wir haben dann Pier Tiepolo, wir haben die ganz große Kolumbus-Entdekkung, Amerika, America is developped by Columbus. Wir gehen hinüber, Magellan, die Ratten, nicht wahr, kommen herüber, nicht wahr, von China. Dann Papismus, also Papsttum in Form auch von Pseudo-Papismus, nicht wahr, Napoleon, der große Mann, der praktisch das Tor öffnet nach Osten – ex oriente lux, ex occidente luxus – nicht wahr, und dann stehen wir eben jetzt an der Schwelle, Metternich, nicht wahr, dem großen Wegbereiter, den dann schließlich unser Alfons Pröbstel am 17. Mai 1891 – es war ein regenreicher Tag, wir wissen es, der Tag ist chronistisch belegt – endlich die Landesbodenkreditanstalt gründet und das Fundament legt für eine weitere Möglichkeit des europäischen Geistes, indem wir heute dastehen und sagen: Alfons Pröbstel, er ist der Name, der uns als Stigma, als Faszination dazubringt, eine Brücke zu schlagen, die wir sozusagen überqueren müssen. Und ich, mir bleibt nur in aller Bescheidenheit zu sagen: danke, Alfons Pröbstel.

Im Amt

Ein Büroraum mit zwei Schreibtischen, darauf je ein Telefon, über der Eingangstür eine große Bürouhr, die 14.45 Uhr anzeigt. Herr Smrch, der Hausbote, telefoniert an einem der beiden Apparate.

SMRCH *wählt sehr lange Nummer, wartet, dann* Please can I have appartement seven-two-three? Yes, seven-two-three, thank you – hallo, Steffi, bist dus? – Ja. – Ich rufe vom Büro an, laß dir ruhig Zeit. – Ja. – Wie isn das Wetter bei euch in New York? – Bei uns hats die ganze Nacht geregnet, aber jetzt solls besser werden, laut Wetterbericht. – Wie spät ist es bei euch grade? – Dann gehst du jetzt frühstücken? – Wir haben schon Mittag gegessen hier – ausgezeichnet, fast wie ein Ortsgespräch ... *Annerose Waguscheit betritt den Büroraum* Jawohl, Herr Grunow, ich komme sofort. Selbstverständlich, gut, wiederhören. *Hängt ein.*

WAGUSCHEIT Mahlzeit.

SMRCH Mahlzeit.

WAGUSCHEIT Ah, Herr Smrch, – warten S' an Augenblick, ich hab was für Sie. *Kritzelt in einen Aktenordner etwas hinein* – De Akte Reitmoser-Schwöpf, ich weiß auch net, irgendwie is sie mir liegenblieben. Da. *Gibt Smrch den Ordner.* Wenns geht, noch vorm Kaffee.

SMRCH Wohin?

WAGUSCHEIT Des is egal, halt irgendwo nauf in dritten Stock.

DEUTELMOSER *betritt kauend das Büro* Mahlzeit.

WAGUSCHEIT Mahlzeit.

SMRCH Mahlzeit. *Will gehen.*

DEUTELMOSER Herr Smrch, ich hätt da zwei Einschreiben, de müaßaten heut no naus auf d Post.

SMRCH *nimmt die beiden Einschreibebriefe und geht.*

DEUTELMOSER ... oder spätestens morgen. *Ordnet seinen Schreibtisch* – Und a bißl mehr Schlagrahm! – Ah, is er scho weg.

WAGUSCHEIT *rennt zur Tür und ruft dem Boten nach* Herr Smrch, a bißl mehr Schlagrahm wie gestern!

DEUTELMOSER *ordnet seine Mappe* Ah, Fräun Waguscheit, die Akte Reitmoser-Schwöpf, is die schon wieder zurück?

WAGUSCHEIT Aber Herr Deutelmoser, die hab ich doch scho vorige Woch losgschickt. Ich hab sogar noch an Vermerk ›Dringend‹ draufgschriebn.

DEUTELMOSER War er scho beim Brchemisl? *Nimmt Bildzeitung aus der Mappe, liest.*

WAGUSCHEIT Müaßad i amal nachfragn. Moment. *Nimmt Telefonhörer, wählt* – Ja Grüß Gott, Fräun Baz, Waguscheit, könnt ich bittschön an Herrn Brchemisl haben?

Ein jüngeres Subjekt betritt den Raum, ohne anzuklopfen.

DEUTELMOSER *blickt* So ham mers gern. *Liest weiter.*

WAGUSCHEIT Wie lang is er noch in Kur? – Ich fahr jetzt dann auch a paar Tag weg. Ich bin ja so erledigt. – So, Sie san grad kemma, wo warns denn? – Ja, sehr schön, des glaub ich. *Kichert* – Aber, Fräun Baz, wegen de Akte Reitmoser-Schwöpf, es wär halt schön gwesen, wenn mirs noch nausbracht hätten, bevor der Herr Deutelmoser in Urlaub geht, weil, danach kemman dann doch auch noch die Feiertag daher.

SUBJEKT Ähm – Verzeihung, bin ich hier richtig? Ah, ich wollte wegen ...

DEUTELMOSER I hob koa Zeit. Um was handelt es sich?

SUBJEKT Ich wollte, ah, ich müßte meine Aufenthaltsgenehmigung, ähm, die Verlängerung ...

DEUTELMOSER Warn S' schon in Zimmer 237 A?

SUBJEKT Wieso?

DEUTELMOSER Ja, dann gehnga S' zerscht mal ins Zimmer 237 A, holen S' Eahna die Anträge ab, mit de Anträge gehnga S' ins Zimmer 14 und lassen S' sich bestätigen, nachad gehngan S' abi zur Kasse, und nachad schau mer weiter.

SUBJEKT Zimmer 14? *Wartet. Deutelmoser liest wieder.*

WAGUSCHEIT Ja, ich probiers dann beim Dr. Berzelmeier. – Ah, Fräun Baz, mal was anders, war der übrigens vorgestern beim Betriebsabend dabei? Ham Sie da was ghört? –

DEUTELMOSER 237 A, 14 Bestätigung, Kasse und dann »huuit« ... *Deutet »Hierher«, liest wieder...*

SUBJEKT Ah? ... *Steht noch eine Weile und geht dann ab.*

WAGUSCHEIT So, na soll er dagwesen sein. Weil die Fräun Weithas, die sitzt auf 409 im Vorzimmer von der Frau Löffler, die hat behauptet, daß er net kemma wär. – Der Dr. Berzelmeier. – So, na war er an der Bar. – Also, ich probiers dann amal. – Ja, danke, Ihnen auch – und a schöns Wochenend. Also, Wiederschaugn. *Es klopft.*

DEUTELMOSER Ja?

HÄGÄDÜSCH *betritt vornehm-schüchtern, nicht ganz devot, das Büro* Guten Tag, mein Namä is Hägädüsch, Balas Hägädüsch, heißt auf deutsch Geiger Blasius. Ja schön. Ich brauchä Nachweis wägen Deitschstämmigkeit, die in meinem Fall unbästritten vorliegt, wissän Sie, meinä Urgroßtantä stammt aus Böblingen, ist angesiedelt worden in Weißkirchen Banat und zuhausä wir haben nur deitsche Lieder gäsungen, am Brunnän vor däm Torä und so weiter...

DEUTELMOSER San Sie jetz ein Flüchtling oder a Volksdeutscher Einwanderer also a Umsiedler oder san S' a Dissident?

WAGUSCHEIT Ah, Herr Deutelmoser, es hat gheißen, de Akte Reitmoser-Schwöpf is beim Dr. Berzelmeier, da rührt sich aber niemand.

DEUTELMOSER Vielleicht is er krank. Oder er is früher gangen oder er is noch zu Tisch. Probiern Ses halt amal wieder.

HÄGÄDÜSCH Wissen Sie, ich kann belegen, daß ich hobe auch gearbeitet als Koch bei Wehrmacht fir deitsche Offiziere. Tantes Namä Elfriede Läpple gäwesän. Gestorben 1903 in Prag.

DEUTELMOSER Ah, Fräun Waguscheit, was machtn der Kaffee? *Kramt in seiner Mappe ...*

WAGUSCHEIT Naja, an Moment dauerts noch.

HÄGÄDÜSCH Bitte schön, Grabstein in Prag hatte deitsche Inschrift mit gotische Buchstaben.

DEUTELMOSER Herrgottzakrament, wo is denn das Dessert!? Allweil vergißts mein Nachspeiserl. Wenn ich meinen Dienst so tätigen würde, wie meine Frau den Haushalt, wie die den Haushalt schmeißt, dann würde der Steuerzahler spitzen.

WAGUSCHEIT Sie können von mir was habn. Mögn S' a Schweinsohr?

DEUTELMOSER Ja, nacherd, wenn der Schlagrahm kimmt.

HÄGÄDÜSCH Urgroßtante hatte eine Schwester Aniko, und deren Tochter lebte mit ihrem Mann in Badagonni.

DEUTELMOSER Moment amal.

HÄGÄDÜSCH Bolschäwicken alles weggenommen.

DEUTELMOSER Existiert da eine Akte?

HÄGÄDÜSCH Russen hobän alläs vernichtet.

DEUTELMOSER Ja, dann muß mer glaub ich erst amal an Akt anlegen. Fräung Waguscheit, bringens amal an Leitz. – Ja, was wir hier leisten, des geht auf keine Kuhhaut.

HÄGÄDÜSCH No, das glaub ich Ihnen.

DEUTELMOSER Weil, wenn wir net dawärn, müaßaten de ganzen Ausländer ohne irgendeine Genehmigung hier einfach frei herumlaufen, und das wäre doch eine Schlamperei, die wo seinesgleichen sucht.

HÄGÄDÜSCH Wenn man bedenkt, wievielä Ausländär es gibt.

DEUTELMOSER Genaugenommen sans ja alles Ausländer, nur der Deutsche nicht, und sogar da gibt es Grenzfälle.

HÄGÄDÜSCH Ich bin Deitscher, Volksdeitscher, das kann ich bäweisen.

WAGUSCHEIT Da, der Leitz.

DEUTELMOSER Ja, haben Sie irgendwelche Papiere? – Ausweise, Belege?

HÄGÄDÜSCH Kennän Sie Major von Haßlitz. Wohnt jetzt in der Nähä von Salzburg. Er kann Ihnen bestätigän, daß ich bei Wehrmacht gekocht habe für deitsche Offiziere.

DEUTELMOSER Ja, san Sie jetz a Volksdeutscher, a Flüchtling oder ein Dissident?

HÄGÄDÜSCH Außärdem hörän Sie ja an meinär Sprachä, daß ich Deitscher bin.

DEUTELMOSER Sie, Sie werns jetzt nicht für möglich halten, wie viele Ausländer es gibt.

HÄGÄDÜSCH Ich bin Deitsch.

DEUTELMOSER ... die wo kein anständigs Deutsch sprechen. Ja, mir habens doch auch lernen müssen und spreche ich heute noch ein fließendes Deutsch.

HÄGÄDÜSCH Und vor alläm Grammatik, da muß man Wert darauf legän, darin liegt die deitsche Präzision.

Herr Smrch, der Bote, kommt mit dem Schlagrahm und einem Aktenordner.

DEUTELMOSER Und da weiß dann der Ausländer sofort, woher der Wind pfeift.

Der Bote stellt Schlagrahm und Ordner auf Deutelmosers Tisch, Deutelmoser macht auf seinem Schreibtisch Platz.

HÄGÄDÜSCH Weil gutäs Deitsch, das jemand, ist wie, könntä man sagän, wenn einär, daß man hat eine Rückendeckung für ganzes Leben.

Bote bringt Schlagrahm.

DEUTELMOSER Da teansn her. Ah, Fräun Waguscheit, da Schlagrahm waar jetz da.

WAGUSCHEIT I kimm scho. *Waguscheit kommt mit Tablett voll Geschirr und Kaffeekanne, serviert.*

HÄGÄDÜSCH Guten Appetit.

DEUTELMOSER Ja, dankschön, a kleins Pauserl ham mer uns schon verdient *beißt in das Schweinsohr.*

HÄGÄDÜSCH Major von Haßlitz hat auch immer gegessen Schweinsohr. Zum Frühstück bereits. Aber ab Oktober 44 wurd es immer unmöglicher. Major von Haßlitz wohnt jetzt in där Gegend von Salzburg. Er hat auch sämtliche Gütär im Osten aufgegeben. – In Salzburg gibt es natürlich wieder ausgäzeichnetäs Gebäck, abär in Rußland 44 sag ich Ihnen war das sehr problematisch mit Schweinsohr. – Und, sage ich Ihnen, Russe versteht von Gebäckwaren übärhaupt nichts. Blätterteig könnän Sie nirgendwo antreffen.

WAGUSCHEIT Mei, de armen Leut. A geh.

DEUTELMOSER *kauend* Man red ja auch nur von am deutschen Geist. Von am ausländischen Geist hat ma ja noch nie was ghört.

WAGUSCHEIT Schmeckts?

HÄGÄDÜSCH Und, sag ich Ihnen noch eins, wenn der Deitsche Geldhahn zudreht, ist das Ausland erledigt.

WAGUSCHEIT Geh, na kamadn ja no mehr Ausländer.

DEUTELMOSER Drum zahln mir ja, daß der Ausländer im Ausland bleibt.

BOTE Genau. *Stellt seine Kaffeetasse ab, geht kauend in Richtung Ausgang.*

DEUTELMOSER *sieht ihm nach, nimmt den Akt, den der Bote gebracht hat, ruft* Herr Smrch, da, den könnan S' wieder mitnehmen.

BOTE Wohin?

DEUTELMOSER Ja, vielleicht auf 219, zum Herrn Gallenberger zum Beispiel...

BOTE Der ist in Kur.

DEUTELMOSER So. Nachert bringen S'es auf 321 zum Dr. Berzelmeier.

Der Bote nickt und geht ab.

DEUTELMOSER Um das aber finanzieren zu können, daß der Ausländer im Ausland bleibt, müaßen mir natürlich noch mehr Ausländer hereinnehmen, und darin liegt das Problem.

Waguscheit verschanzt sich hinter zwei Aktenordnern auf ihrem Schreibtisch. Sie frißt Sahnetorten, Kuchen, Schlagrahm, Pralinen und dergleichen. Das Telefon läutet, wird ignoriert.

DEUTELMOSER Fräun Waguscheit, is da a Süßstoff drin?

WAGUSCHEIT Zwoa Stück wie immer.

HÄGÄDÜSCH Sie missen wirklich äntschuldigän, daß ich Sie hier molästiere, und ich wäre überhaupt nicht gäkommen, aber, gäzwungenermaßen, Sie missen wissän, ein Mann ohne Pension ist ein Mann ohnä Zukunft, und deshalb benötige ich Deutschstämmigkeitsnachweis.

DEUTELMOSER *beißt in sein Schweinsohr.* Warum san Sie jetz eigentlich net drüben blieben?

HÄGÄDÜSCH No Russen, Bolschäwicken und diese Proleten habän alles mitgänommen, nach dem Zusammenbruch. Die Deitsche Armee hat entscheidende Fehler gemacht.

DEUTELMOSER I woaß scho, die ME 202 hättens ganz anders eisetzen müssen.

HÄGÄDÜSCH Beispielsweise. Aber auch bei Nachschub hat es gehapert. Kann ich bestätigen, weil habe gekocht für deitsche Offiziersstab. War sehr schwierig, anständige Menü zusammenzustellen. Ab Oktober 44 war für uns Deitsche schwierigä Situation – nahrungsmäßig.

DEUTELMOSER Wem sagen Sie das. Mir habm heut noch an den Folgen zu knuspern hier im Amt. Was glaubn Sie, was da los is, da herin. Weil, mir müaßens ja ausbaden, mir müaßens ja allen recht machen. Wissen S', a Demokratie is ja recht und schön, ich bin ein entschiedener Demokrat, nebenbei bemerkt, aber wenn ma sieht, was heutzutag alles vom Staat kassiert, des san zum Teil Leut, de wos vor vierzig Jahr no vergast hätten, als Schädlinge, heut kriegens a Pension. So schaugts aus.

HÄGÄDÜSCH So weit sind wir gekommen mit Liberalismus in Deitschland. Staat läßt sich alles gefallen von Bolschäwisten, Anarchisten, Pazifisten und diese Juso. Der Staat schaut einfach zu.

Das Telefon läutet.

DEUTELMOSER Oh mei, de Jusos, de habns nötig.

WAGUSCHEIT *hebt ab* Waguscheit. – Ja. – Der Herr Deutelmoser? –

Deutelmoser winkt ab.

WAGUSCHEIT Der Herr Deutelmoser is in einer wichtigen Besprechung. – Naa, morgen gehts aa net, weil, da is ein Arbeitsessen. –

HÄGÄDÜSCH Herr Deutelmoser, Dämokratie muß gelernt sein.

WAGUSCHEIT Oh mei, da schaugts schlecht aus. – Ja, probieren können S' es schon. Sie könntens natürlich auch beim Dr. Berzelmeier versuchen. Wenn er net grad zu Tisch is oder sonstwie verhindert.

HÄGÄDÜSCH Wissen Sie, diese Bolschäwicken verstähn von Demokratie übärhaupt nichts.

WAGUSCHEIT Ja, versuchen S' es da. Wiederschaun.

DEUTELMOSER Geh, Fräun Waguscheit, ah... *Winkt nach einer Tasse Kaffee.*

WAGUSCHEIT An Schlotfeger hab i no übrig. Mögn S'n?

DEUTELMOSER Ija, deansn her, wenns sei muaß. Dankschön.

HÄGÄDÜSCH Bolschäwicken sind Barbaren, hätte man schon bei Tolstoi nachlesän können.

DEUTELMOSER Sie san also, so wie ich des seh, doch mehr a Dissident.

HÄGÄDÜSCH Gott bewahre, ich bin Volksdeitscher, Balasch Hägädüsch, heißt auf deitsch Geiger Blasius. Es geht um meine Pensionsberechtigung.

DEUTELMOSER Aha. Wissen Sie, weil der Pazifismus, der bricht uns as Kreuz. Obwohl, der Pazifismus is ja gar kei deutsche Idee, der kimmt ja von Asien. Und da habens aa Kriege gführt.

HÄGÄDÜSCH Sähr richtig bemerkt. Jede Friedenssituation basiert immer auf Gleichgewicht von Militär. Das weiß der Russe ganz genau. In Rußland werden Pazifisten sofort eingekerkert. Mit Recht. Pazifismus hat noch nie Kriege värhindert. Könnän Sie mir irgendeinen Pazifisten nennän, der wo Kriege verhindert hat? No?

DEUTELMOSER Wissen Sie, unsere Demokratie is ja viel zu schlapp.

HÄGÄDÜSCH Ma muß Grundwerte, was man hat, verteidigen.

DEUTELMOSER A Demokratie, die wo sich net wehrt, is net wert, daß mas überhaupt verteidigt.

HÄGÄDÜSCH Das sag ich Ihnen ja, eine Diktatur verteidigt sie besser.

DEUTELMOSER Ja, weil net a jeder neischnabeln derf, wia bei uns.

HÄGÄDÜSCH Hitler is auch nur kaputtgegangän, weil er hatte zu viele Berater.

DEUTELMOSER Ja, de Generäle. I glaub, wenn er alloa gwesen waar, hätt ern vielleicht gwonna.

HÄGÄDÜSCH Dann sähe es heute andärs aus in Europa.

DEUTELMOSER Er hat sich halt zu viel aufs Ausland verlassen. Mit de Italiener hätt er sich net eilassn derfn.

HÄGÄDÜSCH War großer Fehler, aber war nicht alläs verkehrt bei Hitler. Schauen Sie: Todesstrafe, Arbeitslager, heute spottet man darüber. Muß ich Sie fragen, woher kommt das?

DEUTELMOSER Jedenfalls nicht von ungefähr.

Subjekt erscheint wieder.

HÄGÄDÜSCH Das hattä alles seinen Sinn. Zukunft war damals jedänfalls gesichert.

WAGUSCHEIT *beginnt zusammenzuräumen.* Trinken S' des noch, Herr Deutelmoser?

DEUTELMOSER Nehmen S's mit.

HÄGÄDÜSCH Was ich noch sagen wollte ...

WAGUSCHEIT Sie ... *deutet auf die Uhr, die kurz vor 15 Uhr anzeigt* es is fei ...

DEUTELMOSER I woaß scho. Ja, also, Herr ... ah ...

HÄGÄDÜSCH Hägädüsch ...

DEUTELMOSER Hägädüsch, ich werd schaun, was in meiner Macht steht. Irgend was Offizielles bräucht ich natürlich schon.

HÄGÄDÜSCH Woher soll ich nehmen ...

Das Telefon läutet.

DEUTELMOSER Ich versteh schon. Notfalls mach mer halt a kleine eidesstattliche Erklärung.

HÄGÄDÜSCH Sähr gut.

DEUTELMOSER Die müaßadn S' nacherd noch amtlich beglaubigen lassen, und ich kenn Sie ja jetzt auch. *Hebt Hörer ab* Ja, Deutelmoser. – Augenblick. *Legt den Hörer auf den Tisch.* Also ...

HÄGÄDÜSCH Herr Deitelmosär, hat mich sähr gefreut, weil habe ich in ihnen interessante Menschen kennengelernt mit vernünftigen Ansichten.

DEUTELMOSER Na ja ...

HÄGÄDÜSCH Glaubän Sie mir, heutzutage ist schwierig, daß Sie offen reden können. Überall Bolschäwicken.

DEUTELMOSER Schon auch, aber de Pazifisten und de Juso, des is des, was unsern Staat hier kaputtmacht.

HÄGÄDÜSCH Leutä wie Sie und ich müssen zusammenhaltän.

DEUTELMOSER Mir passn scho auf. Also dann, verbleiben mir so, wie besprochen.

HÄGÄDÜSCH Verstehä, machän wir alläs eidesstattlich.

DEUTELMOSER ... und beglaubigt.

HÄGÄDÜSCH Habä Major von Haßlitz als Zeuge und nötigenfalls kennen Sie mich auch.

DEUTELMOSER Ja, wiederschaun, ich muß jetzt weitermachen. *Hebt Hörer auf* An kleinen Moment noch. *Legt Hörer wieder hin.*

HÄGÄDÜSCH Kiß die Hand, gnä Frau. Wiedersehn, Herr Deitälmosär. *Geht.*

WAGUSCHEIT Ah, wiederschaun. *Spült ab und räumt auf.* Ein sehr gebildeter Herr...

SUBJEKT Verzeihung, da kann was nicht stimmen. In Zimmer 237 A war garniemand da, und die Dame von Zimmer 14 sagte mir, ich müßte zuerst zu Ihnen.

DEUTELMOSER Ah, Fräun Waguscheit, wer war denn der Anruf da vorhin?

WAGUSCHEIT Ich weiß nimmer, wie er gheißen hat, so ein Herr wars jedenfalls. Er hat gmeint, er müaßad Sie sprechen, aber ich glaub, er hat sich net so recht auskennt.

DEUTELMOSER Aber uns ständig belästigen, des mögn mir.

WAGUSCHEIT Ich hab ihn an Dr. Berzelmeier verwiesen.

DEUTELMOSER *packt seine Mappe zusammen.* So, ich hab gmeint, der is da garnimmer zuständig.

WAGUSCHEIT D Fräun Weithas hat des aa behauptet, aber d Frau Löffler hat gsagt, daß er beim Betriebsabend an der Bar gsehn worden is.

DEUTELMOSER Wer?

WAGUSCHEIT Der Dr. Berzelmeier.

DEUTELMOSER Aber der is doch jetzt im Außendienst, hats gheißen.

SUBJEKT Verzeihung, was ist denn hier, ah, ich ...

WAGUSCHEIT Des hats letztes Jahr aa scho gheißen.

DEUTELMOSER *hebt den Hörer auf* Ja, Hallo, Deutelmoser?

WAGUSCHEIT ... aber beim Betriebsabend war nur der Innendienst, der gesamte dritte Stock quasi, und da is er an der Bar gsessn.

DEUTELMOSER Moment, ich verbinde. *Stellt Telefon durch, hängt ein und stöhnt* Oh je, zuageh duats heit wieder.

WAGUSCHEIT Ja, ich bin auch ganz derschossen, Gottseidank fahr ich jetzt in Urlaub.

DEUTELMOSER Bei mir werds aa Zeit. Wo fahrn S'n hin?

WAGUSCHEIT Ins Grödnertal wie jeds Jahr. Da is herrlich.

DEUTELMOSER Aha, Marmolata, Bergsteign.

WAGUSCHEIT Ja, vielleicht a bißl, aber eigentlich mehr so.

DEUTELMOSER Na wünsch ich Ihnen was. *Schließt seine Mappe.*

WAGUSCHEIT Ja, Dankschön, also, wiederschaugn, Herr Deutelmoser. *Nimmt Ihre Handtasche und geht.*

DEUTELMOSER Ja, pfüat Eahna Gott.

SUBJEKT Hallo, Sie, ah ...

DEUTELMOSER Seit wann heißen mir Hallo?

SUBJEKT Verzeihung, ich komme doch nur, es ist wegen meinem Aufenthaltsgenehmigungsverlängerungsantrag.

DEUTELMOSER Wissen Sie, was für a Jahr mir heuer schreiben?

SUBJEKT 1988. Wieso?

DEUTELMOSER Aha, und was für an Monat ham mir jetzt?

SUBJEKT Mai.

DEUTELMOSER Guat, des woaß er, und was für ein Tag?

SUBJEKT Mittwoch.

DEUTELMOSER Bravo, er is net blöd. Da, kommen S' amal mit.

Deutelmoser führt Subjekt zum Büroschild am Eingang.

DEUTELMOSER Da, kenna S' lesn?

SUBJEKT *liest* Schalterstunden: Mo. Mi. u. Frei. 9.30–11 und 14–15 Uhr.

DEUTELMOSER Und jetzt schaugn S' amal.

Deutelmoser deutet auf die Büro-Uhr, die 15.00 Uhr anzeigt, geht, nimmt seine Mappe, klimpert mit dem Schlüsselbund und schiebt das Subjekt zum Ausgang.

Schutzengel

Auf einem Parkstreifen der Interzonenautobahn steht ein Trabant. Die Motorhaube ist geöffnet, ein schmächtiger Herr ist leicht ratlos über den Motor gebeugt. Ein Mercedes 450, rotmetallic, rollt auf den Parkstreifen, Hupsi und Berti, zwei dynamische Westmenschen, steigen aus.

HUPSI Also, des muaß i mir doch amal zu Gemüte führen, Meister. Des is jetz scho der 16. Schrotthaufen do bei eich auf der Interzonenstrecke, da muaß i scho amal schaugn, verstehst, Meister, scho rein aus fachlichem Interesse. Zoag amal, geh weiter, laß mi neischaugn. *Schaut in die Motorhaube, bricht in schallendes Gelächter aus.* Hahaha, ja Wahnsinn, Berti! Berti, schaug her, da des muaßt da oschaugn. Sowas Windigs hast no net gsehgn.

BERTI *schaut in die Motorhaube, bricht ebenfalls in Gelächter aus* Hahaha, des ghört ja in a Museum, aber net auf d Autobahn. Ja so ein Scheiß...

HUPSI Sagamal Mann, mit dem Spirituskocher fahrst du da aso durch die Gegend? Wie bistn du überhaupts bis da her kemman, Meister?

HERR Bitte sparen Sie sich Ihre dummen Bemerkungen.

HUPSI Magst amal autofahrn, Meister? Geh weiter, steig amal in mein Karrn, daßd woaßt, was a Auto is.

BERTI Hupsi, was isn da der Motor?

HUPSI Hast du Motor gsagt? I hätt gmoant, Pedale. Hahaha...

BERTI De brauchan koan autofreien Sonntag, weil, de ham ja koane Autos. Hahaha...

HUPSI Naa, jetz amal im Ernst, Meister, kann i dir irgendwie behilflich sei? Woaßt, abschleppn trau i ma net, sonst hebst ab, und du hast doch koan Flugschein, oder? Aber woaßt, vielleicht bring ma dei Seifnkistl wieder zum Blasn. Du bist doch sicher zfriedn, wenn er sich irgendwie wieder bewegt, wenn er Töff-Töff macht, oder?

BERTI Hupsi, schaug dir diese Heizbirne an! Hahaha...

HERR Geben Sie mir meine Zündkerze wieder.

HUPSI Wennst mi fragst, Chef, is des a Heizbirne, aber keine Angst, Meister, da hast deine Innereien. Schaug, mir wolln dir doch bloß helfn. Berti, geh weiter, dreh man amal um. *Hebt am Trabant, hat die Stoßstange in der Hand.* Ja, was is des...

HERR He, Sie, ich verbitte mir das! Lassen Sie meinen Wagen in Ruhe!

HUPSI Berti, geh weiter, hol an Tesafilm! Tuat ma leid, guata Mo. Aber woaßt, Meister, amal ganz unter uns, von Motorist zu Motorist, mit sowas fahrt ma doch net auf der Straß umanand. Des konst bei dir dahoam im Garten aufstelln als a Antiquität oder moderne Plastik.

HERR Wie soll ich das jetzt wieder in Ordnung kriegen?! *Hebt erbost die Stoßstange auf.*

HUPSI Da, schau her, Meister, i hab was für dich. Da hast an Kaugummi, den konst kauen, oder als Dichtung hernehma, oder dei Stoßstanga pappn, und da hast ein Original-Taschenmesser. Da konst nachad ois repariern an deim Kübel, und, da, schau her, da is sogar no a Büchsenöffner dran. Also, wennst unterwegs bist, kannst dir a Konserve aufmachn, dann brauchst net verhungern. Also, habe d Ehre, Meister, und halt de Ohren steif...

Hupsi und Berti steigen in ihren Mercedes und brausen davon.

Zoll hat Zukunft

Eine Zollstation. Udo Prims und Alfons Waschke fertigen ab. Ein PKW fährt vor.

PRIMS Guten Tag. Haben Sie irgend etwas zu verzollen? Zigaretten, Spirituosen, Elektroartikel oder...

BRASCH Nicht daß ich wüßte.

WASCHKE Is guat, fahrn S' weiter.

PRIMS Nein halt, Moment, nochn Augenblick, was isn das hier bitte hier?

BRASCH Das isn Koffer mit schmutziger Wäsche.

WASCHKE Also guat.

PRIMS Bitte öffnen Sie doch mal.

BRASCH Gut, wenn Sie meinen.

WASCHKE Nana, is scho okay, fahrn S' zua.

PRIMS Neinnein, Moment, hier neben dem Koffer, dieses Möbelstück.

BRASCH Das ist ein alter Schemel.

PRIMS Ja eben. Antiquitäten sind ab einem bestimmten Wert zollpflichtig.

BRASCH Aber das hier ist doch...

WASCHKE Also guat, fahrn S' weiter.

BRASCH Wiedersehn.

WASCHKE Wiederschaun.

PRIMS Neinnein, halt, halt, nein stop hier, Moment, hiergeblieben. Das ist ne Antiquität. Das muß erst geprüft werden.

WASCHKE Des is doch koa Antiquität, des is a oids Klump.

PRIMS Wo haben Sie den Schemel her?

BRASCH Ein Geschenk aus der Verwandtschaft.

PRIMS Ah so, also ein altes Erbstück.

BRASCH Nein, ich brauchs halt zum was abstellen.

WASCHKE Also Herr Prims, wenn S' mi fragn, is a oids Klump. Aber des wern ma jetz glei feststelln. Ham S' an Katalog da?
Zu Brasch Dern S'n gschwind ausm Wagn, des wern ma glei ham. 's läßt sich ja leicht feststelln.

BRASCH *stöhnt* Herrschaft.

WASCHKE Ja, leider. Des is in manchen Fällen so a Ermessenssache. Aber des is ois genau geregelt.

PRIMS *blättert im Katalog.* Das könnte n Jugendstil sein.

BRASCH Des is doch kein Jugendstil. Sie ham doch keine Ahnung.

WASCHKE Des is koa Jugendstil. Dern S' amal an Katalog her. Wern ma glei ham. So, da ham mern. Jugendstil – na!

PRIMS Oder Biedermaier.

WASCHKE San S' staad, des ham mer glei. Beine – Biedermaier – na, äh, vier Beine, Allgemeinzustand gut – *schnauft* – Do, vielleicht Empir.

BRASCH *lacht gequält* Empire, haha.

WASCHKE Da brauchan S' garnet lacha, i glab aa, daß a alts Klump is, aber wenn der Herr Prims meint, daß a Antiquität is, na muaß ma dera Sach nachgehn.

PRIMS Dieses Möbel hat nen Stil, das sieht man doch.

WASCHKE Ja mei, mitn Katalog geht da garnix. Rufen S' doch amal gschwind an König in Scharnitz an. *Zu Brasch* Des dauert jetz an Moment, aber des wern ma glei ham.

BRASCH Das hör ich jetzt schon zum wiederholten Mal.

PRIMS *am Telefon* Herrn Hauptwachtmeister König bitte!

WASCHKE Hättn S' halt a Expertise dabei ghabt, na waar de Sache gleich ausgstandn.

BRASCH Für son alten Hocker. Ich glaube mein Schwein pfeift. Wo sind wir denn?

PRIMS Ja, Herr König, hier haben wir eine Antiquität ungeklärter Herkunft.

WASCHKE Dern S'n her! *Nimmt Prims den Hörer weg.*

PRIMS Hee, Moment.

WASCHKE Scho recht. – Du Franz, mir ham da so an oidn – i dad sagn Schemel odern Hocker oder so. Koa Wurm drin, naa sigt ma nix. Vier Fiaß, ja – mehr so gedrechselt und dann wieder grad und – naa Jugendstil glab i net, naa – ham mer scho im Katalog... Ah was? – gotisch. Moment i schaug amal. *Blättert wieder im Katalog.*

PRIMS Ja, gotisch!

BRASCH *lacht hysterisch* Gotisch, ha.

WASCHKE Ja na, koa Polster. Er hat – Barock glaab i net, naa – koa Gold un nix. Ja, braun. Im Grund a oider Hocker halt, wia bei mir dahoam in der Kuchl, woast scho – wo der Fernseher drauf steht. So was, aber scho oid. Naa, der Prims moant halt grod, weils so unauffällig is kannts halt wertvoll sei.

PRIMS Vielleicht ne gemischte Stilrichtung?

WASCHKE Ja der Prims meint, ma kanns net gscheit einordnen. *Zu Brasch* Für was wolln S'n?

BRASCH Das isn Hocker.

WASCHKE Naa, und was wolln S' damit?

BRASCH Stell ich mir in die Küche. Vielleicht stell ichn Fernseher drauf, oder irgendwas.

WASCHKE Er sagt, er wui aa an Fernseher draufstelln.

PRIMS Das ist doch ne Schutzbehauptung.

BRASCH Ach Sie Sie, seien doch Sie still, Sie haben doch keine Ahnung.

WASCHKE Des Jahrhundert? – Mei schwierig. Ja gell, i hobs mers glei denkt, am Telefon ist des schwierig. Woast wos, i schick dir n gschwind vorbei. Pfuidi derweil. Servus Franz. *Zu Brasch* So, ja – leider können wir jetzt hier da garnichts mehr, da müssen Sie am Hauptzollamt Mittenwald/Scharnitz vorbeifahrn, weil da sitzt unser Experte für Antiquitäten.

BRASCH Scharnitz – wie komm ich denn da hin?

WASCHKE Mei, wenn ich Sie jetz rüberlassn könnt, na wars ganz einfach. Aber i derf ja net. Jetz müssen S' praktisch bei uns im Land über hin fahrn, da müssen S' um den ganzen Berg da rum fahrn, um des ganze Gebirgsmassiv, also i schätz in guat zwoa Stundn kenna S' es packn. Wenn der Verkehr einigermaßen ... Hauptzollwachtmeister König heißt der Experte. Der stellt dann fest also, obs tatsächlich a Antiquität is oder sein könnte oder – verstehn Sie?

BRASCH *lacht hysterisch, kriegt einen Wutanfall und zertrümmert den Schemel.*
Wissen Sie was, diese Antiquität können Sie behalten. So was ist mir in meinem ganzen Leben noch nicht vorgekommen, daß ist Waaahnsinn. Ich habe doch hier meine Zeit nicht gestohlen. Waahnsinn. Wa ... Wa ... *Drischt auf die Reste ein.*

WASCHKE Was isn? Was ham S' denn?

PRIMS Was hat er denn?

WASCHKE I woaß net was er hat. Jetz draht er durch.

BRASCH Sie hörn von mir. *Droht und fährt wütend weg.*

WASCHKE Dern S' es auf d Seitn.

PRIMS Ja aber, des is doch ...

WASCHKE Ah dern S' es weg, des oide Klump.

PRIMS Schade um diese Antiquität.

WASCHKE Ah geh, Herr Prims. – Antiquität! I sog Eahna was – sogar wenns eine Antiquität gewesen wäre, wars für mi trotzdem a oids Klump. Dern S' es weg.

Äusseres

Mir ham mir heuer amal eine Weltreise gmacht, aber ich sags Ihnen gleich, wies is: da fahrn mir nimmer hin.

Alles über Griechenland

KARL A. SOTBRENNER

Der Sonnenschirm für circa vierhundert Drachmen jederzeit zu haben, das Essen, Wienerschnitzel mit Pommes und Salat, um die circa achthundert Drachmen, nicht wahr, Fleischqualität, da muß man natürlich Abstriche machen, aber ein Mückenspray in einer Apotheke auch um die vierhundert Drachmen zu haben, durchaus gute Qualität, aber nette Leute, das Publikum nicht wahr, son Mercedeshändler aus Worms, also sehr angenehm, gleich zur Linken Pizzeria, wo man alles haben kann, nicht wahr, Pizza mit allen Schikanen um die zwei- bis dreihundert Drachmen zu haben bereits, drüben, gleich zur Rechten, nochmal Pizzeria, wird von einer Original-Berlinerin geführt, sehr sauber alles, auch um die fünfhundert Drachmen, zum Strand sind es fünfhundert Meter circa mit allem Pipapo, Gummiboote und was man so hat, unter der Autobahn durch, dann über die Eisenbahn, Strand – mm ja mm – Meer wunderbar, Wolken nicht wahr, Himmel azur, durchaus gebräunt zurück, nicht wahr, Saloniki – Olching fünfunddreißig Stunden bei nur viermaligem Tanken, ohne, also in Nonstop schon zu Hause.

Alles über Spanien

KARL A. SOTBRENNER

Der Sonnenschirm in Calella jederzeit um die circa vierhundertfünfundsiebzig Pesetas, also Peseten, Pesetas wie man dort sagt, zu haben, das sind, nicht, so um die acht Mark, also, je nachdem, wo man einwechselt, es gibt ja auch Ganoven, nicht wahr, und das Essen, nicht wahr, Wienerschnitzel, na ja, da muß man auch so um die acht-, neunhundert Pesetas hinlegen, aber alles da mit Pommes undsoweiter, mit Salat, ordentlich durchaus, das Haus wird von einer Deutschen geführt, deshalb kann man auch ne Pizza bekommen mit allem, das ist auch preislich, nicht wahr, so um die sechshundert Pesetas zu haben, auf der rechten Seite ist auch ne Pizzeria, ersatzweise auch ne Paella zu haben, so auch um die fünfhundert Peseten, Möglichkeit zum Stierkampf haben wir nicht wahrgenommen, wegen dieser Hitze, nicht wahr, aber man kann den Strand in circa vier-, fünfhundert Metern erreichen, da muß man mit dem Gummiboot und so, geht man durch ne Autobahn und dann über so ne Eisenbahnstrecke rüber, das Meer, nicht wahr, azurblau, sauber alles, nicht wahr, ham da nette Menschen, nicht wahr, da warn Toyotahändler aus Bad Schwertheim, also sehr freundliche Leute, wir sind dann doch in zwoundzwanzig Stunden bei nur zwomaligem Tanken durch, radebutz, Frankreich haben wir ohne Aufenthalt durchgeschafft, nicht wahr, und damit gut gebräunt von Calella in Olching angekommen, ich hatte diesmal Bestzeit, unser Nachbar, der diesmal mit war, der hat ne Stunde länger gebraucht, aber der hat sich noch Avignon angesehen.

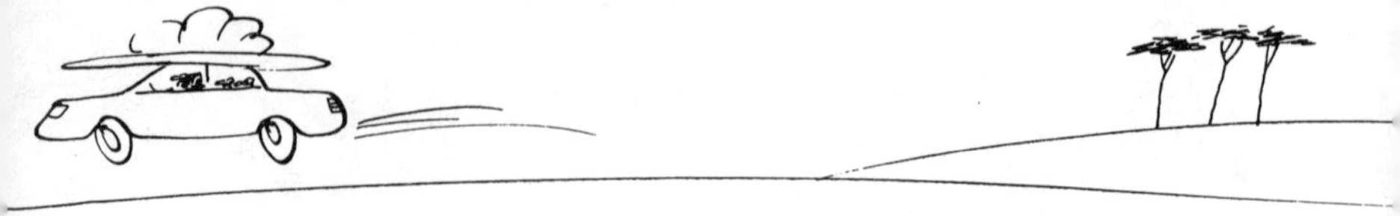

Alles über Jugoslawien

KARL A. SOTBRENNER

Auf der Insel Krk ist der Sonnenschirm circa um die, ja, achthundertfünfzig Dinare zu haben, das sind zehn sechzig ziemlich genau in Deutschland bereits eingewechselt, das Essen, ja, würd ich sagen Wienerschnitzel mit Pommes ist auch um die neunhundert Dinar zu haben, Personal etwas unzu... also muffig, nicht wahr, durchaus muffig, Beschwerden haben im Sozialismus wenig Sinn, sonst muß ich sagen, tja, das Meer, wir haben wenig gebadet, diese Nackedeistrände sind auch nichts für uns, zur Linken, zwohundert Meter circa, ist so eine Pizzeria, da konnte man ersatzweise mal was zu sich nehmen, auf der rechten Seite auch so vier-, fünfhundert Meter, war auch ne Pizzeria, die hat übrigens n Deutschstämmiger geführt, der kommt noch aus dem Banat, nicht wahr, der führt Pizza, ersatzweise auch mal was Einheimisches, wers will, kann das essen, diese Ćevapčići oder sowas, sonst touristisch wenig interessant, nicht wahr, gibt zwar nen alten Kaiserpalast in der Nähe oder so, aber das haben wir uns diesmal nicht angetan, dafür sehr familiär, da waren auch nette Leute da, unser Nachbar, das war son Audihändler aus Bad-Kleinkirchheim, sehr nette Leute das, nicht wahr, das Meer sehr sauber, sehr sauber, alles kanalisiert heute, nicht wahr, und wir sind dann mit einer wirklich tiefen Bräune nach Hause gefahren, und zwar Krk–Olching haben wir gemacht in circa dreizehn Stunden, gemacht bei einmaligem Tanken nur, ohne Aufenthalt durch Österreich ruckizucki durch, und schon waren wir also mit ganz dunklen Pigmenten zu Hause in Olching.

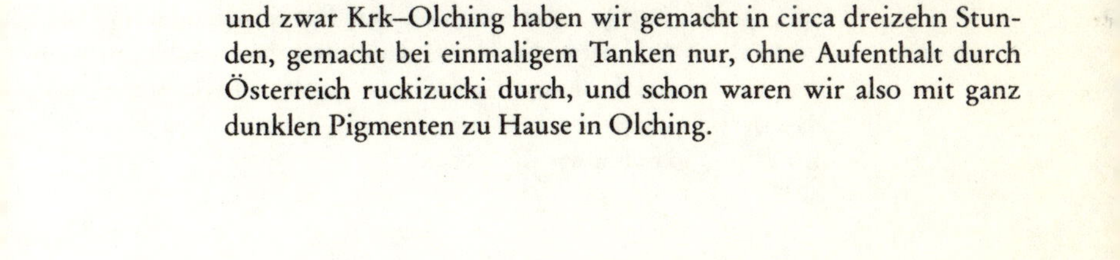

Alles über Frankreich

KARL A. SOTBRENNER

Der Sonnenschirm, nicht wahr, der Parasol, wie sie da sagen an der Côte-d'Azur, an der Côte, nicht wahr, das ist ja unter vierzig Francs überhaupt nicht zu haben, nicht wahr, die langen hin, also die Burschen, nach der Abwertung, das sind immerhin noch ... das sind ja fast zwanzig Mark, ich meine ... Wienerschnitzel, nicht wahr, wenn mans überhaupt bekommt, da verlangen die hundert Francs, französische Francs nicht wahr, das muß man sich mal vorstellen, sage und schreibe hundert Francs, nicht wahr, und dann extra verlangen sie für Pommes, nicht wahr, oder mal n Salat, das wird extra berechnet, und auch das Publikum, was soll ich sagen, ich war ... da war, an unserem Tisch saß immer ein Autohändler, so ein Peugeothändler aus Lyon, aber der sprach nur französisch, dann hat ers spanisch und englisch versucht, aber das ist ja zwecklos, nicht wahr, und ja ... am Strand, da gabs eine Art Pizzeria, nicht wahr, aber die hat so ein Algerier geführt, dann auch dort die Preise, auf der andern Seite war auch ne Pizzeria, da hatten sie auch so ne Quiche, nicht wahr, aber da verlangen die pro Stück zwanzig, dreißig Francs, nicht wahr, das ist ja überhaupt nicht zu machen, ein Cola, das kann ich mir beim Juwelier kaufen und, nun ja, unterbringungsmäßig, die Betten durchaus im deutschen Stil, so ikeaartig, zum Strand, nun gut, das waren dreihundert Meter, da mußte man so durch ne Autobahn durch und dann über die Eisenbahnschwellen, nicht wahr, das ging, das Meer, nu ja, das ist wie immer asür, also der Urlaub war ein Erfolg, Olching–Hyères dreizehneinhalb Stunden, und braun wie die Neger.

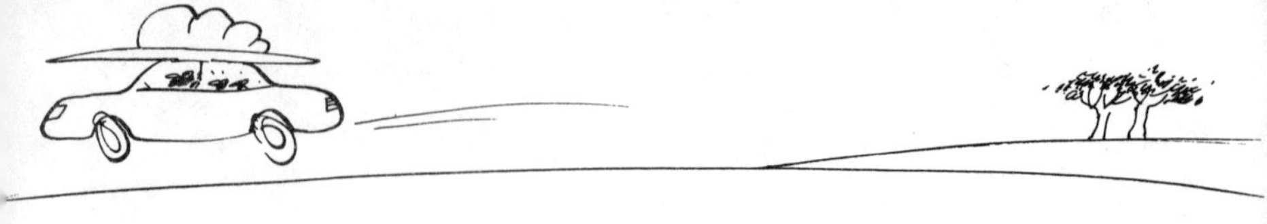

Das Dritte-Welt-Essen

GAST 1 Fräulein!

BEDIENUNG *von ferne* Sofort.

GAST 1 Wissen Sie, unter uns gesagt – *kaut und redet auf Gast 2 ein* – ich kämpfe um jedes Gramm. Ich war jetzt grad wieder im Urlaub da drunten, obwohl es iss ja, wenn man die Sache live erlebt, verstehen Sie, also ich meine, wenn mans unmittelbar sieht, nicht so obszön wie im Fernsehen. Diese armen Schweine im Fernsehen, ich kanns nicht mehr mitanschauen, aber natürlich, so lebt man da, ma gwöhnt sich dran. Zum Wohl. Ja, wo ist denn da die Bedienung? *Ruft* Fräulein, Fräulein.

BEDIENUNG *von ferne* Ich komm gleich.

GAST 1 Ja hoffentlich. Ich kämpfe, sag ich Ihnen. Ich hab also den ganzen Urlaub hindurch, ich hab am Tag nur viermal gegessen, immer so Kleinigkeiten – *schmatzt.* Zum Wohl. Ja was ist denn da? Was trinken wir? Einen Sekt? Es ist wirklich... aber diese Leute da unten, verstehen Sie, da hams nix, aber sie wollen auch nix. Da haben sie diese Kühe, nicht wahr, aber die essen die nicht. Da wimmelts von Kühen, nicht wahr. Die hätten das beste Rindfleisch, ich mein, stellen Sie sich vor, bei uns der Zustand, man würde eine Sau heilig erklären. Da macht doch kein Mensch mit. Ja, eine heilige Sau mit Knödel, hahaha. *Die Bedienung kommt.* Da kriegen mir amal was. Danke. Sehr gut, also –

BEDIENUNG Ja?

GAST 1 Hmhm, bringen S' uns doch bitte erst mal eine Flasche Sekt, ein Champagner.

BEDIENUNG Ja. Derselbe wie da?

GAST 1 Dieselbe Flasche. Und dann: haben Sie Scampi? Dann bringen Sie einmal Scampi.

GAST 2 Das möcht ich auch.

BEDIENUNG Also zweimal Scampi.

GAST 2 Aber bitte ohne Knoblauch.

BEDIENUNG Zweimal Scampi, einmal ohne Knoblauch.

GAST 1 Und dann bringen Sie... ham Sie, Fräulein, ham Sie Schlachtplatte, Fräulein?

BEDIENUNG Ja.

GAST 1 Dann bringen S' mir danach eine Schlachtplatte, und dann schau mer weiter, gel? Ich kämpfe um jedes Gramm wissen Sie, ich kämpfe. Zum Wohl.

GAST 2 Prost!

Der spanische Lebensretter

Otto Miez, Makler, fegt seine Gartenterrasse. Bereits im Anzug, in dem er Gäste erwartet.
Marlies Miez, ebenfalls bereits im Kleid, dekoriert einen Nippesbeistelltisch.
Armando, der spanische Lebensretter, lehnt in Cordhose und Ringelpullover am Rosenspalier und raucht.
Boris, der Sohn, kommt auf die Terrasse mit einem Anliegen.

BORIS Du, Bappa, wos is mit dem Scheck, den wost ma vasprochn hast?
OTTO Ja, Boris, i hab jetz koa Zeit, kimmst nachher wieder.
BORIS Aba i brauch doch den Scheck ...
MARLIES Sei stad, hast as net ghört, was der Bappa gsagt hat.
Boris geht wieder ins Haus.
MARLIES A so ko der fei net rumlaffa, wenn de kemman. Was machtn des für an Eindruck.
OTTO Mei, er hat ja nix, bei eahm is doch wurscht, er is eh a Ausländer. Bei dene woaß mas doch.
MARLIES Naa, aba a so kimmt ma der net an n Tisch. Na gibst eahm was vo deine Sachn.
OTTO Vo mir paßt eahm doch garnix.
MARLIES Des is mir ganz egal. Da herunt werd anständig rumglaufn, wenn ma scho wega eahm d Leut eilad. Jetz sagst as eahm.
OTTO Ah. Armando, du jetz umziehen, Sakko, ja fesch, ah wir hinauf, weil Gäste bald da.
MARLIES Besuch!
ARMANDO Gutt-gutt.
MARLIES Ja, gut anziehen, Besuch, du Kavalier.
OTTO Ja, genau, du Dschäntlmän machen. Fesch. Komm. Mitkommen.
ARMANDO Gutt.
Otto packt Armando und nimmt ihn mit nach oben. Es läutet. Marlies richtet ihre Frisur und ihr Kleid vor dem Spiegel, geht zur Eingangstür.
MARLIES *im Gehen* Jaja, ich komm schon. *Der Pudel bellt.* Yvette, schön brav sein! Pfui! *Hubert und Adelheid Jessike und Pudel Sascha treten ein. Allgemeines Hallo-Hallöchen, Pfui Sascha, laß das! Yvette! Pfui, Platz!! Tach, findichjaKlasse, wiegehts usw.*
MARLIES Ja also, kommts rein, legts ab. Ihr kennts euch doch aus. Pfui! Ja brav, Sascha, ja wo is er denn.
ADELHEID Gut siehste aus, Marlies, ehrlich Klasse, nich wahr Hupsi, wart ihr in Urlaub?
OTTO Ja da is er ja, ja brav is er, ja da is er ja, der Sascha, ein alter Schlawiner.

ADELHEID Hallo, Hallöchen, Otto-Süßi, find ich ja Klasse, na Yvette, du Süße, ja lieb is sie...

OTTO Servus Hupsi, wie schaugts aus?

HUBERT Naja, der Witterung entsprechend. Hahaha...

OTTO Kommts rein, legts ab. Mir ham scho gwart.

ADELHEID Sind Eberhard und Conny schon da?

OTTO Na, aber mir warten schon.

MARLIES Da, des is der Armando, des is der, der wo am Otto das Leben gerettet hat.

HUBERT Ah jaja, Tach.

ADELHEID Find ich ja Klasse, Hallo.

OTTO Also, kimmts, geh ma auf d Terrasse.

Armando, jetzt in einem – schlecht sitzenden – Anzug von Otto mit dazugehöriger Krawatte, verbeugt sich. Die anderen gehen achtlos an ihm vorbei auf die Terrasse.

ADELHEID Ah, is ja entzückend arrangiert, pfui Sascha, wirklich Klasse, so richtig mit Stil...

MARLIES Mei, mir ham uns denkt, zu Ehren von Armando.

OTTO Weil er mirs Leben grettet hat. Setzts euch, mögts an Aperitif?

MARLIES Mir ham an Coppa Cabana da oder an Harakiri.

ADELHEID Is ja Klasse, mir nen doppelten Coppa Cabana bitte.

MARLIES Du, Hubert?

HUBERT Mir ne Coca und vielleicht n Schuß Bacardi, wenn de erübrigen kannst.

ADELHEID Tja, ein Wetterchen ist das heute wieder, richtig Klasse.

OTTO Ja, schön is. Mir bringst a Bier!

ADELHEID Wasn das fürn Kopf da. Is der neu?

MARLIES Der Otto hatn kauft, mit dreißig Prozent, des is a Bacchus.

ADELHEID Was'sn das?

OTTO Mei, eine Art Dionys.

ADELHEID Ah so, Klasse.

MARLIES *serviert Getränke.* Daß da Eberhard und de Conny no net da san. De san doch oiwei unpünktlich. Immer dasselbe.

ADELHEID Die streiten sich ja auch ständig, was man so hört.

OTTO *zu Hubert* Mei, mit der gspinnerten Goaß dad i aa zammruckn.

HUBERT *nimmt Getränk.* Oh, danke Marliesschätzchen. Ja, bei uns is jetzt dann so weit. Nächsten Mittwoch ham wer Termin.

ADELHEID Gottseidank, endlich.

OTTO Ah so, weger der Scheidung.

MARLIES Und wer kriegt nachad de Natascha?

ADELHEID Ich natürlich.

HUBERT Nein nein, liebe Adelheid, ich würde sagen, der bessere Anwalt. Hahaha...

ADELHEID Seit die Scheidung ins Haus steht, haben Hupsi und ich ne Klasse

[NOCH ADELHEID] Beziehung. Nich wahr, Hupsi? Pfui, Sascha, laß das. *Trinkt ihr Glas ex.*

MARLIES Was is, fang ma scho an derweil.

OTTO Mei, der Eberhard werd no was toa müaßn, er is ja finanziell schwer am Paddeln.

HUBERT Der Mann ist liquide wien Penner, was man so hört.

OTTO Keine müde Mark mehr, mir ham eahm aa bloß eigladn, weil ma'n no von früher kennen.

MARLIES Also, i dad sagn, mir fangen derweil scho mal an. *Verteilt Kuchen. Es läutet.* Des wern doch net scho de sei?!

Marlies geht zur Tür, gefolgt von Otto, Armando lehnt verloren am Rosenspalier und raucht, Adelheid schenkt sich ihr Glas wieder voll. Im Hintergrund Begrüßung.

HUBERT Wenn du dich heute wieder so vollsaufst, du Schnapsdrossel, dann laß ich dich stehn wien Sack Kartoffeln.

ADELHEID Ach, halt die Klappe, ich sag dir ja auch nicht, wie beschissen du heute aussiehst, du altes Arschloch. – Hallo, Hallöchen, Eberhard, na endlich!!

Eberhard und Conny und Pudel Patrick erscheinen im Disco-Look.

HUBERT Schön, daß man euch mal wieder sieht.

EBERHARD Grüß euch. Hi, Jungs und Mädchen.

CONNY Na, ihr Süßen, wie gehts?

MARLIES Da, des is der Armando, der wo am Otto das Leben grettet hat.

EBERHARD Ah, so, der...

CONNY Tatsächlich.

OTTO Legts ab, hockts euch her, es kennts euch eh aus. Mögts an Aperitif?

MARLIES Mir hätten fei scho fast angfangt ohne euch.

EBERHARD Mei, i hab no an kloana Deal ghabt. I hab an Targa verkauffn müaßn mit 60 000 km, wei'n da Kunde a so wolln hat. Er hat natürlich 160 000 drauf ghabt, aber wenn an der Kunde mit 60 ham will, bittschön, i verkauff meine Autos mit de Kilometer, wias da Kunde wünscht. Muaßt scho entschuldigen, aber wega zehn Braune netto nebenher laß i aa mal an guatn Spezi a bißl wartn.

MARLIES Mögts an Coppa Cabana oder an Harakiri oder was Normals?

OTTO Oh mei, du machst ja vielleicht Sandkergschäftln. Schaug, i mach oa Gschäft im Monat, und des glangt ma nachad fürs ganze Jahr.

EBERHARD Ah geh...

MARLIES Armando, du dir...

OTTO Schaug, i hob am Professor, hab i a Grundstück verkaafft. Den reinen Sumpf. Der hat des net überrissn, daß des koa Bauland is. I hob's eahm finanziert, und jetz is dem gstudiertn Schlaumeier der Saft ausganga. Grad gwuislt hat er, wei ers nimmer zahln hat kenna. Er hat direkt an Kniefall gmacht, na hab is eahm wieder zruckkauft für d Hälftn. Und jetz hab i scho wieder an Deppn an der Hand, aa so an Akademiker, der wo mas fürs dreifache wieder abkauft. Der frißt ma aus da Hand, grad daß ers kriagt. Woaßt, des san Gschäftteln. Wega zehn Braune geh i doch gar net ans Telefon.

MARLIES *beginnt plötzlich zu heulen* Und ois kriagt die Schlampn, diese Sau, diese miserablige. A Wohnung hat er ihr kauft, und eigricht hat ers ihr aa und an Porsche fahrts und i hab no net amal mei Leopard, den wo er mir scho seitm Frühjahr versprochen hat.

CONNY Ach, Marlies, nimms nicht so schwer. Schau, der meine hat auch einer ne Wohnung bezahlt, und jetzt is er pleite, die Flasche.

EBERHARD Was, i pleite?

CONNY Ja pleite biste, du Pfeife, gibs doch zu!!

MARLIES Ois schiabt er dera Schnoil in Hintern nei, dabei hat er mir an Leopard versprochn, und der Scheck, den wo er mir gebn hat, der war gsperrt.

OTTO Ah geh, halts Mäu. Oiwei de Krampf. Wei woaßt, Hupsi, an ara finanziellen Nestwärme da hab is bei ihn no nia fehln lassn. *Zu Marlies* Was war denn, wiasd des ghabt hast mit dera Zyste, da hab i dir aa an Professor Moser zahlt. Der hat ganz schee higlangt und jetzt kamad sie daher mit ihrm Scheißleopard!

MARLIES Weilst mirn versprochen hast!

OTTO Ah geh, was kost der Scherz? *Wirft ihr 20 000 Mark in bar vor die Füße.* Da, kaaff da dein Umhang, aba na gibst a Ruah! I wui nix mehr hörn.

BORIS Du Bappa, i muaß jetz nachad geh. Kriag i jetz mein Scheck?

HUBERT Paß aber auf, daß dir dein Papi nicht den Scheck sperrt...

BORIS Von meim Bappa nehm ich schon an Scheck, gel Bappa.

OTTO *hat den Scheck ausgestellt.* Da, und jetz schaugst daß d weiterkommst, mir wolln unter uns sei...

EBERHARD *haut Conny eine kräftige Ohrfeige runter.* So! Und wennst ma du noamal sagst, daß i pleite bin, na hau i di zum Teifi, du Goaß, daßdas genau woaßt.

Conny beginnt heftig zu heulen.

ADELHEID Laß dir das nicht gefallen, Conny. Ich bin Zeuge! Nimm dir nen Anwalt. Du mußt dich wehren! Schau, ich laß mir von Hupsi auch nichts mehr bieten. Der hat austyrannisiert.

HUBERT Na, das wolln wir mal sehn. Hier, zieh dir eine Karte. *Hält ihr fünf Visitenkarten hin.* Das ist dann der Anwalt, mit dem dus zu tun haben wirst, du Schnepfe. *Zu Otto* Im Zeitalter der Emanzipation kommt dir im Endeffekt ne Nutte billiger.

OTTO *zieht Spielkarten aus der Tasche.* Da hast recht. Was is, spui ma oan?

HUBERT Klasse.

EBERHARD Von mir aus. Laß ma de Weiber tanzn.

OTTO Gehts her, auf gehts.

HUBERT Wer gibt?

EBERHARD *scheucht Conny von ihrem Platz* Ffft, fft, Fliege.

Die Männer setzen sich zusammen an die eine Tischhälfte, die Damen sammeln sich an der anderen Tischhälfte, Adelheid holt sich selbst ein Limoglas voll mit Schnaps, Otto zieht die Tischdecke über Kaffee und Kuchen, Armando steht am Spalier und raucht. Otto teilt Karten aus. Armando hat seine Gitarre neben sich.

MARLIES Mögts no a Stückl Kuchen?

Armando beginnt, Gitarre zu spielen. Dabei: 18 – 20 – 2 – 4 – 7 – 30, weg, 3 – 6 – weg.

MARLIES Der Otto will also unbedingt schwimmen. I sag no, naa, jetz setzt doch glei die Flut ein, aber er, nix wia nei ins Wasser. Na hör ichn scho. Hilfe, Hilfe. I siehg an Armando, wie er neihupft …

OTTO Aja, am Ismeier Winfried hat aa scho mal oana as Leben gerettet … Grang.

EBERHARD Des war aber auf de Seychellen.

MARLIES Ja, genau.

OTTO Wer kommt raus? *Blickt Armando an, der wunderbar Gitarre spielt.*

EBERHARD Da Hupsi.

Otto drückt entschlossen den Kassettenrecorder an, dreht lauter und deckt Armandos Gitarrenspiel mit Disco-Musik zu.

Care Gino

RICHARD Jetzt is wieder ein Jahr vergangen, jetzt muß ich ihm aber wirklich einen Brief schreiben. Aber natürlich nur ein paar Zeilen, weil, des muß jetzt wirklich passiern net, weil, wenn des so weitergeht...

KRIMHILD Geh, was macht denn des für an Eindruck! Du mußt doch jetz amal was Ordentliches schreibm, des geht doch net so weiter!

RICHARD Ah ja, ich schreib ihm ja, aber das sag ich dir, nur das Wesentliche, weil, irgendwas anderes kommt ja gar net in Frage, gel.

KRIMHILD Schreib ihm doch auf italienisch, du hast es doch unten auch bewiesen.

RICHARD Jaja, ja auf italienisch, ja freilich, also nachad, fang mer amal an. Gel, ah – Care...

KRIMHILD Der heißt doch net Kare, der heißt doch Gino, hast des vergessn?!

RICHARD Ja, hä, naa, des is aso; woaßt, Care, des heißt praktisch Lieber.

KRIMHILD Ach, Lieber, des heißt doch amore!

RICHARD Aja, hähä, naa, es is aso, naja, also ich glaub, ich schreib doch lieber auf deutsch, net, weil also, des verstehn die auch. Kannst dich erinnern, wie mir gsagt habm, Schweinsbraten, wies da glacht habm? Hahaha...

KRIMHILD Genau, und Beckenbauer, des habms aa kennt. Aber es waar scho fesch, so auf italienisch...

RICHARD Jaja, gel, also, jetzt schaun mir halt amal, ah – fang mer halt amal an. *Schreibt.* Ah – Lieber Gino. – Lieber Gino, – es ist inzwischen sehr viel passiert. – Also ich schreib nur das Wesentliche, gel, – lieber Gino, es ist inzwischen sehr viel passiert. – Weil, des würd ja sonst zu weit führen, net, wenn ich ihm jetzad da alles, net, – also, es ist inzwischen, inzwischen ist – viel – Zeit – vergangen, net, des is wahr, des kann ma sagn, – ah, sozusagen, ein Jahr – ist im Fluge vorbei – im – Flu–ge – vorbei. – Inzwischen – net, also – inzwischen hat sich – wieder einiges – getan, net, – ääh, und ich nehme an – ich neh–me an, daß sich äh, bei euch – auch einiges getan hat. Ja, daß sich bei euch auch einiges getan – hat, wie – es – halt so – ist im – Leben, wie es halt so ist im Leben, net, im – – Le–ben. – Ja, was schreib i denn jetzt no – ah, aja! ah – draußen, äh – regnet es gerade –

KRIMHILD A geh, des is doch a Schmarrn, es hat doch grad zum regnen aufghört! Kannstn doch net anlügn!

RICHARD Ah ja, ah – – draußen hat es gerade – auf–gehört – mit – dem – Regen. Draußenhates aufgehört mit dem Regen – dem Re–gen, – ah, – wir haben – äh, – viele – Erlebnisse – ge–habt, – Erlebnisse – geee–habt, aa-ber weeem – schreiibe ich das. – Äh, was Persönliches, net, äh, vielleicht, ja! ah, Wie geht – es – dii–rrr – wie geht es dir, ahm – und insbesondere – ah – euch anderen sonst – und insbesondere euch ande–ren sonst! Ah – – ah ja! Ah, mir...

KRIMHILD Was heißt denn da mir, bin ich vielleicht nicht da?!

RICHARD Ah uns – geht es – meist – – ah zumeistens – gut, uns geht es zumeistens gut, ah – schreibt – uns doch – auch, schreibtunsdochauch, – was – bei euch – ah, bei euch passiert is. – Net, des dad mi jetzt intressiern, ah, was – inzwischen – bei euch – passiert ist. Net, weil – ah – wir, wir – schrei–ben euch dann auch wieder, wir schreiben euch dann auch wieder, – was bei – uns – alles – so passiert. – ah, jetzt mag i nimma. Was schreibm mir jetzad ah, dir–uns–inzwischen-undsoweiter–is alles da, – jetzt muß ich – leider schlie–ßen, – i hob ja gar koa Zeit mehr, – weil ich – äh ä h – keine Zeit – mehr ha–be, – denn morgen – wirds auch wie – der – ein turr–buu–len – ter – Tag.

KRIMHILD Geh, morgen is ja Wochenend, kannst nix anders . . .

RICHARD Naja, is ja wurscht, Wochenende naja, da, des wissen die gar net, – also, gut! – Viele Grüße – euer – ah Richard. Ja, sehr gut, ah Richard, jetzt schreib is vielleicht noch italienisch hin, ah Ricardo, ah – schreibt ma jetz Ricardo mit k oder mit ck, naja is ja wurscht, sie wissen ja von wems den Brief habn, net wahr, Hauptsache is, daß sie wissen, was los is, da herunten bei uns.
Da, schreib aa no was hin, wennst magst . . ., daß nach was ausschaut. *Reicht Kriemhild den Kugelschreiber. Diese nimmt ihn und unterschreibt rasch.*

Mr. Anybody

INTERVIEWERIN Mr. Anybody, Sie sind nun schon zum siebten Male in der Bundesrepublik Deutschland. Was bewegt Sie denn, immer wieder nach Deutschland zu kommen? Ist es das Klima, Mr. Anybody, oder …

MR. ANYBODY Well as you see, isch war in America, in the States at home, in Kentucky, von – wie sagt man – my profession, mein Beruf, hab isch gearbeitet als Osterhase und auch schon als Pinguin by in Disneyland und als – wie sagt man – carseller – *lacht* – isch haben Auto verkauft, verkaufen – *lacht* – ja, and jetzt isch komme nach Deutschland, weil …

INTERVIEWERIN Und wie gefällt Ihnen Deutschland?

MR. ANYBODY Deutschland sehr clean, alles sehr clean, die Straßen clean, die houses, die Häuser, und die Gehirne clean, the friends, alle Bekannten, alles clean, sehr sauber, U-Bahn sauber, ah, wie sagt man, auch die Toiletten, das ist sehr sauber.

INTERVIEWERIN Ja das freut uns sehr, daß Sie das sagen, Mr. Anybody. Und haben Sie sonst noch irgendwie einen Grund, daß Sie noch länger in Deutschland verweilen wollen und auch künstlerisch hier tätig sind?

MR. ANYBODY Ah ja, isch möschte sagen, daß … the coke is at least as good as, so gut wie in America. Wir haben das Popcorn, ist sehr gut, und in eine Toilette in Autobahn Leipheim eine Spruch von eine sehr intelligente deutsche author – wie sagt man – Schriftsteller: Spießig ist riesig. That's it.

Concentration-Camp-Song

MR. ANYBODY *Gesprochen:*
I've been around the world – isch habe viel gesehen
von die Welt – but the best place I've ever seen
was the place where I've met Gretschen last year –
aber die beste Platz, die isch immer geseihn, war die
Platz, wo isch geseihn Gretschen ... bei eine Ausflug
zu Dachau Konzentrationslager in die letzte Jahr.

Gesungen:
Well, isch traf meine Gretschen,
she's a beautiful Mädschen –
inside the Concentration-camp.
Well, I hold her and I kissed her,
now, I'm gonna miss her
and I dream of the green oaks 'round the Concentration-camp

Refrain:
Concentration-camp,
place of history,
place of destination
for Gretschen and me ...

Gesprochen:
I've seen all die Plätze in de beautiful Germany
the Zillertal in Heidelberg – oh, beautiful
the Jedermann in Salzburg ah, beautiful
University in Würzburg – interesting,
Newswanstein, Hofbräuhaus, and Reeperbahn, oh, marvellous
but on my way to Dachau Konzentrationslager suddenly
I looked at her – isch sehen zwai wundervolle blaue Augen
von aine beautiful girl

Gesungen:
Well, I've met my Gretschen,
she's my destination –
inside the Concentration-camp
I fühle glucklisch, when I saw
hinter die Mauer flowers grow
wonderful flowers of die Concentration-camp

Refrain.

Gesprochen:
In die Schatten von eine alte romantische Baracke
aßen wir ein Hamburger und Wurstel mit Kraut.
da hat sie misch in maine Augen geschaut.
Isch sagte: baby, let deine sorrows disappear
I love this romantische athmosphere

Gesungen:
I came over from Kentucky
and now I am so lucky
disch getroffen in die Concentration-camp
baby, komm in main arm
I will halten dir warm
even outside von die wundervolle Concentration-camp

Refrain.

Gesprochen:
After the Wurstel sagte isch zu Gretschen:
Willst du maine Frau werden? – Gretschen, I wanna
marry you! – She agreed. And then isch nahm sie
mit zu maine sweet home in Kentucky,
and since that time – und sait diese Zait
fahren wir zu unsere
gemütliche Platz in Dachau-Konzentrationslager und
denken an unsere erste Begegnung im Shadow
von die wundervolle Eiche.

Gesungen:
We spend the all-year-vacation
on the place of our destination
in the beautiful Conzentration-camp
'cause I've met my Gretschen
maine wundervoll Mädchen
inside the walls of the Concentration-camp

Refrain.

Jodler.

Eine Spendenaktion

Schalterraum einer Bank. Fräulein Keim, Bankbeamtin, und Herr Sadowski in einem Kundenberatungsseparee hinterm Schalter. Am Schalter wartet Herr Doktor Matschel.

KEIM Ja, es tut mir leid, Herr Sadowski, aber Ihr Kreditvolumen ist jetzt leider wirklich restlos ausgeschöpft. Ich bin aa noch amal alle Umschuldungsvarianten mit der Zentrale durchgegangen. Ich weiß, es is a schwierige Situation für Sie, aber das Äußerste, was ich Ihnen anbieten kann, is ein weiteres dreimonatiges Stillhalteabkommen. Dafür würde sich auch unser Doktor Fröschlein noch einmal stark machen. Aber wenn dann keine Zahlungseingänge verbucht werden, dann kann es auch der Doktor Fröschlein vorm Vorstand nicht mehr vertreten.

SADOWSKI Ja, aber dann kann i ja praktisch zsamnpackn oder soll i vielleicht nach Australien auswandern?

KEIM Tja, des sind amal die Fakten, Herr Sadowski, mir sind einfach die Hände gebunden.

MATSCHEL Äh, Fräulein Dings …

KEIM Ich habs sofort, Herr Doktor Matschel. Herr Sadowski, ich hoff, Sie nehmen mir das nicht persönlich. Also sollte sich von Ihrer Seite etwas ändern, lassen Sies mich wissen. Einstweilen ist das alles, was ich für Sie tun kann.

SADOWSKI Ja aber –

KEIM Wenns mich entschuldigen, äh, hier ist noch was für die Kleine.
Gibt ein Plastiksparschwein und ein Fähnchen.

SADOWKSI Wie sagt ma denn?
Der Kleine sagt nichts.

SADOWSKI Dankschön.

KEIM So, Herr Doktor Matschel, entschuldigen Sie, also, was kann ich für Sie tun?

SADOWSKI Ja, aber von irgendwas muß ich ja die nächsten Wochen leben!

KEIM Wiederschaun, Herr Sadowski. – Also, Herr Doktor Matschel, was ham mer denn?

MATSCHEL Ja, ich plane n Kurzurlaub in die Schweiz und da wollt ich mich halt a bisserl pekuniär ausrüsten.

KEIM Ja, hehe, Schweizer Franken, nehm ich an.

MATSCHEL Polnische Sloti nehmen die net, hahaha, also gebn S' mer amal für zehntausend Mark Schweizer Franken, achttausend in bar und dann gebn S' mer für fünftausend Mark Schilling und für dreitausend Mark Lire. – *Fräulein Keim notiert.*
Ja, i hab bloß acht Tag Zeit, aber a bisserl a Luftveränderung muß aa mal sei.

KEIM Da ham S' recht, grad jetzt um die Jahreszeit.

HATTENHOFINGER *kommt.* Ah, Fräulein Keim, ich hab dafür sechzigtausend Mark Krügerrand, wo soll ich n die jetzt...?

KEIM Des san die vom Doktor Matschel. *Zu Matschel* Ihre Krügerrand hättn mer jetzt da.

MATSCHEL Ah ja, die Krügerrand, tun S' derweil owi ins Depot, i kimm dann glei nach.

KEIM Ham S'es ghört, Fräulein Hattenhofinger, gehn S' derweil ins Depot.

Fräulein Hattenhofinger geht. Ein Kunde hinter Matschel mischt sich ein.

KUNDE Sagen Sie, Krügerrand, äh Gold, rentiert sich das überhaupt?

MATSCHEL Mei, Gold is Gold, die einen glauben an Dollar, die andern ans Gold; ich persönlich tendier zu beidem. *Zum Hund, den er im Arm hat* Gell, Hexi, mir glaubn an beides. Ja, brav. Derf i? *Er nimmt ein Bonbon aus einer Bonbonvitrine am Schalter.*

KEIM Ja, freilich, soviel Sie wollen, nehmen S' ruhig, Herr Doktor.

MATSCHEL Sie is a Süße, unser Hexi, sie is a ganze Süße, gell Hexi, sama eine ganz eine Süße.

SADOWSKI *der im Eingang stehengeblieben ist, kommt zurück.* Sie, Fräulein Keim, ich hab mer des noch amal überlegt, jetzt bin ich seit siebzehn Jahren Kunde bei derer Bank und oamal wenst de was brauchst na werd ma so abgspeist.

KEIM Herr Sadowski, Ihre persönlichen Umstände habe ich nicht zu verantworten. Ihr finanzieller Spielraum bei uns is amal restlos ausgereizt, es tut mir leid, des ich des jetzt hier vor den Herrschaften so in aller Öffentlichkeit sagen muß, aber Sie wollens ja offenbar nicht anders.

SADOWSKI Ja aber, da kann i mi ja aufhängn.

KEIM Herr Sadowski, ich wünsche Ihnen alles Gute, aber wie gsagt...

SADOWSKI Kimm Robert, geh mer.

KEIM Wiederschaugn, Herr Sadowski.

MATSCHEL *sieht ihm nach.* Soll er doch ins Leihhaus geh, is doch koa Schand mehr heutzutag, was glauben Sie, wer da heutzutag alles im Leihhaus rumkugelt, is doch nix Ehrenrühriges, ins Leihhaus gehn, oder?

KUNDE *hinter ihm* Nö!

KEIM *wartet, bis Sadowski zur Tür raus is.* Herr Doktor Matschel, um ins Leihhaus zu gehn, muaß ma was zum Verleihen ham.

MATSCHEL Aber Kinder halten!

KUNDE Ja, Kinder ham die alle.

MATSCHEL Hexi, pfui, pfui! Ja, Hexi, so, jaa, jaa braav... *Er läßt den Hund wieder laufen.*

KEIM Hier, wenn S' bitte unterschreiben. Ihr Geld bekommen S' dann an der Kasse. War sonst noch irgendwas?

MATSCHEL Ja, mir sehn uns dann unten im Depot.

KEIM Ja, hahaha, äh, ich mach derweil gschwind den Herrn da.

Matschel geht zur Kasse.

KASSENFRÄULEIN Wenns bittschön mitzählen. Wie wolln S' es denn?

MATSCHEL Wies daherkommt.

Matschel studiert, während er Geld zählen läßt, die Spendenvordruckformulare, die an der Kasse ausliegen.

MATSCHEL Ah ja, da fallt mir noch ein, Fräulein Keim, Afghanistan, da war doch erst kürzlich dieser Aufruf, so a Spendenaktion oder so.

KEIM Ja, da muß ich ma gucken.

MATSCHEL Da muß a Formular aufliegen, schaun S' doch amal.

KEIM *blättert* Hmhmhm, Äthiopien meinen Sie.

MATSCHEL Naa, naa, Afghanistan, Afghanistan, Fräulein Keim.

KEIM Oder hier Sahelzone, da können Sie spenden, da könnten Sie ...

MATSCHEL Naa, Afghanistan! Fuchzig Mark sans mer wert, diese armen Schweine, aber Afghanistan!

KEIM Aktion Miserio meinen ...

MATSCHEL Naa, Afghanistan. I hab ja gsagt, net ...

KEIM Brot für die Welt ...

MATSCHEL Des is mer vui zu pauschal, was hoaßt da Brot für die Welt, i hab gsagt Afghanistan, i hab gsagt, i geb zwanzig Mark für Afghanistan, und dann is der Fall für mich amal wieder erledigt, net?

KEIM Caritas hätten wir hier, dann SOS-Kinderdorf ...

MATSCHEL Naa, Afghanistan!

HERR FRÖSCHLEIN *Filialleiter, kommt und ruft:* Fräulein Keim, bitte alle Unterlagen zum Südfleischverwertungsdepot Schwaben! – Ah, Tach, Herr Doktor Matschel. Tach.

MATSCHEL Ja, Herr Fröschlein, gehts gut?

FRÖSCHLEIN Danke der Nachfrage. Übrigens Ihr Ankauf Amalienstraße 17 ist jetzt weitgehend perfekt, da können wir paraphieren.

MATSCHEL Ja, aber erst nachm Urlaub. Herr, äh Fröschlein, i bin jetzt für a paar Tag in der Schweiz, gell Hexi, es Herrle is jetzt dann in der Schweiz, gell?

FRÖSCHLEIN Ah ja, dann schönen Urlaub, viel Spaß noch. Wiedersehn.

MATSCHEL Ja, danke, Ihnen auch, äh ja äh, Fräulein Keim, ham Sies jetzt?

KEIM Hier Aktion Sorgenkind, äh mit fünf Mark sind Sie dabei.

MATSCHEL Naa, ich hab gsagt Afghanistan – zehn Mark spend ich Ihnen, Sorgen hab i selber. – Sorgen wern Sie aa ham, oder Fräuln Keim?

KEIM Ja, das kann man wohl sagen.

MATSCHEL Also, Afghanistan, net wahr?

KEIM Hier Nicaragua, das ist jetzt neu im Angebot.

MATSCHEL *grimmig* Ach, sonst no was, net?

KEIM Oder hier, Bangladesh, wo diese Überschwemmungen jetzt gerade warn. Die müssen also enorm hungern. Da wird gern gespendet.

MATSCHEL Ja, des glaub ich Ihnen, aber die kriegen nix, weil ich hab gsagt, Afghanistan. Des is da in Mittelasien, schaun S' halt amal.

KEIM Dann hätten wir hier Unicef, Terres des Hommes oder hier Amnesty International.

MATSCHEL Ja soweit kommts, da kann i ja glei in Moskau a Konto eröffnen. Na, also wissen S' was, Fräulein Keim, ich geh jetzt nüber zum Feinkost Huber, da kauf ich mir an Chateauneuf du Pape, Jahrgang 75, da weiß ich, wies Geld angelegt is, da weiß ich wenigstens, wos hinkommt.

KEIM Ja, aber, vorher gehn wir noch kurz runter ins Depot.

MATSCHEL Ja, genau, des is a Idee, des mach mer glei.

Wirtschaft und Finanzen

Und das eine sag ich Ihnen: Wenn mein Sohn Glück hat, dann kommt er als Sachbearbeiter bei der Landesbodenkreditanstalt unter.

Die Aussteiger

Heiko Söderbohm sitzt mit Herrn Schmitz in Söderbohms Ferienvilla vor dem offenen Kamin mit Blick in den Garten.

SÖDERBOHM Wissen Sie, mein lieber Schmitz, ich habe mir das mal approximativ durchgerechnet, ich koste mich selbst, also jede Stunde meines Daseins kostet mich circa vierhundertachtzig Mark. Da ist sie dann schon mit drin. *Er deutet auf seine Frau Ulla, die gerade mit einer Flasche Cognac kommt.* Mit Totalkosten, auch wenn sie schläft oder ich beispielsweise.

ULLA Herr Schmitz, wolln Sie mal kosten? Hundertfünfundsiebzig Jahre alter Cognac. Den hat Heiko bei einer Konkursmasse ersteigert. Das ist was Wunderbares.

HEIKO Obwohl – ich habe neulich nen ganz ordinären Remy ausm Supermarkt geordert – schmeckt man kaum nen Unterschied.

ULLA Nee, nee, nun übertreib mal nicht, Heiko, das ist schon ein gewaltiger Unterschied. Kosten Sie mal, Herr Schmitz, allein das Bouquet.

Ulla schenkt Herrn Schmitz einen Cognac ein.

HEIKO Mir auch einen, Ulla-Maus. Tja Herr Schmitz, ich kann Ihnen ja auch mal spaßeshalber vorrechnen, was Ihnen Ihr Dasein so kostet. Das is son Spleen von mir, wissen Sie. Aber die meisten sind erstaunt, wenn ichs ihnen mal ausrechne, wie teuer ihnen ihr Leben zu stehen kommt. Gut, in Ihrem Fall läuft das Ganze natürlich wahrscheinlich etwas preiswerter ab. *Sie* haben kein Ferienhaus am Hals. Schaun Sie, allein nur son offener Kamin beispielsweise.

ULLA Also dann, erst Mal Prost, die Herrschaften.

SCHMITZ Prost.

HEIKO Prösterchen, Prostata! Schaun Sie, ich bin hier in unserem Feriendomizil vielleicht vierzehn Tage im Jahr. – Höchstens mal drei Wochen.

Schmitz kippt den Cognac in einem Zug runter.

ULLA *zu Schmitz* Der ist hundertfünfundsiebzig Jahre alt, den müssen Sie mit Verstand trinken.

SCHMITZ Ach so.

HEIKO Ja, ääh …

SCHMITZ Darf man hier rauchen?

HEIKO Na, paffen Sie mal.

Schmitz bietet Heiko eine Zigarette an.

SCHMITZ Mögen Sie auch eine?

HEIKO Nönö. In meinen Mußestunden gönne ich mir ja ab und an ne Havanna, fünfunddreißig Mark das Stück – für mich, isn Sonderpreis.

Heiko zündet sich eine Havanna an.

[NOCH HEIKO] Also, passen Sie mal auf. Insgesamt brennt nun dieser Kamin vielleicht viermal im Jahr zwei Stunden. Ich lasse ihn ja auch nicht immer an – sind acht Stunden, da runden wir auf, sagen wir zehn Stunden, das rechnet sich besser.

Ein Kubik Holz kostet normal einhundertzwanzig Mark, ich muß hier hundertfünfzig Mark zahlen, die Leute meinen ja, ich bin hier Krösus. Na ja, macht also fünfzehn Mark pro Stunde.

Aber das ist ja nur das wenigste, das sind die geringsten Kosten. Die Tatsache, daß dieser Kamin überhaupt da steht, macht anteilsmäßig am Gesamtobjekt hier circa dreißigtausend Mark. Vollkapitalisiert sind das dreitausend Mark per anno, sind wir schon bei dreihundertfünfzehn Mark pro Stunde. Und jede Stunde, die ich hier vorm Kamin verbringe, koste ich mich selbst aber schon per se vierhundertachtzig Mark, macht siebenhundertfünfundneunzig Mark.

ULLA Und dann trinken wir noch nen kleinen Cognac und dann sind Sie schon bei weit über achthundert Mark pro Stunde Kaminfeuer. Aber wenn Sie sich das genau überlegen, bringt das alles nichts. Man zahlt sich hier dumm und dußlich und hat nichts davon. Die Leute sind dumm, frech, aufsässig, faul und ordinär. Gucken Sie mal!

Hebt eine Sofadecke hoch, man sieht eine Zigarettenkippe in einem kleinen Rand von Dreck.

Das habe ich vorige Woche hier hindrapiert. Die Putze war einmal da, die Putze war zweimal da und heute nochmal. Morgen ist sie nicht mehr da, sie weiß es nur noch nicht. Man muß sich ja nicht alles bieten lassen. Man wird ja nur noch ausgenützt, man wird nur noch wegen des Geldes respektiert, verstehen Sie, ich halte diese verlogene Gesellschaft hier nicht mehr aus. Man kommt zu nichts, man führt banale Gespräche, man döst so vor sich hin, drum lösen wir hier alles auf, wir haben uns jetzt in Umbrien son kleines Gehöft zugelegt, in dieser typisch umbrischen Bauweise.

HEIKO Gleich bei Monte del Trano links ab ins Gebüsch mit eigenen Weinbergen, isn Traum.

ULLA Und die Leute da sind noch von einer Ursprünglichkeit, sag ich Ihnen, die haben eine Spontanität am Leib, so was finden Sie hier nicht mehr. Das finden Sie bei uns nirgends mehr.

HEIKO Nicht so durchkommerzialisiert, verstehen Sie?

SCHMITZ Ah ja.

ULLA Drum machen wir hier tabula rasa, wir steigen aus.

HEIKO Wir lassen alles hier zurück, bis auf Steinway und Hundertwasser-Zyklus.

ULLA Wir hinterlassen keine Adresse, kein Telefon, die paar wirklich guten Freunde finden einen dann schon. Man braucht dort nichts außer nen tüchtigen Geländewagen, Toyota Allrad hab ich schon bestellt.

HEIKO Wieso haste denn keinen Mercedes bestellt?

ULLA Nö, Toyota Allrad is doch n klasse Geländewagen, stabiler Wagenheber, alles bei.

HEIKO Aber ich habe nur einen Satz Bandscheiben. Hähähä. Wenn wir schon wie Robinson leben, n kleiner Hauch von Luxus mag da schon noch sein. Wir fahren doch nicht zur Strafe runter, Ulla.

ULLA Aber Toyota is ne Weltmarke.

HEIKO Mercedes is auch ne deutsche Weltmarke.

ULLA Toyota war Allrad Testsieger.

HEIKO Ja, aber nur bei der Geländeschrägfahrt.

ULLA Aber der Toyotaservice is...

HEIKO Ich nehm keinen Ausländer, außerdem die Leute in Umbrien sind zwar rührend dilettantisch, aber n bißchen achten die auch drauf, was man fährt.

ULLA Ja, eben, Mercedes sieht immer gleich so neureich aus, oder was finden Sie, Herr Schmitz?

SCHMITZ Na ja, äh...

HEIKO Ach was, dann bekommst du eben deinen Toyota, und ich fahre Mercedes. In dieser Wildnis sind zwei Autos sowieso kein Nachteil. Apropos, was macht denn der Kaffee, Ulla-Maus?

ULLA Schon in Arbeit. *Geht in die Küche.*

HEIKO Tja, die Frauen, sie wollen immer ihren Willen haben, die haben alle ihre Macken, alle, is Ihre Frau auch so?

SCHMITZ Ich bin nicht verheiratet.

HEIKO Seien Sie froh, sparen Sie sich viel Geld.

Ulla kommt aus der Küche.

ULLA Heiko, kannst du mir mal eben kurz zur Hand gehen?

HEIKO Ja, was is denn, Ulla-Maus? Moment, lieber Schmitz.

Heiko geht auch weg. In der Küche:

ULLA Sag mal bist du wahnsinnig, wie kommst du dazu, diesen öden Tropf hier einzuladen?

HEIKO Was heißt hier einladen? Der hat sich selbst eingeladen, das war...

ULLA Ich kenne diese Sorte Schmarotzer, die wanzen sich überall an, wos was zu schnorren gibt, am Ende spioniert er uns noch die Wohnung aus.

HEIKO Nö, nö, der is so harmlos wie ne Stubenfliege. Ein kleiner Fisch in meiner Firma, ich habe ihm mal in ner schwachen Minute gesagt: Wenn Sie mal in der Gegend sind, schaun Sie doch aufn Sprung vorbei. Kann ich doch nicht ahnen, daß dieser Arsch das wörtlich nimmt.

ULLA Ja, aber nachm Kaffee sägst du ihn ab. Ich kann diese alberne Fresse nicht mehr sehen.

HEIKO Laß mal, Ulla-Maus, der kriegt noch zehn Minuten und dann fliegt er raus.

ULLA Aber zehn Minuten maximal!

Heiko kommt zurück aus der Küche!

HEIKO So, mein lieber Schmitz, Kaffee ist schon in Arbeit.

Ulla kommt mit Kaffeegeschirr.

ULLA Wollen Sie vielleicht n paar Kekse dazu?

Dr. Kleinsorges Verdienste um den europäischen Scherz

Ein Interview

FRÄULEIN GRUBEL Herr Dr. Kleinsorge, Sie sind in der Scherzartikelbranche Europas einer der Größten. Wie sehen Sie die Entwicklung auf dem Humorsektor?

DR. KLEINSORGE Ja, Fräulein Grubel, die scherzartikelproduzierende Industrie war und ist stets bemüht, sich flexibel am Humorbedarf des Kunden zu orientieren, denn Spaß muß sein. Aber mit Niveau, und die Entwicklung der letzten Jahrzehnte hat uns bestätigt. Seit dem absoluten Absatztief seinerzeit im Karneval 1945 haben wir einen kontinuierlichen Aufwärtstrend zu verzeichnen, mengenmäßig, und ich würde sagen, auch in der Qualität.

FRÄULEIN GRUBEL Unter der Hand wird von Fachleuten gemunkelt, daß die japanische Scherzartikelindustrie den Europäischen Markt entdeckt hat. Hat das irgendwelche Konsequenzen?

DR. KLEINSORGE Wir wollen einmal klarstellen, Fräulein Grubel, die Bundesrepublik Deutschland gehört zu den Ländern mit dem weitgefächertsten und solidesten Angebot an Scherzartikeln, und bei dem heutigen hohen Standard unserer Stimmungsmacher muß man sich ja geradezu wundern, wie es früher überhaupt möglich war, eine Stimmung zu erzeugen mit den damals verfügbaren, doch sehr primitiven und simplen Produkten. Betrachten Sie doch nur unsere Nachbarländer. Dänemark, karnevalistisch unbedeutend, in Italien ist die Scherzartikelversorgung durch Streiks ins Wanken geraten, der Italiener mußte die letzten Jahre weitgehend ohne Accessoires feiern, und die desolate Versorgungslage in Comecon-Staaten ist berühmt-berüchtigt. Lassen Sie mich also noch einmal betonen, daß die Scherzartikelindustrie ein Hochleistungsunternehmen ist, das sich ernsthaft um die närrischen Belange der Bürger bemüht. Sehen Sie, allein was wir in puncto Sicherheit geleistet haben: Ich erwähne nur unsere unbrennbaren Luftschlangen und Konfetti, vierfach imprägniert und desinfiziert. Der Konfetti zum Beispiel als Bakterienträger ist damit praktisch tot. Ein weiteres Ergebnis unserer Forschungsarbeit sind z. B. ein Gummihammer, mit dem beliebig oft geschlagen werden kann, ohne daß Verletzungsrisiken für die Kombattanten bestehen. Das nämliche gilt für sämtliche Schaumgummiwaffen.

FRÄULEIN GRUBEL Ein erfreulicher Trend zum konfliktfreien Scherz also.

DR. KLEINSORGE Genau.

FRÄULEIN GRUBEL Herr Dr. Kleinsorge, welche Novitäten kommen im Scherzartikelsektor auf uns zu, haben wir in Zukunft auch noch was zu lachen?

DR. KLEINSORGE Selbstverständlich, Fräulein Grubel. Bahnbrechend für unsere

[NOCH DR. KLEINSORGE] Novitäten war der Aufschwung der chemischen Industrie. Neue Werkstoffe ermöglichen naturgetreue Nachbildungen. Spinnen, Käfer, Stuhlgang, Politikermasken, das können wir heute perfekt modellieren. Der Scherz wird dadurch heutzutage wieder realitätsbezogen.

FRÄULEIN GRUBEL Alles in allem also erfreuliche Meldungen. Aber gibt es nicht auch irgendwelche Probleme, mit denen Sie und Ihre Branche fertig werden müssen?

DR. KLEINSORGE Sehen Sie, die importierten Humorprodukte der Dritten Welt haben bei uns langfristig keine Chance. Ich glaube, daß das Scherzgefühl der Dritten Welt doch unterentwickelt ist und alalong den europäischen Geschmack nicht wesentlich tangiert. Auch Dumpingpreise sind kein brauchbares Mittel, um das europäische Gefühl für stabilen und qualitätsbewußten Humor ernsthaft zu gefährden. Aber die große Gefahr für die Zukunft des witzigen Daseins liegt darin, daß immer weniger Menschen immer mehr Leute unterhalten wollen. Dem müssen wir aufs entschiedenste widersprechen. Frohsinn ist eine Lebensqualität, die nicht von einer Handvoll pseudowitzigen Desperados infragegestellt werden darf. Und wenn man dieser Entwicklung nicht energisch entgegensteuert, könnte es eines Tages passieren, daß der gesunde Scherzartikel zum Privileg einer humoristischen Elite oder für irgendwelche lustige Avantgardisten stilisiert wird.

FRÄULEIN GRUBEL Vielen Dank für das Gespräch, Herr Dr. Kleinsorge, und in Ihrem Kampf für die Fröhlichkeit viel Erfolg.

DR. KLEINSORGE Dankeschön, Fräulein Grubel. Darf ich Ihnen als Leiter der Scherzinnung unsere neueste Kreation überreichen. Es handelt sich um einen portablen Leibeswind, sehr einfach zu bedienen. Darf ich's Ihnen vorführen.

Man hört einen mehrfach wiederholten, monotonen Furz.

Der Humorist beim Finanzamt

Winfried Deutelmoser sitzt an seinem Schreibtisch und bohrt in den Zähnen, Annerose Waguscheit sortiert ihre Handtasche.

DEUTELMOSER Ham Sie heut aa den Sauerbraten ghabt, Frau Waguscheit?

WAGUSCHEIT Naa, i muaß abnehmen. I hab das Kaßler gnommen. War er gut, der Sauerbraten?

DEUTELMOSER Aja, er war net schlecht, a bißl wenig halt. Ich hätt gern no an Extraknödel ghabt, aber des is allweil des Gfrett, kaum gibts an Sauerbraten, marschieren alle Abteilungen drauf zu, und was dann übrigbleibt, des is natürlich, wie immer, wenig. Und den Zitterpudding rührt eahna koana o. Aber sie machen ihn trotzdem, bloß, weil er im Etat drin is.

WAGUSCHEIT Mei, was da Geld nausgschmissn wird.

DEUTELMOSER A Knödel kann doch net mehr kosten wie a Zitterpudding. Herrschaftszeiten, jetzt moan i, spinnt der Computer scho wieder. *Es klopft.* Ja, herein! – Scheißkasten. *Es klopft wieder.* Herein!!

Manfred Söll, ein schmächtiger Mensch, sorgfältig gekleidet, betritt das Büro und sieht sich um.

SÖLL Grüß Gott.

DEUTELMOSER So ein Glump, mag er wieder net. Da muaß oana dro rumgspielt habn.

SÖLL Grüß Gott.

DEUTELMOSER Ja, Grüß Sie Gott, nächstens sperrn mir über Mittag ab. ’s is eh Vorschrift.

WAGUSCHEIT Oben im dritten Stock beim Dr. Berzelmeier is er scho seit 14 Tag kaputt. Es hat immer gheißn, daß s’n reparieren. Weil die gesamte Abteilung für Beschränkte, ja praktisch lahmgelegt is, die können garnimmer arbeiten.

DEUTELMOSER Ja, Sie werdn sehn, uns gehts noch genauso, wenn des so weitergeht. Apropos, habn Sie die Unterlagen in der Angelegenheit Reitmoser-Schwöpf, san die wieder aufgetaucht? Was isn da los?

WAGUSCHEIT Ich kanns einfach net finden. An ganzen Tag hab ichs gsucht. Jetzt hab ichs ann Herrn Smrch weitergebn, der kümmert sich drum, hat er gsagt.

SÖLL Hallo, Verzeihung, äh …

DEUTELMOSER Ja, an Moment noch, gel, Sie sehen ja … *Geste* So, der Herr Smrch macht das jetzt. Na lassn S’n glei amal kommen. Da muaß ein Exempel statuiert werden. Rufen S’ amal glei an.

WAGUSCHEIT Selbstverständlich, sofort. *Telefoniert.*

DEUTELMOSER Ja, und nun zu Ihnen.

SÖLL Guten Tag, mein Name ist Joe Canaris, ich bin Humorist. Bin ich hier richtig, ich komme wegen meiner Steuererklärung.

DEUTELMOSER Sie san also a Humorist. Ja, des kommt jetzt drauf an, sin Sie mehr ein Witz*her*steller, also Witzproduzent, oder vertreiben Sie die Witze nur, indem Sies erzählen, also *Re*produzent quasi.

SÖLL Ja, eigentlich mehr beides.

DEUTELMOSER Soso, mhm, des is dann natürlich ... da ghörens eigentlich ... ah, zeigen S' amal Ihre Unterlagen.

Söll überreicht aus seinem Aktenkoffer einen Ordner. Deutelmoser studiert die Unterlagen.

DEUTELMOSER Nehmen S' doch derweil Platz, Herr Söll ...

SÖLL Wissen Sie, ich arbeite praktisch sozusagen mehrgleisig, das heißt ich stelle meine Witze selbst her oder besser gesagt, ich erfinde sie, und die guten Witze bringe ich anschließend zum Vortrag.

DEUTELMOSER *lesend* Ja, Sie haben hier unter Werbungskosten, haben Sie einen grauen Straßenanzug als Berufskleidung angeführt. Zum Witzeerzählen, nehm ich an, wolln Sie damit also sagen, daß das Ihre Berufskleidung ist?

SÖLL Selbstverständlich. Ich kann, wenn ich einen Witz erzähle, doch nicht als Kasperl auftreten.

DEUTELMOSER Ja, aber sehen Sie, *das* wäre zum Beispiel für uns bedeutend einfacher, da hätten mir dann eine eindeutige Abgrenzung. Während so, bei am Straßenanzug, is des natürlich schwierig, weil, die Abgrenzungsmöglichkeit des berufsbedingten Aufwands ist ja hier nicht gewährleistet.

SÖLL Aber ich brauch ihn doch auf der Bühne, soll ich in Unterhosen auftreten?

DEUTELMOSER Unbestritten, Sie können ihn aber auch daheim anziehen, des können wir doch nicht überprüfen. Ja, leider, des is keine steuerwirksame Maßnahme, sowas wird als zumutbare Privatbelastung deklariert, zumal, in Ihrer Branche werden ja häufig Witze schwarz nebenher fabriziert. *Streicht den Anzug. Liest wieder.* Mhm, Sie sagen also, Sie haben letztes Jahr vier Witze hergestellt.

SÖLL Ja, es wird ja auch immer schwieriger mit der Konjunktur. Und heuer schauts noch schlechter aus. Das Produktionsvolumen ist weiterhin rückläufig.

DEUTELMOSER Ja, es tut mir leid, mir können Ihnen nur aufgrund Ihrer Witzproduktion vom letzten Jahr den Kostenfestsetzungsbescheid berechnen. Wenn jetzt Ihre Produktion stagniert, dann müssen Sie bei der Rechtsbehelfsstelle form- und fristgerecht Erinnerung erheben, des geht mich nachad nix an. Sie können natürlich aber auch einen Steuervorauszahlungsherabsetzungsänderungsantrag einreichen, dafür bin ich dann wieder zuständig. Die Formulare dazu kriegen S' in Zimmer 37a.

WAGUSCHEIT *am Telefon* Ja, da nehmen S' a ganz normale Blumentopferde.

DEUTELMOSER Sie führen hier auf, am 17. 8. habn Sie in der Stadthalle Möhl, haben

Sie ein Wienerschnitzel mit gemischtem Salat und sieben Bier und vorher eine Grießnockerlsuppe konsumiert. Das rechnen Sie hier zu den Herstellungskosten. Also, wenns überhaupt steuerlich relevant sein soll, sind das doch bestenfalls Vertriebskosten, Kosten beim Witzvollzug quasi.

SÖLL Nein, nein. Erstens mußte ich ja, um in die richtige Stimmung zu kommen, etwas Adäquates zu mir nehmen, und außerdem habe ich ja schon damals zugleich an meinem anderen, neuen Witz gearbeitet.

DEUTELMOSER Übrigens, sieben Bier, is schon allerhand. Sie werden mir doch nicht erzählen, daß Sie die sieben Bier nur und ausschließlich dienstlich getrunken haben. War da keins privat dabei? Mal ganz ehrlich?

SÖLL Nein. Nein. Nein! Naja, vielleicht am Schluß eins oder allerhöchstens zwei.

DEUTELMOSER Na also dann, des gehört doch abgegrenzt. Des is a Schlamperei, des geht doch net.

SÖLL Mein Problem ist doch: Die Herstellung von Witzen beruht oft zum Teil in der Herstellung von Privatatmosphäre, aus der man dann schöpfen kann.

DEUTELMOSER Ja, aber guter Mann, wie soll ich denn das dann hier abgrenzen? Des sind dann halt zumutbare Eigenbelastungen. Es tut mir leid. Außerdem, wissen Sie, a Wienerschnitzel und a Grießnockerlsuppen, das ist keine Verpflegungsmehraufwendung mehr, das is eine Prasserei. Eine Verpflegungsmehraufwendung, das wär, wenn ma sag mir mal noch a Tasse Kaffee zu sich nehmen, sowohl bei der Herstellung, wie auch im Vertrieb. *Streicht Schnitzel und anderes.* Ah, noch a Frage, weil Sie habn doch da an Combi aufgführt, ich mein, Ihre Witze ham Sie doch zum Teil im Kopf, oder auf an Papierl? Wieso brauchen Sie da an Combi?

SÖLL Ja, äh, zum Transport von Kollegen zum Beispiel, Zauberer, Showmaster und so...

DEUTELMOSER Ja, die sind berufsfremd, des hat damit nix zum Tun. Ich mein, was anders is a ganz normale Fahrt zum Arbeitsplatz, also vom Wohnort zum Ort der Herstellung des Witzes, und von da bis zu dem Platz, wo Sie den Witz an den Mann bringen. Und zurück natürlich.

WAGUSCHEIT Ah, Herr Deutelmoser, ich wollt Ihnen nur sagen, ich geh jetzt.

DEUTELMOSER Jaja, is scho recht.

WAGUSCHEIT Der Herr Smrch, hats gheißen, is scho aufm Weg zu Ihnen.

DEUTELMOSER Is scho recht.

WAGUSCHEIT Also dann, ich geh jetzt.

DEUTELMOSER Ja, is scho recht, gehnga S' nur.

WAGUSCHEIT Was ich noch sagn wollt, an Bienenstich hab ich Ihnen hintern Vorhang gstellt, zwoa Stück, wie alleweil.

DEUTELMOSER Ja, is scho recht, dankschön.

WAGUSCHEIT Also dann, Wiederschaun, Herr Deutelmoser.

DEUTELMOSER Ja, pfüat Eahna Gott. Also, wie gesagt, Anfahrtswege ...

WAGUSCHEIT Ah, was ich noch sagn wollt, Sie wissen schon noch, morgen wirds a bißl später. Kann sein, daß ich erst kurz vor Mittag komm.

DEUTELMOSER Jajaja, is scho recht.

WAGUSCHEIT Weil ich doch da mein Zahnarzttermin hab.

DEUTELMOSER Ja, is scho recht.

WAGUSCHEIT Es is einfach net anders gangen.

DEUTELMOSER Is scho recht.

WAGUSCHEIT Also dann, Wiederschaun.

DEUTELMOSER Ja, Wiederschaun.

SÖLL Wiedersehn.

WAGUSCHEIT Wiedersehn.

DEUTELMOSER Ja, Wiederschaun. *Fräulein Waguscheit geht.* Also, mach mir weiter. Sie führen hier also auf – *liest* – Spenden zugunsten und Förderung eines unbekannten Künstlers. Aber sagen S' amal, Joe Canaris, des san doch Sie selber.

SÖLL Mein bürgerlicher Name ist Manfred Söll.

DEUTELMOSER Aber vorhin haben S' doch selber gsagt, Joe Canaris.

SÖLL Ja, schon, aber nur in meiner Eigenschaft als Humorist, als Privatperson heiß ich Manfred Söll, und als Manfred Söll kann ich doch den Künstler Joe Canaris fördern.

DEUTELMOSER Geh, machma S' Eahna doch net lächerlich, spenden S' lieber ans Rote Kreuz. *Streicht Spende.* Jetzt würd mich amal interessiern, wie sind Ihre reinen Herstellungskosten eines Ihrer Witze? Nur dann können wir die Abschreibungsmöglichkeiten gemäß in Erwägung ziehen.

SÖLL Ich hab bisher immer digital abgeschrieben.

DEUTELMOSER Sie Witzbold, des kommt doch für Sie überhaupt nicht in Frage. Sie sind doch quasi, auch wenn Sie jetzt Witzehersteller sind, kein Unternehmer. Oder geben Sie Witze bisweilen in Auftrag?

SÖLL Nein, nein, ich erfinde sie alle selbst!

DEUTELMOSER Dann können Sie doch nicht als Unternehmer gelten, sondern doch höchstens als freier Verfasser von Scherzen undsoweiter, Sie sand ja koa Wirtschaftsunternehmen von Rang. Sie fallen doch in eine ganze andere Proportionalzone. Der Combi is ja eigentlich scho zviel, aber, Schwamm drüber, laß mirn passiern, ausnahmsweise. *Wenn* einer Ihrer Witze mal zur Geltung kommt, das heißt sich durchsetzt, dann kommt natürlich nur eine degressive Abschreibung in Frage. Wenn dieser Witz sich natürlich schnell verbraucht, daß es sich sozusagen nicht gelohnt hat, dann machen mir eine progressive Abschreibung.

SÖLL Nein, linear.

DEUTELMOSER Nein, progressiv, reden S' net ständig. A progressive Abschreibung. Wenn der Witz einigermaßen ankommt, würd ich vorschlagen, schreibn mirn linear ab. Also digital kommt für Sie überhaupt nicht in Frage. Jetz no was: Sie sagen, Sie arbeiten kontinuierlich als Humorist und verstehn sich als das.

SÖLL Selbstverständlich. Nur Humorist. Nur.

DEUTELMOSER Also, Grenzbereiche kommen nicht in Frage, so Conférencen ...

SÖLL Ja, schon, manchmal.

DEUTELMOSER ... oder daß Sie mal bloß Bonmots machen oder Kalauer oder irgendsowas? Des fällt natürlich abschreibungsmäßig untern Tisch, weil der Erstellungsaufwand ja praktisch Null is, andererseits die Rendite beträchtlich sein kann.

Herr Smrch, der Hausbote, kommt mit einem Akt.

SMRCH Sie habn mich rufen lassen.

DEUTELMOSER Ja, wegen der Akte Reitmoser-Schwöpf, ham S'es gfunden?

SMRCH Die nicht, aber dafür ist die Akte Dillinger wieder aufgetaucht.

DEUTELMOSER Dillinger, Dillinger, da weiß ich ja garnix davon, daß die weg war.

SMRCH Das ist ja auch schon vier Monate her, daß sie verschollen ist.

DEUTELMOSER Ahjaja, jetzt glaub ich, kann ich mich erinnern. Gebens S'es her. Und den Reitmoser-Schwöpf suchen S' weiter. Bis S'n habn, verstanden?!

SMRCH Selbstverständlich. *Es rattert, er will gehen.*

DEUTELMOSER Hahaha, so ein Witz, jetzt geht er wieder.

SMRCH Bitte wer?

DEUTELMOSER Der Computer. Is des net komisch?

SMRCH Was?

DEUTELMOSER Daß er wieder geht?

SMRCH Ja, ich geh jetzt auch. Wiedersehn. *Geht.*

DEUTELMOSER Ja, wiederschaun. Also, wo warn mir ... ah, wissen S' was, ich rat Ihnen, nehmen S' die Werbungskostenpauschale in Anspruch, weil, wenn mir Ihr Witzgut auf Herz und Nieren überprüfen, dann bleibt glaub ich nimmer viel übrig. Wenn mir genau werdn müssen, dann haben Sie nix mehr zum Lachen. *Streicht alles, sieht nochmals in den Antrag.* Ah, Moment amal. Also, des hier sind – *zeigt auf Summe* – Ihre gesamten Realeinkünfte vom vorigen Jahr?

SÖLL Ja, warum?

DEUTELMOSER Ja, dann brauchen mir ja gar nimmer weiterrechnen, da sind Sie ja unter dem Existenzminimum. Ja, sagen S' amal, wovon lebn denn Sie überhaupt?

SÖLL Wie bitte?

DEUTELMOSER Wolln Sie an Witz mit mir machen?! Da, nehmen S' Ihre Sachen mit und kommen S' wieder, wenn S' amal was verdienen sollten. Wiederschaun. *Deutelmoser wendet sich der Akte Dillinger zu, Söll verstaut verständnislos seine Steuererklärung.*

Wurstmax bilanziert

Über die Gewerkschaften

WURSTMAX I kenn mi aus. – I kenn de Gwerkschaften, de Briada, de miserabligen. I war selber jahrelang organisiert. – Fuchzehn Jahre Mitgliedschaft, mir ko ma nix vormachn. Obwohl, jetz bin i ins andere Lager übergwechselt. I bin ja jetza selber praktisch Unternehmer worn, mei eigener Herr sozusagen, weil, im Grunde is a Gwerkschaft bloß a Übergangsform zum freien Unternehmertum, a Provisorium quasi. Weil, ma kann doch net a Lebn lang nur organisiert sei, also, meiner Meinung nach gibts nur zwoa Alternativen: Unternehmer oder Gwerkschaftsfunktionär. Des is dann praktisch a Unternehmer mit Beamtenstatus. – Ich für mein Teil, i bin a Unternehmer worn, und dadurch san de Gwerkschaftler meine natürlichen Feinde. Aber oans muaß ma dem Feind lassn: Gschäftsleut sans, de Gwerkschaften; wenns an Kaufhof nehma, was de für an Ramsch verkauffn, des macht eahna da Hertie nicht nach, und net amal da Neckermann. Oda nehma S' de Neue Heimat, de greißlichn Betonbunker da draußd des Neuperlach – mächstnet glaubn, daß Eahna da oana nausgeht und drin wohnt, aba de sand doch drin wia de Fliagn. Da ham de Gwerkschaften an unternehmerischen Scharfsinn bewiesn, also de Neue Heimat und der Kaufhof, des san echte Alternativen zur freien Wirtschaft. Renditemäßig san de unschlagbar. Jetz müaßns natürlich für ihre Mitglieder höhere Löhne fordern, damit de de Mietn da draußd überhaupts zahln kenna. Für mich is des ganze Neuperlach ein einziges Sozialspital. Da hams an guatn Griff toa. Raffinierte Hund sans scho, de ham a Gspür, wo wos geht und wo ned. Weil, bei de Krankenhäuser, da mischen se se net ei. Wenn i Schefarzt waar, dad i aa net ind Gwerkschaft geh, und in de Krankenhäuser hams aa nix zum suchn, des san kerngesunde Unternehmen und dene Kranken kos ja wurscht sei, was so a Pfleger verdient. Der einzige Nachteil is, daß ma fast nur no Ausländer als Pflegepersonal ham, Nonnen ausgenommen, aba de san ja im Aussterbm. Deitsch san praktisch nur no de Ärzte und de deitschn Patientn. – Auch in da Krise beweisn d Gwerkschaften a guate Nosn. – Kernforscher miaßn beschäftigt werdn bei dera Akademikerschwemme – mia könnan uns des garnet leistn, Tausende von so Kernforschern, de wo koa Atom macha kenna. Und wenn alle Akademiker bloß no Taxi fahrn, na ham mia koane Akademiker mehr, wo si mim Taxi fahrn lassn. Da zeigns aa an Gerechtigkeitssinn, aber des bringt natürlich wieda eine gewisse Anonymität mit sich, weil der Einzelne is nix mehr wert, wenn er in der Masse auftritt. Als Einzelner im persönlichen Kontakt mit dem Chef erreicht man gewöhnlich mehr. Des san doch auch Menschen. I kann Eahna a Beispiel sagn aus meiner eigenen Angstelltenzeit: I bin zum Scheef naufganga und habe eine Gehaltserhöhung gfordert. Als erstes hat er mir a Zigarrn und an Platz angebotn – die beste Sorte, drei Mark mindestens. Nachad hat er sich siebn Minutn Zeit gnommen, er hat mir dann das sehr gut erklärt, sagt er: Mia dad er gern a Erhöhung gebn, jederzeit, an eahm liegts net, aber er sagt, d Gwerkschaftn – da ham mers – de fordern des für alle Mitglieder, und des werd z teier, und weil d Gwerkschaftn so lästig fordern, hab i praktisch koa Erhöhung bekommen. Aber wenn i net selber higanga waar, hätt i net amal a Zigarrn kriagt, nachad hätts wieda da Funktionär graucht. – Schaun S', auch bei mir selber im Unternehmen – ich bin Inhaber von am gastronomischen Betrieb in Form einer Wurstbude. Einen Angstellten hab i, den Hassan, der is zu mir kemma und hat mehra wolln, nachad hab ichs ihm in derselben Form erklärt, wie mia da Scheef seinerzeit, allerdings is der Hassan Nichtraucher. Na is er unverschämt worn und hat mit da Gwerkschaft droht, na hab i'n nausschmeißn müaßn. Weil, anundfürsich bin i a guatmütiga Mensch und habe für alle Probleme ein offenes Ohr, aba i laß mi doch net erpressn. – Und, sag ma amoi, aa gsellschaftlich is heitzutog d Mitgliedschaft eha a Nachteil, wenn oana net direkt in de oberen Ränge von da Gwerkschaft sitzt. Und da Beweis, daß s aa ohne geht, siecht ma ja an de Zahnärzte – Notare – Gebrauchtwagenhändler – Makler – glauben Sie, daß da oana organisiert is? De verdienen meines Erachtens nur deshalb so gut, weils net in der Gwerkschaft san und weils net wartn, daß eahna ois von obn her geregelt werd. – Irgendwann muaß a jeder Mensch amal selber in d Händ spuckn und die Sache in die Hand nehmen, weil die Gwerkschaften san meines Erachtens viel zu zahm. Jetza zum Beispiel: 10 % hams gfordert, nachad san net amal 6 % rauskemma, und weil de Flaschen net durchkomma san, hob i meine Würscht net um 15 % erhöhen kennan. Gottseidank is da Cörry naufganga, na hab i's damit begründet – weil, a Preisgestaltung muaß sei. Des is net so wichtig, was es kostet, sondern eine Begründung muaß her. Des sehng S' aa bei de Ölmagneten, de wo des Geld praktisch direkt anziehn, de könnan des alles genau belegn und inserieren des sogar in der Zeitung, warums mehra verdienan müaßn. – Aber oans muaß ma dene Gwerkschaftn lassn, organisiern, des könnans. De Ersten-Mai-Feiern, Respekt, Spitze – as Bier is schee kalt, da Leberkaas ausgezeichnet und de Redn wern gottseidank aa imma kürza, und daran siecht ma scho, daß aa koane Probleme mehr gibt. I muaß scho sagn, des is sehr angenehm, also, i geh da heit no hin, obwohl i jetzt a Unternehmer bin und mi des Ganze gar nix mehr angeht praktisch. – Also, über den ersten Mai laß i nix kommen.

Eddi Finger oder Advent

VORSPIEL

In seinem Bett liegt Eddi Finger, und die Ruhe der Nacht ist der Pfad, den der Traum geht, um Eddi einen Besuch abzustatten. Begleitet ist der Traum von jemand, den Eddi kennen sollte. Bisweilen wird die Stille von einem kreischenden Auto unterbrochen, oder das Summen eines Lifts oder das Rauschen von Toilettenwasser zeigt an, daß sich das Leben von einer Nacht nicht fesseln läßt.

EDDI *im Schlaf* Mein Gott, der Traum, bist du schon wieder da?

TRAUM Hi hi hi hi, ja ja ja freilich, Eddi. Als Traum deines Lebens habe ich die Pflicht, quasi dir den Weg zu erläutern, denn du hast doch kaum mehr Zeit, Eddi, oder ist es nicht so?

EDDI Ach du liebe Zeit, nein, ich habe sie lieb, die Zeit, aber immer läuft sie mir weg.

TRAUM Dafür bin ich doch da, damit du das, was sie dir im Geschäftsleben nehmen, erhältst. Du brauchst eben Zeit, Eddi. Und da habe ich dir jemanden mitgebracht, der jetzt sehr viel Zeit hat für dich.

VATER Mein Lebenswerk – das Werk meines Lebens, meine Kraft, mein Ziel, mein Mein – ist zerschmolzen. Der Leichtsinn, die Liederlichkeit eines Sohnes ist wie der Föhn, der alles zernagt, was an Bedeutung, an Phantasie eines Irdischen, an Gestaltungskraft und Anständigkeit zu verwirklichen war. – Finger & Finger.

EDDI Vater, Vater – *leiser* – Papa, Papa schon – die Geschäftswelt, ich hab ja alles probiert, aber die Konjunktur, der Markt, die Sättigung – Papa, wirklich ...

VATER Und Lorenz & Lorenz, die Konkurrenz?

EDDI *jammert* ... schläft nicht.

TRAUM Gleich geh ich, Eddi, und nehme deinen Papa wieder mit. Hab ich dir ein bissel angst gemacht, gell. Aber dein Papa ist halt noch ein alter Homo faber, der läßt nicht so schnell locker, auch wenn er wieder Zeit hat. Servus Eddi und viel Spaß in der Geschäftswelt.

EDDI Danke. Servus. Auf Wiedersehen.

NACHSPIEL

Martha Dinglinger sitzt im Wohnzimmer und rastet.

MARTHA Ich habs mir alleweil gedacht, man kann es nur durchhalten, wenns einer hat, was die Geschäftswelt braucht. Aber er hätte halt kein Geschäftsmann werden sollen in dieser Welt. Er ist einfach zu gut, und das ausgerechnet an Weihnachten. Ja ja, jetzt sind ma übern Berg, jetzt gehts bergab, heißts. Ob ich mir nicht vielleicht doch –

steht auf und holt einen Sack aus der Tasche – ein paar Sachen, ich mein, was ist jetzt für ein Unterschied net, wenn ich die Sachen putz und statt einem Geld gleich mitnehm, oder die Sachen statt einem Geld mitnehm und dann daheim putz. *Sie packt kleine Accessoires, die überall herumstehen, in den Sack.*

Es klingelt. Martha Dinglinger öffnet. Ein unscheinbarer grauer Mensch kommt herein und zeigt einen Ausweis.

MARTHA So, sind S' schon da, er ist noch drin, ich glaub, er schlaft noch. Aber er wird sicher bald kommen.

GERICHTSVOLLZ. Ja, dann werd ich mich mal umschauen. Täbris? *Fühlt den Teppich.*

MARTHA *feierlich* Ja, das ist noch ein Familienstück von der Familie.

GERICHTSVOLLZ. *rollt den Teppich zusammen.* Den auf alle Fälle, damit er nicht mehr davonläuft!

MARTHA Haben S' schon gefrühstückt?

GERICHTSVOLLZ. Ja, da haben Sie recht, nein.

Martha ab in die Küche. Man hört Klimpern. Gerichtsvollzieher blickt sich um und heftet einen Kuckuck beiläufig an den Tisch, sieht dann verwundert einen schönen geschnitzten Christus an und appliziert einen Kuckuck, der das Antlitz des Herrn verdeckt.

GERICHTSVOLLZ. Mein Gott, ja wohin wird das noch führen, wenn das so weitergeht.

MARTHA *aus der Küche* Sie sind aber wirklich schon früh da.

GERICHTSVOLLZ. Ja, und das bei dem Personalmangel. Wir sind auf solche Krisen gar nicht vorbereitet, und vor dem Weihnachtsfrieden müssen wir noch vierzig Haushaltungen vollstrecken.

Martha kommt in den Wohnraum mit einem Tablett und bringt ein Frühstück.

MARTHA Müssen S' doch hungrig sein, wann S' immer so viel vollstrecken.

Gerichtsvollzieher langt voll zu, und es schmeckt ihm sichtlich. Martha betrachtet ihn mit Anteilnahme und freundlich.

GERICHTSVOLLZ. *mit halbvollem Mund* Von Rechts wegen dürfte ich das gar nicht zu mir nehmen, sondern müßte ...

MARTHA Geh, Sie werden doch net den Kaffee ...

GERICHTSVOLLZ. Nein, nein, den Kaffee selber nicht, aber die Tasse, wo der Kaffee drinnen ist.

MARTHA Dann kann er aber nicht mehr frühstücken, weil dann schon vollstreckt ist. Vielleicht tun Sie dann das Wapperl erst hinauf, wenn Sie die anderen Sachen erledigt haben, weil er hängt so an seinem Frühstück.

GERICHTSVOLLZ. Es geht alles nach Plan, da kann ich leider irgendeine Ausnahme nicht machen, da der Gang des Vollzugs, also der Vollzugsgang, per se vorgeschrieben ist.

MARTHA Gibts da eine Vollzugsordnung?

GERICHTSVOLLZ. Freilich, Gott sei Dank, sogar mehrere. Das ist ja das Interessante an meinem Beruf. Was glauben Sie denn, da steht eine lange Ausbildung

[NOCH GERICHTSVOLLZ.] dahinter, und das soziale Engagement und viel Psychologie, Fingerspitzengefühl, Kunstgeschmack, ja ich weiß gar nicht, wo ich aufhören soll.

MARTHA Ja, Sie kennen die Welt, gell!

GERICHTSVOLLZ. Ich weiß zumindest, wie sie endet. Hier – *deutet auf seinen Kuckuck* – ist die Quittung auf Illusionen und Flausen, die in einer sauberen Geschäftswelt nichts zu suchen haben.

MARTHA Er war zu gut.

GERICHTSVOLLZ. Da haben wir es, zu gut, sprich Güte, das ist natürlich immer wieder dasselbe. Da kann gepredigt werden, was man will. Schärfe des Auges, gesunde Rücksichtslosigkeit, Nase für die Konjunktur, Skepsis, Fähigkeit zum Antreiben, Belauern, aber all diese Tugenden werden einfach in den Gulli geschüttet. Ich frage Sie, wie soll sich denn eine ordentliche Geschäftswelt entwickeln, wenn kontinuierlich solche Ideen herumspuken und offiziell davon geredet wird. Sicher, es gibt eine angeborene Güte, mit der könnte man fertig werden, man sagt ja ein guter Mensch, fast ein Depp, aber wo kommen wir hin, wenn man die großen Gesetze der Welt einfach ignoriert?

MARTHA Ein bissel ist die Mutter schuldig. Der Vater, der war nicht so, der war noch einer vom alten Schlag. Seinetwegen hat sich doch der Wimmer erschossen. Sie wissen schon, der alte Wimmer, von Wimmer & Wimmer.

GERICHTSVOLLZ. *strahlt* Jaja genau, ich erinnere mich sehr gut, der alte Herr Wimmer, da habe ich noch persönlich vollstreckt. Seine werte Frau Gemahlin hat es ja dann auch nicht mehr lange dermacht.

MARTHA Der Kummer, gell.

GERICHTSVOLLZ. Stimmt, ganz sicher, der Kummer.

MARTHA Der alte Herr Finger hat ja quasi ein Imperium aufgebaut. Aber der Eddi – nein, nein, nein – ich kann mich noch genau erinnern, der alte Herr Finger wollte immer haben, daß der Sohn frühzeitig lernt, wie man eine Bilanz liest. Aber die Mutter hat ihm immer alles durchgehen lassen und hat erlaubt, daß er Eisenbahn spielt, aber die Mutter war halt auch viel zu gut. Der alte Herr hat immer gesagt »Habe ich das hier mit gesundem Menschenverstand oder mit deiner Nächstenliebe aufgebaut?« Sie hat dann immer geweint.

GERICHTSVOLLZ. Nächstenliebe, ja, ja, das ist die Wurzel für unsere Arbeit.

Es klingelt.

Na endlich, das werden sie sein.

Martha öffnet, zwei Packer treten ein.

Also dann packen wirs an.

Die Packer gehen wortlos an das Mobiliar und beginnen, ein Stück nach dem andern abzutransportieren.

* * *

Im Nebenraum läutet das Telefon. Eddi Finger springt aus dem Bett und nimmt den Hörer ab.

EDDI Ah so, ja ja, verstehe – dann sagen Sie, daß es mit meiner Geduld zu Ende ist, wie – das ist doch mir gleich – und wenn er den Offenbarungseid schwört – schließlich gehts um ein Geschäft – wir leben doch heute – jaja genau – mit Verzugszinsen, und wenn er ein Leben lang daran denkt – dem hetz ich die ganze Rechtsabteilung an den Hals – *sanfter* – gut gut, also so machen wirs – und wie gehts Ihnen? Jaja, man will seine Ruhe haben – ja auch Ihnen frohe und gesegnete Feiertage – schön – Wiedersehen – Wiederschaun – und kommen Sie gut hinüber. *Er hängt ein. Steht rum und monologisiert.*

Das Leben ist ein Grabenkrieg, aber es bietet auch allerhand. Sicher, man wird gedemütigt, aber das Ganze ist nun mal kein Honigschlecken. *Geht zum Adventskalender, öffnet ein Fensterl, entnimmt ein Marzipan und schiebt es sich genußvoll in den Mund, liest laut Sinnspruch:* »In baldiger Erwartung aufs Christkindlein tun wir gut und machens Herzlein rein.«

MARTHA *klopft.* Herr Finger, Herr Finger, da sind welche Herren da und und vollstrecken, wenn S' bitte einmal kommen möchten.

Eddi Finger geht im Schlafanzug und pompösen Morgenmantel in den Wohnraum. Die Packer grüßen.

GERICHTSVOLLZ. Guten Morgen, Herr Finger. Entschuldigen Sie, Herr Finger, aber kraft diesen Bescheids ...

EDDI Ja ja, ich habe einen Fehler gemacht.

GERICHTSVOLLZ. Ja, ein Ausrutscher im Geschäftsleben und schon gehts dahin. Aber so ist halt das Leben.

EDDI Ich habe immer aufgepaßt, aber die Methoden der Konkurrenz werden, sagen wir, immer verfeinerter, eine falsche Investition und schon ...

GERICHTSVOLLZ. Sind wir da, gell? – aber verdunkeln tun Sie nichts, Herr Finger, aber wozu auch, jetzt wo Matthäi ...

EDDI Dann bin ich also sozusagen ...

GERICHTSVOLLZ. Genau, wenn Sie aber so nett sein würden und alles an Wertgegenständen, Schmuck, naja, Sie wissen schon ...

EDDI Selbstverständlich, Sie müssen nur entschuldigen, aber ich bin ein bißchen durcheinander, weil das Ganze hat doch Folgen.

GERICHTSVOLLZ. Natürlich! Nicht nur geschäftlicher Art, sondern auch gesellschaftlich, nicht wahr!

EDDI Wir wollten über Neujahr nach die Karpaten fahren zum Skifahren, wir sind immer in den Osten gefahren und haben dann da die Sau rausgelassen. Im Sommer haben wir in Ungarn, die ganze Clique, sechs Leute, vier Porsche und zwei BMW, jaja, wir waren ein paar tausend Kubik, jaja, da haben wir ganz schön die Puppen tanzen lassen.

GERICHTSVOLLZ. Ungarn kenn ich nur vom Krieg, aber da haben wir auch gelebt wie die Fürsten. Wir haben, wie man so schön sagt, immer organisiert.

Die Packer nehmen ein großes Stück und tragen es hinaus.

Haben Sie vielleicht schon dran gedacht auszuwandern? Vielleicht Südafrika oder so wo hin?

EDDI Ja, irgend etwas muß ich mir schon einfallen lassen. Ich hab einen Bub, der hätte studieren müssen und dann einmal das Geschäft übernehmen müssen. Diplom-Volkswirt vielleicht, den Doktor machen oder so was hab ich mir halt gedacht, irgendwie.

GERICHTSVOLLZ. Bildung ist halt ein Fundament. Ich hab eine Tochter, die macht jetzt auch das Abitur, weil ohne Abitur – hab ich zu ihr gsagt, hat ja alles keinen Sinn mehr. Weil die Zeiten ändern sich, und dann hat sie wenigstens Abitur. Das akzeptiert sogar der Amerikaner oder auch der Russe.

EDDI Ja genau. Wir haben ja fast alles, hab ich gedacht. Eine moderne Einbauküche, Teppiche, Antiquitäten, jetzt hab ich gedacht, auf das Abitur kommt es auch nicht mehr drauf an.

* * *

Eleonore Finger, aufwendig gekleidet im Leopardenmantel, erscheint mit Sohn Freddi, der ebenfalls modern und superlässig erscheint.

ELEONORE Was ist denn hier los?

EDDI Jetzt sind wir soweit.

ELEONORE Du bist eine Flasche. Ich habs immer gewußt. Wo ist mein Schmuck?

FREDDI Papa, krieg ich ein Geld oder einen Scheck?

ELEONORE Laß dir von deinem Vater ja keinen Scheck aufdrehen, er ist pleite!

FREDDI Von meinem Papa nehm ich schon einen Scheck, gell Papa?

EDDI Ja, laß dir nur Zeit, du kriegst schon was. Du hast immer noch was gekriegt zum Gabentisch.

ELEONORE Ich habs kommen sehen. Du und ein Geschäftsmann! Aber nie und nimmer. Auch der Zeitpunkt ist natürlich wieder gut gewählt. Jetzt wo es auf Weihnachten zugeht.

GERICHTSVOLLZ. Ja, gnädige Frau, wenn ich mir erlauben darf, aber es scheint im Wesen der Katastrophe zu liegen, sich an keinerlei Termine zu halten.

ELEONORE Aber in der Weihnachtszeit, das ist ein starkes Stück, wo sonst nur von einem Boom geredet wird, ausgerechnet da macht der Pleite.

FREDDI Papa, kannst jetzt mei Ausbildung nimmer zahlen, Papa?

ELEONORE Daß er sich untersteht, du wirst ein Akademiker.

GERICHTSVOLLZ. Das Abitur und ein Studium ist ein Fundament, wenn ich amal so sagen möcht, ohne so etwas hat man heute kaum mehr Chancen. Das, was man da investiert, das lohnt sich.

EDDI Freilich, da brauchen mia gar net diskutieren, net, des ist doch klar, ein Studium sowieso.

ELEONORE Das lasse ich bei Gericht bestätigen und was ich monatlich krieg, darüber reden wir noch, und jetzt will ich meinen Schmuck, laß dir ja nicht einfallen, so zu tun, als könnte er dir gepfändet werden.

FREDDI Papa, gib mir halt an kloana Scheck, wenigstens, i muaß doch Weihnachtspräsente beschaffen.

EDDI Jetzt wart halt, Bub.

ELEONORE Mein Gott, wenn ich an frühere Weihnachten denke, voriges Jahr waren wir in Las Palmas, in einem guten Hotel, da haben wir chic gegessen, alles wirklich fein arrangiert, war auch nicht dieser Pauschalcharakter und es hat wirklich einen Pfiff gehabt, das Ganze.

GERICHTSVOLLZ. Da unten soll es wirklich sehr schön sein, eine feine Paella zu Weihnachten am blauen Meer, das wär schon was, aber bei uns, o mein Gott, ich komm ja auch kaum mehr weg, weil Weihnachten ist halt immer so ein Familienfest.

ELEONORE Wie ich hier die Lage so sehe, wirds heuer auch so was wie ein Familienfest, aber ohne mich.

GERICHTSVOLLZ. Ich eß meistens nur ein paar Würstel, gell, und dann geh ich ins Bett, weil am andern Tag gibts doch die Gans, und das ist immer sehr anstrengend. Aber sonst machen wir alles wegen der Tochter, aber wenn die das Abitur hat, dann lassen wir es bleiben. Aber solange sie noch in die Schule geht, braucht sie halt ein Heim, und da gehört Weihnachten dazu, irgendwie.

FREDDI Papa, kriag ich hernach an Scheck dann wenigstens?

ELEONORE Jetzt laß ihn halt in Ruhe. Siehst du nicht, daß er pleite ist?

MARTHA Mein Gott, ich find halt, Weihnachten, mein Gott, des is halt, irgendwie, mir essen immer einen Fischsalat, und mein Mann trinkt gern ein Bier. Mir machen dann immer das Fernsehen an, aber grad um die Weihnachtszeit ist das Programm nicht besonders. Weihnachten und Allerheiligen rentiert sichs kaum, daß man reinschaut.

GERICHTSVOLLZ. Weihnachten ist mehr was für Geschäftsleute, aber die sind halt müde dann am Abend und wollen ihre Ruh. Besser wärs wirklich, man flöge weg, Bahamas oder so.

ELEONORE Wo ist jetzt eigentlich mein Schmuck?

EDDI Der Schmuck, ja, äh der...

ELEONORE Mein Schmuck, ich habe es fast geahnt, ich hätts mir denken können, mein Schmuck – schon bevor wir geheiratet haben, habe ich deinen Charakter gekannt, ja ich habs gewußt, daß du einmal in ein Schlamassel reinrasselst. Ja, früher, als das Geschäft noch florierte, da warst du ganz der feine Max – geht pleite und verpfändet meinen Schmuck.

EDDI Aber schau, das kann einem jeden passieren – ich bau halt wieder was auf.

ELEONORE Was ich alles erduldet habe – deinem Herrn Vater war ich ja nicht gut genug – ich habe ja kein Geschäft mit in die Ehe gebracht – ich sollte ja nur daheim sitzen, nicht mitarbeiten, damit man nicht meint, ihr hättets nötig, aber jetzt, das sage ich dir, ich gehe und der – *deutet auf Freddi* –, der macht das Abitur.

EDDI Aber schau, Schatzi – reg dich doch nicht so auf – rein menschlich ist doch immer alles in Butter gewesen oder? Ich hab doch immer einmal was springen lassen, das kann mir keiner nachsagen. Ich hab auch daheim immer gsagt, das wäre ein Schmarrn, wenn sie was gegen dich hätten, weil, ich hab immer gsagt, daß menschlich, hab ich gsagt, bei uns einfach alles läuft.

FREDDI Papa, laßts eich jetzt wirklich scheiden?

EDDI Du geh – das geht dich gar nichts an, misch dich net rein.

FREDDI Aber die Mama sagt, daß du de Freindinnen, die wo du hast, daß du dene immer ein Geld gibst, und zwar nicht wenig, und mir gabest koan Scheck.

EDDI Deine Mutter redet immer so Sachen, und außerdem geht dich das gar nichts an.

Es klopft. Martha Dinglinger öffnet, ein Briefträger kommt.

POSTLER Guten Morgen!

ALLE Grüß Gott! Guten Morgen!

POSTLER Herrn Finger, auch ein Einschreiben ist dabei – hoffentlich nichts Schlechts – *staunend* äh, ziehen Sie aus, jetzt kurz vor Weihnachten?

EDDI Nein, eigentlich nicht, es ist bloß eine Umdisponierung, eine moderne Gesellschaft ist halt mobil.

POSTLER Ja, genau.

EDDI Weihnachten nimmt ja auf uns auch keine Rücksicht.

POSTLER Ja, genau.

EDDI Es ist heute eh alles im Umbruch, wo keiner mehr an nichts glaubt.

POSTLER Genau.

EDDI Ein jeder fordert, aber leistn wollns nix.

POSTLER Genau wie Sie sagen – arbeiten wollns nimmer und jetzt machens alle ein Abitur, weils nix mehr tun wollen.

EDDI Genau. Also dann, frohes Fest!

POSTLER Ja, dann auch Ihnen dasselbe und kommen S' gut hinüber.

EDDI Sie auch.

GERICHTSVOLLZ. Frohes Fest also dann.

PACKER Frohes Fest.

ELEONORE Frohes Fest.

Während Eddi einen Zahlungsbefehl dem Kuvert entnimmt.

POSTLER Frohes Fest! *Geht ab.*

ALLE *etwas gestaffelt* Frohes Fest!

EDDI Das ist wirklich gemein.

GERICHTSVOLLZ. Aha, ein neuer Schritt bahnt sich an?

EDDI Man hat seine Ruhe nicht mehr, es macht einem wirklich keine Freude mehr manchmal.

GERICHTSVOLLZ. Sie hätten Beamter werden sollen, wegen der Sicherheit. Ich glaube ganz einfach, daß es egal ist, welchen Beruf man hat, man muß ihn jedenfalls absichern. Ein Kusaa von mir, dem sein Sohn möchte Humorist werden, aber mein Kusaa hat gesagt, er erlaubts nur, wenn er damit wenigstens auch in die mittlere Beamtenlaufbahn kommen kann. Mein Kusaa sagt, daß wenn einer A 13 ist, dann kommt er schon über die Runden, Witze machen kann er dann immer noch, und wenn keiner mehr darüber lacht, könnens ihn allerhöchstens versetzen. Irgendwo gibts immer welche, die wo einen Witz gern hören wolln.

EDDI Genau. Sie haben schon recht, ganz genau –

GERICHTSVOLLZ. Wenn er Beamter ist – hat der Kusaa gesagt, braucht er mit 62 keinen Witz mehr zu machen und er kann sich zurückziehen. Fehler kann er überhaupts keine großen machen, weil das, worüber die Leute lachen, praktisch feststeht. Es gibt da Erfahrungswerte.

FREDDI Papa, was ist denn, krieg ich jetzt dann einen Scheck?

GERICHTSVOLLZ. Geben S' ihm halt einen, auch wenn er nicht gedeckt ist, weil Sie als Vater brauchen sich da nicht fürchten, in Mißkredit kommt höchstens die Bank.

ELEONORE Sie haben recht, was kann denn das Kind dafür, wenn der Vater pleite ist. Soll die Bank ruhig haften – die, wenn sie einen Funken Anstand haben, geben dem Kind das Geld...

* * *

Willi und Ada kommen herein, sich an den Packern vorbeischmiegend.

ADA Hallo hallo, was ist denn bei euch los, man meint, der jüngste Tag ist angebrochen! Na, trefft ihr die Vorbereitungen zum Fest? Habt ihr schon alle Eure Präsentchen versteckt? Hi hi hi!?

EDDI Servus Ada, Servus Willy!

MARTHA Die Nikoläuse sind aber auch nimmer das, was sie früher waren, mit einem Krampus, der wo für Ordnung gesorgt hat.
Früher da haben die Krampusse Ochsenfiesel gehabt, und wenn man erwischt worden ist, dann hats gestaubt. Bei uns daheim war jetzt auch ein Nikolaus da, aber die erzeugen ja gar keinen Respekt mehr. Als er da war – sicher wars einer vom Studentenwerk –, hat er gesagt, wir sollten während der Zeremonie den Fernseher ausmachen.

[NOCH MARTHA] Wir haben dann gesagt, daß wenn er schon so wenig Angst einflößt, quasi, daß des Kind lieber zum Fernseher hinschaut als zu ihm, dann wärs sowieso schad ums Geld.

FREDDI Servus beinand. *Geht ab.*

EDDI Aber die alten Bräuch sind halt kaum zum umbringen.

GERICHTSVOLLZ. Ja ja, früher da war etwas los, wenn ich daran denk, als Kind, man hat einen Respekt gehabt. Das waren eben alles – noch Erziehungs – oder jedenfalls man ist auch etwas geworden und ich glaub, daß wenn einer einmal – *demonstriert Schläge* – dann würde er schon die Löffel spitzen. Was eine anständige Kindheit ist, wissen die gar nicht mehr.

EDDI Ja genau – wenn ich da nur an Weihnachten denk.

GERICHTSVOLLZ. Apropos – *Bestandaufnahme* – den Adventskranz können wir dalassen, damit S' ein Lichtlein anbrennen können.

Während die Packer wieder ein Stück raustragen, gehen der Gerichtsvollzieher und Eddi ins Schlafzimmer. Ein Herr vom E-Werk erscheint und trifft Martha Dinglinger, die aus der Küche kommt.

E-WERKSMENSCH Tschuldigen S', bei Finger?

MARTHA Der Chef is glaub ich da, der kommt gleich, warum?

E-WERKSMENSCH Ich hab einen Bescheid, ich soll zudrehen.

MARTHA Is schon recht, danke, ich richts dann aus, gell!

E-WERKSMENSCH Gut, dann also Wiederschaun und ein frohes Fest!

MARTHA Ihnen auch, gell! *Geht ab in die Küche.*

EDDI *kommt ins Wohnzimmer, zum Gerichtsvollzieher* Wir waren doch der Motor von dem Ganzen, und von uns hat alles gelernt, netwahr?

GERICHTSVOLLZ. Genau.

Die Packer räumen das Schlafzimmer aus.

EDDI Mein Gott, und dann das Personal heute, das ist zum Verzweifeln, net, und bei die Türken und sowas, des muß man alles anmelden, des is, drum mögn mir nimma investiern net.

GERICHTSVOLLZ. Ja eben.

EDDI Die tragende Schicht, net, die wo, praktisch irgendwie, äh ... kriegt nix wie Schwierigkeiten.

Mia haben doch irgendwie des ermöglicht, auch für die Kultur. Mia haben ein Theaterabonnemaa ghabt, aba ich bin fast nie reingangen, weil ich ja keine Zeit hab, aber mit dem Abonnemaa hab ich alles mitfinanziert. Wenn mia irgendwo auswärts beim Essen waren, haben mia doch nicht immer aufgepaßt – ein bekannter Spezi von mir, der wo ein Lokal hat, der klagt auch, er sagt, es dauert wirklich lang, sagt er, bis einer kommt heute, sich gemütlich hinsetzt, einen Sekt der oberen Klasse trinkt und dabei ein Geld nicht anschaut. Das Verdienen macht gar keinen Spaß mehr, weils as einem doch wieder nehmen.

Und jetzt, Sie habens doch gesehen, meine Frau springt auch ab, obwohl ich mich niemals hab lumpen lassen. Wies des ghabt hat mit derer Zyste, net, hab ich gsagt, ich zahl ihr auch den Professor Moser, hab ich gsagt, und wenn ichs mit der Geschäftsentnahme finanzier.

GERICHTSVOLLZ. Ach ja, der Moser! Links der Isar.

EDDI Genau. Der is narrisch gut, ich mein der Lanzinger is auch gut, aber mehr bei Allergie, und ich hab alles zahlt. Tagessatz und so, alles in Butter. Ich glaub, sie is im Grunde nur deshalb beleidigt, weil sie mitgekriegt hat, daß ich meiner guten Bekannten – Sie verstehn – eine Lebensversicherung gschenkt hab zu ihrem Geburtstag, und einen Abort hab ich ihr auch einmal zahlt. Aber meine Frau braucht sich nicht zu beklagen, weil an einer finanziellen Nestwärme hab ichs niemals fehlen lassen.

MARTHA *kommt aus der Küche.* Herr Finger, also ich glaub, daß fast alles, was wegkommt, sauber is. Soll ich den Teppich noch klopfen?

GERICHTSVOLLZ. Nein, das ist uns gleich, das brauchts nicht, weil bis zur Versteigerung ist er wieder staubig.

EDDI Ja wenns halt nur noch einmal sein könnt, daß ich noch einmal was aufbau, dann kauf ich mir wieder einen Perser, das ist schon was Schönes und eigentlich preiswert, wenn man denkt, daß da hinten eine Familie mit die Kinder ein paar Monate dran arbeitet, ich möchts nicht machen. Wie mir in Algerien waren, im Hotel, da haben mir von der Terrasse immer ins Armenviertel reinschaun können. Ja mia hatten die Wahl, Blick aufs Meer, oder ins Armenviertel, mia haben ein Doppelzimmer ghabt und haben halt immer abgewechselt, da haben mir dann auch gsehn, wie so ein Teppich praktisch gmacht werd und des Ganze ist auch noch irgendwie rustikal. In Hongkong, da habens auch ein Armenviertel, aber von der Lage net so schön. Es weht auch zu stark der Gestank her, da müßte halt was gmacht werden. Mei, andere Länder, andere Gerüche, gell?

GERICHTSVOLLZ. Ja, da haben Sie recht. Der Deutsche ist halt doch kein Ausländer.

EDDI Genau.

Das Licht geht aus, graues Halbdunkel vom Tageslicht.

GERICHTSVOLLZ. Na also – ja Herrschaft –

Man hört die Packer stolpern.

EDDI Ach, du lieber Gott, ist es schon wieder soweit!

GERICHTSVOLLZ. Ja wie soll denn bei der Finsternis ein Amtsvollzug pünktlich erledigt werden? Haben Sie keine Lichtrechnung mehr bezahlt?

EDDI Eigentlich schon lange nicht mehr. Die vom E-Werk reagieren prompt.

GERICHTSVOLLZ. Ein Licht, wir brauchen ein Licht!

MARTHA Ja. Ich habs schon – Zündhölzer! *Zündet Adventskranz an.*

* * *

Kleine Pause.

[NOCH MARTHA] Es ist einem ganz traurig, wenn man sieht, wie traurig des eigentlich is.

GERICHTSVOLLZ. Bei dem Licht merkt man kaum, daß es hier fast leer ist.

MARTHA *weint* Oh mei, wenn ich daran denk, was noch werden soll.

EDDI Passieren kann Ihnen nix, weil mir sind ja schließlich im zwanzigsten Jahrhundert, net!

GERICHTSVOLLZ. Gute Frau – Sie brauchen Ihnen nichts zu denken, es hat Jahrhunderte gedauert, bis mir schließlich so weit gekommen sind bis heute, verstehn S'?

* * *

Von draußen anschwellender Gesang von Sternsingern

Wir singen Euch die alte Mär
Die zu begreifen ist gar nicht schwer
Im Finstern draußd scheint hell und klar ein Stern
Die Hoffnung, die Hoffnung, die brauchen wir sehr
Der Heiland im Kripperl, den haben wir gern
Der Heiland ist der Sohn, den d Maria gebar.

EDDI Muß i denen was geben?

MARTHA Vielleicht jedem ein Zehnerl.

GERICHTSVOLLZ. Vielleicht einen Scheck; aber mir gilt der Besuch ja nicht, weil ich ja dienstlich da bin.

MARTHA Geh, aber Sie habn doch auch ghört, wie schön feierlich daß die gsungen haben!

GERICHTSVOLLZ. Ich habs schon vernommen, aber mehr als Begleitumstand.

EDDI *gibt einen Scheck.* Aber net einlösen, der is bloß zum Anschaun, gell!

Sternsinger gehen ab, singend.

Inzwischen ist alles leer.

GERICHTSVOLLZ. Ja, ich glaube, meine Leute, wir sind auch soweit. Herr Finger, des war quasi sehr – Sie verstehn – irgendwie, mein Gott, aber trotzdem schöne Tage noch und kommen Sie gut hinüber.

EDDI Danke, sehr freundlich, Sie auch, es war wirklich – Sie verstehn.

GERICHTSVOLLZ. Danke, alles Gute auch weiterhin!

Packer nehmen noch Reste mit und den Teppich.

STIMME *von draußen* Ja bitte, wenn Sie dem Herrn Finger Bescheid geben würden, die Heizung wird jetzt abgeschaltet.

MARTHA Herr Finger, es wird zugedreht – die Heizung – ich glaub, ich muß jetzt auch – wissen S' mein Mann kommt heim, und dann krieg ich Angst, wenn ich ...

EDDI Schon gut, Frau Dinglinger, und wenn wir uns nimmer sehn, kommen S' gut nüber und guten Rutsch.

MARTHA Ja, Ihnen auch.
In der Stille: »O du fröhliche...«

Die Packer erscheinen nochmal und wollen ihr Trinkgeld abholen. Eddi kramt in seinem Morgenmantel, findet kein Geld, aber auch keine Streichhölzer. Er bittet die Packer um Feuer. Ein Packer reicht ihm ein Einwegfeuerzeug. Eddi zündet die Kerzen des Adventskranzes an. Die Sternsinger singen immer noch »... o du seligehe, gnadenbringende Weihnachtszeit.«

Der Maßanzug

Anselm, Frederike und Sohn Heinz-Rüdiger Wolf in einem großen Bekleidungshaus. Ein Verkäufer steht herum. Heinz-Rüdiger kommt aus der Umkleidekabine.

VERKÄUFER Na, der paßt aber wirklich wie angegossen. Fabelhaft.

FREDERIKE Heinz-Rüdiger, dra di um! Ja, des is der für wieviel?

VERKÄUFER Dreihundertneunundneunzig Mark, gnä Frau.

FREDERIKE Und Anselm, was moanst?

ANSELM Vierhundert Mark, ganz schön happig.

VERKÄUFER Nein, dreihundertneunundneunzig Mark.

ANSELM Sag i ja, vierhundert Mark. *Zu Frederike* Vierhundert Mark.

FREDERIKE Ja, Sie un wenn mir jetzt eine Nummer größer nehmen, machet des preislich an Unterschied, wieviel tat der dann kosten?

VERKÄUFER Dreihundertneunundneunzig Mark, gnä Frau.

FREDERIKE Also, praktisch dasselbe.

VERKÄUFER Ja, dasselbe.

ANSELM Sie, und zwoa Nummern größer, dieser Anzug da. War des dann immer noch, preislich, verstehen Sie.

VERKÄUFER Muß ich mal sehen, ob wir ihn zwei Nummern größer auf Lager haben. – *Sucht.* – Ja, wir ham ihn nur drei Nummern größer.

FREDERIKE Ja, der würde dann aber auch nur dreihundertneunundneunzig Mark kosten, also praktisch desselbe wie der da.

VERKÄUFER Ja, dasselbe.

ANSELM Dann dern S'n her.

VERKÄUFER Aber dieser Anzug paßt dem jungen Herrn doch hervorragend.

ANSELM Dern S'n her!

VERKÄUFER Aber drei Nummern größer ist doch dann viel zu groß.

ANSELM Dern S'n her, sag i!

VERKÄUFER Drei Nummern größer, da schwimmt ja der junge Mann drin.

FREDERIKE Dann bringen S'n halt nur eine Nummer größer.

ANSELM Naa, zwoa mindestens.

VERKÄUFER Also, ich bin nach wie vor der Ansicht, daß dieser Anzug optimal sitzt, aber bitte, wie Sie wünschen. *Er holt den Anzug drei Nummern größer.*

FREDERIKE Heinz-Rüdiger, ziag derweil den Anzug scho wieder aus.

ANSELM *leise zu Frederike* Der wui uns doch bloß reilegn, daß ma uns nächste Woch scho wieder an Anzug kaffa kenna.

FREDERIKE Ja, aber drei Nummern is vielleicht doch scho a bisserl viel.

ANSELM Sei stad!

VERKÄUFER Schaun Sie sich doch das an. *Er hält den Anzug an den Buben hin.* Den brauchen wir doch gar nicht probieren.

ANSELM Doch, genau, der moan i paßt.

FREDERIKE Heinz-Rüdiger, anziehn!

VERKÄUFER Das seh ich doch mit bloßem Auge, daß der Anzug viel zu groß is für Ihren Sohn.

FREDERIKE Die wachsen doch wie die Spargel. Da wachst er ganz sicher scho nei, wissen S' – net, daß mer nächste Woch scho wieder zu Eana komme, so dick ham mas dann aa wieder net.

ANSELM *zeigt auf sein Sakko.* Da schaun S' her, des is a Qualität. Des hab i seinerzeit, kurz nachm Ungarnaufstand hab i den kauft, hat damals aa scho fast zweihundert Mark kost. Konn i heit no anziagn.

VERKÄUFER Ja, aber Ihr Herr Sohn muß sich doch noch in diesem Anzug bewegen können. Man kanns mit der Sparsamkeit auch ein bißchen zu weit treiben, finden Sie nicht?

Heinz-Rüdiger kommt aus der Garderobe, Hände und Füße sind nicht zu sehen, Hängeschultern.

ANSELM Ja, wunderbar da, der paßt doch. Sehn Sies, i habs doch gwußt.

VERKÄUFER Aber der Herr, ich bitte Sie!

FREDERIKE Naa, des geht durchaus, ich mein, da muß ma halt derweil a bisserl abstecken, und hinterher kann mans ja wieder rauslassen. Der wachst da scho nei. Ham S' da niemand da, der sowas absteckt?

VERKÄUFER Aber, ich bitte Sie, gnä Frau, schaun Sie sich doch mal Ihren Sohn an, ist doch unmöglich, ist doch lächerlich.

ANSELM Naa nix, mer nehma den oder goa koan.

FREDERIKE I glaub aa, der wachst da scho nei. Ham S' denn niemand da, der des absteckn könnt?

VERKÄUFER Selbstverständlich, gnä Frau, sofort, wie Sie wollen. *Er geht zur Haussprechanlage* Frau Miklosch bitte, Frau Miklosch bitte zu römisch vier.

FREDERIKE Wissen S', so an Anzug, den kann er praktisch nur anziehn zu Taufen, Firmungen oder Beerdigungen, und wann ham ma des scho, ich mein, den kann er ja so nie auftragn.

ANSELM Schaun S', und er is jetzt grad in dem Alter, wo äh, verstehn S' unser äh, a Großteil unserer Verwandtschaft is jetzt in am Stadium, wo mer praktisch immer damit rechnen muß. Des kommt jetzt aller Voraussicht nach in den nächsten zwei, drei Jahr ois auf amal auf uns zu.

VERKÄUFER Glaubn Sie wirklich, daß sich der Tod so präzise kalkulieren läßt?

FREDERIKE Was glaubn denn Sie, was mer Verwandtschaft ham. Meine Eltern warn sieben Geschwister. Alle aa wieder mit Kinder. Ich mein, bisher hat er ja im Pullover beerdigen können, aber jetzt halt, ich mein jetzt is er allmählich ausm Alter naus.

ANSELM Oder irgend a Autounfall, und scho muaß er wieder naus aufn Friedhof. Dann in Grafing mein ganzer Anhang. Des ko sei, daß der mit dem Anzug in de nächsten zwoa Jahr dreißigmal am Friedhof naus muaß.

FREDERIKE Na ja, dreißigmal nicht, aber zehnmal langt aa scho.

ANSELM Naa, zehnmal langt net. Des is alloa scho heuer die Tante Theres, beim Gusti is praktisch nur noch a Frage, wanns de Herz-Lungen-Maschine abschalten, und dann der Herr von Segnitz, die Bea im Altersheim und der Albert. Alles alloa scho heuer.

FREDERIKE Naa, der Albert stirbt heuer nimmer. Aber die Frau Wenger. Da stehts auf der Kippe.

ANSELM Ja, aber selbst wenn ern Albert heuer nimmer beerdigt.

FREDERIKE Der Albert stirbt heuer nimmer, da geh ich jede Wette ein. Der stirbt heuer nimmer, weil der Albert is zach, da wett ich.

ANSELM Selbst wenn er heuer nimmer stirbt, der ko sterben, wann er mag, aber er hat jetzt an Anzug.

Frau Miklosch erscheint.

VERKÄUFER Frau Miklosch, können Sie diesem jungen Mann den Anzug abstekken?

MIKLOSCH Aber Anzug viel zu groß für kleines Herr.

VERKÄUFER Das is auch meine Meinung, aber die Herrschaften bestehen auf diesem Anzug.

Frau Miklosch beginnt abzustecken.

ANSELM Mir können eam doch net bei jeder Beerdigung glei an neuen Anzug kaufen.

FREDERIKE Er is jetzt einfach aus dem Alter naus, wo er im Pullover beerdigt. Schaun Sie, im Schwimmbad muß er jetzt aa scho a Badhosen anziehn. Einen Kindkollegen aus seiner Klasse hams neulich zsamngfahrn, na war er der einzige, der wo im Pullover beerdigt hat. Mer ham uns fei direkt geniern müssen, und diesmal wird eam aa no kondoliert, weil er a nächster Verwandter is. Sei Patenonkel is – verstehn Sie. Ganz plötzlich ...

VERKÄUFER Ah ja, schrecklich.

ANSELM Aus heiterem Himmel, am hellichten Vormittag. So schnell kanns gehn. – Äh, wo muß ich jetzt da zahln?

VERKÄUFER Bezahlen können Sie vorne an der Kasse.

MIKLOSCH Gucken Sie, herschaun, so?

FREDERIKE Ja, die Schultern san no a wenig breit, aber so schaut er doch ganz ordentlich aus; findst net?

ANSELM Ja, sehr guat.

FREDERIKE Ham S' net a Fliege dazu?

ANSELM Naa, nix, mer ham doch noch den Propeller vom Franz, den hat er geerbt, den hab i im Auto druntn.

VERKÄUFER Also, Sie wärn damit einverstanden? Dann kann sich der junge Mann ja wieder umziehn. Wir ändern den Anzug, in einer knappen Woche können Sie beerdigen, soviel Sie wollen.

ANSELM Naa nix, den muß er glei anbehaltn, sei Patenonkel, hab ich Ihnen doch erzählt. Herrschaft, san ma scho wieder spat dro.

FREDERIKE Heinz-Rüdiger, gib deine Sachen her. *Sie nimmt Heinz-Rüdigers Anziehsachen und stopft sie in ihre Handtasche.* Kimm, mir miaßn uns schickn.

VERKÄUFER Ja, aber Sie wollen doch nicht so ...

FREDERIKE Wie lang ham S'n auf? Mer können den Anzug ja nach der Beerdigung dann glei wieder vorbeibringn.

ANSELM Der muaß in zwei, drei Tag spätestens fertig sei, sonst stirbt uns der Gusti weg, und er hat koan Anzug.

FREDERIKE Sie, noch a Frage, ist da net irgendwo a Blumengeschäft in der Nähe?

ANSELM Naa, nix mehr, des machn mer am Friedhof. Jetzt kimm, mir san eh scho so spat.

FREDERIKE Heinz-Rüdiger, gehn ma.

HEINZ-RÜDIGER *im Gehen* Aua!

ANSELM Jetzt sei net so wehleidig!

FREDERIKE Is doch nur a Provisorium, nach der Beerdigung kommen die Nadeln alle raus.

VERKÄUFER Auf Wiedersehn, die Herrschaften.

Arbeit und Soziales

Und das eine kann ich Ihnen auch noch flüstern: Mein Sohn ist so gescheit, der schaffts noch bis zur Unkündbarkeit.

Der Einsame

1. TEIL

Erwin und Käthe Böhm sitzen bei einem Beratungsgespräch im Wohnzimmer Frau Scharp gegenüber, die berät.

FRAU SCHARP Da hier ist der Vincent Häberle, 16 Jahre alt. Er hat beide Eltern verloren. Das hat dann dem armen Jungen also dermaßen einen Schock verpaßt, daß sich seine Entwicklung ganz stark verlangsamt hat.

ERWIN Was, an Deppn?

SCHARP Nein, er ist durchaus zurechnungsfähig. Der Arme ist halt ganz allein und a bisserle durcheinander seit dem schrecklichen Verkehrsunfall – beide Eltern, überlegen S' sich amal.

KÄTHE Naa, 16 Jahr, der is ja praktisch a Jugendlicher.

SCHARP Ja aber grade so ein junger Mensch braucht doch …

KÄTHE Naaa, na ham mir da so an Jugendlichen umanand sitzn, da wüßt ma ja garnet was mer mit dem anfangen solln. Scho was Gesetzteres.

ERWIN Aber scho einsam, weil ma will ja helfn.

SCHARP *blättert* Hier nehmen S' doch da diese Frau Güldemet, 42 Jahre, Reinigungskraft. Mutterseelenallein. Die ganze Familie ist ausgewiesen worden.

KÄTHE Na, koa Ausländerin. Ausländer scho vo Haus aus net, des ham mer ja glei gsagt. De soll doch hoamfahrn.

ERWIN Außerdem ham ja de garkoa Weihnachtn. De ham ja nur an Ramadan. Da lodn de mi ja aa net ei.

KÄTHE Wenn ma scho an Einsamen nehmen, muß er wenigstens gscheit deutsch können.

ERWIN 's gibt doch gnua Deutsche de wo einsam san. I war ja selber einsam. Des war wo sie in der Urologischen war. Da war i einsam, des war a Weihnachtn kann ich Ihnen sagen.

KÄTHE Drum macha mir ja des Ganze überhaupts, verstehn Sie.

SCHARP Oder hier, das hier wäre Herr Ottmar Dietz, Kraftfahrzeugschlosser. Hat einmal einen Fehler gemacht und ist dabei auf die schiefe Bahn geraten. Hat aber schon längst …

KÄTHE Naa, koan Zuchtheisler. Dieser Personenkreis kommt doch für uns nicht in Frage. Mir macha des eh nur, weil ich war in der Urologischen vor zwoa Jahr und mein Mann war damals furchtbar einsam und mir is aa schlecht ganga, aber so a Personenkreis is doch indiskutabel. So oan dadn Sie doch aa net nehma oder – stimmt doch.

ERWIN Was ham S'n noch da?

SCHARP Vielleicht mehr aus dem Seniorenkreis?

ERWIN Naa, koan Dadderer.

SCHARP Neinnein, hier, Herr Clemens Friedel, Oberstleutnant a. D., das ist ein sehr rüstiger älterer Herr. Geistig frisch, also der Mann ist vollkommen da, aber, allerdings, wie gesagt, keine einzigen Angehörigen mehr, alles im Osten gelassen.

ERWIN Ja, des klingt doch recht anständig, den könntn ma doch nehmen zum ersten Advent.

SCHARP Wir betreuen Herrn Friedel schon seit Jahren. Da hat's noch nie Schwierigkeiten gegeben. Herr Friedel ist sehr gesellig.

KÄTHE Moment – kann ich des Foto nochamal segn?

SCHARP Bitte, gnä Frau. *Reicht ihr ein Foto.*

KÄTHE Ja, aber Sie, der raucht ja, der hat ja a Pfeife im Mund.

SCHARP Ja, Herr Friedel schmaucht ab und zu vielleicht mal ein Pfeifchen ...

KÄTHE Naa, so a Pfeifenrauch, der nistet sich ja dermaßen fest, des is ja –

ERWIN Sie mogs net. Wissen S' – die Gardinen ...

SCHARP Ja aber man kann doch ab und zu mal ein Pfeifchen ...

KÄTHE Na, fangen mir garnet an, mir ham doch gsagt a Nichtraucher. – Ham mer net gsagt a Nichtraucher?

ERWIN Doch, mir ham gsagt a Nichtraucher. Ich rauch ja scho seit fünf Jahr nimmer. Sie wern doch noch an Nichtraucher ham?

KÄTHE Ham S' koan Nichtraucher?

SCHARP Nichtraucher –

KÄTHE Es werd doch noch an Deutschn gebm, der wo net raucht aber – sagn mer mal – einsam is.

ERWIN Halt einer, der für uns in Frage kommt.

KÄTHE Irgendein Deutscher oder an Beamtn oder so, der wo halt aber aa einsam ist, aber scho was Anständigs.

SCHARP Nehmen Sie den Herrn Kusiek.

ERWIN Wie hoaßt der?

SCHARP Herr Kusiek ist Deutscher. Regierungshauptsekretär bei der Bundespost. Da ham S' was Solides.

ERWIN Und der wär noch frei?

SCHARP Meines Wissens ja. Soll ich Herrn Kusiek für Sie vormerken?

ERWIN Ja, wenn er einsam is, derf er kemma.

SCHARP Also nehmen Sie Herrn Kusiek.

KÄTHE Guat, nehmen mern Herrn Kusiek. Aber Sie, wenn ich amal fragn darf, wieso isn der einsam? Hat der irgendwelche Mackn?

SCHARP Herr Kusiek ist Junggeselle.

KÄTHE Also ja – aber des is dann schon irgendwie ...

SCHARP Neinnein, das geht Hundertprozent in Ordnung. Wir sind ja selber halb staatlich, und unsere Adventspatenschafts-Aktion »Macht auf die Tür« ist ja auch mit den Landeskirchen koordiniert. Sie kriegen dann einen Vertrag von uns zugeschickt. Die Aufwendungen für den Einsamen, die Ihnen entstehen, können Sie auch steuerlich geltend machen.

So, dann hättn mir glaub ich alles. Herr Böhm, Frau Böhm, ich gratuliere zu so viel menschlicher Wärme und Großzügigkeit. Den Rest schick ich Ihnen dann zu. Also dann, Wiederschaun!

ERWIN Ja, Wiedersehn.

KÄTHE Wiederschaun, äh hallo, Frau Scharp, äh an Moment noch aber, ah Sie äh, spätestens um halb elf muß er fei gangen sein, gell, 22 Uhr 30 ist Zapfenstreich, spätestens!

ERWIN Is ja dann a lang gnua. Weil irgendwia möcht ma ja aa mol sei Ruah ham, oder?

SCHARP Jaja, das machen wir dann alles schriftlich. Herr Kusiek kommt frühestens bei Anbruch der Dämmerung, verläßt spätestens 22 Uhr 30 die Adventspatenschaft.

KÄTHE Genau und dazwischen machen wirs ihm schön. Also, Wiederschaun!

SCHARP Wiedersehn!

ERWIN Wiedersehn!

2. TEIL

Im Fernseher läuft Werbung. Es klingelt.

ERWIN Mach auf, des is er.

KÄTHE Kimm halt aa mit, dern man gemeinsam empfangen.

ERWIN Also guat – wie hat der ghoaßn?

KÄTHE Woaß aa net. Schaug halt im Vertrag nach.

Es klingelt wieder.

ERWIN Jetzt mach halt auf.

KÄTHE Mach an Fernseher aus, wenn der Bsuach kimmt. Wia schaugtn des aus.

Käthe öffnet die Eingangstür. Herr Kusiek steht in der Tür.

KÄTHE Ja, guatn Abnd.

KUSIEK Bin ich hier richtig bei Böhm? Ich komme wegen dieser Adventspatenschaft.

KÄTHE Ja, kemman S' eina.

ERWIN Wie war jetzt gleich der Name?

KUSIEK Kusiek, Wulf Kusiek.

ERWIN Wulf Kusiek, ja des stimmt. Steht aa do drin, Sie sans.

KUSIEK Ja, ich bins.

KÄTHE Kommen S' doch rein, legen S' ab, dann mach mers uns gleich gemütlich. – Erwin, leg amal die Platte auf.

Erwin legt Platte auf. Kusiek legt ab.

ERWIN A bisserl a Atmosphäre.

KÄTHE Schön gell!

KUSIEK Schön.

3. TEIL

KÄTHE Soo, ja, Herr Kusiek, was isn? Schmeckt Ihnen der Stollen net? Mögen S' vielleicht a Plätzerl?

KUSIEK Nein danke.

ERWIN De san fei guat.

Kusiek knabbert an einem Plätzchen.

KUSIEK Selbst gebacken?

ERWIN Naa, sie backt scho lang nimmer.

KÄTHE Die san vom Prima 2000 – mit Zimt. Sie kenna ruhig mehr ham. Mir lagern de kartonweise.

ERWIN Ab einem Karton hat mers zum Sonderpreis. I find, de schmeckn fast besser wia selberbackn. – Vielleicht an Schluck Kaffee?

KUSIEK *winkt ab* Danke nein, die Galle.

ERWIN Ah so ...

KÄTHE Was?

KUSIEK Galle.

KÄTHE Ah ja, Galle. Dann vielleicht an Tee?

KUSIEK Nein danke, Tee erst recht nicht, das Herz.

ERWIN Ah so, es Herz. Is scho schwierig, gell.

KÄTHE Dann vielleicht an Schluck Wein, Herr Kusiek. Mir kanntn 'n ja jetz scho aufmachn?

KUSIEK Bedaure, bin Diabetiker.

KÄTHE Ja, des is a Spätlese, des waar doch was.

ERWIN Vom Prima 2000 ham mern rausdaucht. Da kauft man recht günstig ein ...

KUSIEK Ach ...

4. TEIL

Käthe zündet eine Kerze an.

KÄTHE So, Herr Kusiek, jetzt würd ich sagn, mach mers uns a bisserl feierlich. Des is ja der Sinn der Sache. – Dreh d Plattn um, Erwin.

ERWIN Mei, mir hams halt gmacht, weil i woaß wia des is, wenn mer einsam is.

KUSIEK Ach ja.

ERWIN Weil des war vor zwoa Jahr an Weihnachtn. Da war mei Frau in der Urologischn. Da war ich vielleicht einsam.

KÄTHE Ja i scho aa. I war ja allein im Zimmer. De andern ham ja alle hoam dürfn über Weihnachtn.

ERWIN I hob aa bloß drei Weißwürscht gessn. De hob i halt grad dahoam ghabt.

KÄTHE Bei uns ham so Kapuzinermönche so Lebkuchen verteilt.

ERWIN Ja, in der Urologischen hams Lebkuchen verteilt an Weihnachtn.

KÄTHE Naa, net nur in der Urologischen. Die ham aa in der Chirurgischen und bei de HNO-Patientn, de ham aa an Lebkuachn kriagt. *Sie wird immer gerührter.*

KUSIEK Ach so.

ERWIN Also glaum S' mers, ich weiß was a Einsamkeit is. A Vollkornbrot hab i zu de Weißwürscht essn müssn, weil net amal a Brezn da war.

KÄTHE *fängt laut zu weinen an.*

5. TEIL

KÄTHE So Herr Kusiek, jetzt hol ich uns an Punsch.

ERWIN Is scho so weit? Ja, Herr Kusiek, so is des.

Kusiek holt ein Päckchen Zigaretten aus der Tasche. Zündet eine an. Käthe kommt mit Punsch wieder.

KÄTHE So jetzat. He, Sie, seit wann rauchen Sie? Mir ham im Vertrag, daß Sie Nichtraucher sind.

KUSIEK Oh, Verzeihung. *Macht die Zigarette wieder aus.*

KÄTHE Naja, i hab halt gmeint...

ERWIN I hob aa vor fünf Jahr aufghört. Es is wegn die Gardinen und s is eh gsünder.

KÄTHE Aber einmal im Jahr dürfn S' doch auch amal a bisserl sündign, Herr Kusiek. Jetzt trinkn mir a Glasl Punsch, gell.

ERWIN Muaß aa mal sein. Is ja schließlich Advent. Prost Herr Kusiek.

KÄTHE Auf Ihr Wohl. Na, schmeckt er?

KUSIEK Doch, sehr.

KÄTHE Des is a fertiger. Vom Prima 2000. I find der is fast besser wia wenn ma'n selber macht.

6. TEIL

KÄTHE Schaut S' euch doch amal diesen Lichterglanz an. Was so a Kerze an Geborgenheit ausstrahlt.

ERWIN Ja, da kimmt des Elektrisch net mit. Gell, Herr Kusiek?

KUSIEK Ja.

KÄTHE Und dann san Sie praktisch ständig einsam?

KUSIEK Ja, leider.

ERWIN Ja, des dauert lang, bis mer sich daran gewohnt. Aber, mer gwohnt sich an alles. Der Mensch ist ein Gewohnheitstier. Stimmts, Herr Kusiek?

KUSIEK Tja.

KÄTHE Aber wenn er mal nimmer lebt, i glab i koch mir dann nix. Weil wenn ma aloa is, für was soll i dann kochn.

ERWIN Kochn Sie für Eahna dahoam, Herr Kusiek?
KUSIEK Kaum.
KÄTHE Gell, des rentiert si net.

7. TEIL

KÄTHE Ah Herr Kusiek, daß mers net vergessn, Sie müssn noch unterschreibn, daß Sie da bei uns warn.
ERWIN Wissen S' sis nur wegam Finanzamt weil, nur dann kann mer des steuerlich absetzn, daß Sie da warn.
KÄTHE Mach amal a Licht, sonst sieht er ja nix, der Herr Kusiek.
KUSIEK Der Kulli schreibt nicht.
ERWIN Da, schreim S' mit dem.
KÄTHE Was is, mögn mer jetz vielleicht a bisserl was Herzhaftes? Ich mach uns a Salamibrot, oder so.
KUSIEK Nein, leider, der Magen.
ERWIN Ah, so, der Magn. Aber mir bringst a Salamibrot und na bringst ma glei a Bier. I kon des siasse Zeig nimmer sehn.
KÄTHE Aber vielleicht mag der Herr Kusiek noch an Punsch?
KUSIEK Nein, danke.
ERWIN *zu Kusiek* Oan, zwoa Schluck von dem Punsch, na kriag i alweil Sodbrennen.
KUSIEK Ich auch.
ERWIN Gell, Sie auch.

8. TEIL

Erwin und Käthe kauen am Salamibrot. Kusiek ist gerade nicht da.

KÄTHE Was moanst n was der verdient?
ERWIN Mei, ah vielleicht is er A 12 oder...
Kusiek kommt gerade zur Tür herein.
KÄTHE *kaut noch* Mögn S' net doch noch vielleicht so a Salamibrot, Herr Kusiek? Des is wirklich ganz was Leckeres.
KUSIEK Nein danke, im Moment...
KÄTHE Diese Salami Mailänder Art is es beste an Wurscht, was der Prima 2000 zum bieten hat. Grad so in geselliger Runde schmeckts überhaupt am bestn.
ERWIN Was kimmtn jetz?
KÄTHE Mögn S' lieber an Krimi im Zweitn oder »Wer bin ich«, des Ratespiel?
ERWIN Is ja wurscht. Schaun mer halt amal nei. *Er startet den Fernseher per Fernbedienung. Zu Kusiek* Is scho a Segen, so a Fernbedienung.

KÄTHE Im Drittn kammat so a oider Spielfilm.
KUSIEK »Mord im Orient Express«.
ERWIN Gell, Sie schaun aa ab und zu.
KUSIEK Naja...
ERWIN Mir schaun eigentlich ganz seltn.
Alle drei gaffen.
KÄTHE Aber wenn mir Bsuch ham, na schaltn mir meistns glei wieder aus.
ERWIN Was kimmtn im Zwoatn? *Erwin schaltet um.*

9. TEIL

ERWIN Was kimmtn im Österreicher? *Er schaltet per Fernbedienung um.*
KÄTHE Ja, Herr Kusiek, ich will Sie nicht drängen, aber jetz kemman dann gleich die Tagesthemen. Mir ham doch 22 Uhr 30 verabredet – meines Wissens. Des soll also durchaus kein Rausschmiß sein, aber so allmählich...
ERWIN Wissen S', mir wolln halt aa amal a bisserl unter uns sein.
Grad in der staadn Zeit braucht mer a bisserl a Besinnung.
Aber es war doch durchaus nett, oder?

Der Suizid

AMERSMEIER Grüß Gott, Frau Tiloo. Wie gehts?

TILOO Ja guten Tag Frau Amersmeier. Haben Sies schon ghört?

AMERSMEIER Gestern hat sich der Herr von Siednitz, hat er sich neingschossn mit em Kleinkalibergwehr, hat er sich selber neingschossn, und grad gschpritzt hats, und alles war voller Blut.

TILOO Ach du liebe Güte. Nein, Herr von Siednitz?

AMERSMEIER Ja ja, me sagt, er muaß irgendnen Grund wird er schon ghabt habn, daß ers gmacht hat, net. Und dann ist er ja auch entdeckt wordn, net. Aber i find, daß isch scho lang her, daß sich bei uns einer umbracht hat.

TILOO Aber bedenken Sie, das Ehepaar Opitz erst voriges Jahr.

AMERSMEIER Ja, naja, was heißt das? Die haben sich ja eigschläfert mit diese Tabletten.

TILOO Ja aber, aber, das war doch fürchterlich, das war doch grauenhaft.

AMERSMEIER Ja also, ich kann, also sagn wir mal, das war halt in dem Sinn, so richtig umbracht habn se sich net, net, also wenn Sie mich fragn, also das war kein gscheiter Suizid.

Reste-Essen

In Tante Marias Altersheim-Wabe. Waltraud und Tochter Magda räumen zusammen. Zwei Packer tragen gerade ein Möbelstück weg.

WALTRAUD Do, de Bücher duast alle auf oan Haufn, de soll der Heinz mitnehmen, wenn er mag. De Illustrierten aa. Des oide Radio duast ameh aa no dazua.

MAGDA Obwohl, kannt ma des net ins Bad dua?

WALTRAUD A, lassn am Heinz, so a Glump brauchen mir net. Und na hat er a was.

MAGDA Naa, Mutti, wenn mer ihm den Radio da lassn, na fragt er glei, wo isn der Fernseher.

WALTRAUD Na nehman mirn halt mit und schmeißn an dahoam weg.

MAGDA Da, der Stuhl?

WALTRAUD A weg damit.

MAGDA *stellt den Stuhl weg.* Du Mutti, aber schaug amal, ob des net vielleicht a Antiquität is?

WALTRAUD Der Stuhl? A geh.

MAGDA Sog des net. Des liest ma jetz immer öfters, in der ›Carmen‹ hams an ganzen Artikel bracht, nur über so alte Möbel.

WALTRAUD Ja, alt is er, aber d Maria hätt ja nie a Geld ghabt für an wertvollen Stuhl. Der da is doch a alts Glump.

MAGDA Sog des net, die Leut erkennen des oft net, was für Schätze daß's ham. Da, schau dir des Ornament an, Mutti...

WALTRAUD Ja, da fallt mer a ei, d Maria hat se nie draufgsetzt, die wolltn schonen.

MAGDA Vielleicht hat ses gwußt, daß er wertvoll ist.

WALTRAUD Wenn d Maria gwußt hätt, daß der wertvoll is, hätt ses fei niemand gsagt.

Die beiden begutachten den Stuhl jetzt genauer.

WALTRAUD Weißt was, mir nehmen den Stuhl jetz auf alle Fälle mit und lassn ihn amal begutachten.

MAGDA Und wenn er dann wirklich nix is, dann könn man allweil no am Heinz schenken.

HEINZ *in der Tür* Was könnts am Heinz schenken?

WALTRAUD Ah grüß dich Heinz, naa, mia ham grad gsagt, weil du ja scho de Bücher kriagst, von der Tante Maria, praktisch die gesamte Bibliothek – *deutet auf armseligen Bücherhaufen* – jetzt ham mir uns denkt, ob du den Stuhl a no wuist, und so vui is der wahrscheinlich eh net wert.

HEINZ Was? Der Stuhl? Des is a Antiquität. Des is a Jugendstil oder a Barock. Oder von de Fiaß her könnts aa a Empire sein. Oder zwoa gemischte Stilrichtungen.

WALTRAUD Du kannst an ja eh net brauchen, jetz ham mir dir schon de ganze Bücherei lassn...

MAGDA Du Mutti, i find, des Radio gebm mer eahm a no, am Onkel Heinz.

HEINZ Warum wollts ihr den Stuhl? I kann den Stuhl scho brauchen. Übrigens, wo is mei Regulator?

MAGDA Welcher Regulator?

HEINZ Mein Regulator, des war a Leihgabe.

WALTRAUD Red doch koan Schmarrn, den hat d Tante Maria mir schon zu Lebzeiten versprochen. Den hob i scho lang einpackt. Da, des ghört a no zu de Bücher. *Legt einen Schmöker auf den Bücherhaufen.*

MAGDA War de Lampn scho da herin, oder ghört die a der Maria?

HEINZ Dern mas derweil runter. Wo san d Sicherungen? *Sucht, schaltet Sicherung ab.* Guat daß i a Werkzeug dabei hab. *Zieht Schraubenzieher heraus, beginnt zu montieren.*

WALTRAUD Heinz, brauchst du an Eisschrank?

HEINZ Naa...

MAGDA Na lassn mern da, dad i sagn.

WALTRAUD De wern doch an Sperrmüll oder sowas ham. Und was machn mern mitm Vogel?

HEINZ Jessas der Vogel.

MAGDA Tierschutzverein...

Ein Pfleger kommt zur Tür herein.

PFLEGER Kann man hier jetz schon sauber machen? Ja Sie, was machen Sie mit der Lampe?

HEINZ Ahso, die ghört zum Heim? *Geht vom Stuhl.*

WALTRAUD Aah Sie Herr, ham Sie vielleicht a Verwendung für diesen Eisschrank da?

PFLEGER Mei, lassn S'n halt amal da.

MAGDA Ja, und äh, Sie, äh, Herr, Sie ham doch den Vogel da, von meiner Tante allweil... können S' den vielleicht a brauchen?

PFLEGER I nimm an scho. Ist sonst no was?

HEINZ Ach, was halten Sie von dem Stuhl?

PFLEGER Naa, den kann i nimmer brauchen, dern S' den aufn Sperrmüll.

WALTRAUD Dank schön, mir hams dann a glei.

Pfleger ab.

HEINZ Der Mann hat keine Ahnung.

MAGDA Gott sei Dank, sonst hätt ern der Tante Maria vielleicht scho abgluchst.

HEINZ *untersucht den Stuhl.* Also guat, i hab mers überlegt, bhaltes ehs meinetwegen den Regulator, i nimm mir halt dafür dann den Stuhl da.

WALTRAUD Ja hee hee hee, du hast ja scho de ganzen Bücher und an Radio...

MAGDA Und an Eisschrank hättst a ham können...

HEINZ Und ihr? Ihr habts as ganze Gschirr. Und die Bilder san a scho weg.

WALTRAUD Ja du bist ja a vui spater kemman.

HEINZ Des is mir jetz egal, i nimm jetz den Stuhl, mitn Rest könnts macha, was's wollts.

WALTRAUD Naa, na mach mers ganz anders: Na gehn mir jetz gleich alle mitanander zum Kunsthändler und lassn den Stuhl schätzn, und der Gewinn geht dann in drei Teile ...

HEINZ Naa, Moment, Moment, durch zwei teilen mir, ihr seids ja bloß eine Partei! *Geht mit dem Stuhl voraus.*

WALTRAUD Naa, durch drei werd teilt ...

MAGDA *hat einen alten Fußschemel unterm Bett vorgezogen* Du Mutti, schau mal!

WALTRAUD Pssst ...

Magda schiebt den Schemel wieder unters Bett.

WALTRAUD *laut* Also gut, Heinz, mach mers a so ...

Jugend, Familie, Frauen und Gesundheit

Na, naa, des kommt mir überhaupts gar nicht in Frage, wissen Sie, daß i so a Ding, so a Kind nehmen tät von ara Samebank, nanaa, ich adoptier aa koans, des aa net, aber von ara Samebank nimm i scho gar koans, des is mir wurscht, ob des a Genie is oder ned, net, der kann ruhig a Genie werden, aber net bei mir, nanaa, da nimm i ja liaber no an Neger...

Die Notaufnahme

I. PHASE

An einem Nebentisch im Notaufnahmeschalter sitzen Hermann Böhm, Nachtportier; ein Wach- und Schließmann namens Skipp; Hassan, ein Pfleger, und Herr Retzer, ein Patient, und spielen Karten.

BÖHM Und Schelln und Schelln und nomal Schelln und an Unter. Also, her damit. Des war jetzt Schellnsolo mit fünf Schneider, pro Nase einszehn, meine Herren.

Professor Maiwald verläßt im Smoking die Klinik.

BÖHM Ah, Herr Professor, san S' unterwegs? – Skipp, du gibst. Also, viel Spaß aufm Medizinerball.

Professor Maiwald grüßt mit der Hand. Eine besorgte Frau zupft den Professor am Ärmel.

FRAU Hat ma scho was ghört?

PROFESSOR Ja, ja, is alles, äh, Wiederschaun. *Geht.*

BÖHM *zur Frau* Der Professor hat jetzt koa Zeit, aber des is alles äh warten S' halt noch.

SKIPP Hermann, heb ab!

BÖHM Bin scho da.

HERR RETZER *in Schlafanzug und Morgenmantel.* Hat no oana a Zigaretten?

Böhm gibt Retzer eine Zigarette.

RETZER Merci.

Während Skipp austeilt, aus dem Lautsprecher eine Durchsage.

STIMME Herr Abdul Rachman, bitte dringend auf Zimmer hundertsiebenundzwanzig. Herr Abdul Rachman, bitte dringend auf Zimmer hundertsiebenundzwanzig.

BÖHM Hat die Oide wieder ins Bett gschissn. Hast des ghört, Hassan, nauf.

SKIPP Aber die Runden werd no fertig gspuit.

BÖHM Ja, des oane Spui lauft scho allweil no.

Die vier spielen Karten, ein Rotkreuzwagen kommt mit Blaulicht und Sirene angefahren. Fahrer und Pfleger steigen aus, reißen hinten die Tür auf und schieben einen schwerverletzten Motorradfahrer in die Notaufnahme.

PFLEGER Hallo!

BÖHM *ins Kartenspiel vertieft* Jetzt bin i gspannt, ob er die Herzsau hat.

PFLEGER Hallo!

SKIPP Und her damit.

PFLEGER Hallo!

BÖHM Mechst net glaubn.

PFLEGER Hallo, Sie, wir haben hier einen ...

BÖHM Hassan, du gibst.

PFLEGER Ja, hallo, hier Sie ...

BÖHM A, gar so pressiern wird des aa wieder net. Also, was gibst?

PFLEGER Wir haben hier einen akuten Notfall, vermutlich Schädelbasisbruch.

BÖHM *geht ans Telefon, wählt dabei* Auauau, des is ... ja ... ja, Frau Doktor Brinkmann, kommen S' gschwind owi. Mir ham grad an Notfall reinkriegt. Ja, i glaub, is scho dringend. – Is guat! *Hängt ein.* Ja, der Professor is aufm Medizinerball. Die meisten san heut aufm Medizinerball. Heut is schlecht. Wo is er denn versichert?

PFLEGER Weiß ich doch nicht! Ich weiß ja nicht mal, wie der heißt.

BÖHM Ja, aber irgendwo muß er doch versichert sein!

SKIPP *ruft* Hermann, was is, jetzt kimm halt!

BÖHM Ham mer glei. I kimm scho. Jetzt stellt S' halt derweil amal fest, wie er heißt und wo er versichert is, äh, d Ding kimmt gleich. *Er geht zum Kartenspielereck zurück, schaut seine Karten an.* I hab a Weiter.

PFLEGER Ja, aber Sie, hallo, he!

BÖHM Sie kimmt scho, sie is scho unterwegs.

RETZER I dat mit der Blauen ...

SKIPP Mit der Blauen, der Genauen. *Spielt an.* An Trumpf hat a jeder.

Frau Doktor Silvia Brinkmann erscheint und sieht sich um.

DR. BRINKMANN Ja, Herr Böhm?

BÖHM *zu den Mitkartenspielern* Glei. *Legt seine Karten ab.*

SKIPP Jetzt he, des is doch koa Spui net ...

Die besorgte Frau geht zu Frau Doktor Brinkmann.

FRAU Hat ma scho was ghört?

DR. BRINKMANN Ach, ja ja, das is ja äh ja, was is jetzt?

BÖHM Da. *Deutet.*

Pfleger fährt den Schwerkranken näher.

BÖHM Da, Motorradunfall, Schädelbasisbruch.

DR. BRINKMANN *zu Böhm* Haben Sie schon mit Maiwald selber gesprochen?

BÖHM Der is doch aufm Ball!

DR. BRINKMANN Ach ja, richtig. Wo is er denn versichert?

BÖHM Unbekannt.

PFLEGER Jetzt schaun S'n sich doch amal an, der is ja scho bald am Wegschnappn.

DR. BRINKMANN Tja, der müßte vor allem reanimiert werden, aber unser Reanimationsaggregat ist seit vorgestern defekt. Sie, das tut mir furchtbar leid, aber ...

PFLEGER Ja, was solln mer denn mit dem machen?

DR. BRINKMANN Oben haben wir zwar schon ein neues, amerikanisches Modell ...

PFLEGER Ja, dann schließen S'n doch da an.

DR. BRINKMANN Ja, das hat seine Schwierigkeiten, tut mir leid, aber das is noch nicht vom TÜV abgenommen, des kann ich unmöglich verantworten.

PFLEGER Ja, aber...

DR. BRINKMANN Das Gerät hat in den Staaten schon manches Leben gerettet, zugegeben, aber wenn da irgendwas passiert, ohne TÜV, dann is der Teufel los, tut mir leid. Ehrlich.

BÖHM Bringt S' n doch nach Murnau, de san auf ois eingestellt. De nahn eam zsamn, aa wenn er koan Kopf mehr hat.

Der Patient stöhnt.

DR. BRINKMANN Nein, das dauert viel zu lange, nein nein nein, den müssen Sie gleich hier, versuchen Sies links der Isar, die sind für solche Sachen ausgezeichnet...

PFLEGER Ja, und Sie können gar nichts...

DR. BRINKMANN Nein, ich sag Ihnen doch, unser Reanimationsaggregat ist defekt, beeilen Sie sich. Der Mann sieht nicht mehr allzu gut aus, schnell, beeilen Sie sich.

SKIPP Ja, Hermann, was is denn?

BÖHM Ja, glei, i kimm ja scho.

DR. BRINKMANN Herr Retzer, was machen denn Sie noch da herunten? Sie gehörn doch ins Bett. Marsch, marsch.

RETZER Mei, i hab halt, mm. *Brummelt irgendwas.*

DR. BRINKMANN Herr Böhm, wie können Sie zulassen, daß hier die Patienten mitten in der Nacht so rumsitzen?

BÖHM Ja, des ham mer glei. Jetzt schaun S', daß naufkommen, Sie ham da herunten nix verlorn.

Retzer geht raus. Frau Dr. Brinkmann läuft dem Pfleger nach.

DR. BRINKMANN Äh hallo, hallo, junger Mann, äh, wenn sich bei dem Patienten irgendwas, ich meine, man hofft ja sowieso nur das Beste, aber sollte, ich meine, Sie verstehen, äh, wir suchen hier händeringend eine Niere, also, im Fall des Falles, im äußersten Falle, äh, denken Sie an uns, ja?

PFLEGER Wie bitte?

DR. BRINKMANN Ja, ich meine, sollte der Patient äh, was ihm ja niemand wünscht, äh wir suchen dringendst eine Niere.

PFLEGER Ah so. *Schiebt den Motorradfahrer in den Wagen und macht die Tür zu.*

BÖHM *gibt Retzer eine Zigarette und sein angebrauchtes Bier.* Da Pauli, kimmst halt nachher wieder, gell?

RETZER Ja, ja, is scho recht. De Goaß! *Er geht.*

SKIPP Ja, was is jetzt? Spuin mer derweil an dreier? *Er sortiert die Siebener und Achter aus dem Kartenspiel raus.*

DR. BRINKMANN Herr Abdul Rachman, vor einer halben Stunde hab ich Sie schon nach Zimmer hundertsiebenundzwanzig gerufen, ham Sie das denn nicht gehört? Die Patientin hat wieder eingekotet. Die können Sie doch nicht einfach so liegen lassen, ja, was is denn da los?

HASSAN *blickt auf Frau Dr. Brinkmann, die wartend neben ihm steht.* Muß!

Die beiden gehen ab.

SKIPP Jetzt geht ja da goanix mehr zsamm.

BÖHM Dern mer halt derweil wattn.

2. PHASE

Mitternacht, Radiomusik, eine Putzfrau, Herr Böhm, Skipp, eine Nachtschwester, der Hausmeister, Frau Dr. Brinkmann und Herr Retzer sitzen herum. Es ist Mitternachtspause. Böhm hat sich gerade einen Kaffee eingeschenkt.

BÖHM Sie aa an Kaffee, Frau Doktor?

DR. BRINKMANN Ja, bitte, schwarz und zwei Stück Zucker.

BÖHM Ja, i woaß scho, wia allweil halt.

Ein Notarztwagen kommt angebraust mit Blaulicht. Hassan und Skipp kommen eilig aus dem Notarztwagen mit drei großen Plastiktüten.

BRINKMANN Herr Retzer, wenn Sie hier immer noch herumgeistern, könnten Sie wenigstens in meiner Gegenwart das Rauchen einstellen.

RETZER Ja, äh tschuldigens, Frau Dokter.

BÖHM Da hast an Aschenbecher, Pauli.

SKIPP So da san die Cheeseburger und des san Hamburger.

BÖHM Und wo san die Pommes frites?

SKIPP Die hat der Hassan.

HASSAN Und Ketch-up.

BÖHM Sie habn oan Hamburger und oan Cheeseburger ghabt, Frau Doktor.

DR. BRINKMANN Ja, danke und Pommes.

BÖHM Hassan, fssst!

Die Hamburger, Pommes frites, Cola etc. werden verteilt. Im Hintergrund sieht man wieder, wie ein Krankenwagen mit Blaulicht angefahren kommt. Die bekümmerte Frau geht wieder zu Frau Dr. Brinkmann.

FRAU Hat ma scho was ghört?

BÖHM Frau Doktor, hat ma scho was ghört?

DR. BRINKMANN Wo?

BÖHM Da, die Frau Dings.

DR. BRINKMANN Nö.

BÖHM Na, aber mögen S' an Hamburger? Mir hättn no oan da. Er is no fast hoaß. No net kalt.

FRAU Naa, i kriag jetzt koan Bissen nunter.

BÖHM *zur Putzfrau* Frau Dings, mögen Sie oan? Noch nicht kalt.

Die Putzfrau hebt ihr selbergemachtes Brot hoch und winkt ab statt einer Antwort. Die beiden Pfleger von vorhin kommen wieder.

PFLEGER *hört den Schluß.* Ich könnt jetzt einen gebrauchen.

BÖHM Ja, aber wen habt S' n jetzt dabei?

PFLEGER *ißt den Hamburger. Mit vollem Mund.* Immer noch derselbe. 's is nicht zu fassen.

BÖHM Zweiachtzig.

PFLEGER Was?

BÖHM Der Hamburger macht zweiachtzig.

PFLEGER Ah ja. *Er zahlt und erzählt dabei.* Links der Isar, Barmherzige Brüder, Vierter Orden, Kreiskrankenhaus, Privatklinik Doktor Schönböck, nichts zu machen, überall Medizinerball.

BÖHM Ja, heit is schlecht. Heit is ganz schlecht. Heit hät er si net derrennen solln.

SKIPP Hermann, hast du an Senf?

BÖHM An Senf? An siaßn oder an scharfn?

SKIPP An scharfn.

BÖHM In der Zeit hättet S'n aa leicht nach Murnau gfahrn.

PFLEGER Frau Doktor, können Sie nicht vielleicht doch irgendwas?

DR. BRINKMANN *mit vollem Mund* Ja, ich kann ihn mir ja nochmal anschaun, aber ich kann Ihnen jetzt schon versichern, das überschreitet meine Möglichkeiten hier. Zumal unsere Reanimationsmaschine, hab ich Ihnen doch bereits gesagt.

PFLEGER Können S' ihn nicht wenigstens provisorisch a bisserl...

DR. BRINKMANN Mit ein bißchen ist das nicht getan, das Risiko kann ich nicht eingehen. Waren Sie schon im Großklinikum?

PFLEGER Ja, des stimmt eigentlich. *Zu seinem Kollegen* Wieso sind mir da nicht draufkommen?

DR. BRINKMANN Das Großklinikum, das ist für solche Fälle optimal eingerichtet, ich versteh gar nicht, daß Sie da nicht gleich ins Großklinikum... Wie gehts dem Mann denn überhaupt?

PFLEGER Ganz schlecht.

DR. BRINKMANN Ja, dann beeilen Sie sich doch. Los, los, fahren Sie!

BÖHM I ruaf derweil scho o, daß es unterwegs seits.

DR. BRINKMANN *geht dem Pfleger nach und hält ihn nochmal auf.* Aber äh, wie gesagt äh, sollte der Fall eintreten, dem wir niemandem wünschen, Sie verstehen, dann denken Sie doch bitte an mich.

PFLEGER Ja, wieso denn?

BRINKMANN *sieht sich um.* Die Niere!

PFLEGER Ach ja, natürlich.

3. PHASE

Morgennebel, vier Uhr früh, die bekümmerte Frau schläft auf einer Bank, Böhm liest eine Illustrierte, aus dem Radio kommt noch die leise Musik von Jaruslav Proschek. Ein Kioskmann kommt mit Zeitschriften, Obst usw.

BÖHM Morgn, Heinz.

KIOSKMANN Griaß di, Hermann. *Weckt die Frau.*

FRAU *reflexartig beim Erwachen* Hat ma scho was ghört?

KIOSKMANN Ja, Sie können da net umanandflackn, i muaß jetzt daher.

FRAU *zu Böhm* Hat ma scho was ghört?

BÖHM Naa, no nix.

Der Rotkreuzwagen fährt wieder vor, ohne Blaulicht. Pfleger steigt aus und winkt Böhm. Böhm nimmt den Telefonhörer ab und wählt. Die beiden Pfleger laden den Patienten aus, der jetzt eine Decke über dem Kopf hat.

BÖHM Ja, äh, Frau Doktor Brinkmann, Eana Niere war jetzt da.

Besuch am Krankenbett

Peppi Zapf liegt im Bett eines Krankenzimmers und scheint krank zu sein. Zur Tür herein kommen Herr und Frau Zapf und Zapf-Junior. Frau Zapf hält einen verpackten Strauß Blumen in der Hand.

FRAU ZAPF Grüß dich, Onkel Peppi, wie gehts dir denn?

PEPPI Ja mei, es muaß, nett, daß d's amal vorbeischaugts.

FRAU ZAPF *zum Junior* Sag schön Grüß Gott zum Onkel Peppi.

PEPPI Was macht er in der Schule?

JUNIOR Wann gehn wir denn?

Herr und Frau Zapf setzen sich, der Junior stöbert unruhig im Zimmer herum.

PEPPI Da Professor Hasenböck hat gmeint, ich halt mich sehr gut, wenn ich so weitermach, kann ich in fünf, sechs Wochen kanns dauern, na kann ich scho wieder a Knäckebrot essen, hat er gsagt. Ich habs ja noch gut. Erst vorgestern hams ein eingliefert, Kunstmaler, glaub ich war er, der hat a Totalobstipation ghabt. Fast blind war er obendrein, er war chronisch obstipiert quasi. Er hat sich selber scho mit Fuchsleber und solche Präparate behandelt ghabt, alles umsonst, des hat sich rasant auf die Organe ausgebreitet, Milz, Leber, Nieren, alles angegriffen, ma sieht also, ma muß immer gut kauen.

JUNIOR Mutti, wann gehn wir jetzt?

FRAU ZAPF Jaa, psst...

PEPPI Der Verdauungstrakt is halt doch entscheidend. Grad is a Bett freiwordn – de Dame is gstorbn. Zerscht hats nur leichte Beschwerden am MacBurney ghabt, so a Kribbeln am vorderen Darmbeinstachel, sie hat sich noch nix dabei gedacht, na is a subakute Appendizitis wordn. Die Beschwerden ham zugnommen, ha hat ses Rote Kreuz kemma lassn, prompt is scho passiert, war er scho durchbrochen, der Blinddarm, nix mehr zmachen.

JUNIOR Wann gehn wir denn endlich...

PEPPI Sonst ein blühender Mensch gwesen, morgen werds beerdigt. Da wennsd net aufpaßt, is es meistens zu spät. Prozessieren hilft dann auch nix, wennsd hin bist. An Professor Moser habms verklagt, wegen an Kunstfehler, hats gheißen, weil der Patient is zu ihm gekommen, mit am Pigmentnaevus, a Leberfleckerl halt. Der Professor hatn eahm entfernt – der Naevus hat schon geblutet ghabt, net. Jetzt hat der Professor Moser, er is ja sonst eine Koryphäe, net, hat er versäumt, a Gewebe zur Histologischen einzuschicken, trotz richtiger Diagnose, natürlich nur primavista, gell, wie mas halt so macht. Es kam zur raschen Metastasierung des Tumors, Haut,

[NOCH PEPPI] Lunge usw. total verkrebst, er verstarb innerhalb weniger Tage, trotz intensiver Behandlung. Die Witwe klagt jetzt gegen den Arzt wega Versäumnis. – In manchen Fällen is ja offensichtlich …

JUNIOR Ich will heim. Wann gehn wir denn endlich?!

PEPPI … Is einer ins Klinikum reinkemman, mit einer Axt im Schädel stecken, da hat sich keiner hintraut, wegen der Verantwortung, der Chefarzt hat grad an Privatpatienten behandelt, hat ma nix machen können. Des hat Stunden gedauert, bis's ein Operationsteam beinand ghabt ham.

Herr und Frau Zapf und der Junior schieben sich heimlich zum Ausgang und verschwinden unbemerkt mitsamt den Blumen.

PEPPI Des Team hat dann doch sehr gut gearbeitet, der Mann hats relativ gut überstanden, er is jetzt blind, so Sprachstörungen hat er a bißl, und halbseitig gelähmt. Mei, etwas bleibt immer. Zugangen is heut schon, ein Mordsremmidemmi, a ganze Gruppe mit verbundne Köpf is ankemman, die warn in an Omnibus dringsessen, der wo sich überschlagen hat. Laufende Meter Kopfschwarte hams genäht, ganz erschöpft sans zur Visite kemman. Aber des san ja Lappalien gegan, in Zimmer 13, da habms … *unterbricht, sieht sich um* … ah, seids scho ganga. Sowas naa …

Er zieht einen Arztroman unter der Bettdecke hervor: »Die weißen Magier«. Er liest und pfeift sich eins.

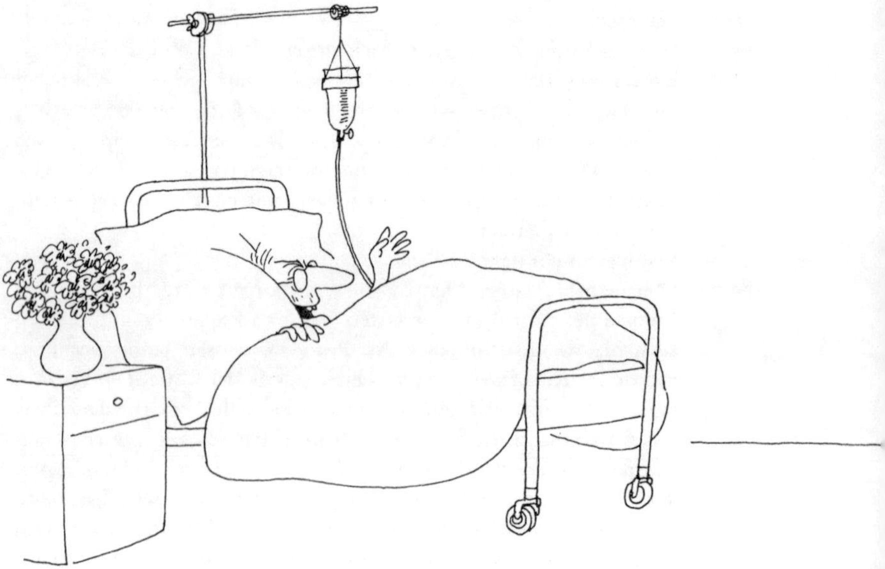

Ein wirksames Heilpräparat

VERTRETER Wissen Sie, es gibt ja Leute, die sind so wehleidig, nicht, die also sich bei jedem, ich möcht schon fast sagen bei jedem Furz, sich schon ins Bett legen, nid wahr. Ich mein, diese Hypochonder, ich... na ja, wissen Sie, weil ich sag das nur, weil ich hab ja doch da am Knie, es ist scho seit längerer Zeit, es zieht immer so, jetzt bin ich dann doch zum Arzt gegangen. Es gibt Sachen, wissen Sie, da derf me dann nicht selber rumdoktern, da muß me dann schon gleich, da geht me nid zum Schmiedl, sondern gleich zum Schmied. Der hat mer jetzt da was verschrieben. Jetzt schau mer mal, was ist denn des, aha, da hammers, genau. Entzündungen der Sehnen, jawohl. Nebenwirkungen: Magen-Darm-Störungen wie Magenbeschwerden, Übelkeit, Erbrechen, Völlegefühl, Durchfall, Magengeschwüre mit und ohne Blutungen, in Einzelfällen mit Durchbrüchen (Perforationen). Die Häufigkeit dieser Störungen wächst mit der Steigerung der Tagesdosis – na ja – Überempfindlichkeitsreaktion, wie Hautausschlag, allergische Ödeme des Gesichts und der Hände, Stevens-Johnson-Syndrom, Lyell-Syndrom, Schock und seine Vorstadien, Steigerung der Lichtempfindlichkeit der Haut (Jucken, Rötung, fleckiger bis blasiger Ausschlag); Mundschleimhautentzündungen, Haarausfall, Nagelwachstumsstörungen, Kopfschmerzen – na ja, also Kopfschmerzen lehne ich persönlich grundsätzlich ab, nid – Schwindel, Müdigkeit, Sehstörungen, Blutzellveränderungen (Leukopenie, Agranulozytose, aplastische Anämie – ah ge, das sei Nebenwirkungen? – Panzytopenie bzw. Knochenmarksdepression, Trombozytopenie). Die Blutplättchenaggregation wird verzögert, wodurch die Dauer von Blutungen verlängert – ja – (z. B. Henoch-Schoenlein-Purpura) – kenn i nid – Erniedrigung des Blutfarbstoffs (des Hämoglobins oder des Hämatokritwertes); Erhöhung von Leberwerten (Serumtransaminasen oder wie heißt das – und alkalische Phosphatasen); Gelbsucht – Gelbsucht – *lacht* – da schreibens Gelbsucht, man kann doch auch Hepatitis sagen – (cholestatisches Syndrom); Störungen der Niere und Harnwege (Anstieg des Blutharnstoffs, akutes Nierenversagen – da schau her – Hämaturie, Blasenbeschwerden, Wasseransammlungen, die als Ödeme meist im Bereich der Unterschenkel oder als Herz-Kreislaufstörungen (Blutdruckanstieg, Kreislaufdekompensation – aha, ja – akute Herzschwäche) auftreten können. Dieses Arzneimittel kann auch bei bestimmungsgemäßem Gebrauch das Reaktionsvermögen so weit verändern, daß jedwede Fähigkeit zu einer aktiven Teilnahme am Straßenverkehr oder zum Bedienen von Maschinen beeinträchtigt wird. Dies gilt im verstärkten Maße im Zusammenwirken mit Alkohol – na ja, nimm i nid, aber ich nehm jetzt auf alle

[NOCH VERTRETER] Fälle, nehm ich vielleicht so e Vitamin C – *Sprudel- und Glucksgeräusche* – wissen Sie, weil das kann überhaupt nie schaden *trinkt genüßlich*. Ahhhh!

Der Keferloher

GAST Ich rate Ihnen dringend, trinken S' nie aus einem Krug, net, wenn S' nicht wissen, was sich drin befindet. Nehmen S' einen Krug aus Glas, dann sehen S' es doch, net. Schaun Sie, net, neulich, Maibock, die Musi spielt grade ein Prosit der Gemütlichkeit, i ziag o, das heißt, ich trinke quasi, also mit am Steinkrug, net, plötzlich vermerke ich so a Gschlader, hab ich so a Gschlader im Hals, also so einen Schleim, so an ... so einen Auswurf, net. Ich selber hab ihn nicht gesehn, aber ich vermute, daß er grün war, net. Jetzt ist mir dieser mir persönlich anonyme Schleim zentimeterweise langsam den Hals abikrocha, wie eine Schnecke. Ich war selber überrascht, wie lang des gedauert hat, bis er praktisch unten angekommen war, net. Ich hab dann noch an Schnaps getrunken, des hat überhaupt nichts genützt, net, weil ich hab dann a Mundfäule bekommen, net, drum rat ich Ihnen dringend, trinken S' nie aus einem Krug, wenn S' nicht *genau* wissen, was sich drin befindet. Also nachad, Prost.

Der Organspender

KUNDE Als es geheißen hat an dieser Stelle, wer ein Interesse hat an einem Existenzminimum, der soll sich im zwoten Stock bei Amtmann Deutelmoser melden, nicht wahr, habe ich mich prompt gemeldet, und man hat mir mein Existenzminimum auch sofort bestätigt, nicht wahr. Der Durchschuß, nicht wahr, den ich am Dnjepr in Rußland erlitt, war praktisch aktenkundig und ist auch medizinisch einwandfrei – praktisch – nicht wahr, nur ich muß heute sagen, das sag ich heute, also praktisch rückblickend, wenn ich in Rußland meine Milz gelassen hätte, also ohne Milz stünde ich doch heute ganz anders da. Das wären ja pro Monat 37 Mark 80, nicht wahr, pro Milz, also die man praktisch, nicht wahr, mit einhundertundachtzig Mark Invaliditätsrente plus diesen paar Nutschgerln Sozialhilfe, nicht wahr, die ich erhalte, kann ich keine großen Sprünge machen, das kann ich Ihnen glaubhaft versichern, das heißt da hüpft man nicht sehr weit. Und ich habe dann auch mich als Organspender im Klinikum angemeldet, und man hat auch meinen Körper prompt in Zahlung genommen. Ich habe die zwotausend Mark praktisch blanko entgegengenommen, nicht wahr, nur daß ich in der Gefangenschaft schon diese zwei Vorderzähne verloren habe, plus den Verlust etlicher Innereien habe ich natürlich verheimlicht. Aber wenn es soweit ist, dann werden die Herren Mediziner schon noch draufkommen, weil denen entgeht ja sowieso nichts, oder? Hahahaha...

Verkehr und Wohnungsbau

Ich habe zu meinem Sohn hundert-, ja tausendmal gesagt, ich sage: Elmar, diese Frau ist nichts für dich. Jetzt wohnt er wieder bei mir zu Hause und ist sehr glücklich.

Ein Autofachmann

Eine Straße. Parkende Autos. Eine gutgekleidete Dame besteigt ihr Auto und will es anlassen. – Anlassersurren. – Nichts. Längeres Anlassersurren. Wieder nichts. – Ein graugekleideter schmächtiger Mann geht vorbei, bleibt stehen, sieht zu.

MANN Springt er nicht an?

FRAU Ich weiß nicht, was da los ist, vorhin ging er noch.

MANN Machen Sie mal die Motorhaube auf.

FRAU Sie kennen sich mit Motoren aus?

MANN Ein bißchen.

Die Frau versucht, die Motorhaube zu öffnen, es geht nicht, der Mann hilft ihr dabei. Der Mann wirft einen Blick in den Motorraum.

MANN Lassen Sie ihn nochmal an ...

Die Frau geht ins Auto, läßt den Wagen an – nichts. Ein bayrischer Mensch kommt hinzu, der behäbig die Situation beobachtet. Die Frau steigt wieder aus dem Wagen.

BAYER Also, des kann ich Ihnen gleich sagen, dieser Herr vasteht von an Motor überhaupts nichts.

MANN Also hören Sie!

BAYER Der hat doch keine Ahnung, wia der scho higlangt, genga S'amal auf d Seiten, genga S'weg. Weg da! Haben Sie ein Werkzeug da?

FRAU Werkzeug, ich seh mal nach, Augenblick.

BAYER Des wern ma glei habm ...

Die Frau holt aus dem Auto einen kleinen Schraubenzieher, der Bayer beugt sich in den Motorraum.

BAYER Ah, geh! – Wahnsinn! *Er zieht ein Kabel aus dem Motorraum. Die Frau bringt den Schraubenzieher.*

FRAU Schaun Sie mal, ist das richtig?

BAYER Des soi a Werkzeug sei. Des is ja a Zahnstocher! Mit dem Nasenbohrer wollts es repariern? Es seids doch Schnapsler. *Zum Mann* Aber ois bessa wissn. *Wirft den Schraubenzieher in hohem Bogen weg.* Habm S' a Werkzeug da? – Wenn i's als Fußgänga scho dabei hob.

Die Frau hebt den Schraubenzieher wieder auf. Der Bayer zieht einen großen Schraubenzieher aus der Hosentasche, beugt sich ins Auto.

BAYER Oh, mei, da schaugts aus. Schaugn S' her, da schaugts schlecht aus. *Er rupft ein Teil aus dem Motor.*

FRAU Was machen Sie denn da?!

BAYER Da! Da! Da schau her. Was is denn das? Was is denn das?

MANN Weiß nicht.

BAYER Eben. Er woaß net. Aber mitreden. Ois bessa wissn. Da! *Rupft noch ein Teil aus* Des kenna S' wegschmeißen. Des is sis dafeit. Sagn S' amal, wo haben S' denn den Wagn kauft?

FRAU Beim Händler. Warum?

BAYER Sauber, sag i – ja, ja, was is denn des? Um Gotteswillen, schaun S' amal da nei! Sehgn sa S', was is denn des? Halten S' amal!

Der Mann hält, der Bayer rupft ein großes Teil aus dem Motorraum.

BAYER Da schaugn S' her, da hammer den Salat. *Er wirft das Teil weg.*

FRAU Hören Sie sofort auf, Sie machen ja den ganzen Wagen kaputt!

BAYER Hahaha! Und so wolln Sie autofahrn!

MANN Das Drehmoment stimmt nicht.

BAYER Er! – Drehmoment. Da schau her. Was verstehen Sie von am Drehmoment! Ham S' an Drehmomentschlüssel da?

MANN Natürlich nicht.

BAYER Natürlich ned. Ja, da kannt ma lang warten. Schaugn S' her. *Zieht Drehmomentschlüssel aus der Tasche* So. Jetzt schau mer halt amal. Ja, Wahnsinn. Und so fahrn Sie durch die Gegend. Des is ja fahrlässig. Alles marode. Hoou Ruck! *Er reißt ein riesiges Teil aus dem Motor.*

Die Frau hebt protestierend das Teil auf.

BAYER Oh mei, des is ja furchtbar. So. Jetzt wern mer amal schaun, da – die Verbindung zum Verteiler, ja da, ah, ah. *Wirft kleine Teile hinter sich.*

FRAU Hörn Sie doch auf, um Gotteswillen!

BAYER Aha. Soweit sammer scho. Ma macht sich dreckig, weil ma de Leut helfen will, und nachad des saudumme Gred!

Der Mann will eingreifen.

BAYER Gengan doch Sie weg, du Kasperl, blinder! So. Glei hammers. Au weh! Des aa no. A Wunder, daß der Kahn überhaupts ganga is. *Er wirft einen langen Schlauch aus dem Motorraum, zieht eine Zange heraus, knipst mit lautem Krachgeräusch ein weiteres Teil ab.*

I sags ja, heutzutag hat keiner mehr eine Ahnung. Halt amal, Spezi – da halten sollst!

Der Mann ist dem Bayern behilflich ... Der Bayer gibt ein Geräusch der Anstrengung von sich, unten rinnt eine Flüssigkeit aus dem Auto.

BAYER *zur Frau* Sie, mit dem ham S' an Fang gmacht.

MANN Also, ich bitte Sie!

BAYER Geh, sei stad, Dilettant!

FRAU Lassen Sie sofort meinen Wagen in Ruhe, ich rufe die Polizei!

BAYER Soo kamad Sie daher, de motorisierte Goaß! Des kimmt davo, wenn ma de Leit hilft. *Er schmeißt noch ein Teil aus dem Motorraum. Ein anderes Teil wirft er geräuschvoll wieder in den Motorraum.* Machen S' amal zu, und lassen S' n amal an.

FRAU Was mach ich mit diesen Teilen hier?!

BAYER Des kennan S' ois wegschmeißen, macha S' zua und lassen S' n an. *Die Frau geht ins Auto, Anlassergeräusch. Nichts.*

BAYER Ja, *anlassen,* hab i gsagt! Verstehngan Sie schlecht!?

FRAU Können Sie nicht vielleicht den Wagen mal anschieben?

BAYER Geh weida, Schnapperer, schiab o, i hob gmoant, du wuist helfan? *Der Mann versucht, den Wagen anzuschieben.*

FRAU Bitte helfen Sie ihm doch mit.

BAYER Ja, bin i denn a Schieber, da, der Herr, der woaß doch ois bessa, der soll oschiabm. I bin doch koa Schiaba!

FRAU Bitte, helfen Sie, Sie sehen doch, er schafft es nicht.

BAYER Hätt er halt mehr Spinat essen solln, der Windbeutl, es tuat ma leid, i hob koa Zeit mehr, i muaß zu meim Bus. Da, der Herr, dieser Herr, der huift Eahna scho. Also, guate Fahrt, Wiederschaugn. *Er geht zur Bushaltestelle gegenüber, der Mann versucht nochmal, den Wagen anzuschieben.*

MANN Ja, es tut mir jetzt leid, so alleine schaff ich das auch nicht.

FRAU Was mach ich dann?

MANN Tut mir leid, ich hätte gerne, ich würde gerne ... ich wünsche Ihnen noch alles Gute. Wird schon klappen. *Er geht zur Bushaltestelle, steht neben dem Bayern. Die Frau läßt noch mal den Wagen an, ein Knall, der Motor explodiert, die Motorhaube fliegt auf. Knall, Feuer und Rauch.*

BAYER *gönnerhaft zu dem Mann* Oh, mei, des san Autofahrer ...

Die Wegbeschreibung

Das Telefon klingelt. Udo Kaiser hebt ab.

UDO Kaiser!? Ja, die Hilde. – Habts unsre Karte gekriegt mit der neuen Nummer? Des is aber nett, daßd anrufst. Was? – Ja hähähä. Hilde, naa mir wohna scho lang nimmer in der City. Nana, mir wohnen jetz da heraust im Grünen. Ja... also na also Bauern sind mer keine gewordn. Was? Was is? Ja komm doch amal raus. Kommts halt amal raus, Hilde. 's is wunderbar hier. Wiesd raus kommst – des is ganz einfach, Hilde, paß auf. Du mußd die Nordspange, die Zubringerstraße – ja Autobahn, ja da mußd runter fahrn. Ja, des is jetz noch a bisserl kompliziert, weil da wird noch gebaut, weil in a paar Jahr ham mir die Autobahn dann praktisch direkt vor der Haustür – aber jetz mußd halt dann die Nordspange bei dem äh, mußd runter fahrn bei der Mülldeponie. Aber erst die zweite Ausfahrt, praktisch wo die Sondermülldeponie is. Da kommt dann a so a Schnellstraße. Dann an dieser Sondermülldeponie vorbei. Die konn ma garnet verfe... des is... Kläranlagen sind da und diese... ja, ja. Dann hältst dich links an der Autofabrik vorbei, die machen hauptsächlich so LKWs. – Diese lange, riesige Mauer und dieser hohe Drahtzaun mit dem Stacheldraht und dahinter die ganzen Laster. Gell, also diese Schnellstraße fahrst du immer hart entlang, bis du zur Möbelfabrik kommst. – Heißen die. – Ja, des siehst schon, des is nicht zum Übersehn, ein Riesengebäude... Mit so Fahnen heraust, ja, genau. Gradaus an dem Discount vorbei, da kommt noch a Discount, die ham so Zubehörhandel. Also da is wieder so a Möbelhaus net – Möbelhaus Lila. So violett, so a großer lila Bau. Scharf links und da sigst dann auch schon die ersten Hochhäuser. Da ist dann die Zaunkönigstraße heißt die, gell Hilde. Da mußd also abbiegen, nochmal links. Also links rein, gell. – Auf der andern Seite is ja a so a Schretteranlage, da kann mer garnet reinfahrn. Des siehst. Und dann siehst du schon a zweite Garnitur Hochhäuser. 's sind also schon ganz schöne Waschel, also gell große äh, Dings. De siehst schon, die sind am Ende. Des is so a Industriestraße. Dann... Jetz muaßd aufpassn. Direkt neben de Hochhäuser ist ein Umspannungswerk. Des sieht ma wieder an dene Hochspannungsmastn, die dann weg gehn – die gehn nach alle Seitn weg. Muaßd schaun, da sind auch so a paar Bäume drum rum und da sind riesige Strommastn, gell. Und unter denen Strommastn am Umspannwerk vorbei fahrst in Richtung zu diesem Müllverbrennungskraftwerk, ja. Diese Müllverbrennungsanlage, ja, so a großer blauer Bau mitm Mordsschornstein oben drauf, net. Des is des Wärmekraftwerk, des is dahinter, aber da fahrst davor schon wieder rechts weg. Vorm Wärmekraftwerk – wie gsagt – wieder rechts und da siehst du dann, des is so a kanariengelber Bau – des is wieder a Möbelhaus. Untn is so a Schild von ara »Trauerhilfe«. Halbrechts nei. Auf der andern Seite is a so a Squash-Center ja. Dann kommt eine dritte Garnitur Hochhäuser, und dann bisd nimmer weit. Dann die Wiedehopfstraße. Genau, net. Hinter diesen Hochhäusern da sind dann ungefähr so circa vierzig Bungalows. Da is nochmal so a großes Einkaufscenter und dann kommen diese Bungalows.

Ja vierzig, a paar sind noch im Bau, ja. Is a ganz schöne Baustelle. Und mir sind da mittendrin, da muaßd reinfahrn, weil des geht da so im Kreis durch die ganze Siedlung durch, ja, so a Kreisverkehr. Also in der Mitte. Des is Nummer 27, gell. Des kannst ganz leicht finden. Mir ham an Messingknopf an der Tür, gell, ja...

* * *

Hilde Kruschwitz kommt jetzt in der Siedlung an. Udo Kaiser steht im Garten vor dem Gartenzaun und wäscht sein Auto. Hilde kommt gerade an.

UDO Ja Hilde, ja halt, da sind mer. Hallo, Hilde!

HILDE *parkt und steigt aus.* Na...

UDO Na, hast gut hergfundn?

HILDE Ja, is ja nicht zum übersehn. Ganz leicht. Du hasts ja so gut beschrieben. Na, wie gefallts dir, ha?

UDO Jaja, doch doch. Also weißd ich hab scho Angst ghabt, da so vorm Landleben. Aber man kann sich unheimlich dran gwöhnen an dieses Freie da herausdn und es is halt wege de Kinder ham mer uns gedacht.

Eines der Kinder steht in einem der Beete.

UDO Ja Herrschaftszeitn, Kruzifixkreizsakrament. Erika, bist du wahnsinnig, da hab ich doch grad frisch angsät, schaug daßd weiter kommst. *Zu Hilde* Für die Kinder is halt doch was ganz was anders da herausd, gell.

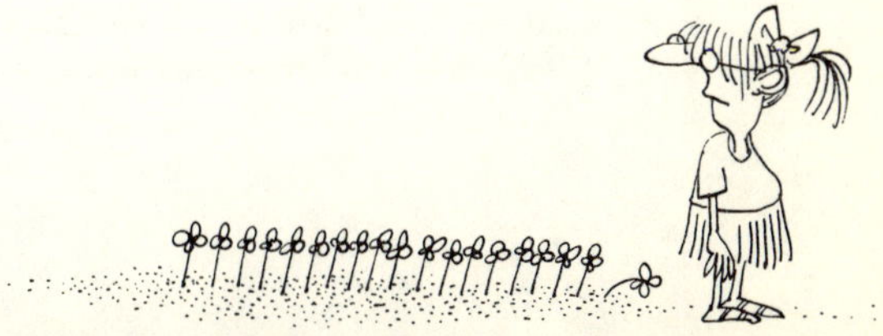

Hoagascht urban

Straßenschlucht in einer Hochhaustrabantenstadt. Zwei kleine Figuren mit Instrumenten-Koffern kommen aus der U-Bahn und fragen nach einer Adresse. Niemand antwortet.

ER Karl-Marx-Ring! Samma scho richtig.

SIE Muaß ja da Rosa-Luxemburg-Weg aa glei abzweigen.

ER Samma scho richtig.

Die beiden sind auf ihrer Suche nach der richtigen Adresse. Abendstimmung in Neuperlach. Dann am Klingelbrett, circa 400 Klingeln.

ER Do is a Maier mit *ai*.

SIE I hätn Meier mit *eie*.

ER Halt, da is noch oaner mit *ay*.

SIE Da is ja noch a Meier mit *eie,* noch amal, was machn mir jetzt?

ER Hast die Nummer dabei, da könntn mirn anrufen?

SIE Na, hab i net. Was machn mir jetzt?

ER Mei, i woas aa net, probiern mirs.

SIE Ja, probiern mir.

Die beiden klingeln bei allen vier Maiers und warten.

ER Jetzt bin i gspannt.

Aus der Klingelanlage ein Geräusch »Hallo«.

ER Ah, guten Abend, äh, Sepp, bist es du?

SCHNARRSTIMME Was heißt hier Sepp? Unverschämtheit?!

SIE Also, der wars net.

»Hallo«, wieder Schnarren, eine türkische Sprechanlagenantwort »Hallo«, Grummeln.

ER Des is er net, der Sepp.

SIE Na, des is er net.

Zwei Punks kommen zur Tür heraus.

ER Sie, entschuldigen S'...

Die beiden gehen weiter, ohne sie zu beachten.

SIE Herrschaft, was machn mirn jetzt?

Noch zwei Leute kommen aus dem Haus.

A Es war jeden Tag Sonne.

B Nein!

A Wenn ichs Ihnen sage. Buchstäblich jeden Tag. Nur im Service fällts etwas ab, aber das haben sie ja im gesamten Ostblock.

B Aber Wetter war schön?

A Ich kann nur nochmal betonen, jeden Tag Sonne, von früh bis spät.

ER Sie, entschuldigen S', mir suchen da eine Familie Maier.

SIE Da is nämlich heut so a Stubenmusi da herin.

A Tut mir leid, ich kenn hier niemand. Hier wohnen so viele Leute, fragen Sie am Einwohnermeldeamt.

SIE Ah ja, danke.

ER Vielen Dank.

A *wieder zu B* Hier neulich im dritten Stock is jemand verwest, erst der Geruch hat dann die Behörden auf den Plan gebracht.

B Ah ja, interessant, und Sie sagen also, der Service is weniger...

A Ja, ja, machen Sie sich beim Service keine Illusionen, aber das Wetter, ein Traum.

Die beiden sind weg.

ER Geh weiter, hilft ja nix. Suach ma halt drin.

SIE Aber die Nummer stimmt doch.

Ein Schwarzer und ein Japaner kommen.

ER Sie äh, tschuldigung äh, Verzeihung äh, is hier Haus Nummer neun?

SIE Peschlange 9

JAPANER Yes, nine, neun A.

SCHWARZER Neun A, neun A.

ER Was? A? Mia suachn jemand.

SCHWARZER *deutet auf Instrumentenkoffer* Music!

ER Genau, Musik.

SCHWARZER Good luck!

SIE Danke. Was is mit dem A? *Sie schaut auf das Schild.* Jesses, des is neun A, un da miaß ma – da samma verkehrt, mir, wissen S', die wohnen neun. Peschlange 9.

ER Ah, suach ma halt weiter.

Die beiden sind wieder unterwegs. Die nächste Station ist vor dem Haus Nummer neun.

ER Da is ja überhaupts koa Maier.

SIE Mei, vielleicht hams nur koa Namensschildl.

Man sieht ein ziemlich verwüstetes Klingelbrett, wo die Hälfte der Namensschilder fehlen.

ER Mei, gehma halt amal nei un suchn mers.

SIE Ja, versuchn mers.

Er klingelt wahllos an ein paar Klingelknöpfen. Aus dem Klingelkasten kommt also ein Stimmensalat.

ER Ja, ja Entschuldigung, äh a können Sie vielleicht bitte aufmachen?

Tür geht auf. Die beiden warten vor dem Lift. Lifttür geht auf. Im Lift steht ein Zuhälter und eine Prostituierte.

ER Nauf?

ZUHÄLTER Na, obi.

Die beiden fahren gemeinsam im Lift. Der Zuhälter kratzt sich permanent im Genitalbereich. Dann steigen Zuhälter und Prostituierte aus.

ER Wiederschaun.

Keine Antwort.

ER Jetza fahrn mer nauf.

Man sieht die beiden im Hausflur suchen.

SIE Da is wieder koa Name.

ER Und?

SIE Da macht koaner auf.

ER Herrschaft, der Lift kimmt wieder net.

SIE Gehma halt zfuß übers Stiegenhaus.

Neben dem Lift ist eine Tür, die ins Treppenhaus führt. Die beiden gehen ins Treppenhaus und wollen ein Stockwerk höher wieder in den Hausflur hineingehen, aber die Türe läßt sich nur von einer Seite öffnen. Von der anderen Seite braucht man einen Schlüssel.

ER Herrschaft, jetzt hama uns ausgsperrt.

SIE Mei, was machn mer jetzt?

ER Mei, schaun ma halt amal.

Die beiden gehen ein vollkommen ramponiertes Treppenhaus hinunter und landen unten in der Tiefgarage. In der Tiefgarage sieht man den Zuhälter, wie er gerade die Prostituierte verprügelt.

SIE Da is net.

ER Also, fahrn mer wieder nauf.

Wieder in einem Hausflur, viele Türen. Die beiden irren herum.

ER Da is wieder a Maier.

Eine Griechin macht auf.

ER Verzeihung, äh, mir suchen, ähm, Familie Maier.

GRIECHIN Nix Maier, Timo ... *Gemurmel.*

Timo kommt und redet griechisch. Er geht schon wieder zum Lift und holt den Lift. Im Lift steht die Prostituierte, die sich gerade notdürftig wiederherrichtet.

SIE Ham S' Eana wehtoa?

PROSTITUIERTE Diese widerliche Drecksau.

ER Sie, kennen Sie vielleicht sich hier aus? Mir suchen eine Familie Maier, er heißt Josef, Maier Josef, also Sepp.

SIE Und sie Notburga, Burgel oder Burgi.

PROSTITUIERTE *Schminkt sich die Lippen nach.* Dreizehnter Stock, des san Nachbarn. Können S' gleich mitfahren.

Dreizehnter Stock.

PROSTITUIERTE Da gehn S' her.

Ein verklemmter Mann steht an einer Haustür herum.

PROSTITUIERTE Ah, Herr Doktor Lentitsch. Wie lang ham S' heut Zeit?

LENTITSCH *hüstelt verklemmt* Aber ich bitte Sie!

PROSTITUIERTE *zu den beiden* Da is es.

SIE Vielen Dank.

ER Dankschön.

PROSTITUIERTE So, Herr Doktor Lentitsch, gemma glei nei. *Links ab.* A Glasl Schampus?

Sperrt ihre Tür auf. Die Prostituierte und Doktor Lentitsch verschwinden. In der anderen Tür ist »Kaspar-Melchior-Baltasar« auf die Tür gemalt und ein gemaltes Namensschild »Maier«. Er klingelt. Burgi macht auf.

BURGI Ja, da sans ja.

SEPP Ruckts eina. So jetzt kanns aufgeh.

SIE Mei, bis mir euch gfundn ham.

SEPP Ja, wieso?

BURGI Also, gehts her. Packs aus. Fangn ma glei o.

SEPP Girgel, jetzt sans da.

Im Zimmer sitzt Girgel in einer geschnitzten Bauernstubenecke mit Herrgottswinkel und stimmt seine Zither.

ER Es habts es wirklich griabig da herin.

SEPP Ja, i woaß scho. Des hat fei ois an Haufn Geld kost.

BURGI Ois scho zahlt.

SIE Wirklich sehr nett, reizend, entzückend.

GIRGEL Also, was is jetz, fangn ma o, i hab net lang Zeit.

BURGI Ja, Girgel, was is n?

GIRGEL I hab um Neune in der Disko a Date. *Spielt das Zither-Intro.*

Sie singen: »Auf der Alme, da gibts Kalma ...« Ein Flieger fliegt über das Wohngebiet und deckt den Gesang zu.

BURGI Herrschaft! *Sie geht ans Fenster, schließt das Fenster und läßt das Rollo herunter. Das Rollo bleibt in der Mitte hängen.* Herrschaft!

SEPP Halts auf, des hamma glei.

ER *hilft ihr.* Kann i euch was helfn?

SIE Der Beni kennt si aus mit so Zeug.

SEPP Des is oiwei ganga, zäfix!

SIE Huif eahna halt.

ER Warts gschwind, i huif euch.

Die vier machen am Rollo herum.

GIRGEL Oiwei as selbe. *Schaltet den Fernseher ein. Im Fernsehen kommt eine Volksmusiksendung. Girgel zündet sich eine Zigarette an. Die vier machen weiter am Rollo herum. Dazu Fernsehmusik und Dialogfetzen:*

Ja, Herrschaft, des is doch bisher oiwei ganga.

Warts gschwind, i huif euch.

Da, des muaß oaner da rumgspuit ham.

Das is seit der Ottmar da war.

Hat der eigentlich a Haftpflichtversicherung?

I woaß net, aber der wars, weil davor is es no gonga, der hat mit seim Buam ...

Da Ottmar?

Ah so, beim Ottmar.

Ja, der Ottmar.

[NOCH GIRGEL] Ja mei, jetzt miasens mer schaun.
Kruzifix, halt, jetzt hab is scho fast.
Man sieht die Landschaft von Neuperlach und die vier werden verschwindend klein.

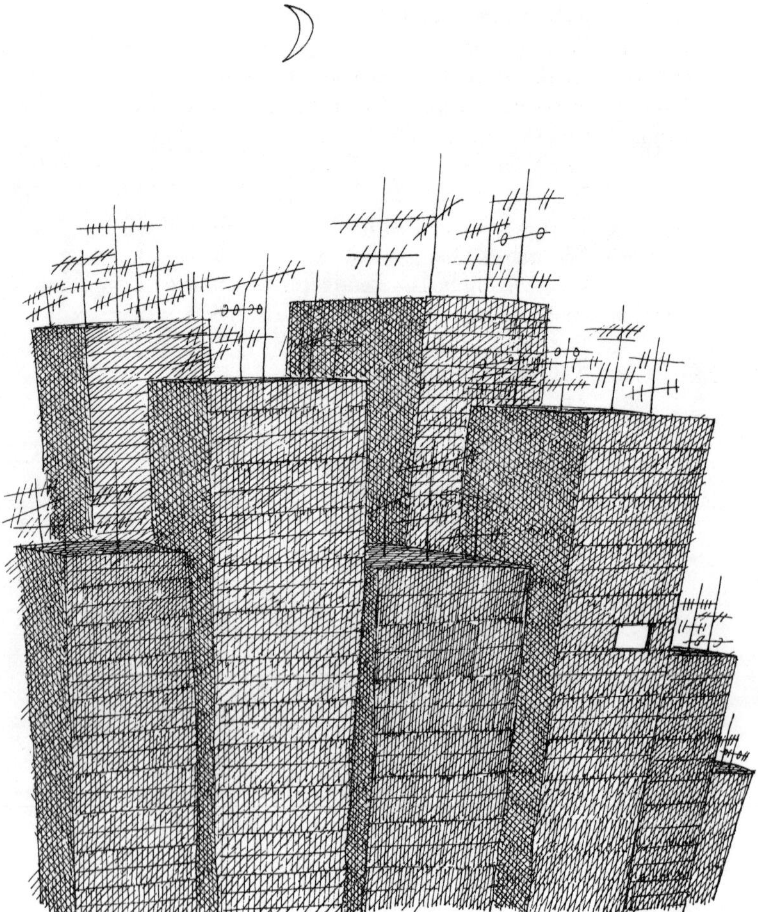

Die Nachbestellung

Ehepaar Heinz und Edeltraut Strobel sitzt in einer Autobahn-Raststätte. Ein Kellner serviert gerade zwei Extraknödel.

KELLNER So. Zweimal Knödel extra.

HEINZ STROBEL Do – stelln S' es her.

EDELTRAUT Ah, Herr Ober, könntn mir noch a große Portion Sauerkraut ham, bittschön?

KELLNER Einmal Kraut extra.

EDELTRAUT *studiert die Karte.* Nimm halt die Topfnpalatschinkn oder de mit Schoklad.

HEINZ Qumpf...

EDELTRAUT Oder nimmst halt beides.

HEINZ Njoa.

EDELTRAUT Un mogst des Eis vorher oder danach?

HEINZ *mit vollem Mund* Gleichzeitig.

EDELTRAUT Oder nimm halt a Prinzregenten-Torte zerscht. Du, de Obstkuchn ham fei aa recht ordentlich ausgschaut. Himbeer – oder so.

HEINZ Hmhm.

EDELTRAUT Oder wie wärs mit am Obstsalat?

HEINZ Nänana...

EDELTRAUT Oder ein Pfirsich-Melba. Do, heiße Himbeern auf Schlagrahm, hm?

KELLNER *kommt mit dem Kraut.* So, einmal Sauerkraut extra. Bitteschön gnä Frau.

EDELTRAUT Naa, da... *deutet auf Heinz.*

KELLNER Ah, ja.

EDELTRAUT Sagn Sie, Herr Ober, was isn bitte des Soufflé Prinz Eugen?

KELLNER Eine Art süßer Eierschaum mit Schokolade, Nüssen und Maraschino und Sahne.

EDELTRAUT Er vertragt keine Nüß, Nüsse rührt er mir nicht an.

KELLNER Sie können auch wahlweise Rosinen dazu nehmen.

HEINZ Umpfqumpf...

EDELTRAUT Ah, Her Ober, bringen S' mir doch bittschön noch a Mineralwasser.

KELLNER Ein Mineral.

EDELTRAUT Magst so an Prinz Eugen? Is amal was anders.

HEINZ Qumpf...

EDELTRAUT Oder des is überhaupts die Lösung – vorher ißd a Mokkatorte, mit, und dann a Fürst-Pückler-Eis ohne Sahne und hinterher noch a Kleinigkeit oder so, vielleicht doch diesen Eugen da.

HEINZ Quampf...

EDELTRAUT No, schmeckt de Haxn?

HEINZ Naja...

KELLNER *bringt das Wasser.* So, ein Mineral.

EDELTRAUT Äh, Sie, Herr Ober, weil Sie grad da sind, könntn mir noch a bisserl was nachbestelln? Bringen S' ihm doch bittschön einmal Prinzregenten-Torte.

HEINZ Naa, i mog koa.

EDELTRAUT Ahja, Mokka-Torte mit Schlagrahm. Mit Schlagrahm, gell?

HEINZ Qumpf...

EDELTRAUT Und dann bringen S' ihm noch an Fürst-Pückler-Eis. Des ohne Sahne.

HEINZ Na, mit.

EDELTRAUT Ahja, also doch auch mit Sahne. Und dann wolln wir doch amal dieses Soufflé Prinz Eugen probiern. Allerdings ohne Nüsse bittschön. Gell also mit Rosinen.

KELLNER Gut, Prinz Eugen für Sie, gnä Frau?

EDELTRAUT Naa, wo denken Sie hin, i derf net. I mach zur Zeit a Abmagerungskur, i muaß abnehmen.
Er is ja schließlich der Fahrer. Wissen Sie, reisen macht immer Appetit.

Der Bohemien

Im Wohnzimmer von Frau Kerzl. Herr Faltermair sitzt am Erdnuß-Flips-Chips-Tischchen. Frau Kerzl steht am Fenster.

KERZL Herr Faltermair, schnell, kommen Sie mal. Schaun Sie mal, da ist er. Von hier kann man ihn gerade sehn.

FALTERMAIR *steht auf.* Wo, zoagn S' her?

KERZL Da, da unten, mit der Plastiktüte.

FALTERMAIR Der mit dem indischen Kappi?

KERZL Ne, der mit der Baskenmütze. Da, er sperrt gerade zu.

Man sieht den Bohemien, der gerade eine Mietskaserne verläßt und zu seinem Fahrrad geht.

FALTERMAIR Wos, des is a Bohemien, a echter?

KERZL Ja, ein ganz seltener. Ham wir lang gesucht, bis wir was Ordentliches an Land gezogen haben.

FALTERMAIR Ah, und der wohnt jetz praktisch über mir.

KERZL Ja, genau über der Hausmeisterwohnung.

FALTERMAIR Ja, na hat ers ja schee.

KERZL Nenene, das war gar nicht so einfach, den hier raus zu bekommen.

FALTERMAIR Ja, aber er wohnt doch umsonst, der soll ja froh sei.

KERZL Was glauben Sie wie schwer das ist, so einen Bohemien aus seiner gewohnten Umgebung herauszuschälen. Außerdem gibts kaum mehr welche. Die sind heute so selten wie ehrliche Menschen.

FALTERMAIR Ja und was soll der jetz nachad da macha?

KERZL Wohnen.

FALTERMAIR Da kannt er ma doch nachad alweil beim Hecknschneidn a bisserl helfn, oder?

KERZL Herr Faltermair, wo denken Sie hin. Der Mann ist Bohemien, der rührt keinen Finger.

FALTERMAIR Ja, aber –

KERZL Psst, schaun Sie mal wie altmodisch. Er benützt noch Hosenklammern – süüß, finden Sie nicht?

FALTERMAIR Ja aber was soll denn der nachad da machn?

KERZL Atmosphäre verbreiten. Wir waren uns auf der letzten Eigentümerversammlung einig, hier muß was passieren – kulturell und auch atmosphärisch. Und überhaupt, verstehen Sie – Lebensqualität.

FALTERMAIR Ja, aber mir ham doch da jetz da de neie chemische Reinigung kriagt...

KERZL Ach was, Großstadt haben wir hier, aber Flair, Savoir-vivre.

FALTERMAIR Wem?

KERZL Ach. Äh, Herr Böhm von der Kaffeeteria hatte diesen glänzenden Einfall. Wir haben das alles gleich vertraglich ordentlich geregelt – wir, die Wohnungseigentümer übernehmen sechzig Prozent der

[NOCH KERZL] Kosten und Herr Böhm finanziert den Rest vom Bohemien. Außerdem hat der Bohemien täglich einen Freitrunk in der Kaffeeteria.

FALTERMAIR Na werd der boid a wieder so bsoffn rumhänga wia der den S' davor ghabt ham. Der wo immer ois vollgspuim hat.

KERZL Ne, das warn Penner, n Wermutbruder.

FALTERMAIR Da ham S' aber a gsagt, daß er a Künstler is.

KERZL Naja, Herr Faltermair, das ist manchmal schwer zu unterscheiden, ob einer ein Penner oder ein Künstler ist. Aber der hier ist fleißig, der malt wie am Fließband. Wir machen jetzt auch vierteljährlich ne Vernisage unten in der Kaffeeteria bei Herrn Böhm.

FALTERMAIR Un was hat er sich jetz da grod kaft?

Man sieht den Bohemien aus einem Supermarkt kommen. Kerzl greift zum Fernglas. Schaut.

KERZL Ich glaub einen Rotwein.

FALTERMAIR Der sauft aa.

KERZL Nene, der benutzt den Wein nur als Stimulanz. Er ersetzt sich dadurch Italien sagt er, aber er malt wirklich. Schaun Sie, ich habe hier schon zwei Bilder von ihm erworben.

FALTERMAIR Ah, des is vo eahm.

KERZL Was macht er denn da?

Man sieht den Bohemien, wie er ordinär ein Nasenloch zuhält und aus dem anderen rotzt und dann sein Fahrrad besteigt.

FALTERMAIR Schneizn duada.

KERZL Sehn Sie, jetzt radelt er. – Ich sage Ihnen, wir werden die Buschröschen-Allee systematisch kultivieren. Wir von der Eigentümergemeinschaft und Herr Böhm, wir sind uns einig, wir holen noch nen Bohemien. Wir setzen noch nen zweiten aus, verstehen Sie. Dazu hat Herr Böhm Straßen-Café-Lizenz beantragt, und diese Bohemiens haben jeder auch noch nen Bekanntenkreis, die ziehn dann wieder was nach sich, verstehn Sie, da wird dann musiziert ab und an …

FALTERMAIR Was, a Musi aa no.

KERZL Ja, hier entsteht n richtiges Geistesleben. Glauben Sie mir, Herr Faltermair, ganz abgesehen von der atmosphärischen Verbesserung, die vier Wohnungen, die ich hier hab kann ich dann ganz anders vermieten. Ein paar Bohemiens, vielleicht noch n Schauspieler und der Quadratmeter-Preis steigt hier um dreißig Prozent Minimum.

FALTERMAIR Aha, verstehe, Sie wolln a neies Schwabing …

Ein Geschäftsbrief

Hildegard Gruber sitzt in einer feudalen Villa in ihrer Bibliothek in einem üppigen Ledersessel und diktiert in ein Diktiergerät.

GRUBER Feldafing, den soundsovielten, Datum, undsoweiter, Einschreiben an Herrn Peter Krause, Wallensteinstraße 21, rückwärtiger Eingang, 8 München 90, betrifft Ihr Schreiben vom 23. 2. 86, Poststempel 25. 2. 16.00 Uhr, 1986.
Sehr geehrter Herr Krause,
da ich mich aus beruflichen und persönlichen Gründen nicht immer in München aufhalte, beantworte ich heute Ihr Schreiben. Ich danke Ihnen für den Hinweis, daß Räume erst ab 2,2 m^2 Größe bzw. 2 m lichter Höhe vermietet werden dürfen. Dieses Gesetz ist noch nicht lange in Kraft getreten. Ich war davon ausgegangen, daß die Vermietung von Räumen bereits ab einer lichten Höhe von 1,90 m erlaubt ist. Bei Vertragsabschluß und bei Besichtigung waren Sie mit dem eigenen Eingang, mit dem Abstellplatz für Ihr Ölfaß, mit der Einrichtung der Räume, Schlaf- und Wohnraum mit Teppichboden, goldenem Lichtschalter, Teppichboden umrandet mit teuren Eichenleisten hochzufrieden. Ebenso mit dem ersten Raum, in dem Sie sich immer etwas warm machen können, da ein Gasherd da ist und eine neue Nirostaspüle und neuverlegter PVC-Boden. Sie können auch immer die Türe zum Hof wegen der Belüftung so offenlassen, daß niemand herein kann, da wir diese Türe mit einem sehr langen Haken ausgestattet haben. Auch der fast neu erstellte Ölofen gibt so viel Wärme ab, daß die gefangnen Räume bestens temperiert sind. Noch dazu das schöne, lange, weiße Ofenrohr mit dem genau ausgerechneten Gefälle. Am Waschbecken und über der Spüle befinden sich Durchlauferhitzer. Daß Sie keine Dusche haben, wußten Sie bei der Besichtigung. Es mache Ihnen nichts aus, da genug Bäder in der Nähe sind, sagten Sie damals. Die Be- und Entlüftung im WC ist erstklassig und wurde von der namhaften Firma »Trosti« eingebaut. Ich habe selbst zwölf Jahre in einer Toilette mit Familie ohne Fenster verbracht.
Zur Quadratmeterzahl der Räume: Ich habe neunundzwanzig Quadratmeter aufliegen, beweisen Sie mir auf Ihre Kosten durch einen vereidigten Sachgutverständigen (BDA) das Gegenteil. Wie Sie, sehr geehrter Herr Krause, die Quadratmeter ausmessen, interessiert mich nicht. Sie sind laut Ihren Angaben Sozialpädagoge und nicht ein Architekt.
Sie sagten auch, das Wichtigste ist für Sie sowieso, daß Ihre beiden kleinen Kinder laufend zu Ihnen kommen, um Sie zu besuchen. Nach Ihren Angaben wollen Sie jetzt statt 319,– DM plus Neben-

[NOCH GRUBER] kosten nur 159,50 DM plus 81,– DM Nebenkosten insgesamt 240,50 DM bezahlen. Wie kommen Sie dazu, für April nur 221,14 DM zu bezahlen? Ich hatte zum Besichtigungszeitpunkt zwei sehr interessierte Wochenendheimfahrer, welche die Räume liebend gerne wollten. Nein, ich gab sie Ihnen aus reiner Sympathie.
Sie hält das Diktiergerät an, hört hinein und korrigiert:
Nein, ich gab Sie Ihnen aus reiner christlicher Nächstenliebe heraus. Nachdem ich mit Ihnen diese Erfahrung gemacht habe, gibt es für mich im harten Geschäftsleben diese Einstellung nicht mehr. Unter diesen Umständen ist folglich unser Mietvertrag nichtig.
Mit dem Ausdruck vorzüglicher Hochachtung

....
(Hildegard Gruber)

Sie schaltet das Diktiergerät aus, schaut ins Freie und stöhnt:
Ah, is des a Wetter. Jetz muaß i no zwoa... Glaubst es, nix wie Ärger hast mit der Bagage.
Frau Gruber nippt an ihrem Campari und schaltet das Diktiergerät wieder ein:
Feldafing, den, Datum und so weiter...

Saniererlied

Was gsund is, des hoaßt ma saniert,
aber gsund is bloß, was si rentiert.

A jeds Abbruchhaus is der Übergang
zu am marktwirtschaftlichen Neuanfang.
Da Vogel aufm Baum zahlt koa Mieten,
also volkswirtschaftlich is er a Nieten.
Refrain

Unsere Kinder, die ham zum Beschwern koan Grund,
unsre Kinderspielplätz san kerngesund.
Alte Leute, die wolln sich am Leben gfreun,
aber gsund is des bloß im Seniorenheim.
Refrain

A paar Leut habns bei uns jetzad gspannt:
Gmüatlichkeit is finanziell uninteressant.
Am End rentiert si's ganze Leben net,
na werds langsam Zeit, daß d ganze Menschheit geht.
Refrain wird wiederholt, dazu Frau Glöckerl:

Der Komputer hat mir gekündigt,
dabei kennt er mich gar nicht,
weil er schreibt Glöckerl mit oe,
und ich schreibe mich ja Glöckerl mit ö.

Daraufhin hab ich dem Komputer einen Brief geschrieben,
aber das liest der Komputer ja gar nicht,
weil ich selber schreibe ja noch altdeutsch.
Und erst kürzlich habe ich vom dritten Bürgermeister
Ein Freßpaket geschenkt bekommen,
weil ich achtzig Jahre alt geworden bin, aber
das ist dem Komputer scheißegal,
er schreibt Glöckerl mit oe und kündigt.

Was gsund is, des hoaßt ma saniert…

WISSENSCHAFT, FORSCHUNG UND ENERGIE

Und jetzt sag ich Ihnen noch das eine: In dem Amt, wo sich mein Sohn befindet, da sind sie allesamt magenkrank. Alle. Die haben alle Magendrücken, nur mein Sohn, der verdaut ausgezeichnet.

Kern & Kraft Werke GmbH

Das Energieverbundspiel

1. AKT

HERR KERN Also, gestatten, mein Name ist Kern, Energie-Public-Relation-Relation GmbH. und hier, meine Mitarbeiterin, Fräulein Kraft, Abteilung Future und Prognostik...

FRL. KRAFT m.b.H....

HERR KERN Des sowieso. Also, fang mir an, Fräun Kraft.

FRL. KRAFT Gut, also, welche Zukunft wollen Sie?

KUNDE Wieso, welche Zukunft?

FRL. KRAFT Ja, haben Sie sich was Bestimmtes vorgestellt? Mir ham Ihnen doch einen Katalog dagelassen. Wollen Sie »Kraftvoll in die Zukunft« oder wollen Sie »In Europa gehn die Lichter aus« oder wollen Sie »Eine Hand wäscht die andere«, oder »Vergangenheit hat Zukunft« – alles erprobte Szenarien, was wolln Sie jetzt?

HERR KERN I glaub, der woaß net, was a Szenario ist?

FRL. KRAFT Wissen Sie, was ein Szenario is.

HERR KERN Fräun Kraft, erklärn S'es eahm...

FRL. KRAFT Ein Szenario ist ein Drehbuch. Also fürn Film oder fürs Theater, oder für die Energiewirtschaft.

KUNDE Interessant. Wer schreibt diese Drehbücher?

FRL. KRAFT Ja, Dichter, Lyriker. Bei uns von der Energiewirtschaft sind die Lyriker mehr Lobbyisten und Professoren, die sich die Drehbücher ausdenken.

KUNDE Für die Stromlobby...

HERR KERN Ja für wen denn sonst.

FRL. KRAFT Ja für wen denn sonst!?

KUNDE Glauben Sie, der Stromabnehmer hat was davon?

Herr Kern und Fräulein Kraft brechen in allgemeine Heiterkeit aus.

FRL. KRAFT Schaun Sie, ein Szenario-Beispiel: Frankfurt, Flughafen, jeder weiß, daß das Flugaufkommen rückläufig ist. Man will aber eine neue Startbahn.

KUNDE Wer ist »man«?

FRL. KRAFT Also, man will eine neue Startbahn. Das einzige, was da weiterhilft, ist eine Statistik, die eindeutig beweist, daß das Flugaufkommen trotz Rückgang weiter steigt.

HERR KERN Und bei uns in der Energiewirtschaft funktioniert das in etwa genauso.

KUNDE Ich verstehe.

HERR KERN Sie, bei uns geht fei alles mit rechten Dingen zu, weil, wir sind ein privatwirtschaftliches Staatsmonopol.

FRL. KRAFT Nein, Herr Kern, es ist eher ein staatliches Privatwirtschaftsmonopol.

HERR KERN Des auch.

KUNDE Ja, was ist es denn jetzt?

HERR KERN Des is eine einmalige Konstruktion: Der Staat is bei der Stromwirtschaft für die Verluste zuständig, also, die übernimmt er, und die Privatwirtschaft ist für die Gewinne zuständig, also, die stecken wir ein. Und die Privatwirtschaft beteiligt dann wieder die Vertreter des Staates an den Gewinnen.

KUNDE Ein geschlossenes Szenario...

FRL. KRAFT Kein Szenario, des is so. Das funktioniert einwandfrei. Und der Staat zahlt die Verluste auch nicht selber, sondern er hat als Faustpfand oder als Geisel sozusagen den Stromabnehmer.

KUNDE Ja, aber Stromabnehmer, das sind wir doch alle...

FRL. KRAFT Eben, und dadurch wird das Ganze ja ein Geschäft.

KUNDE Für den Stromabnehmer?

HERR KERN Naa, für die Energielobby, Herrschaft, der is zach, naja, Redakteur... Sehn Sie, wir haben die gesunde wirtschaftliche Voraussetzung, ein marktwirtschaftlicher Wettbewerb ist gesetzlich eindeutig verboten.

KUNDE Da müßte doch das Kartellamt einschreiten, für solche Fälle gibts doch ein Kartellamt.

HERR KERN Darf es ja gar nicht! Stromverkauf ist ein staatlich garantiertes Monopol.

KUNDE Aber doch privatwirtschaftlich...

FRL. KRAFT Ja, des auch. Privat, aber staatlich. Schaun Sie, das sind unsere Energie-Prognosen... hier, 1965...

KUNDE Das ist ja über das Doppelte vom tatsächlichen heutigen Verbrauch...

FRL. KRAFT Die san vom Professor Häfele, der Vater von Kalkar, der kann sehr gut addieren, der Professor Häfele, beim Subtrahieren tut er sich schwerer. Da, 1970, 1975, 1980...

KUNDE Alles völlig überhöhte Prognosen. Ich denke, der Verbrauch stagniert sogar seit zwei Jahren.

FRL. KRAFT Er geht sogar leicht zurück, aber nach der Bedarfskurve müßte er steigen.

KUNDE Ja, aber er sinkt doch tatsächlich!

FRL. KRAFT Ja, der Verbrauch sinkt, aber doch nicht der Bedarf. Der Bedarf steigt doch eher...

KUNDE Welcher Bedarf denn?

FRL. KRAFT Wir haben einmal den Investitionsbedarf, den Machtbedarf, den Prestigebedarf, dann den Nachholbedarf...

KUNDE An was?

FRL. KRAFT Ja, Prestige...

KUNDE Und den Strombedarf?

FRL. KRAFT Ja, das ist mehr Abfallprodukt...

HERR KERN Ja, und dieser enorme Bedarf, glauben S' mir, er ist enorm, dieser Bedarf, der läßt sich nur durch Kernkraftwerke decken. Weil, mit Energiesparen is ja niemandem geholfen, jedenfalls niemand in der Branche, verdienen kann man eigentlich nur am Energieverschwenden, und dafür is das Kernkraftwerk die ideale Lösung, verstehn Sie?

KUNDE Ja, und was ist mit dem schnellen Brüter? Der ist doch noch sinnloser.

HERR KERN Vom Aufwand her mögen Sie recht haben.

KUNDE Ein richtiges Milliardengrab, in dieses Brüterprojekt sind bisher 5½ Milliarden verschwunden.

FRL. KRAFT Moment, die sind ja nicht verschwunden, diese Milliarden, die sind ja verdient worden, die sind ja hängengeblieben, die hat ja irgendjemand verdient.

KUNDE Wahrscheinlich nicht irgendjemand, und dann kommt dieser Brüter nicht mal zum Einsatz.

HERR KERN Ja, Gottseidank. Er ist ja saugefährlich. Des Gefährlichste, was mir aufm Stromsektor zur Zeit zu bieten haben, technologisch is des ja überhaupt nicht ausgereift, des kann Ihnen jeder Wissenschaftler bestätigen, oder, Fräun Kraft?

FRL. KRAFT Ja, sogar die Brüterforscher selber warnen davor. Außerdem: Nur wenn der Brüter nicht funktioniert, kriegen wir ein Nachfolgeprojekt. Und das sind die Milliarden von morgen.

KUNDE Kalkar 2.

FRL. KRAFT Genau. Kalkar 2.

HERR KERN Und Kalkar 2 wird unter Garantie nicht billiger.

KUNDE Und das alles zahlt der Stromverbraucher?

FRL. KRAFT Ja wer denn sonst? – Sie haben so eine gute Farbe, warn Sie im Urlaub?

KUNDE Ja.

FRL. KRAFT Wo?

KUNDE Italien.

HERR KERN Aha, ham mirn schon.

KUNDE Wieso?

FRL. KRAFT Ist Ihnen da was aufgefallen?

KUNDE Weniger Autodiebstähle als vor zwei Jahren...

FRL. KRAFT Nein, sonst. Wars warm?

KUNDE Doch, sehr.

FRL. KRAFT Ist Ihnen aufgefallen, wie wenig in Italien im Sommer geheizt wird?

KUNDE Ja, schon.

FRL. KRAFT Und warum wird in Italien nicht geheizt?

KUNDE Weils warm ist?

FRL. KRAFT Ja, sehn Sie. Langfristig spart man am meisten Heizkosten, wenn die Umgebung so warm ist, daß man nicht heizen muß.

KUNDE Ja, und?

HERR KERN Der begreift nix. Schaun Sie, genau des wolln mir und genau des machen mir mit der Kernenergie. So a Atomkraftwerk is ja in erster Linie eine Riesenatmosphärenheizung. 70% heizts und 30% lieferts Strom, mehr nebenbei. Mir müßten jetz nur noch a paar Kernkraftwerke mehr bauen, a paar Leichtwasserreaktoren, oder meinetwegen auch a paar Brüter, und dann ham mir bei uns ein Klima wie im Mittelmeerraum.

KUNDE Moment, aber wenn Sie so einheizen, dann schmelzen ja die Pole, das gibt eine Riesenkatastrophe...

HERR KERN Ja freilich schmelzen die Pole, da hat der Bölkow, und wie die alle heißen, scho recht. Aber des is keine Katastrophe.

FRL. KRAFT Herr Kern, es ist soweit!

HERR KERN Sondern ein immenser Wachstumsschub. Ein Segen für jeden, der 15 Meter überm Meeresspiegel wohnt.

FRL. KRAFT Wir rechnen mit einem Wachstumsschub wie nach einem Weltkrieg. Millionen obdachlose Dänen und Holländer...

HERR KERN Engländer...

FRL. KRAFT ...brauchen eine neue Heimat. Ein nie dagewesenes Bauprogramm.

HERR KERN Die Immobilienmakler machen endlich wieder a Gschäft.

KUNDE Ja, aber halb Nord- und Mitteleuropa ist dann überschwemmt.

HERR KERN Mag sein, des is aber kein stromwirtschaftliches, sondern ein wasserwirtschaftliches Problem. Wiederschaugn.

FRL. KRAFT Wiedersehn.

KUNDE Sie kommen aber schon nochmal?

HERR KERN Ja, aus dramaturgischen Gründen wird sichs wahrscheinlich nicht vermeiden lassen...

2. AKT

FRL. KRAFT *telefoniert* Hallo, is da die Fotoagentur Wolf? Ha, hier is Kern & Kraft Werbe GmbH. Sie, mir brauchen wieder a paar männliche Modelle für a Foto an ara KKW-Baustelle, so Typ dynamischer Arbeiter, 6–8 Stück – keine Angst, der Job is vollkommen ungefährlich, is ja noch im Bau, nein, da strahlt noch nix, da können S' Ihre Modelle beruhigen. – Was 's anziehn solln? So karierte Hemdn und so Latzhosen, aber nicht zu jung und keine langen Haare, sonst meint ma, es san Demonstranten. Fürn Vordergrund brauch ma einen, der muß besonders markant sein, so Typ Vorarbeiter – ah, der von neulich, der bei dem Kinderpüreespot an Vater gmacht hat, ja, der is gut, den nehmen wir. Sie, übrigens, die Aufnahmen neulich mit dem Bauern vor der Überlandleitung, das war ja eine Pleite. Schaun Sie sich Ihre Modelle halt gscheid an. Wir haben einen urigen Bauern mit Pferdegespann bestellt, dabei war es dann a Ökobauer. Vier Stunden hammir statt fotografieren nix wie diskutiert. Mir ham diese grünen Naturapostel eh gstrichen, die machen uns as ganze Gschäft kaputt. – Mir ham zehn Mio Werbeetat für unser Kernkraftprogramm und nichts geht voran. D Leut wolln einfach nicht mehr normal verschwendn. Apropos Verschwendung, an Prominenten brauchn mir auch noch, des wird mehr a Softwerbung: Der Prominente steht mit seiner Familie neba am Nachtspeicherofen... an Felmy, naa, der ghört der Kodak... Sedlmayr, der is doch Spatenbräu, der Rudi Carrell, ghört der net der EDEKA?... Naa, Breitner zieht nimmer – Rummenigge vielleicht... wer? – Graf Lambsdorff? Nie gehört... Ach, übrigens, bei dene Arbeiter kein Werkzeug, des nach Waffe aussehn könnte – und keine gelben Sicherheitshelme, des erinnert an diese Wapperln, rot erst recht nicht – grün auch nicht... orange, gut mach ma orange, also wiegesagt 6–8 Stück vom Typ Arbeiter, da nehmen S' halt a paar Arbeitslose, de san billiger, bis auf diesen Vorarbeiter, da brauch ma wiegsagt an Profi, der muß in die Kamera grinsn, wissen S', also so, wie soll ich sagn, so zuversichtlich, also net so, daß ma meint, der ahnt scho was... Ham S' es notiert, gut also Wiederschaugn.

3. AKT

HERR KERN Sie, i glaub, i hab vorhin am Herrn Dick sein Koffer stehn lassen.

KUNDE Meinen Sie den?

HERR KERN Ja, genau, des is er, des is der Koffer vom bayerischen Umweltschutzminister Dick. Da is alles drin, des is das offizielle Schulbildungsmaterial zum Thema Energie, schaun Sie, hier, überreicht durch die KWU und die Bayernwerk-AG, pädagogisch einwandfrei, für den jungen Stromabnehmer.

KUNDE Das ist ja Industrieschleichwerbung in der Schule.

HERR KERN Nix geschlichen, ganz offiziell.

KUNDE Ja, aber KWU-Material...

HERR KERN Und Bayernwerk AG. Des is fast, wie wenns vom Kultusministerium selber kemad, Sie, da hats fei manches Schulbuch schwerer, aufn Lehrplan zu kommen. In Biologie zum Beispiel.

KUNDE Das ist genauso, als wenn die Speisekarte vom Wienerwald an bayerischen Gymnasien zum offiziellen Lehrstoff erklärt wird.

FRL. KRAFT Ja, vielleicht kommts noch.

KUNDE Das ist ja ein TOTALFILZ.

FRL. KRAFT Sehen Sie doch nicht alles so negativ. San S' doch froh, wenn sich die Herrschaften gut verstehen. Alles eine große Familie.

HERR KERN Eine Form von Nepotismus.

FRL. KRAFT Was ist denn das?

HERR KERN Nepotismus, das ist Begünstigung unter Familienangehörigen.

FRL. KRAFT Das ist doch normal.

KUNDE Nepotismus heißt in Italien auf deutsch MAFIA.

FRL. KRAFT Sie müssens wissen, Sie waren ja UNTEN.

HERR KERN Damit Sie sehen, wie die Familien um den reichgedeckten Tisch der KERNenergie versammelt sind.

FRL. KRAFT Schauen Sie, wie kommt man z. B. von BBC zur Salzgitter AG?

4. AKT

HERR KERN Das nennt man eine kraftvolle Zukunft.

KUNDE Dafür sorgt der ENERGIEFILZ.

FRL. KRAFT Schon wieder. Was heißt denn Filz. Bei uns in Deutschland ist alles sauber in Stromreservate eingeteilt. Da hat jeder Stromerzeuger seine Reservate und da kassiert er. Schauen Sie, das sind die Demarkationslinien der neun größten Stromversorgungsunternehmen.

HERR KERN Da haben Sie ein Beispiel von echtem Föderalismus.

FRL. KRAFT Wo wohnen Sie?

KUNDE München.

FRL. KRAFT Aha, dann gehören Sie praktisch den Bayern-Werken.

KUNDE Das ist ja wie bei den Raubrittern.

FRL. KRAFT Nein, wesentlich besser organisiert.

HERR KERN Haben Sie nicht ein Werbepräsent für ihn?

FRL. KRAFT Aus der Softenergiebox?

HERR KERN Na, ausm Kraftpaket. Dean S' a paar her...

FRL. KRAFT Moment.

Herr Kern und der Kunde warten. Kurze peinliche Pause.

HERR KERN Jaja, so is des, gel, jetz geht der September aa scho wieder vorbei, so is des...

KUNDE Ja, es herbstelt.

HERR KERN Ham Sie a Ölheizung daheim?

KUNDE Ja.

HERR KERN Gell, immer noch as beste.

FRL. KRAFT So, da haben wir die Tauchsieder. Also der braucht sagenhaft Strom, wenn Sie den fleißig anwenden, dann kommen Sie spielend in die nächstbilligere Stromkategorie rein. Lassen Sie halt am Abend immer noch zusätzlich das Licht brennen, über Nacht, das is gut gegen Einbrecher, und Sie schaffen ihr Stromsoll. Also ein bißchen Energiebewußtsein, und es geht... Sie kriegen auch noch einen – *verteilt ans Publikum Tauchsieder* – Sie auch, und Sie... diese Tauchsieder gehören zum Servicepaket für unsere neuen Stromkunden.

KUNDE *spielt mit Solarspielzeug.* Was ist denn das?

HERR KERN Das is a Solarzelle, das ist von den Amerikanern. Aber eigentlich nur für die Amerikaner, die haben eine ganz andere Stromphilosophie. Wir bleiben beim Tauchsieder, gell, Fräun Kraft?

FRL. KRAFT Ja, mir bleibn beim Tauchsieder, es sind eh schon alle weg.

KUNDE Toll, Licht wird in Strom umgewandelt.

HERR KERN Tun S' es weg. Bei uns in Deutschland machen wir den Strom nicht mit Licht, sondern das Licht immer noch mit Strom.

FRL. KRAFT Wir haben Chefideologen bei uns vom Schlag eines Helmut Kohl... der sagt Ihnen der Name Matschl was?

KUNDE Offen gestanden nein.

FRL. KRAFT Heubl, Pirkl? Riedl, Kiesl, Streibl, Goppel, Seidl, Schedl, Biebl, Zankl oder Dionys Jobst?

KUNDE Äh...

FRL. KRAFT Naja, Sie kennen wahrscheinlich bloß diesen Marx, das sind alles hochqualifizierte Parlamentarier.

KUNDE Also sogenannte Abstimmungsgesäße...

FRL. KRAFT Ja, genau, und diese, ah, wie ham Sie grad gsagt...

KUNDE Parlamentarier...

FRL. KRAFT Ja, genau, also, diese Parlamentarier, die bürgen dann alle persönlich für unsere Sicherheit. Und diese Sicherheit, die lassen wir uns auch was kosten, also, da sprechen die Zahlen eindeutig gegen diese Grünen. Schaun Sie, ein Beispiel: Gorleben. Das muß ja bewacht werden, dieser Atommüll, der strahlt ja 25 000 Jahre. Mir ham jetzt da zum Beispiel die Sicherheit von Gorleben auf 25 000 Jahre exakt vorausberechnet. Des sind drei Wachmannschaften im Schichtwechsel, mit je vier spezialausgebildeten Schäferhunden. Pensionen und Gehälter, Dienstwaffen, Kantinenessen, Weihnachtsgratifikation, Betriebsausflug, Hundefutter, Hundekotentsorgung, turnusmäßig neue Dienstmützen, Strahlenschutzmäntel und diverse Kleinteile, des macht im Jahr 2,7 Mio.

Halt, da is das 624-Mark-Gesetz no net dabei, 2,8 Mio im Jahr, also in 25 000 Jahren macht des genau 3158 Milliarden, 752 Mio., 327 946 Mark und 37 Pfennige. Und bei so einer Summe soll dann einer hergehn und sagen, wir tun nichts für die Sicherheit.

KUNDE Rechnen Sie immer in solchen Dimensionen?

FRL. KRAFT Wenn man etwas genau wissen will, kommt man nicht darum herum. Schaun Sie, hier haben wir – vergleichende Vorausschau heißt das bei uns – hier eine Statistik von 1782, aus der eindeutig hervorgeht, daß in 200 Jahren, also heute, 68,3 % mehr Postkutschen im Einsatz sein werden und daß ein Postillion auf der Strecke München–Berlin nur noch zwei Grenzen passieren muß.

KUNDE Und wo sind die Postkutschen?

FRL. KRAFT Ja, das war ein Irrtum, aber die andere Prognose stimmt exakt. – Jaja, jetzt ist der September auch schon wieder vorbei.

KUNDE Es herbstelt.

FRL. KRAFT Wo haben Sie denn das Sakko gekauft? – Herr Kern, wo bleiben S' denn?

HERR KERN Ah, sam mir scho so weit?

FRL. KRAFT Ich red mir hier an Wolf, jetz is doch Ihr Solo dran ...

HERR KERN Ahso, gut, dann gehn Sie beide bitte ab.

Fräulein Kraft und Kunde wollen gehen.

HERR KERN Obwohl, Sie, bleiben S' noch an Augenblick, mach mir noch a bißl Smalltalk, sonst wirds so a harter Übergang.

KUNDE Achso, dann is es dramaturgisch raffinierter ...

HERR KERN Ja, beim Shakespeare is des auch immer sehr gut.

KUNDE Also gut, dann fangen wir an ...

HERR KERN Ja, also, dann. – Ah, wie spät ham mirs denn?

KUNDE Auauauauau, höchste Zeit. *Geht ab.*

5. AKT

HERR KERN Übrigens, ah, der bayerische Sozialminister Pirkl, kennen Sie den, Sie, a gscheiter Mann, Sie, der hat gsagt, nach der atomaren Katastrophe ist es die Aufgabe der Ärzte, die Spreu vom Weizen zu trennen. Schaun Sie, in etwa so. *Er hat Spreu und Weizen in der Hand, pustet: die Spreu fliegt weg, der Weizen bleibt liegen, man sieht außerdem ein Fünfmarkstück.* Öha, wo kommt des her ... *Steckt das Geld ein.* – Wissen Sie, meiner Ansicht nach gibt es bei uns in der BRD zwei Kategorien von Menschen: Des eine is der theoretische Mensch, der fiktive Mensch, des is der mündige Bürger, der Homo oralis, also der, den wos eigentlich garnet gibt, und dann auf der anderen Seite haben wir den konkreten Menschen mit all seinen Sorgen und Nöten, des is der Stromabnehmer, der Homo elektroadaptus. Und die Stromabnehmer in Bayern versorgt die Bayernwerk AG, die machen des sehr zuverlässig, is ja auch koa Wunder, weil, wissen Sie, wer da im Aufsichtsrat sitzt? Der Herr Streibl, bayerischer Finanzminister, der Herr Jaumann, bayerischer Wirtschaftsminister, der Herr Dr. Goppel, Landesvater a. D., is ja auch irgendwie a kulturelles Jahrhundertereignis, so a Kernkraftwerk, übrigens, der Dr. Huber is jetz Präsident der Bayerischen Landesgirozentrale, des hat sicher auch irgendwie mit Kultur zu tun. Schaun Sie, in den anderen Bundesländern, zum Beispiel Baden-Württemberg, da sitzen in den Aufsichtsräten nur so Staatssekretäre und Ministerialdirigenten, also die zweite Garde drin, während bei uns scho lieber die Minister selber generöserweise ihre Privatkonten zur Verfügung stellen. Daß da keine falschen Verdächtigungen auftauchen, des hat mit illegal oder so nix zu tun, die Sache geht finanziell und ideell vollkommen korrekt über die Bühne, übrigens auch ideologisch, und ehrlich gesagt, das Verfahren hat sich bei uns in Bayern bewährt, denn die Prognosen der bayerischen Staatsregierung und die der Bayernwerk-AG sind praktisch seit Jahren identisch. Also 122 % Steigerung des Strombedarfs in Bayern bis 1995, kein Schmarrn, des brauchen die, aah, mir brauchen des. Und unter diesem Aspekt muß man auch Kernkraftprojekte wie Dillingen oder Pleinting sehen. Schaun Sie, das sind zwei Kühltürme. Zum Vergleich haben wir hier die Skyline von München davor, hier Frauentürme und das hier wäre Pleinting. Also, Solarenergie brauchen die Pleintinger nicht mehr, und auch keine Sonnenmarkise, weil sich des Pleinting in den Schatten von diesen Kühltürmen einschmiegen würde. 30 000 m^3 Wasserdampf pro Sekunde hauts naus. Übrigens bei jedem Leichtwasserreaktor, also Schwaden bis zu 7 km Wasserdampf sind ganz normal. Damit des Ganze auch in Schwung kimmt, baun mir jetz erst amal durch Niederbayern und die Oberpfalz drei so riesige Strommasten, mit je 380 kV, damit die Sachzwänge vorankommen, weil ohne KKW wärn ja dann diese Leitungen total sinnlos. Also der Oberpfälzer kann sich dann getrost versechsfachen, für Strom ist gesorgt, vorausgesetzt, Pleinting kommt, weil im Wirtschaftsministerium weiß man auf Anfrage auch nichts Genaues, gut, die sind ja eh nur eine Art Inkasso-Büro der Bayernwerk-AG, und die Bayernwerk-AG sagt wiederum, was heißt hier mündiger Bürger, in unserer Region gibts nur Stromabnehmer, und die kriegn a KKW. Gut, man kann sagen, Kernkraftwerk is a alter Hut, es gibt genug technische Alternativen, und vielleicht brauchts des Ganze tatsächlich überhaupts net, aber schaun Sie, mir ham jetzt Milliarden investiert, unser ganzes Geld und unser ganzes Prestige hängt praktisch drin, mir ham massenhaft Leute enteignet, ham Prozesse geführt, ham Tausende von Kommunalpolitikern abgemästet, ham unsere Heimat mit riesigen Strommasten überzogen, ham uns jahrelang für die Kernkraft stark gemacht, ham zig Politiker dazu gebracht, daß sie endlich a kraftvolle Zukunft wollen, und jetzt solln wir dieses Pleinting nicht mehr bauen, bloß weils a Schmarrn is?

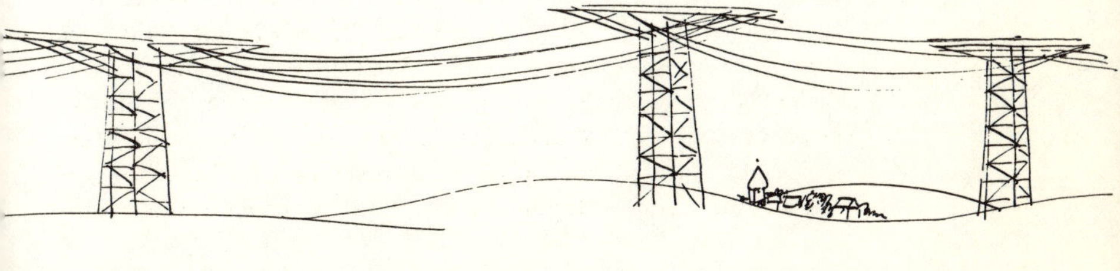

Bildung

Und dann sage ich Ihnen noch eins: Mein Sohn, aus ihm wäre ein hervorragender Politiker geworden, aber in der Politik da braucht man heute ja eine Leber wie ein Löschblatt, da mußte mein Sohn passen.

Koko

Wo ist Koko, hm, woo ist der Koko, hm, ja, hm, hhhh, woo ist der Koko, hm, wo ist denn der Koko, woo ist der Koko – Kooko – hm, tztztztz, wo ist Vogi, hm, wo ist Vogi, hm, wo ist denn Vogi, wo ist Vogi, hm – Voogi – jaaa Koko – hm, wo ist Koko – Koko – wo ist der Koko, hm, Vogi, hm, Vogili, hm, jajajaja – Voogi – schöner Koko, hm, feiner Koko, jajaja ist der Koko, ist der Koko – Vogi – jajaja, woo ist Koko, hm, wo is, er, wo ist der Koko – *Koko pfeift zweimal* – da ist der Vogi, jajaja Koko.

Der Ordensträger

Arno Ameisgruber sitzt mit seinem Rassehund Harro von Riemerschmidt-Meiningen im Biergarten.

ARNO Da, schaugn S' her, des is ois. Karnevalsorden wider den tierischen Ernst. Hab ich bekommen, vorige Saison. Ich mein, freilich, im Alltag selbst bringt er wenig, aber es macht doch immer einiges her, wenn man einen aufzuweisen hat, an Orden. Von Rechts wegen hätt i ja scho lang an richtigen Orden verdient, weil, wenn der Schmitzberger schon oan kriagt hat, na müaßad i eigentlich scho a ganze Schubladn voll habn. Aber was da heutzutag alles an Orden kriagt, da fragt ma sich. Des san zum Teil Leut, dies vor vierzig Jahrn no vergast hätten, als Schädlinge, heut kriagns an Orden, so schaugts aus. Aber dieser Schmitzberger, der hat sich sein Orden ja förmlich dersessen. Um dem seine Verdienste sans dann letzten Endes nimmer drumrumkemma. Dreißig Dienstjahre, Sie verstehen. Ohne an Orden waar eahna der gar nimmer in Pension ganga. Übrigens, ich hab den Orden von dem Schmitzberger, den hab ich persönlich begutachtet, und ich sag Ihnen ganz ehrlich, Legierung und Qualität – miserabel. A Eiserns Kreuz, des war wenigstens no aus Eisen, aber heutzutag – Leichtmetall, schlecht verchromt, grad daß koan Plastik nehman. Dazu kimmt, de Räume mit Zentralheizung, de machan de kaputt, und auch wenns regnet, feuchte Witterung, man kann ihn praktisch kaum mehr anlegen. Der Schmitzberger hat den seinen natürlich glei optimal konserviert mit diesem Mumifizon oder so. Vorher hat er ihn noch fotografieren lassen. Wenn ern herzoagt, dann nur noch auf dem Foto. Der Schmitzberger packtn glei gar nimmer aus. In der Familie ham mir natürlich schon auch welche daheim. Nahkampfspange, Eisernes Kreuz, alles da, aber mit de Kriegsorden geht im Moment natürlich sehr wenig. Mir ham halt im Augenblick koan direkten Krieg quasi. Aber a harte Geschäftswelt hammer scho. Also sowas wie eine Nahkampfspange für Gschäftsleut müaßats eigentlich durchaus auch geben. Aber daß 's mi heuer aa scho wieder auslassen ham, des versteh i net, weil i waar ja ursprünglich scho vor zwei Jahr fällig gwesn – verdienstmäßig. Andererseits, an jeden kann man aa net geben, des waar ja wie bei der Inflation. – Oamal bin i ja scho knapp an der Lebensrettungsmedaille vorbeiganga. Der Lebensmüde hupft nei, November, wohlgemerkt, denk i mir, holst ihn außi. Aber wia i mei Sakko auszogn hab, war keine Seele weit und breit, wo auf mei Brieftaschn hätt aufpassn können. I hab über 140 Mark dabeighabt, gel. Bin i in d Wirtschaft nei und hab am Wirt mei Sakko angeboten zum Aufpassen. Wie i nacherd kemma bin, war er scho dasuffn aa. Nix mehr

zmacha. Des is unheimlich rasant ganga. – Oh mei, a Viech müaßad ma sei. – Da, mein Hund, der Harro von Riemerschmidt-Meiningen, ja brav, Harro, ja wo is er denn, – ein Rassehund durch vier Generationen. Des kann i beweisen, i hab an Ahnenpaß dahoam. Unser Harro, der is heuer World-Champion wordn, auf der internationalen Hundeschau. Mir sammer scho Hundling, gel Harro. – Wenn i eahm net so gut gfüttert hätt, hätt ers nie erreicht. Er hat ja immer nurs Beste kriagt, mir ham uns unsern Orden scho verdient, gel Harro? Ja brav, ich mein letztlich bin ich ja für den Orden von meim Hund zuständig. Ein World-Champion, da werd si der Schmitzberger mit seim Bierdackl schwerdoa. Da, schaun S' her, den ham mir bekommen.
Er hängt sich Harros Orden um.

Ein Radiohörer

PEPPI I woaß gar net, warum sie de Leut so aufregn! Für mi hat der Bayerische Rundfunk ein vielseitiges Programm, weil die hamm ja schließlich vier Programme und des muaß ma doch amal ganz klar sehgn, gesendet werden muß immer, wenns oam net paßt, kann er ja abschalten, und eines muß auch amal ganz klar sein, daß des Programm eigentlich is ja gut, gel, und wenn oaner wirklich an Kummer hat, daß eahm net gfallt, na kann er ja auch an den Fred Rauch schreiben, net, und dann kann er einen direkten Einfluß auf das Programm nehmen. Des konn i beweisen, weil, mir hamm ja auch diese Muttertagsgrüße, die hamm mir also aufgegeben und die san termingerecht, gel, termingerecht angekommen, san de noch am selben Tag angekommen. I moan, des soll amal de Post nachmacha, mir hamm Kartn weggschickt, de san erst an Tag später okemma und da sagns nix, und außerdem, sagn ma amal, wenn oaner was Gscheits hörn will oder was Schmissigs, na ko er ja an Ödrei eischaltn, bloß für an bayerischen Straßenzustandsbericht san de net zuständig, gel, aber als Anregung im Rahmen eines internationalen Kulturaustausches kannts des scho bringa, beim Wetterbericht gibts des scho. I moan freili, beim Fernsehn is ja vui bessa, weil ans Fernsehn kann ja der Radio in dem Sinn glei überhaupts net hischmecka. Des is klar, gel, weils immer sagn, kulturell is's einseitig, ja mei, der Beethoven, der muaß aa sei, ja de kenna ja net oiweil den Schockemöhle und de Neuen da immer eisetzn, meines Erachtens, gel, i moan de lassn ja eh scho heit de Kabarettisten, de derfa ja auch zum Zug kemma, gel, obwohl de jetza im eigentlichen Sinn gar net staatstragend san und aa d Religiona, de lassns ja aa zua, Katholiken sowieso, auch evangelische, gel und sogar d Judn und de Gastarbeiter, da hat a jeds sei eigne Sendezeit. I find überhaupts, ma muaß schon an Respakt habn vorm Sender, gel, weil i moan, de sendn ja praktisch an ganzen Tag, gell, vierundzwanzig Stunden lang und dann hamm de bloß fünf Minuten Sendepause, gel, des muaß eahna bloß amal oana nachmacha. Und wos hoaßt Einseitigkeit, de hamm an Schlager und a leichte Muse, zum Beispui der Heino und d' Vicki Leandros, aber de hamm aa d Regensburger Domspatzen, de lassns aa hi, net, i moan, des ist hoit wia ois zu seiner Zeit, dös is hoit wia a Potporri, net, i moan mit der Politik, des is klar, da hört natürli der Spaß auf, gel, weil in Radio mecht doch heitzutog a jeder nei, gel, und do miaßns aufpassn, daß koaner neikimmt, obwohl, des is logisch, daß der Landesvater sei Sylvesteransprach haltn derf, i moan, dafür hamma ja gwählt, des erfordert ja schließli scho der Anstand net, des is ja klar, des geht ja a gor net, daß de irgendwelche Politraudi do neilassn, de dat ja nix anders, als wia den ganzen Tag den Marx obalesn. Da muaß i scho sagn, da weradn d Leit bäs, da machas net mit, gel, des geht ja gor net. Ob der Russische Radio genau a so gmiatlich is wie der Bayerische Rundfunk, des mächt i bezweifeln, gel, der Radio, und von dem Aspakt miaßtn ma des aa amal betrachten, is für mi eigentli bloß ein Geräusch, gel, i moan, weil hinhörn tuat ja net immer oiwei oaner, weil es gibt a Leit, de stellen ihn immer leise oder manche schalten ihn überhaupt aus, gel, es gibt Leit, de hörn den praktisch überhaupts net, aber gesendet werden muß immer, des is ja ganz klar, i tua ja aa nach dem Essen hör i ma so de Musik nach Tisch o gel, und wenn de Nachrichtn kemma, nacha wach i automatisch auf. Ganz ehrlich gsagt, es gibt aber a scho Grenzfälle, gel, weil zum Beispui i war vor vier Wochen im Krankenhaus glegn, Bauchspeicheldrüse, Pankrias, Sie vastehnn, gel, und do is so a oida Mo neba mir glegn der war praktisch im Sterbn glegn, scho am Obisegln hoid und a so a junga Kampe, der hot oiwei de Bedrei laffa lassn, des muaß do net sei, daß oana, wann er am Obisegln is, aa no an Bedrei hörn muaß. Mi hod aa oiwei des scharfe Dadüdatüdatüdat gstört. Da hod si bei mir ois zammzogn. Und wenn i überhaupt a Kritik anmelden dat am Bayerischen Rundfunk, dat i sogn, de solln des ruhig schneidig spuin, gel, aber doch vielleicht liaba auf am Hackbrett, wia im Ersten Programm hoid aa. Aber sonst, des muaß i scho sagn, is meines Erachtens nach beim Radio musikalisch und kulturell alles in Butter.

Creative Center

1. TEIL

Bei Ismeier, Junglebare & Partner.
Ein Creative-Studio. Sam Ismeier hängt gerade am Telefon, sein Dreh-Stab wartet.

Im Nebenhraum: Ein Hase im Gespräch mit einem anderen Hasen.

HASE 1 Ich sage dir, Gustl, bei Bergmann kommt immer wieder der Steinbock durch.

HASE 2 Wieso, ich dachte, Ingmar ist doch Widder.

HASE 1 Aber doch nur im Aszendenten.

ISMEIER *am Telefon* I hobs eich doch scho gsagt, kontaktets doch erst mal New York, dann machts a Connection nach Paris, und dann schau ma weiter. Sonst kriag ma doch koa Feedback. Es seids doch Dilettanten! Ohne Feedback ist doch der gesamte Marketing-Service a Witz. I wart auf a Feedback, also ohne an gedeckten Scheck geht gar nix!

Ein Werbehase schaut schüchtern zur Tür herein.

HASE Hallo, äh...

ISMEIER Ja sehn Sie denn nicht, daß ich hier telefonier, wer hat mir denn diesen Arsch hier hereingeschickt? *Zum Hasen* Sie können nachhausegehn, guter Mann, ich lege auf Ihre Mitarbeit keinen Wert mehr. – Hupsi, an Augenblick, i hob grad an Trouble, i werd nimmer gscheid abgschirmt. Wo is denn die Babsi!? *Zum Hasen* Ja, gehnga S' doch, des Finanzielle regelt der Herr Seltmann. Herr Seltmann, bitte...

HASE Entschuldigung, ich wollte doch nur...

ISMEIER Sie haben hier nichts zu wollen. Hinaus! *Der Hase geht.* Also Hupsi, New York, Paris, Wien, und Recall. Du, i bin grad unheimlich im Streß, also Hupsi, later, gel, ok, dann tschüß!

ISMEIER So, wo war ma? Ahja, Günter, der nächste bitte.

KUNDE Also Herr Ismeier, was is denn nu!

ISMEIER Tschuldigen S', Herr Berlinghoff, Sie sehn ja selber, i werd pausenlos molestiert...

HASE 1 Ich sag dir, Faßbinder hatte von Film keine Ahnung.

HASE 2 Null!!

HASE 1 Der hätte sich mal mit Eisenstein beschäftigen sollen.

Ein Hase wird von Günter hereingeführt.

ISMEIER Guten Tag, ah nun zu Ihnen, ah, wie war Ihr Name?

HASE Wolf, Rüdiger.

ISMEIER Schön, Herr ah, Wolf, Sie wissen Bescheid, worums geht, also den Text haben Sie gelesen?

HASE *schüchtern* Ja.

ISMEIER Ok. Also, Passen S' auf, es muß Power haben, net, es muß suggestiv wirken, und es muß oan antörnen, ich mein, es muß halt einfach einpfeifen, so, daß man zugreifen will, oder besser zugreifen muß, Ok? Also, Sie kommen von rechts, setzen sich da auf den Stuhl da, und dann Text, also bitte, fangen mir an, Ruhe, eine Probe! Also bitte!

HASE *setzt sich auf den Stuhl.* Hmhm, er ist es, äh, das ist er...

ISMEIER Vielen Dank, vielen Dank, Herr ah Dings, das wars, unser Herr Seltmann ersetzt Ihnen dann Ihre Fahrtkosten. Der nächste bitte! *Zum Kunden* Des hot koan Sinn mit dem...

KUNDE *nickt* Witzlos...

Das Telefon läutet, Babsi hebt ab.

BABSI Ismeier, Junglebare and Partner, Grüß Gott... Der Herr Ismeier? Moment...

ISMEIER Wer?

BABSI Der Herr van der Waal.

ISMEIER *winkt ab* I bin grad beim Essn.

BABSI Tut mir leid, Herr Ismeier ist gerade zu Tisch. – Ja, er ißt gerade. Ich werds ausrichten, danke, wiederhörn.

ISMEIER Ah, Günter, der nächste Hase... *Zum Kunden* Sie sehn selbst, Herr Berlinghoff, es is schwierig. De warn bisher alle wenig inspiriert.

KUNDE Der Geist des Produktes müßte auf alle Fälle mehr zur Geltung kommen... Tja.

Günter holt einen neuen Hasen.

Im Nebenraum:

HASE I Ich sage zu Schlöndorff, Volker, du kannst das so nicht bringen, du brauchst mindestens zwei Kameras...

GÜNTER Wenn Sie jetzt bitte...

HASE I Ok, Gustl, ich muß aufn Dreh, wir sehn uns dann am Stammtisch, ok?

HASE 2 Tschau, und toitoitoi...

Günter führt den neuen Hasen zum Motiv.

ISMEIER Also, Grüß Sie Gott, Herr, wie war Ihr Name?

HASE I Mechov.

ISMEIER Ja, also, Herr Mechov, Sie wissen, es ist nicht einfach, die Aufgabe, die Sie haben – Sie sollten das nicht unterschätzen, was wir hier machen, is anspruchsvolles Advertising...

HASE I Ich war schon bei Jogimaus-Kinderpüree mit großem Erfolg dabei, ham Sie zufällig den Spot gesehen?

ISMEIER Jaja, ich glaub schon, also schaun mir mal, Herr ah...

HASE I Mechov...

ISMEIER Herr Mechov, also, bitte, lassen S' uns doch amal Ihre Gestaltung sehn... Text is Ihnen vertraut?

HASE I Selbstverständlich, ich bin Profi.

KAMERAMANN Sam, ich muß leider gleich ein Problem anmelden, schau, ich schneide hier mit den Hasenohren, oder ich muß unheimlich total werden.

ISMEIER James, laß uns des später regeln. Also, ok, bitte Ruhe, Probe. Ruhe bitte!! Also, bittschön ...

HASE I Hmhm, das ist er, der rosarote Fertigschmeck!

ENTERTAINER Keine Kalorien, kein Fett, kein Eiweiß, keine Kohlehydrate ...

ISMEIER Stop, des reicht, danke einstweilen, ah, Herr Moloch, nicht uninteressant, aber mei ... i woaß net ...

HASE I Aber wir haben doch noch garnicht den Text gearbeitet?

ISMEIER Jaja, schon, ah, Sie hörn von uns auf alle Fälle, ah, Herr Seltmann, bitte kümmern Sie sich um an Herrn Moloch. *Zum Kunden* Da, Sie sehn's ja selber, des muß eine Frau präsentieren, weil, uns fehlt sonst der feminine Touch, a bißl was Brustigs, haha ...

KUNDE Tja, vielleicht haben Se recht. Naja, Herr Ismeier, machen Se mal ...

ISMEIER Ok, also Herr Seltmann, de Herrn können pauschal nach Hause gehn, de Herrn san en bloc gestorben. Jetz amal de Damen, Günter, die erste Dame bitte ...

Günter führt einen dicken Hasen herein ...

ISMEIER Ah ja, schon gut – Herr Seltmann!

HASE Wo soll ich denn jetzt ...

ISMEIER Danke, das reicht uns einstweilen, Herr Seltmann, Herr Seltmann! Geh weiter, Hans?! *Winkt Seltmann her.* Doch koa Butterschmalz, Hasen!! – Günter, einen Hasen! Bunny, vastehst!

GÜNTER Ok, mal sehn ...

ISMEIER Mein Gott, Sie sehn's ja, Herr Berlinghoff, mit solchen Katastrophen müssen mir ständig arbeiten. I bstell a Frau und krieg a Geisterbahn ...

KUNDE Tja, bei Brockdorf & Artbraker kennt man solche Probleme nicht, naja, die waren leider ausgebucht.

Günter bringt neuen Hasen.

ISMEIER Ah ja, jetz san mir scho näher dran ... *Zum Kunden* Warten S', jetz biet ich Ihnen was an ... *Zum Hasen* Servas Schatzi, Also, schaug, da, des is der Herr Berlinghoff, unser Auftraggeber, i hoaß Ismeier, da Text is dir bekannt, oder?

HASE Tag Herr Berlinghoff, Text? Na klar ...

ISMEIER Ok dann, Günter, sorg bitte für Ruhe, wir proben hier! Also paß auf: Du kommst da von rechts, setzt dich auf den Stuhl, da is die Kamera, gel, da hinein die Message, un des da, des is der Joe Canaris, ein Spitzenentertainer, der bringt dann an Respons ...

ENTERTAINER Hi ...

ISMEIER Und dann, also ganz wichtig: werbewirksam beißen. Des is ganz wichtig.

HASE Alles klar.

ISMEIER Ok, dann eine Probe. Bitte Ruhe, Herr Seltmann, Ruhe. Hansi, was is denn?! Ruhe!! – Ok, dann, Action!

HASE Hmhm, das ist er, der rosarote Fertigschmeck!

ENTERTAINER Keine Kalorien, kein Fett, kein Eiweiß, keine Kohlehydrate...

HASE Fertigschmeck. Jetzt im praktischen Wegwerfdöschen... *Beißt in den Fertigschmeck, verzieht das Gesicht*... Iii, wie schmeckt denn des...

ISMEIER Aha, ok, nicht uninteressant. Samma scho näher dran.

KUNDE Etwas mehr Schmackes, vor allem beim Reinbeißen.

ISMEIER Hör zu, Lady, des war nicht uninteressant, aber du warst noch a bißl out. Mehr Power und Engagement, sonst wars top.

HASE Na beim erstenmal. War doch nur ne Probe.

ISMEIER Jaja, scho, ah, mehr Begeisterung und hart am Produkt stehn. Ok? Joe, du bleibst so. Echt top. Nur nach Kohlehydrate noch a bißl mehr grinsn.

ENTERTAINER Ok, Sam, once more...

ISMEIER Also nomal, bittschön, ah, wie war dei Name?

HASE Chantal Brucker-Lau...

ISMEIER Also Chantal, nomal, jetzad mit Inspiration. Bitte Ruhe, ah, nehmen ma scho mal oane mit.

ISMEIER Ton!

TONMANN Läuft!

ISMEIER Kamera!

KAMERAMANN Läuft!

ISMEIER Klappe!

GÜNTER Fertigschmeck 1, die 1.

ISMEIER Und Action!!!

HASE Hmhm, das ist er, der rosarote Fertigschmeck.

ENTERTAINER Keine Kalorien, kein Fett, kein Eiweiß, keine Kohlehydrate.

HASE Fertigschmeck. Jetzt im praktischen Wegwerfdöschen.
Im Hof Lärm.

ISMEIER Aus! Aus! Was is denn des für a Radau?! Herr Seltmann, wir drehn hier. Aso kann ma doch koa Kreativität entfalten!
Hase Mechov kommt empört herein.

HASE I So geht das nicht! Mir wurde An- und Abfahrt per Taxi zugesichert!!

ISMEIER Machts des doch aus, wenn mir fertig san! Mir machen hier einen Film und keine Kaffee- und Kuchenfahrt!! Ruhe!! Herr Seltmann, wo ham Sie denn diesen Arsch engagiert?

HASE I Aber mir wurde Taxi zugesichert...

ISMEIER Wenden Sie sich doch bittschön an den Herrn Seltmann, aber machts des draußn aus, bittschön, meine Nerven...
Seltmann zerrt den Hasen hinaus.

ISMEIER Schad, des hätts sein können, und dann dieser Trottel mit seim Taxi, verdirbt ois. Schatzi, tuat ma leid, noch amal, aber genauso frisch wie vorher. Günter, ein neuer Fertigschmeck! Intensiv, plakativ. Ok, neuer Dreh, Ruhe! Ton.

TONMANN Läuft!

ISMEIER Kamera!

KAMERAMANN Läuft!

ISMEIER Klappe!

GÜNTER Fertigschmeck 1, die 2.

ISMEIER Und Action!!

HASE Hmhm, das ist er, der feuerrote Fertigschmeck.

ISMEIER Aus. Aus! Schatzi, wie hoaßt du glei wieder?

HASE Chantal.

ISMEIER Chantal, schaug des Produkt ist rosarot, rosaroter Fertigschmeck.

KUNDE Tja...

HASE Entschuldigen Sie bitte...

ISMEIER Ok. Once more! Ruhe! Ton!

TONMANN Läuft!

ISMEIER Kamera!

KAMERAMANN Läuft!

ISMEIER Klappe!

GÜNTER Fertigschmeck 1, die 3.

ISMEIER Und Action please...

HASE Hmhm, das ist er, der rosarote Fertigschmeck!

ENTERTAINER Keine Kalorien, kein Fett, kein Eiweiß, keine Kohlehydrate...

HASE Fertigschmeck, jetzt im praktischen Wegwerfdöschen. *Beißt hinein.*

ISMEIER Ok, gestorben. *Zum Kunden* Und?

KUNDE Alles fabelhaft, aber sie hat nicht überzeugend reingebissen.

ISMEIER Wieso?

KUNDE Das Hineinbeißen muß überzeugen. Dieser Biß in den Fertigschmeck ist fast wichtiger wie der Code...

ISMEIER Ah, Hasi, amal eine Probe, nur das Reinbeißen, ohne Kamera bitte, Günter, an neuen Fertigschmeck... Ok, Action!

HASE *beißt in den Fertigschmeck.* Is es so?

ISMEIER Etwas gieriger und a bißl bissiger.

HASE Aber das Zeug pappt so, das geht nicht. Ehrlich, unmöglich.

2. TEIL

ISMEIER Und Action.

HASE Ich kann nicht mehr, ehrlich...

ISMEIER Du packst des scho, gleich eine drauf. Bitte Ruhe! Ton!

TONMANN Läuft!

ISMEIER Kamera!

KAMERAMANN Läuft!

ISMEIER Klappe!

GÜNTER Fertigschmeck 1, die 49.

ISMEIER Und Action!

HASE Hmhm, das ist er, der rosarote Fertigschmeck.

ENTERTAINER Keine Kalorien, kein Fett, kein Eiweiß, keine Kohlehydrate...

HASE Fertigschmeck, jetzt im praktischen Wegwerfdöschen. *Biß, Hustenanfall.*

ISMEIER Ja, des darf natürlich net passiern. Gleich eine drauf.

HASE Ich glaub mir is schlecht.

ISMEIER Ja, gleich ham mirs. Also, Ruhe! Ton!

TONMANN Läuft!

ISMEIER Kamera!

KAMERAMANN Läuft!

ISMEIER Klappe!

GÜNTER Fertigschmeck 1, die 50.

ISMEIER Action!

HASE Moment *Stößt auf.* Hmhm, das ist er, der rosarote Fertigschmeck!

ENTERTAINER Keine Kalorien, kein Fett, kein Eiweiß, keine Kohlehydrate.

HASE Fertigschmeck. Jetzt im praktischen Wegwerfdöschen. *Biß, Grimasse.*

ISMEIER Ok, gestorben. Sehr gut. Sehr intensiv, Danke. *Zum Kunden* Was meinen Sie?

KUNDE Wie auf ner Beerdigung. Viel zu traurig. Kein Pep! Hier fehlt die innere Affinität zum Fertigschmeck. Das muß strahlen. Besonders beim Beißen. Zeigen Sie Zahnfleisch, gnä Frau, ich denke hier an... zum Beispiel Hundenahrung.

ISMEIER Aber sie hat doch schön gebissen...

KUNDE Jaja, aber? Sie verstehen, Fertigschmeck ist, das ist eben... naja, machen S' es nochmal...

ISMEIER Ok, ah, Chantal, hast as ghört – one more...

HASE Darf ichs hinterher ausspucken?

ISMEIER Mei, wart halt, bis d Kamera aus is, aber sonst, im Prinzip... *Fragender Blick zum Kunden.*

KUNDE Nein nein, sie muß es nicht essen, es muß nur so wirken.

ISMEIER Ok, Achtung! Ton!

TONMANN Läuft!

ISMEIER Kamera!

KAMERAMANN Läuft!

ISMEIER Klappe!

GÜNTER Fertigschmeck 1, die 51.

ISMEIER Und Action!

HASE Hmhm, das ist er, der rosarote Fertigschmeck.

ENTERTAINER Keine Kalorien, kein Fett, kein Eiweiß, keine Kohlehydrate ...

HASE Fertigschmeck, jetzt im praktischen Wegwerfdöschen. *Biß, spukken.* Bah, is mir schlecht.

ISMEIER Mein Gott, die wärs gewesen! Zu früh ausgespuckt. Beißen, grinsen, zwei Sekunden genießen, und dann ausspucken.

HASE Aber das schmeckt so widerlich.

KUNDE Tja, gnä Frau, wir machen hier Werbung. Is doch Ihr Beruf. Ihnen muß es doch nicht schmecken, sondern Millionen ...

HASE Kann ich mal kurz an die Luft?

ISMEIER Hasi, mir san so nah dran. No oane drauf, und mir hams überstandn.

HASE Ok, ich glaub, es geht schon wieder. Aber wirklich die letzte ...

ISMEIER Ehrenwort. Sonst leg ma a Pause ein. Ok! Ton!

TONMANN Läuft!

ISMEIER Kamera!

KAMERAMANN Läuft!

ISMEIER Klappe!

GÜNTER Fertigschmeck 1, die 52.

ISMEIER Action!

HASE Hmhm, das ist er, der rosarote Fertigschmeck.

ENTERTAINER Keine Kalorien, kein Fett, kein Eiweiß, keine Kohlehydrate.

HASE Fertigschmeck, jetzt im praktischen Wegwerfdöschen. *Beißt hinein.*

ISMEIER Fabelhaft. Gekauft.

Der Hase kotzt.

ISMEIER Du warst riesig, Schatzi, einwandfrei ...

SELTMANN *zum Hasen* Gehts besser?

HASE Bitte Fenster auf.

KUNDE Bringt ihr n Magenbitter auf meine Rechnung. Tja, fabelhaft, Herr Ismeier. Ganz nebenbei, unser nächstes Produkt ist eine neue Instant-Schildkrötensuppe. Ich dachte an ein Arrangement zwischen einer Riesenschildkröte und nem Mönch, der die Sache irgendwie genießerisch anreißt.

ISMEIER Ja, des törnt. Ok. Mir lassen uns da was einfalln, Herr Berlinghoff. Wenns dem Hasen net besser werd, na holts de Johanniter – deads as daweil naus, mir müssn a neues Produkt besprechen.

ENTERTAINER *leise für sich* Mhm, Mönch, auch nicht schlecht.

Die Pressekonferenz

Nachwuchsstar Maja, Joe Nicklas, Mike Semmler und Garry Wiesler in einem winzigen Nebentrakt, neben dem Konferenzraum B im Sheraton-Hotel. Mike und Garry sortieren UPR-Material.

MIKE Ich könnte ja nochmal versuchen, daß wir sie in »Wetten daß...« reinwürgen.

JOE Vergiß es. Dafür ist sie noch zu unbekannt.

MIKE Oder bei Kuli.

JOE Scheiße, forget it! Erst maln Marsch durch die Privatsender. Zehn kleine Gigs sind 3000 verkaufte Single mindestens. Also Maja, paß mal auf. In dieser Konferenz jetzt geht es nur um dich – verstehst du? Aber reden tu nur ich – und zwar ausschließlich.

MAJA Naja, aber wenn i was gfragt werd?

JOE Nur ich antworte. Höchstens noch Garry oder Mike. Aber du hältst die Klappe.

MAJA Aber im Vertrag hob i doch...

JOE Ich kenn deinen Vertrag, aber wir müssen dich doch irgendwie verkaufen, Mädel. Mensch, nimm den Kaugummi raus.

MIKE Selber reden kannste mal, wennsn Hit geworden is. Joe blickt da einfach besser durch, kapiert?

MAJA Aber ich hab gedacht...

JOE Denken kannst von mir aus jederzeit, aber reden tu nur ich. Ist das klar?! So und jetzt raus. Garry, geh mal voraus mit den Infos.

MIKE Aber es sind erst fünf Presseheinis da.

JOE Mehr werdens nicht. Also – on stage. Und nochmals – du hältst die Klappe, ich rede. Alles klar! *Sie gehen in den Konferenzraum.*
Hallo. Meine Herrschaften, ich glaube wir können anfangen.
Schauen Sie sie an. Da sitzt sie. Das ist die Maja. Uns allen ist sie ja noch sattsam in Erinnerung mit ihrer ersten Single »Wo Du gehst«.
Schaun Sie, wie sie sich gemacht hat. Aus Maja Hoffmann ist *die* Maja geworden. Mit ihrer neuen Single, die wir Ihnen heute hier vorstellen, bringt die Maja eine neue Dimension in ihre Musik und ins Showbusiness – ihre Persönlichkeit. Wissen Sie, Showtalent haben heutzutage viele. Hören Sie sich doch mal nur diese Dutzendware an. Aber bei der Maja schwingt in ihren Songs etwas mit, was man nicht ersetzen kann, etwas was man hat oder eben nicht hat, und die Maja hats. Die Maja hat hart an sich gearbeitet und was dabei herausgekommen ist, das kann sich hören lassen.
Legt Majas Single auf.
Das ist ihr aktueller Hit: »Dies ist mein Leben«.
Also alle, denen wir's vorgespielt haben, sind dermaßen drauf abge-

[NOCH JOE] fahren, daß wir uns entschlossen haben, gleich noch ne internationale Version aufn Markt zu werfen.
Hier also nochmals – die Maja mit: »It's my life«.
Dahinter steckt ne Menge Philosophie, Lebenserfahrung und die Sehnsucht nach Persönlichkeit. Das zahlt sich eben aus. Das ist ein Kapital, das ihr keiner nehmen kann.
Für Südamerika ist noch ne spanische Version in Vorbereitung. Ich glauben, Sie haben reingehört. Sie können se ja zu Hause in Ruhe ganz anhören.
Wenn Sie noch irgendwelche Fragen haben, können Sie jetzt ganz ungeniert ... äh, dafür sind wir ja da schließlich, nicht.

JOURNALIST Wieviel Sprachen sprechen Sie?

MAJA Mei, Englisch hab i auf der Handelsschul ...

JOE *rempelt Maja* Sie spricht fließend Deutsch, Englisch, redet gut Spanisch und zur Zeit büffelt sie Französisch. Wann immer ihr Zeitplan es zuläßt.

JOURNALIST Welche Hobbys haben Sie?

MAJA Mei, Fernsehn ...

JOE *übergeht Maja* Sie liest sehr gern. Dann Bewegung, Tanz. Überall wo Action ist, ist sie dabei. Skifahrn ...

MAJA Naa i fahr net Schi.

JOE Skifahrn tut sie sehr gerne und natürlich singen. Gesang – das ist ihr Leben. Sonst noch irgendwelche Fragen?
Nichts rührt sich.

JOE Tja, dann würd ich sagen: Sie können fotografieren.
Drei Journalisten knipsen.

MAJA Aber i wollt doch nachad nochamal sagn: I fahr net Schi. Weil i find, des is a Schmarrn irgendwie ...

JOE Ja schön.

MAJA I hob amal an Schikurs gmacht, aber ...

JOE Ich glaube das reicht. Unser Flieger wartet – nicht wahr Maja?

MAJA Wieso? Welcher Flieger?

JOE Hamburg!

MAJA Was? Hamburg?

JOE Ja, Hamburg. In Hamburg hat die Maja noch ne Gala heute abend.

MAJA Davo woaß i ja no garnix ...

JOE Die Maja bedankt sich für Ihr Interesse. Los Kindchen, wir müssen – höchste Eisenbahn ... *Zieht Maja wieder ins Nebenkabuff.*

MIKE Möchte jemand von Ihnen vielleicht nochn Lebenslauf und die Airplay-Dates?

MAJA Wieso, was isn in Hamburg? Davo woaß i ja no garnix.

JOE *zu Maja* Fräulein Pfefferle, mit Ihnen red ich nicht mehr.

MAJA Ja, wieso?

JOE Sie sind für mich gestorben.

MAJA Ja aber mer werd doch nochamal sei Meinung sagn dürfn. Sie ham doch selber gsagt des mit der Persönlichkeit und so.

JOE Sie sind für mich gestorben, und mit Leichen red ich nicht.

Umwelt

Das eine kann ich Ihnen sagen: Wir waren schon am Verzweifeln, nicht wahr, aber unser Hausarzt hat gesagt, das ist gar nicht weiter schlimm, das ist lediglich ein psychischer Defekt, nicht wahr, und ich muß auch sagen, schlagartig mit dem 17. Lebensjahr hat unser Elmar von einem Tag auf den andern aufgehört mit dem Bettnässen.

Ein Protestanruf

Herr Waechter geht ans Telefon.

WAECHTER Jetz muß amal was gschehn. Des is jetz scho der dritte Baum in meim Gartn, der verreckt. *Er zeigt Fotos* Schaugn S' des war de Stechfichtn, de is vorigs Jahr innerhalb von drei Monaten is de zambröselt wie ein Zwieback.
Dann is unser Rotbuche, is so braun worn und jetz die Blautanne. Die is jetz praktisch mehr gelb – kanariengelb! – Des is doch koa Farb für a Blautanne. Also jetz ruf ich an, des laß ich mir nimmer gfalln. Jetz muß was passiern. *Er wählt die Nummer:*
Jaa, Bayerische Staatsregierung? Sie, ich brauch jemand vom Umweltministerium, ja aber dringend. Des is praktisch ein Notfall! Ja is gut, ich warte.
Waechter wartet circa eine Minute, dann hängt er ein.

Diese unsere Welt

1. TEIL

Petra Zitzl-Dumont (Z. D.), Moderatorin, Gerold Boschinger, Staatssekretär im Umweltministerium, Doktor Böse, ein Wirtschaftsfachmann, sowie Herr Matthias Spitzer, Soziologe und Sprecher von wechselnden Minoritäten, sitzen in einer Talk-Show-Runde zusammen.

Z. D. Einen schönen guten Abend, meine Damen und Herren. Ich begrüße Sie wieder einmal zu unserer neuesten Ausgabe von »Diese unsere Welt«. Wir hoffen, wir haben wieder ein paar interessante Themen auf Lager und als Experten haben wir diesmal zu Gast – und darf ich Ihnen vorstellen – hier zu meiner Rechten sitzt Herr Professor Doktor Gerold Boschinger – Guten Abend, Herr Professor!

BOSCHINGER Ja, guten Abend! *Greift nach Chips.*

Z. D. Herr Doktor Boschinger ist stellvertretender, äh ...

BOSCHINGER Ja, genau.

Z. D. *lacht* Hähä, richtig, ja im Bayerischen Umweltministerium.

BOSCHINGER Ja, genau, das kann man so sagen, aber was ich als Umweltsprecher zu sagen hätt, das können S' eh alles nachlesen, da habe ich hier ein Umweltpapier mitgebracht. Außerdem repräsentiere ich neben der Altherrenriege der ehemaligen Faschingsprinzen den Humoristika-Verlag Jokus sowie ...

Z. D. Ja, darauf kommen wir noch, Herr, äh Boschinger, hochinteressant und äh aber zu meiner Linken sitzt hier Doktor Arnulf Böse, der Wirtschaftsexperte in unserer Runde.

BÖSE Jawohl.

Z. D. Herr Doktor Böse, Sie sind Chefredakteur der Zeitschrift »Vollgas« und dem einen oder anderen unserer Fernsehzuschauer noch bestens bekannt aus unserem Ratgeber »Der sichere U-Bahn-Schacht«.

BÖSE Guten Tag, Frau Zitzl-Dumont, ja, ich bin aber in erster Linie hier als Obmann der Tarifrundenkontrollkommission der deutschen Zubehör- und Zulieferindustrie des deutschen Automobilverbandes in meiner Eigenschaft als Sprecher der Aktion »Rettet das Automobil«.

Z. D. Schön, Herr Dr. Böse, auch das wird noch zur Sprache kommen, äh aber ich habe hier noch einen Gast, und zwar Herrn – *liest ab* – Matthias Spitzer. Herr Spitzer, Sie haben – *liest ab* – nach vergeblichen Anläufen, im Rundfunk unterzukommen, äh, sich einen Namen machen können als Sprecher wechselnder Minderheiten. Das kann man doch so sagen, oder?

SPITZER Ja, guten Tag, äh, ich bin aber Sprecher von wechselnden Minoritäten, wenn ich gleich eine kleine Korrektur anbringen darf. Wir haben...

Z. D. Herr Doktor Böse, um gleich spontan zum Thema zu kommen, was meinen denn Sie nun dazu?

BÖSE Ja, Frau Zitzl-Dumont, Sie sprechen in Grunde nur das an, was uns schon lange bewegt.

BOSCHINGER *kriegt gerade eingeschenkt* Ja, gerne.

SPITZER Ja, aber ich wollte eigentlich noch kurz...

BÖSE Ich darf doch bitte ausreden, also, wie gesagt, es handelt sich im Grunde doch um bekannte Phänomene, die wir nun auch einmal von der anderen Seite betrachtet wissen wollen, sonst artet das aus in Fachidiotie.

BOSCHINGER Genau.

BÖSE Schauen Sie... Gottlieb Daimler hatte das Automobil als Ganzes im Auge und nicht bloß den Vergaser.

BOSCHINGER Genau, odern Turbolader.

SPITZER Ja, aber...

Z. D. Könnten wir also vielleicht dahingehend Übereinkunft erzielen, daß einige technische Raffinessen erst im Laufe der Zeit erfunden werden mußten.

SPITZER Ja, aber...

BOSCHINGER Genau.

BÖSE Völlig d'accord.

2. TEIL

Z. D. Nun Herr Doktor Böse, Sie gelten als intimer Kenner der Materie, würden Sie uns vielleicht einmal kurz aus Ihrer Sicht erläutern, was nun konkret das Problem ausmacht?

BÖSE Schauen Sie, es ist doch so, daß dem Auto heute zunehmend Straßen vorenthalten werden, die bei etwas gutem Willen gebaut werden könnten. Mit andern Worten, der Lebensraum des Automobils wird regelrecht eingeschnürt.

BOSCHINGER Aus der Sicht vom Umweltschutz heraus, wenn mir koane Straßen ham, ham mir auch koane Böschungen zum Begrünen. Schaut doch wunderbar aus, so a grüne Böschung. Und das natürliche Biotop der Autobahnkrähe is halt amal die Autobahn.

BÖSE Sehr richtig.

Z. D. Ein interessanter Aspekt in der derzeit so hochgespielten Umweltdiskussion. Aber was meint man dazu in Umweltschützerkreisen? Herr Spitzer bitte!

SPITZER Ja, das sehen Sie doch schon an dem Zynismus, mit dem ein Großprojekt wie Wackersdorf...

Z. D. Herr Spitzer, der Wert oder Unwert von Großprojekten zeigt sich ja doch meist erst nach Jahrhunderten. Auch Schloß Neuschwanstein beispielsweise galt während seiner Bauzeit als äußerst umstritten. Würden die Neunmalklugen von damals heute noch leben, würden sie wohl auch anders denken, meine Damen und Herren.

BOSCHINGER Genau. Des können S' alles in unserm Umweltpapier nachlesen.

BÖSE Wir haben in unserer Zeitschrift »Vollgas«...

SPITZER Ja, aber, was hat Neuschwanstein mit Wackersdorf...

BÖSE Ja, wenn Sie uns das bitte mal erklären wollten!

SPITZER Sag ich doch!

Z. D. Ja, dann sind wir ja wieder mal einer Meinung, meine Herren.

3. TEIL

Z. D. Nun zu Ihnen, Herr Professor Boschinger, Sie sind ja nun Naturfachmann von Berufswegen, äh... kann man so sagen?

BOSCHINGER *wird gerade eingeschenkt* Ja, danke.

Z. D. Aus dem Kreislauf der modernen Natur ist der sogenannte Baum als Ökofaktor im Grunde doch kaum mehr wegzudiskutieren.

BOSCHINGER Da ham Sie recht, vollkommen recht, schaun Sie, 's is ja im Grunde gnommen recht einfach, können S' ois in unserm Umweltpapier nachlesen. Schaun Sie hier, ich zeig Ihnen amal des Grundprinzip von so am Zellverband. *Er steht auf, geht zu einer braunen, toten Fichte in einem Pflanzkübel.* Hier haben wir Stamm, und unten das Wurzelwerk...

SPITZER Ja, aber der Baum ist ja vollkommen...

BOSCHINGER *redet weiter, als ob Spitzer nichts gesagt hätte* ...das Wurzelwerk is hier im Erdreich verborgen, es gibt verschiedene Wurzl, a Pfahlwurzl, a Herzwuchswurzl, a Flachwurzl, das, was sich hier so wegspreizt, das nennt man Äste oder das Geäst, und am Geäst befinden sich wieder je nach Phänotyp Blätter oder Nadeln. Die Spitze wird im allgemeinen als Krone bezeichnet, und das Ganze nennt man dann Baum. In diesem Fall haben wir Nadeln, es handelt sich also um einen Nadelbaum. *Er streift dabei sämtliche Nadeln von dem Bäumchen ab.*

Z. D. Also, Wurzeln, Stamm, Geäst und Blätter oder Nadeln, je nachdem, ergeben als Gesamtheit das Ökosystem Baum, meine Damen und Herren.

BOSCHINGER Ja, des können S' ois nachlesen in unserm Umweltpapier.

BÖSE Is ja interessant.

4. TEIL

Z. D. Herr Doktor Böse, in der freien Marktwirtschaft gibt es ein Sprichwort: »Die Freiheit des Machbaren ist unantastbar«. Was spricht der Wirtschaftsfachmann?

BÖSE Tja, kann ich nur voll unterstützen. Schaun Sie, wir von der Artenschutzkommission für bedrohte Automobile müssen heute bereits die bange Frage stellen, wo bleibt der Doppelvergaser? Wo finden Sie heute noch nen akzeptablen Parkplatz in der Innenstadt? Sehn Sie, der Lebensraum des Automobils steht auf dem Spiel.

BOSCHINGER Genau, des können S' ois in unserm Umweltpapier nachlesen.

BÖSE Wir von der Zeitschrift »Vollgas« fordern daher: Schluß damit! – Danke! *Ihm wird gerade eingeschenkt.*

Z. D. Ja, ja, da wird es manch böses Erwachen geben, wenn nicht schleunigst einiges geschieht. Unsere Mobilität ist schließlich der adäquate Ausdruck unseres abendländischen Lebensgefühls.

SPITZER So ein Quatsch. Die Autolobby läßt sich doch sowieso nicht die Butter vom Brot...

BÖSE Jetzt werden Sie nicht polemisch, junger Mann!

Z. D. Ich sehe auch nicht ganz den Zusammenhang, Herr Spitzer.

SPITZER Wie brutal Staat und Industrie vorgehen, sieht man doch an Wakkersdorf, da...

BOSCHINGER Jetzt begeben S' sich auf eine Ebene, wo mir net weiterreden können. Mit Unsachlichkeit is da nichts getan. Informieren S' sich doch erst amal. Des können S' doch ois nachlesen in unserm Umweltpapier. – Danke. *Ihm wird gerade eingeschenkt.*

SPITZER Ja, aber...

BOSCHINGER Ja, lassen S' mich doch amal ausreden, ja – danke.

Z. D. Ich würde also auch sagen, immer der Reihe nach, Herr Spitzer.
Herr Spitzer schweigt wieder.

5. TEIL

Z. D. Meine Damen und Herren, es ist nun vielleicht der geeignete Augenblick, um auf eine interessante Neuerscheinung hinzuweisen. Professor Boschinger, der heute abend hier bei uns weilt, ist der Autor. Herr Professor, Ihr neuestes Werk »Ich war Prinz«, ist das nun mehr eine Art Schlüsselroman oder mehr autobiographisch zu verstehen?

BOSCHINGER Ja, ich tät sagen, beides, weil ich war Prinz und dieses Büchlein ist aber außerdem auch als Zeitdokument gedacht.

Z. D. *blättert in dem Buch* Ah, ja, da haben wir hier zum Beispiel, kann die Kamera mal, äh, hier sieht man, wie man sich eine Prinzenmütze oder eine Narrenkappe selbst bastelt.

BOSCHINGER Ja, oder zum Beispiel für Gschäftsleute a praktischer Hinweis: wie werde ich Mitglied im Elferrat.

SPITZER Ja, aber, wenn man bedenkt, daß in Wackersdorf eine Wiederaufbereitungs...

BOSCHINGER Jetzt hörn S' doch amal auf, Sie haben doch keine Ahnung, oder waren Sie schon mal Prinz?

SPITZER Nein, aber...

BOSCHINGER Also, dann wern S' doch erst amal Prinz.

BÖSE Ich muß also auch sagen, ständig wird hier unterbrochen.

BOSCHINGER *zu Böse* Waren Sie schon mal Prinz?

BÖSE Nein, nein, aber ich bin Mitglied im Elferrat.

6. TEIL

Z. D. Herr Doktor Böse, Professor Boschinger, Frage an die beiden Experten: Wie solls denn nun weitergehen?

BOSCHINGER Ja, es gibt meines Erachtens keine Alternative zur Umwelt, aber Umwelt is ja in erster Linie amal Umfeld, des ham wir in unserer Broschüre eindrucksvoll dargestellt, des können S' jederzeit nachlesen in unserm Umweltpapier. *Ihm wird nachgeschenkt* Ja, danke.

Z. D. Herr Doktor Böse –

BÖSE Also ich bin der Meinung, daß man unsere Umwelt auch mal unter wirtschaftlichen Aspekten, verstehen Sie, es rechnet sich nicht, wenn Sie jedem Laubfrosch hinterherquaken, das rechnet sich einfach nicht.

Z. D. Sie plädieren also mehr für das »sowohl als auch«.

BÖSE Ja, eine faire Synthese zwischen Ökonomie und äh...

BOSCHINGER Genau.

SPITZER Das darf doch nicht wahr sein, hier von Synthese zu sprechen. Wenn man sieht, wie in Wackersdorf...

Z. D. Wir kommen noch drauf, Herr Spitzer, da kommen wir noch hin äh, aber ich möchte doch an dieser Stelle äh, gestatten Sie mir als Frau einmal mein Glas zu erheben, wir haben ein kleines Jubiläum, wir haben heute die siebzigste Sendung von »Diese unsere Welt«, und obendrein ist Professor Boschinger vorgestern achtundvierzig geworden.

BOSCHINGER Haha, ja, danke.

Z. D. Wann haben Sie Geburtstag, Herr Doktor Böse?

BÖSE Neunundzwanzigster Oktober.

Z. D. Dann sind Sien waschechter Skorpion.

BÖSE Aszendent Fisch, aber im chinesischen Horoskop bin ich Ratte.
Alle außer Spitzer lachen, Spitzer schaut auf die Uhr.

7. TEIL

Z. D. Bevor unsere Sendezeit ihrem Ende zugeht, meine Damen und Herren, dachten wir, daß jeder Experte noch mal abschließend zu den Fragen unserer Zeit Stellung nehmen kann. Professor Boschinger, wollen Sie den Anfang machen?

BOSCHINGER Ja, ich will eigentlich nur noch amal darauf hinweisen, wir haben hier extra für diesen Zweck unser Umweltpapier konzipiert, da können S' alles Wesentliche nachlesen, und im übrigen kann ich jedem jungen Mann nur auf den Lebensweg mitgeben »Werdens amal Prinz«. Des ist ein unvergeßliches Erlebnis. Ja, danke. *Ihm wird eingeschenkt.*

Z. D. Vielen Dank, Herr Professor Boschinger.

SPITZER Also ich möchte jetzt...

Z. D. Herr Doktor Böse, Sie sind an der Reihe.

BÖSE Tja, Frau Zitzl-Dumont, mir bleibt an dieser Stelle nur, einem Berufeneren das Wort zu erteilen. Lassen Sie mich Karl Jaspers zitieren: »Alles, wovon wir sprechen, trifft zusammen im Menschen. Natur, Geschichte, das Umgreifende, das Wesen des Menschen ist unvergleichlich.«

Z. D. Besser kann man das wohl kaum ausdrücken, Herr Doktor...

SPITZER Also ich möcht jetzt doch auch noch amal die Gelegenheit wahrnehmen und an dieser Stelle betonen, daß ein Projekt wie Wackersdorf...

Z. D. *nimmt den Hörer ab* Ja... *Zu Spitzer gewandt* Moment... *Wieder ins Telefon* Ja, ah so, ja... ja...

8. TEIL

Z. D. Meine Damen und Herren, Sie kennen das geflügelte Wort, immer wenn's am schönsten ist, auch bei uns ist es wieder mal soweit. Meine Herren, ich danke Ihnen, daß Sie bei uns im Studio zu Gast waren, wir haben wieder ein paar heiße Eisen anpacken können, natürlich bei der Kürze der Zeit konnten wir nicht alle Themen erschöpfend behandeln, mir bleibt nur noch, Ihnen einen guten Abend zu wünschen.

Die Verantwortungsnehmer

Günter Leim, Herr Rösner und Herr Sittich in einem feudalen Büro. Rösner serviert gerade einen Sekt.

LEIM Naa, Rösner, koan Sekt, an Champagner. Wissen Sie, dieser Rösner, der kimmt aus kleinen Verhältnissen, eine gewisse Großzügigkeit muß er erst lernen da bei uns. – Herr Rösner, ich bitte Sie, ma kann doch net alles saufen, was eim angeboten wird.

RÖSNER Ja, aber das hier ist ein Qualitätssekt, ein Werbegeschenk.

LEIM Ja, eben, den können S' weiterverschenken oder am Bsuch anbieten, aber doch net mir, jetzt bringen S' an Champagner, mir ham ja schließlich an Grund zum Feiern, oder Herr Sittich?

SITTICH Jawoll.

LEIM Es ist doch heutzutage so. Schaun Sie: Staat, Länder, Kommunen, Verwaltung, große und kleine Konzerne, Privatwirtschaft, überall gehts in Graben, und kein Mensch will die Verantwortung übernehmen. Vierzehntausendachthundert Konkurse allein letztes Jahr; was von der öffentlichen Hand geleistet wird, läuft praktisch aufs selbe raus. – Es wird halt besser verschleiert. Eine gigantische Mißwirtschaft zu Lasten des Steuerzahlers, einer muß ja zahlen. Aber keiner ist bereit auch einmal zu sagen: Gut, die Sache ist schiefgegangen, ich wars, ich bin verantwortlich. – Und das ist die Marktlücke, in die wir hier praktisch hineingestoßen sind. Wir die Schilda-Respons GmbH & Co KG, wir übernehmen jedwede Verantwortung ideeller Art, allerdings natürlich ohne finanzielle Konsequenzen, mir sin ja koa Versicherung. Des macht wia gsagt ja der Steuerzahler. Wir übernehmen Verantwortung en gros für große, tragische Fehlspekulationen, da ham mir zum Beispiel diesen Superflop, diesen schnellen Brüter da in der Nähe bei Karlsruhe. Der kostet den Steuerzahler zwei Millionen Mark pro Tag und das seit Jahren, für nichts, verstehen Sie, für rein gar nichts. Wenn ma da Konsequenzen fordern würde, müßte a ganze Ministerriege ihren Hut nehmen. Einige sogar rückwirkend, aber a Minister, der Rechenschaft ablegt und zurücktritt, is heutzutage unverantwortlich, des macht ma heit nimmer so. Heute geht die Tendenz dahin, daß man den Verursacher trennt vom Verantwortungsnehmer. Verursacher san praktisch diese maroden Administrationen, und Verantwortungsnehmer sind dann in diesem Fall wir. Weil, an Schuldigen braucht ma ja, schon allein für die Presse. Und so ham mir halt dann zum Beispiel die Verantwortung für diesen schnellen Brüter übernommen, also der Herr Sittich und ich, gell, gegen ein dem Schaden angemessenes Entgelt natürlich, weil auf a Million kimmts bei sieben Milliarden Schwund a nimmer drauf zsamm. Zumal die

Akzeptanz von staatlicher Mißwirtschaft in der Bevölkerung zunehmend wächst. Gut, der Politiker, er könnte die Verantwortung für seine Schweinereien auch nach oben oder nach unten abschieben, aber der Spielraum ist begrenzt. Schiebt er nach oben, kriegt er eins aufn Deckel, schiebt er nach unten, wird er nicht mehr gewählt. Jetzt steht er allein da mit seiner Schweinerei und dem Damoklesschwert der Verantwortung, wohin damit? Ganz einfach, hier zur Schilda-Respons GmbH & Co KG, mir machn des. Ja, unser Herr Sittich zum Beispiel, er is praktisch eine Art professioneller Watschenmann, stimmts, Herr Sittich?

SITTICH Jawoll, stimmt.

LEIM So groß kann die Sauerei gar net sein, das er nicht dafür gradestehen würde, oder, Herr Sittich?

SITTICH Sowieso.

LEIM Da zum Beispiel, Flurbereinigung, ein ganzer Landstrich is praktisch federführend von der Staatsregierung kaputtsaniert worden, Tausende von Prozeßdrohungen, ökologisch is der Landstrich am Kippen, ja, die Regierungsbeamten ham für Konsequenzen gar kei Zeit, die müssen ja neuen Schaden anrichten. Ich sag nur: Großflughafen, Wiederaufarbeitungsanlage, Verseuchung der Weltmeere, Nebelflughafen, Autobahnen, ja, was glauben Sie, was es da zu tun gibt. Und da braucht man einen satisfaktionsfähigen Partner, wie unsern Herrn Sittich. Gel, Herr Sittich?

SITTICH Jawoll.

LEIM Der Herr Sittich hat scho als Kind Prügel kriagt für Sachen, wo er gar net schuld war, stimmts, Herr Sittich?

SITTICH Ja, des stimmt.

LEIM Und des machtn Herrn Sittich für diesen Beruf so qualifiziert. Weinskandal haben Sie doch auch übernommen?

SITTICH Ja.

LEIM Oder so a Landesbank bricht zusammen. Zigtausende geprellte Kleinsparer, die sehen natürlich keine müde Mark mehr. Der Vorstand hat koa Zeit, weil er grad eine neue Bank gründen muß, wer leistet den Offenbahrungseid? Unser Herr Sittich.

SITTICH Ja, jederzeit!

LEIM Oder junge Offiziere werden in Pension geschickt, grad wenns mit der Ausbildung fertig sind. Des kann man doch nicht einem Verteidigungsminister anlasten, bloß weil er des entschieden hat, net, da braucht ma halt Männer vom Schlag eines Herrn Sittich. Schaun S' da, ein ganzer Waschkorb mit Drohbriefen. Ich greife wahllos einen heraus, da zum Beispiel – *er nimmt einen Brief aus einem Korb, liest* – »Sie Drecksau, Sie, Sie gehören aufghängt«. Man sieht, in der Bevölkerung ist durchaus eine moralische Kraft vorhanden. Da, des schreibt jetzt ein Professor Doktor med., äh, a Oberarzt ausm

[NOCH LEIM] Schwarzwald. Also diese Flut von Aggression und berechtigter Wut kann man natürlich nur durchstehen mit einem gewissen Rückhalt. Der Herr Sittich zum Beispiel ist parteilos, also nicht direkt in der Partei, aber er steht der Partei doch so nahe, daß er neutral sein kann, oder, Herr Sittich?

SITTICH Jawoll.

LEIM Wenns irgendwo brennt, dann sin mir da. Großklinikum: Der Patient ist zum Krüppel operiert, bedauerlich, kommt halt amal vor. Chefarzt ist Alkoholiker, kann man nicht zur Verantwortung ziehen. Der sagt natürlich, des liegt am Patienten, weil er nimmer gscheit zsamgwachsn is. Der Patient kann sich dieser Interpretation nicht anschließen, Staat lehnt die Verantwortung ab, wer bleibt übrig? Wir. Der Patient kriegt zwar koa Geld von der Versicherung, aber moralisch is er ausm Schneider und kann zum Beispiel am Herrn Sittich an Drohbrief schreiben.

SITTICH Naa, des hat der Rösner verantwortet.

LEIM Ah ja, in dem Fall am Rösner, der ist zuständig für Bagatellversagen und Fehlleistungen minderer Art.

Rösner kommt mit einer Champagnerflasche.

LEIM Ah, da ist er ja, wenn ma an Esel nennt, haha haha, ham S'n jetzt? Wir feiern grad an Großauftrag von der Bundesregierung, mer derfets ja eigentlich noch gar net sagen, aber im Vertrauen: Der deutsche Wald is hinüber. Keiner wills gewesen sein, es handelt sich immerhin um eine der größten Naturkatastrophen der letzten Jahrtausende, aber mir ham schon an Verantwortlichen. Schaun S' hin, da steht er, der Herr Sittich, gell? Prost, Herr Sittich!

SITTICH Ja, Prost.

LEIM Gel, Sie verantworten dieses Waldsterben.

SITTICH Jawoll, jederzeit.

i.A. Deutelmoser

Ja was hammer denn da? Herrschaftszeiten, das ist also auf Seite Ding – das ist die Akte Seattle. Jawohl. Aha.
Herrn Seattle – Komma – Häuptling,
sehr geehrter Herr Seattle – Ausrufezeichen. Wir bestätigen hiermit den Erhalt Ihres Schreibens vom 3. Julei 1846 und erlauben uns, auf Ihre Anmerkungen folgendes zu erwidern – Doppelpunkt.
Sie haben sich zu unhaltbaren Beschuldigungen und ehrverletzenden Äußerungen hinreißen lassen. – Machen wir da ein Ausrufezeichen? Na ja, das is, machen wir da an Punkt. – Die Behauptung – Anführungszeichen – die Erde würde zunehmend verbaut – verbaut unterstrichen – und durch die zunehmende Verdrahtung gebe es keine Adler mehr, möchten wir mit folgendem Hinweis entkräften – Doppelpunkt; vorher Anführungszeichen – Schluß.
Der Autobahnausbau München-Altötting – Strich – Simbach ist durch weiter durchgeführte Verkehrszählungen gerechtfertigt – Komma – aber durch die Heranziehung von Fachkräften aus dem bayerischen Umweltministerium ist der Transit für mehrere Froscharten und Amphibien zu ihren Laichplätzen – Laich mit ai – so gut wie gesichert – Punkt. In Absprache mit dem bayerischen Verkehrsministerium ist für den Ausbau von eben diesen Autobahnüberquerungsdrainagen für Lurche – Komma – Frösche usw. ein Etat von DM 2 800.-- in Aussicht gestellt. Das angeblich rückläufige Flugaufkommen des Steinadlers wird durch erheblich zunehmenden Flugverkehr unserer Maschinen der Bundesluftwaffe – Waffe mit zwei f – mehr als kompensiert – Punkt. Außerdem als Wappentier – Komma – sowohl als Bundesadler – Komma – wie auch Tiroler Adler – Komma – erfreut der Adler sich zunehmender Beliebtheit – Punkt. Sie behaupten ferner – Komma – in Ihrer Eigenschaft als Indianer – Komma – sowie auch Ihre restlichen Mitglieder – Komma – Sie benutzen hier den vereinsrechtlich nicht relevanten Begriff Stamm – Komma – jeder Teil der Erde wäre mit Ihnen identisch – Komma – und glitzernder Tannenduft sowie das Summen von Insekten wäre Ihnen heilig – Punkt.
Dr. jur. Alfons Zeidelmeier, Sachbearbeiter für das Sektenunwesen in Bayern, wird sich mit dieser Ihrer Aussage beschäftigen – Komma – und Sie auf den Tatbestand der Blasphemie – mit B, weichem B – Tatbestand untersuchen – Punkt. Ihr Vorwurf, daß die Abfallbeseitigung ungenügend sei, entbehrt jeglicher Grundlage. Ich verweise nur auf das vom Umweltministerium in Auftrag gegebene Gutachten von Prof. Hutzlinger – Punkt. – Na ja, denen werden mers zeigen. – Wir fordern Sie hiermit auf, Ihre steinzeitlichen Schmä-

hungen aus der Peripherie ab sofort zu unterlassen – Komma – oder wir sehen uns gezwungen, gerichtliche Schritte gegen Sie zu unternehmen.
Gerichtsstand ist das Landgericht Miesbach.

Hochachtungsvoll

i. A.

....

(Deutelmoser)

Die Exoten

Schauspiel
in 11 Bildern

Personen

Michael Berzelmeier	*Bauunternehmer*
Maria Berzelmeier	*dessen Gattin, Maklerin*
Nepomuk Berzelmeier	*ehem. Landwirt, Michaels Vater*
Theres Berzelmeier	*dessen Gattin, Bäuerin*
Adelheid Gschwendtner	*Wirtin*
Sebastian Erhamer	*Forstarbeiter*
Vitus Strobl	*Veteran*
Benedikt Hofer	*Hausmeister*
Katharina Hofer	*dessen Gattin*
Trudi Hofer	*deren Tochter*
Florian »Gig« Hofer	*Musiker im St. Öd-Trio*
Willi Beitler	*Musiker im St. Öd-Trio*
Christoph Meindl	*Musiker im St. Öd-Trio*
Joseph Stadler	*Nebenerwerbsbauer*
Georg Neuchl	*Jungbauer*
Alfons Schucker	*Bürgermeister von St. Öd*
Elfriede Schucker	*dessen Gattin*
Helga Kratochwil	*Bedienung*
Monsignore Höpfl	*Pfarrer von St. Öd*
Dr. Gerd Zeck	*Importkaufmann*
Franziska Güstrop	*Zecks Lebensgefährtin, Hobbymalerin*
Dr. Uwe Benningsen	*Zahnarzt*
Uli Hüsch	*Studienrat mit alternativen Ansichten*
Maja Hüsch-Nowottny	*dessen Gattin*
Horst Jüssen	*Friese, Hausmeister*
Emilio	*Sarde, Hausmeister*
Herr Gyaram	*Pakistani*

Handwerker 1
Handwerker 2
Ein norddeutscher Gast mit Frau und Kind
Einwohner von St. Öd

1. BILD: WIRTSHAUS

Ein Gastraum mit Schanktisch, mehrere Tische, ein Stammtisch ohne Tischdecke, ein Nebenraum mit einer kleinen Bühne, die wie eine typische Volkstheater-Bauernstube dekoriert ist.

Im Gastraum sitzen am Stammtisch: Erhamer, Strobl, Hofer, Stadler. Die Wirtin steht hinter der Theke; Helga, die Bedienung, wartet gerade auf ein Bier, das die Wirtin zapft. An einem der Nebentische sitzt ein Handwerker.

Im Nebenraum sitzt Monsignore Höpfl im Zuschauerraum, auf der Bühne spielt das St. Öd-Trio gerade eine Art Vorspiel. Das Vorspiel ist zu Ende ...

NEUCHL *stürmt auf die Bauernbühne.* Wo is sie? Wo is sie? Ich muß sie jetzt glei sehn! Wenn i sie jetz net glei find, dann weiß ich nicht, was dann passiert. *Unterbricht sein Pathos.* So, jetzad brauchad ma d Helga. I kon ja sonst net aso weidamacha ...

HÖPFL Ja, jetzt bräuchten wir das Fräulein Helga. *Steht auf, ruft in die Gaststube* Ah, Fräun Helga, wie siehts denn aus?

HELGA I kimm glei, Hochwürdn.

HÖPFL Machen wir vielleicht einstweilen nochmal das Vorspiel ...

GIG *ist aufgestanden.* I muaß amoi kurz ... spuits dawei gschwind ohne mi, i kimm glei wieda. *Ab.*

HÖPFL Neinnein Florian, wir warten dann solange.

HELGA *stellt dem Handwerker das Bier hin.* Kriagt vo eich no oana a Bier, wei i muaß jetz umi zum Spuin.

ERHAMER Kimmts Fernsehn?

HELGA Ageh, Schmarrn. Kriagt wer no was?

STROBL A Weiß.

HELGA Ein Weizen!

WIRTIN Ein Weizen ...

ERHAMER I hob gmoant, du wuist jetz aa nei ins Fernsehn, so wia er, unser Fernsehstar. *Zum Handwerker* Wenn S' a Autogramm wolln, da sitzt er. *Deutet auf Hofer, Gelächter.*

HOFER Hör auf mit dem Kas.

ERHAMER Eahm sei Hand war fei scho im Fernsehn, ehrlich, drei Sekundn lang, ohne Schmarrn. *Gelächter.*

STROBL War jetz des dei linke oder dei rechte Hand, Beni?

HOFER Ageh, Schmarrn, jetz hörts auf.

ERHAMER Naa, er is unser Fernsehstar. Da warns da, de vom Fernsehn, hams gsagt, er soll Schnee fräsn, und na kimmt er im Fuim vor – fünf Stunden hat er gfräst, da war scho gar koa Schnee nimmer da, uns

[NOCH ERHAMER] alle hat er nachad rebellisch gmacht, daß mirs uns oschaugn solln, na ham mir uns extra den Schmarrn ogschaugt, denk i mir, wann kimmt er denn, wann kimmt er denn, na siehcht ma oamal ganz am Rand so a Hand, des wars dann, des war dann er, persönlich, der Beni.

HELGA So, einmal Weizen, Strobl ...

STROBL Danke ...

ERHAMER Also, gspuit wars fei nicht schlecht, Beni. *Gelächter.*

STADLER Mir aa no a Hoibe ...

HELGA Des fallt da aa früah ei ... Eine Halbe!

WIRTIN Eine Halbe ...

STROBL Seitdem hat der Heinz Rühmann oiwei Angst, daß eahm da Beni die Rolln wegnimmt. *Lacht selber alleine.*

HOFER Ah hörts auf mit dem Kas.

ERHAMER Nanaa, des is scho wahr, mir ham da an Prominenten unter uns, Benedikt Hofer, Schauspieler und Weltmann, wei, der war fei aa scho in Australien. Oan Tog, in Quarantäne, na is er wieder hoam. *Gelächter.*

HOFER Geh, sei stad ...

ERHAMER Sie ham eahm net neilassn.

HOFER Geh Schmarrn, des war ganz anderst!

STROBL In Australien san fei vui Engländer, aber aa vui Deitsche ...

HELGA Da hast dei Bier, Stadler, so, jetz muaß i umi.

STROBL In Australien brauchas de Deitschn zum arbatn.

ERHAMER De Deitschn scho, aba net an Beni. De ham net gwußt, daß er a Schauspieler is, sonst hättns'n net desinfiziern müssn. *Gelächter.*

HOFER Jetz hörts doch endlich amal auf mit dem oidn Schmarrn, i kons nimmer hörn!

STROBL Der Deitsche is in Australien sehr beliebt, fast wia da Japaner.

STADLER Ja, weil er was arbat ...

STROBL Sonst is der Deutsche nur noch in Südafrika beliebt.

STADLER Ja, Windhuk ...

Gesprächspause, allgemeines Brüten; inzwischen im Nebenraum.

HÖPFL So Fräun Helga, schön, daß Sie jetz Zeit ham, da wolln wir gleich mal ...

HELGA Also, geh her, Schorsche, pack mas.

HÖPFL Ah, vorweg, Fräun Helga, und ah, Georg, ich habe mir das überlegt, diese Kammerlfensterszene is doch a bißl läppisch, des laß mir vielleicht am bestn weg, und dann gehn wir gleich rüber zu der Szene, wo der Burggraf mit dem Vater redet.

HELGA Naa, wieso, Herr Pfarrer, de Kußszene, de waar scho wichtig, des is ja des Ärgernis quasi.

HÖPFL Moment, wir prüfen das ... *Liest in seinem Text.*

STADLER Jamei, so is des ...

ERHAMER Was spuitsn da eigentlich?

STADLER Flucht durchs Hintertürl. So a Schwank.

HOFER I zahl dann. *Trinkt sein Bier aus.*

ERHAMER Paß auf, daß net zvui Promille in dei Schauspielerbluat neikemman …

HOFER *winkt ab* Geh. Zahln!

WIRTIN Des macht d'Helga.

HOFER Guat, na geh i umi derweil. *Geht in den Nebenraum.*

HÖPFL Neinnein, liebes Fräun Helga, unser Autor, der Adam Nestvogel, läßt es hier durchaus offen, wie konkret der Anlaß zum Hinauswurf ist. Ah, der Herr Hofer, Sie sind doch heut garnet dran, morgen machen wir die Burggrafenszene. Haben S' Ihren Text am End schon gelernt?

HOFER Jaja, so ungefähr, ah, Helga, i möchad zahln.

HELGA Mei, siehst ja, i hob jetz koa Zeit.

HOFER Na schreibst as auf derweil. Wiederschaugn, Hochwürden. *Geht, im Gastraum* Also, pfüats euch, Servus …

STADLER Ja was isn Hofer, gehst du scho?

HOFER Ja, warum net?

ERHAMER Mei, as Reisefieber. Australien kennt er scho. Vielleicht muaß er jetz nach Brasilien, wega ara Filmrolle … *Gelächter.*

STROBL Ja, da kennas sei Hand gwiß no net. *Gelächter.*

WIRTIN Wiederschaugn, Hofer …

Hofer ab.

NEUCHL *im Nebenraum* Ja, aber Hochwürden, de Kußszene, mei, da kann ma durchaus geteilter Meinung sein, aber i dad sagn, probiern mas doch erst amal aus.

HÖPFL Nicht daß Sie glauben, Herr Neuchl, weil ich jetzt der Pfarrer bin, die Szene ist einfach schwach, das verlangt nicht unbedingt nach einer Realisierung.

HELGA Aber, probier mas doch zerscht amal …

HÖPFL Probiern wir doch erst das Übrige, und wenn uns dann die Szene fehlt, können wir sie immer noch probieren.

HANDW. *zur Wirtin* I glaub, der kimmt net so schnell, no a Halbe …

WIRTIN Helga!!

Michael Berzelmeier betritt mit Schwung den Gastraum.

MICHAEL Servus, beinand, wie schaugts aus? 's Gott Frau Gschwendtner. *Setzt sich an den Stammtisch.*

WIRTIN Ah, der Herr Berzelmeier, Grüß Gott. Helga!!

HELGA I kimm scho!! I komm glei wieder, Hochwürden. *Rennt ins Lokal.*

HÖPFL Jaja, wir warten …

WIRTIN Da, a Bier für den Herrn da …

MICHAEL Helga, bringst ma an Nikolaschka!

HELGA Was?

MICHAEL Halt wia allweil. *Zu Joseph Stadler* Du, Sepp, hast an Moment Zeit, na hock ma uns an an Tisch. I hätt was z redn mit dir.

ERHAMER Derfen mir des net wissn, was es zum redn habts?

MICHAEL Des erfahrst scho no früah gnua, Erhamer, mit Forstwirtschaft hats jedenfalls nix zum toa. Was is, Stadler, kimm ... *Die beiden setzen sich abseits an einen Tisch.*

ERHAMER Aba mit Landwirtschaft wahrscheinlich aa net!

MICHAEL Wahrscheints ...

ERHAMER Könnts in Beichtstui geh derweil, der Pfarrer is net drin. Der tuat Theaterspuin, nebenan.

MICHAEL Halt dei Mäu, Erhamer, is gscheider. Helga, bringst am Sepp und am Erhamer an Schnaps, und am Strobl aa no oan.

ERHAMER I kon mir mein Schnaps oiwei no selber zahln! – Der wenn oan auf d Seitn nimmt ... I möchad wettn, wenn am Stadler ned de Bleichwiesn ghörn dad, na waar er jetz ned kemma, wei, bisher hat der no nia was mitm Stadler z redn ghabt.

STROBL Ja, aber i hob ghört, der Bürgermoasta laßt jetz d Sonnleitn zum Siedlungsgebiet ausweisn ...

ERHAMER Er möchad gern, und der Berzelmeier möcht d Bleichwiesn. Oder, besser gsagt, sei Oide. De is auf an jedn Quadratmeter Bodn aus wia da Teifi auf d arme Seel ...

STROBL Ja, aber wann da Bürgermoasta d Sonnleitn ausweist, na kon er auf der Bleichwiesn Salat opflanzn.

ERHAMER Tua fei as Vitamin B net unterschätzn. Was isn gwesn, mit dem Hochhaus? Des hat er direkt neba eahnan Hof higstellt. Des hätt doch koa Mensch nia net denkt, daß er des jemals derf. Den Scheißkastn, wann i bloß siehg. Des ghört weggsprengt. Jetz warn scho oh da zur Besichtigung, lauter so Preißn.

HELGA Da, Wastl, reg di net auf, da hast dein Schnaps.

ERHAMER Hab i an Schnaps bstellt?

HELGA Vom Michi is er ...

ERHAMER I hab doch scho gsagt, i nimm koan Schnaps vo dem. *Ins Publikum* Wissen S', der moant, er kon an jedn eikaffa, aba mi kafft er net ei, und scho garnet mit am Schnaps. – Helga, bring mir an Schnaps, heit leist i mir oan ... *Helga bringt einen Schnaps.*

ERHAMER So, und den kost wieder mitnehman.

HELGA Naa, der is scho zoid.

STROBL Geh, wast, aso zwider is der junge Berzelmeier aa wieda net.

ERHAMER Na konst ja du sein Schnaps sauffn, i mogn net.

MICHAEL *heftig* Übaleg da's. Übaleg da's! I sag ja nur, übaleg da's, Sepp! Freili hob i aa an Vorteil, aba du scho aa ...

HELGA So, einmal Nikolaschka, ein Schnaps.

MICHAEL Also nachad, Prost! Ois in Ordnung, ois in bayrischer Hand! Samma wieder guat!

ERHAMER Oida Gangster. Paß fei guat auf, da Stadler Sepp is fei a Fuchs... *Alle lachen.*

MICHAEL Na, Helga, was machts Theater, werds was Jugendfreies? *Greift nach ihr.*

HELGA Scho recht, i muaß weidermacha, mir probiern grad.

MICHAEL Was machstn heit hinterher?

HELGA Wahrscheinlich Disco-Dream...

MICHAEL Mitn Schorschi? Jetz sag amal, wennst mit dem mitfahrst, wer zoid'n nachad vo eich as Benzin?

HELGA Ja i gwiß net...

MICHAEL Am Schorschi seine Sprüch kennst doch allmählich.

HELGA De deinan scho aa...

MICHAEL Paß auf: Draußn steht er, einhundertsiebenunddreißig Kilometer hat er drauf, grünmetallic-knusprig frisch von der Firma Porsche. Mit eins a Liegesitze...

HELGA Hastn jetz, wie is er'n?

MICHAEL Spitze! Also, übaleg da's, des is fei a Angebot.

HELGA Du, i muaß jetz... *Läuft in den Nebenraum.*

MICHAEL *siegessicher* Bis nachad! – Also Sepp... *Mauschelt wieder mit Stadler.*

Gig kommt vom Bieseln, Helga besteigt die Bühne.

HÖPFL Aah, endlich, jetzt sind wir wieder vollzählig, da können wir wieder probieren. Fangen wir doch am besten noch mal ganz von vorne an, bitte die Herrn Musici an die Instrumente, und nochmals das Vorspiel...

Ein zweiter Handwerker betritt den Gastraum.

HANDW. 1 Na endlich, wo bleibstn de ganze Zeit?

HANDW. 2 Mei, ein Stau, sag i dir, Wahnsinn. Kimm, dean mas glei eina.

Die Musiker beginnen zu spielen.

STROBL Aba i moan, da Bürgermoasta kriagt d Sonnleitn eher durch wie da Berzelmeier de Bleichwiesn.

ERHAMER Sag des net, sei Oide soll si mitm Landrat recht guat steh...

STROBL Ja, aber im Endeffekt kimmts aufn Heinzel drauf o, vom Wasserwirtschaftsamt...

HANDW. 1 So, Frau ah, Sie, wo dean mas'n hi?

WIRTIN Da, neba da Tür hab i extra freigmacht...

Die beiden Handwerker bringen eine Musikbox.

ERHAMER Aha, de Musi kimmt... *Laut zu Stadler* Laß di fei net druckn vo dem Bazi, du host so scheene Maulwürf in deiner Wiesn, da kost für an jedn was extra verlangan.

MICHAEL Da Stadler woaß scho selber, was er zum toa hod.

HANDW. 1 Wo isn a Steckdosn?

WIRTIN *deutet* Da.

HANDW. 1 Ahja, also, was is? Probier mas glei aus?

WIRTIN Ja, sowieso, Sie waarn guat...

STROBL Deads ma aba fei ja koa Negermusi nei, des ham mir scho im Radio an ganzn Tag, des Gedudel. Kunntn doch aa amoi deitsch singan aa...

Die Musikbox beginnt leise zu spielen.

HANDW. I Da, schaun S' her, und da ko ma dann de Lautstärke stufenlos regeln...

WIRTIN Wo?

HANDW. I Da. *Dreht zur Demonstration allmählich voll auf, die Musiker im Nebenraum hören irritiert zu spielen auf.*

WIRTIN *laut gegen den Musikboxlärm zum Publikum* Wissen S', wenn S' mich persönlich fragn, ich kann diese Musik eigentlich aa net leidn, aba des hat ma heut aso. Bei uns im Landkreis macht oa Disco nach da andern auf und oa Wirtschaft nach da andern zua. Ma muaß halt a bißl mit der Zeit geh, sonst geht d Zeit über oan weg, oder, findn S' net?

2. BILD: ZWEI SCHLAFZIMMER

Im Schlafzimmer 1
befinden sich Michael und Maria Berzelmeier,
im Schlafzimmer 2
Alfons und Elfriede Schucker.

ALFONS Also dann, Elfi, guat Nacht.

ELFRIEDE Gut Nacht, Alfons, und denk jetzt nimmer so viel nach, sonst schlafst mir wieder d halbe Nacht net. *Macht das Licht aus.*

MARIA Heut war des Berliner Rentnerehepaar da zur Besichtigung. *Richtet sich zur Nacht.*

MICHAEL *schon im Bett* Und, kaaffas?

MARIA Sie san noch unentschlossen, aber als immer größeres Handicap stelln sich de Fichtn vom Strobl raus. Heit, aa wieder, hat die Frau gfragt: Wo ist denn da der Wilde Kaiser? Na hab i wieder sagn müssn: Gnä Frau, da, hinter dene Fichtn, aber de kommen weg, de Fichtn, gnä Frau, na fragt sie: Ja, wann, na sag i: Ja, bald, gnä Frau. I sag dirs, die Leut, die wolln einfach alle an Gebirgsblick habn, des muaß ma aa versteh, de müaßn an Haufn Geld hilegn, da kann ma dann scho aa an Gebirgsblick verlangen, zumal mirs ja mit Gebirgsblick inseriert ham...

MICHAEL De solln si net aso ham, scho wenn ma aus der Tiefgaragn rauskimmt, siecht ma an Wildn Kaiser.

MARIA Ja, von der Tiefgaragn, aber von der Wohnung aus net, wega dene Scheißfichtn, des is doch direkt a Geschäftsschädigung.

MICHAEL Aba Maria, du woaßt doch genau, i hob im Strobl seine Fichtn in a jede a paar Kupfernägel neighaut, no vor der Hebweih, werst as sehgn, a halbats Jahr, höchstens a Jahr no, na san de Baam kaputt, de nadeln jetz scho.

MARIA Naa, des muaß schneller geh, irgend a Mittel, an WC-Reiniger oder Rohrfrei, na gehts schneller. A halbs Jahr, wenn mir no wartn, san mir pleite. Der Verkauf geht grad dermaßen schleppend. Und derweil kaaft uns a anderer aa no d Bleichwiesn weg.

MICHAEL Nanaa, nix, i hob heit mitm Stadler gred, der Hund is ja so blöd, des haut scho hi.

MARIA Ja, hoff mas, aba woaßt, Michi, i hab ma halt heut nomal überlegt, mir müassn jetz dein Vater ins Penthouse neisetzn, des is einfach des beste Verkaufsargument, wei, wenn sogar der ehemalige Bürgermeister vom Ort im Penthouse wohnt, des überzeugt die Leut.

MICHAEL Ja, aber du wuist doch net an Bab ins Penthouse einitoa, und d Mam scho glei garnet.

MARIA Mei, warum net? Sie is doch eh nimmer so guat auf de Fiaß, da hams eahna Lift, eahna Heizung, warm Wasser, a guate Luft, an jedn Komfort und an herrlichen Alpenblick, was woins denn mehr?

MICHAEL Den Alpenblick hams dahoam aa.

MARIA Andere müassn a halbe Million hilegn, daß sowas kriagn, de solln froh sei!

MICHAEL Aba i sag da's, da Bab geht ma nia nei.

MARIA Der muaß nei! Der Hof is ja scho so guat wia verkaaft, und wenn mir den Hof jetz net schnellstens verkauffn, na san mir vollends restlos pleite! Außerdem habts ihr des alle mitanand gwußt, des war fest in die Finanzierung mit eingeplant.

MICHAEL *seufzt* Und da wuist du de Bleichwiesn aa no kaafa.

MARIA Müaß ma, müaß ma. Des is des Geschäft in de nächstn fünf Jahr, mindestens, mir brauchen ja irgendwie a Perspektive, Mann!

MICHAEL Der Schucker möcht d Sonnleitn durchdruckn, und er is immerhin Bürgermoasta, und do waar aa wos verdient...

ALFONS Siebenundvierzig Wohneinheiten bring ma mindestens unter, sagt der Graber.

ELFRIEDE *im Halbschlaf* Wer?

ALFONS Der Graber, Dieter, der Architekt. Er sagt, mir können ja die Vorgärtn alle a weng kloana macha, dafür scheint ja d Sonn hin.

ELFRIEDE *im Halbschlaf* Jaja...

ALFONS Und die Gemeinde hab ich praktisch scho hinter mir, jetz kimmts praktisch nur noch aufn Landrat an.

ELFRIEDE Des woaßt ja, daß sie mitm Landrat per du is...

ALFONS Macht nix, mir beteiligen an Berzelmeier am Bauauftrag, na halt er scho stad. Muaß er ja praktisch, wei, finanziell is er ja grad ganz schee am Paddeln. Jedenfalls diesmal macht unser Rest-KG as

[NOCH ALFONS] Geschäft und net der Berzelmeier. – Entscheidend is eh der Heinzel vom Wasserwirtschaftsamt, ob der mitzieht.

MARIA Der Schucker, wenn mit seiner Sonnleitn in der Gemeinde durchkimmt, schalt i an Otto ein. Landratsamt geht vor Gemeinde.

MICHAEL Der Otto kon aa net alles durchsetzn, sonst fallt des auf.

MARIA Na laß i sei Beteiligung an der Rest-KG auffliegen, er als Bürgermeister derf des nämlich garnet, dann kann der Otto was macha.

MICHAEL Ah, des huift garnix. Des woaß eh a jeder, daß er in der Rest-KG drinsteckt, aber beweisn kost as eahm schlecht. Außerdem hat uns ja die Rest-KG aa scho einiges bracht.

MARIA Na pack mirn übern Heinzel vom Wasserwirtschaftsamt.

MICHAEL Ja, genau, der Kanal is eh überfüllt.

MARIA Aber ham mir net bei der Bleichwiesn, is des net derselbe Kanal?

MICHAEL Ach, mitm Heinzel fahr i heuer wieder nach Alaska nauf zum Fischn. Wo ein Wille ist, ist auch ein Weg.

MARIA Geh, der Heinzel fahrt aa genauso zum Schucker seim Ferienappartement an d Riviera, also, da waar i net so sicher.

MICHAEL Aja, mitm Heinzel kann ma redn.

ALFONS Also je länger i nachdenk, de Bleichwiesn, de hat koa Chance, desmal ham se si verrechnet. I hobs aa am Stadler scho gsagt, de konst eahm ruhig verkaffa, hab i gsagt, wei, da geht eh nix. Wasserwirtschaftlich waar des ja a Wahnsinn, des moant aa der Heinzel.

ELFRIEDE Und wenn der Heinzel jetz doch net mitzieht?

ALFONS Elfimaus, er is doch heuer im Juli wieder drunt bei uns, also mitm Heinzel, mit dem kann ma scho redn. *Dreht sich im Bett in eine angenehmere Position.*

3. BILD: STRASSE

Strobl und Nepomuk Berzelmeier kommen von einer Beerdigung, bleiben beim Kriegerehrendenkmal stehen.

STROBL *seufzt* Jetz hats den Greppmeier aa derwischt. Mei, am Schluß hat ers eh nimmer schee ghabt, er hat ja nix mehr beißn könna, aba i moan, daß er liaba dahoam gstorbn waar.

NEPOMUK Mei, so geht alles seinen Gang. Gegas Schicksal kost nix macha. A jeds muaß halt amal sterbn, so schaugts aus.

Von der anderen Seite kommen Michael Berzelmeier und Helga.

HELGA Jessas, dei Vatta.

MICHAEL Wo? *Helga deutet.* Kimm, schleich ma uns, er muaß uns ja net mitanand sehn ... *Beide ab.*

STROBL Jetz samma praktisch mir de letztn zwoa Aktiven vom Veteranenverein. Ob mirn auflösn?

NEPOMUK Ah, des löst si ois von selber auf.

STROBL Oder solln ma vielleicht a paar Junge dazuanehma? Z Dirling hams a paar Junge gnomma von der Bundeswehr.

NEPOMUK A geh, was wuistn mit dene...

STROBL Hast scho recht, des hat koan Wert nimmer. Mir zwoa haltn des net auf. Schaug da's o, bei mir hinterm Haus, de Baam varrecka jetz aa.

NEPOMUK Was, de scheena Fichtn?

STROBL Ja genau. Neba dem Kastn, den wo dei Bua higstellt hod. Oane nach da andern nadelt. Des kimmt vo dera Umwelt. Mei, was wuist da macha?

Studienrat Hüsch und Gattin Maja kommen in alternativer Aufmachung.

HÜSCH Im Kern scheint der Ort noch voll intakt zu sein. Ah, da is jemand. Entschuldigense bitte, wenn ich Sie hier störe, ich suche Froschanger 3a...

MAJA Froschanger 3a, hier in der Nähe irgendwo.

NEPOMUK Froschanger? Wo soll des sei?

HÜSCH Das sind so Eigentumswohnungen...

STROBL Ah, de Appartements, da, nicht zum Übersehn...

HÜSCH Ah ja, vielen Dank, komm Maja, gehn wir... Also, Tschüß.

MAJA Vielen Dank auch, Tschüß...

NEPOMUK *Schüttelt den Kopf.* Froschanger, daß mir agrad mei Bua des otuat und an solchanen Kastn da einistellt, des wenn i vorher gwußt hätt, na hätt i an Hof nia net übergebn. Aba des is, wannst mi fragst, is des sie, die wo dahintersteckt. Mei Michi is ja vo Haus aus a so a guata Bua, aba sie is a ganz a Ruachate, die riacht as Geld wia d Katz an Ratz.

STROBL Da werd eich jetz scho so a Zeugl eiziagn in des Haus. Gestern warn scho oa da, da werds doch unter dene eppa aa no oa gebn, de wo vielleicht wenigstens a bißl irgendwie...

NEPOMUK *seufzt tief durch* Mei, gegas Schicksal, da kost halt amal nix macha...

4. BILD: MILLIONÄRSVILLA. SOUTERRAIN-HAUSMEISTERWOHNUNG

Familie Hofer sitzt beim Mittagessen. Benedikt Hofer ist sichtlich nervös; er ißt hastig und unkonzentriert.

HOFER Jetz halt mir as Essn derweil warm, i moan, jetz kemmans.

KATHARINA Immer grad, wenn mir beim Essn san.

TRUDI Wieso ißtn net fertig, Bappa, de solln halt wartn.

HOFER A halt du di da raus, du woaßt genau, um was's geht. Aso a saudumms Gred.

KATHARINA Wenn der Bappa net übernommen wird, na müssen mir alle naus.

GIG De san net auf uns ogwiesn, sondern mir auf die.

Hofer ist aufgestanden und macht sich auf den Weg.

KATHARINA Steck dei Hemad gscheid nei... *Hofer ab.*

TRUDI Also ich kanns mir nimmer mit anschaun, wie sich der Bappa bei diese Leut prostituiert, bloß weils a Geld ham, diese Anbiederei...

KATHARINA Trudi, des sagst net nomal!!

GIG Aber da herin wohnen wolln.

TRUDI Nimmer lang, keine Angst, nimmer lang...

KATHARINA Lernts es in der Schui überhaupts nimmer denka...

Die Millionärswohnungstür geht auf, Maria und Michael Berzelmeier, Dr. Benningsen, Dr. Zeck, Franziska Güstrop und Benedikt Hofer treten ein.

MARIA So, Herr Doktor, da wärn mir jetz, alles wie aufm Foto, schaun S' sich nur in Ruhe um...

MICHAEL Aja, übrigens, des is der Herr Hofer, der hat bisher dieses Anwesen betreut, der Herr Hofer wohnt im Augenblick noch in der Einliegerwohnung druntn...

GÜSTROP Hach, diese Bilder, entsetzlich... Wie kann man nur so einen Raum...

HOFER De Buidln ham fei a Heidngeld kost...

MARIA Herr Hofer, was die Bilder für a Qualität haben, des können die Herrschaften sehr gut selber entscheiden.

MICHAEL Der Herr Konsul war, soweit ich informiert bin, oiwei recht zufriedn mitm Herrn Hofer. Es steht jetz die Frage, ob S'n übernehmen wolln, oder nicht, i moan, die Räumlichkeiten vom Herrn Hofer wern Sie ja wahrscheinlich eh net benutzn wolln, is eh Souterrain, und insofern waars dann ganz praktisch.

ZECK Ja, schön, wern wir mal sehn...

MARIA Herr Hofer übernimmt auch kleinere Reparaturen, die so anfallen...

MICHAEL Und im Winter tut er Schnee fräsn.

ZECK Ah so ja, Schnee fräsen...

HOFER Ja, beim Baron Unterberg hob i aa Schnee gfräst, der war oiwei zufriedn...

MARIA Das tut hier aber nichts zur Sache, Herr Hofer, gel?

MICHAEL Ja, und der Hofer macht Eahna aa as Brennholz fürn Kamin.

ZECK Ahja, hier, dieser Kamin hier war schon.

MICHAEL Jaja, aber im Vertraun, da drübn waar er wahrscheinlich geeigneter. Des Haus is von der Rest-KG gebaut wordn, und dene ihr Architekt, der Herr Gruber, hat da meiner Ansicht nach an kloana Wurm, also an Fehler neibracht.

MARIA *rempelt Michael.* Aber so, von der Bausubstanz her ham die des sehr solide gmacht.

MICHAEL Den Kamin kannt i Eahna ja amal bei Gelegenheit umsetzn.

ZECK Ja, bei Gelegenheit können wir das ja mal machen. Wenn ich grade nich da bin, also nur nicht an Weihnachten und Neujahr, wissen Sie, Weihnachten suche ich immer die Berge. Und vielleicht mal im Sommer ne Woche. Herr Dr. Benningsen, was meinen Sie nu?

BENNINGSEN Kein schlechter Griff...

HOFER Ja, aber wenn Sie praktisch as ganze Jahr fast nia da san, na waars im Grund doch as beste, wenn i bei Eahna aa wieda mit der Hausmeisterei...

GÜSTROP Also nee, diese Bilder, ich kann garnich hinsehn, Schnubbel...

ZECK Jaja, Knipsi, überhaupt das ganze Interieur ist grauenvoll, was war denn dieser Konsul fürn Mensch?

HOFER De Sachan ham fei alle an Haufn Geld kost...

MARIA Halten Sie sich da raus, Herr Hofer.

MICHAEL Herr Hofer, ham S'n kaltgstellt?

HOFER Den Sekt, wo Sie mir gebn ham?

MICHAEL Naa, an Champagner. Ham S'n?

HOFER Ah so, jaja...

MICHAEL Also dann, sst... *Hofer eilt.*

MARIA Und, san S' jetz zufriedn, Herr Dr. Zeck?

ZECK Naja, man muß schon noch hier einiges dran drehn.

MICHAEL Aber so im Prinzip? Des waar doch jetz eigentlich ein gegebener Anlaß für ein Gläschen...

ZECK Jaja, schon gut.

GÜSTROP Nein, diese Bilder...

ZECK Laß ma, Knipsi, kriegn wir schon...

Im Souterrain.

HOFER Schnell, an Sekt, tua den Sekt her...

KATHARINA *läuft* Und, was is, hauts hi?

HOFER Schaugt guat aus...

KATHARINA *kommt mit Champagnerflasche* Mei, hoffentlich...

HOFER I glaub, i habn scho im Griff. Mit so Leit muaß ma redn können... *Ab.*

Oben.

GÜSTROP Iih, was isn das hier?

MARIA Ich glaub, des is a Skulptur.

ZECK Ne Skulptur? – Ist doch erstaunlich, wie manche Leute leben. Schauen Sie, Leute wie Ernst Barlach, Henry Moore, Warhol oder Le Corbusier, sowas belebt einen Raum, das vitalisiert, aber das hier...

MARIA Ja, da ham Sie recht...

MICHAEL Genau...

ZECK Oder, was finden Sie, Herr Dr. Benningsen?

BENNINGSEN Ja, ich kann da leider nicht so mitreden, ich liebe nun mal mehr das Einfache, Bäuerliche, das Rustikale.

MARIA Übrigens, weil S' grad von rustikal redn, Herr Dr. Benningsen, der Sandhof, der waar jetz frei. Ich mein, weil S' neulich so interessiert waren, also meine Schwiegereltern ham sich also doch entschlossen, in des Penthouse umzuziehn, das mir für sie gebaut haben.

MICHAEL Sie, mit so oide Leit, des war fei garnet so einfach.

BENNINGSEN Respekt. Da haben Sie recht, ich kenne die Bauern. Wenn Bauern einmal ihren Hof verlassen, da gehört allerhand dazu, da gehört allerhand dazu. Ich habe das im Münsterland erlebt, bei meinem ersten Bauernhof, nichts wie Ärger, nichts wie Schwierigkeiten, ich kann Ihnen nur sagen: Ich kenne meine Bauern. Sowas von dickköpfig, aber ich habe gelernt, mit ihnen umzugehn. Bauern sind scheu. Glauben Sie mir, Herr Berzelmeier, aber wenn ein Bauer Sie mal in sein Herz aufgenommen hat, dann haben Sie einen treuen Freund, bis zum Ultimo, glauben Sie mir.

MICHAEL Ja, des glaub ich Ihnen.

MARIA Ja, da ham Sie recht, Herr Dr. Benningsen, also, es san ungefähr viertausend Quadratmeter Grund dabei und a ausbaufähiger Stadel.

BENNINGSEN Naja, ich freue mich jedenfalls, daß es doch noch geklappt hat.

MICHAEL Sie sand no net ganz draußn, aber sie habens jedenfalls fest vor.

BENNINGSEN Also, wenns dann soweit ist, unternehmen Sie die notariellen Schritte, natürlich nur, wenn es bei dem Preis bleibt. Hier ist meine Karte, Frau Berzelmeier, Sie können zu jeder Tages- und Nachtzeit anrufen, meine Sekretärin richtets mir immer aus.

MARIA Aber mir macha des scho, wie ma gsagt ham, mit Unterverbriefung...

BENNINGSEN Wie? Ach so. Na klar, is alles schon auf dem Sperrkonto. *Schwarzgeld-Geste.*

Hofer steht schon eine Weile mit dem Champagner herum.

HOFER Aaah, der Sekt waar jetz da.

ZECK Achsoja, machen Se...

HOFER I habn glei ausm Kühlschrank raus, also mei Frau hat extra no a bißl mehr aufdraht. *Hält Zeck die Flasche hin, die Flasche ist total vereist.*

ZECK Ja, aber sagen Sie mal, was haben Sie denn mit der Flasche gemacht, guter Mann? Die is ja total vereist.

HOFER I hobn ins Eisfach neitoa, weil doch der Herr Berzelmeier gsagt hat, von wegen...

MICHAEL Geh Hofer, der is ja total vereist, so kon den ja koa Mensch trinkn.

HOFER Soll i an Tauchsieder holn?

ZECK Neinnein, lassen Sie mal...

HOFER Mitn Tauchsieder geht des rasant...

MARIA *zum Publikum* Mei is des ein Depp...

ZECK Schon gut, schon gut...

MARIA Ja, also, Herr Dr. Zeck, ich bin jetz im Augenblick scho wieder a bißl im Streß, ich hab wieder a Wohnungsbesichtigung, in unserm Penthouse drübn, Sie wissn ...

ZECK Jaja, das versteh ich, und hier wären wir ja auch soweit klar.

GÜSTROP Und nicht vergessen: am Dreizehnten Einweihung, da kommen Sie doch alle!

ZECK Und bringen Sie vielleicht nochn paar zünftige Leute mit, so Einheimische und sowas.

MICHAEL Jaja, des geht in Ordnung, des kriegn mir schon, also dann ...

BENNINGSEN Herr Doktor, das mit dem Sekt war ja nett gemeint, aber ich glaube, ich werde mich den Herrschaften dann auch gleich anschließen, jedenfalls, fein, daß wir nu Nachbarn werden. *Schüttelt Zeck die Hand.* Gnä Frau, auf Wiedersehn.

GÜSTROP Tschühüß.

ZECK Tschüß.

MARIA Tschüß.

MICHAEL Tschüß.

HOFER Also. Tschüß dann, Herr, ah, Herr Doktor ...

Benningsen, Maria und Michael Berzelmeier ab.

ZECK Ääh – was wollten Sie noch hier, guter Mann?

HOFER Ja, äh, naa, i hob jetz bloß gmoant, wega der Schneefräsn, und wer des dann irgendwie ...

ZECK Jajajaja, das kriegen wir schon. Apropos, weil Sie schon da sind, Herr Steindl ...

HOFER Naa, Hofer hoaß i.

ZECK Verzeihung, Herr Hofer, Sie wissen nicht gerade zufällig jemand, der vielleicht Verwendung hätte für diese Einrichtungsgegenstände hier?

HOFER Des kommt oiwei aufn Preis drauf o.

ZECK Nönönö, raus, raus, raus. Das kostet garnüscht, ich will diese Sachen hier nich mehr sehn.

HOFER Ja, aber des Sach hat fei narrisch vui Geld kost.

ZECK Das interessiert mich nich, schaffen Sie diese Utensilien weg, da, diese Sessel, diesen Tisch da, diesen Pseudobarock ...

HOFER Den Sessel da?

ZECK Natürlich. Alles, alles ...

GÜSTROP Nöö, Schnubbel, die Teppiche kann er man dalassen.

ZECK Ja, also, die Teppiche lassen Sie man da.

HOFER Gel, des waar doch schad. Des san echte. – Ah, waars Eahna recht, wenn i jetz dann glei ...

ZECK Je eher, desto besser, machen Sie, machen Sie ...

HOFER Also, i fang dann glei o ...

ZECK Ja. Holen Sie sich Hilfe, wenn Sie brauchen.

HOFER Naa, des kriag i scho alloa. Also, i nimm an dann. *Nimmt einen Sessel.*

GÜSTROP Mann, ist der schwerfällig.

ZECK Soll ichs Ihnen schriftlich geben?

HOFER Naa, also, dann nimm i'n glei. *Geht mit dem Sessel ab.*

GÜSTROP Mensch, das is ne Pfeife...

ZECK Laß ma, Knipsi. *Ans Publikum* Wissen Sie, ich muß sagen, diese einfachen Leute, da braucht man schon manchmal Geduld, aber sie haben ne Originalität am Leib. Ohne solche Leute wäre die Alpenregion n Stück ärmer. Wissen Sie, ich liebe solche Menschen. Das, was unserer Zeit heute fehlt, ist Originalität. Schauen Sie, zum Beispiel Kenia, das einzige, was die Leute da noch sind, ist schwarz, also Hautfarbe, sonst sind se total versaut. Komm, Knipsi, fahrn wir mal rüber nach Tirol, hier kann man ja nirgends anständig essen...

GÜSTROP Okay, Schnubbel, der soll man alleine räumen. *Beide ab.*

Souterrain.

HOFER *kommt mit dem Sessel.* Haut scho!

KATHARINA Ja, was machstn mit dem Sessel, sollst den repariern?

HOFER Naa, der bleibt jetz da herin. Schnell, kimmts alle schnell gschwind mit nauf, des is a Mo, a feiner Mo, der hat uns die ganze Einrichtung gschenkt, bis auf die Teppiche!!

KATHARINA Geh!

HOFER Wenn i da's sag. Ois, ois, was am Konsul ghört hat, bis auf die Teppiche!!

TRUDI Und du möchst jetz des ganze Glump da bei uns neistelln?!

HOFER Dir gib i glei a Glump! Was moanst, was des wert is?! Des san Wertobjekte!

TRUDI A schiachs Glump is!!

HOFER Halts Mäu, teier is!!

5. BILD: PENTHOUSE

Familie Berzelmeier junior und senior stehen im Penthouse herum, am Boden ein paar Kartons. Eine lange drückende Pause.

MARIA Soll ma euch as Gschirr auspackn helfn?

NEPOMUK Naa, des könn mer scho selber.

MICHAEL Mögn mir was zum Trinkn, zur Einweihung?

NEPOMUK Naa, i hob koan Durscht.

MICHAEL Mam?

NEPOMUK D Muatta mog aa nix.

MICHAEL Jetz seids halt net aso. Des hat ois seine zwoa Seitn. Schaugts, es seids doch aa nimmer de Jüngstn, da, da geht a Lift rauf, Zentralheizung, fließend heiß und kalt Wasser, jeder Komfort, des habts drübn ois net ghabt...

MARIA Und da Fernsehempfang is da herin aa vui bessa, wei, des is a Hochantenne.

MICHAEL Jetz ham mir eich de ganzn scheenan teiern Möbel hertoa, aber wenn eich de Garnitur net gfallt, de könn ma fei jederzeit umtauschn in an andern Farbton ...

MARIA Jetz machts es eich doch a bißl schee da herin, schaugts, es habts da herobn an so an scheena Blick naus, nach alle Seitn ...

NEPOMUK Ja, da, am Strobl seine Fichtn ...

MICHAEL Ja, genau ...

NEPOMUK De kemman aa weg.

MICHAEL Geh, was, wia des?

NEPOMUK De san vergift.

MICHAEL Ja, wie kon der Strobl sowas behauptn?

NEPOMUK De san jetz scho braun, de kemman weg.

MARIA Aber Bappa, dann hast doch dafür an scheena Blick aufn Kaiser.

NEPOMUK Geh, red doch koan Schmarrn ...

MICHAEL Da, und da drunt hast an herrlichen Blick aufn Hof.

NEPOMUK Ghört ma nimma.

MARIA Ja, aba as Haus is ja no da, und kommt aa net aso schnell weg.

MICHAEL Mei, innen werds halt a weng hergricht ...

MARIA Da kimmt da Dr. Benningsen nei, des is fei a sehr netter Herr, den werds aa amal kennalerna bei Gelegenheit.

Pause.

MICHAEL Mei, Bappa, mir lebn halt davo ...

NEPOMUK Ja, des hab i gmerkt.

MICHAEL I woaß scho, es brauchts a bißl Zeit, bis eich eigwohnt habts, aba des werd scho ... *Ans Publikum* Jaja, so oide Leit, des is oiwei schwierig. Aba, was wolln S' denn, i find, de solln si net so ham. De san ja im selben Ort, und so ham ses doch wirklich net schlecht da herinn, oder? Und mir sand doch schließlich aa no do. Mei, und mir leben halt in einer Zeit der Verdichtung, und des hat halt ois seine Konsequenzen, und i muaß ja schließlich aa lebn, da schaut sich manches leichter an, wias in Wirklichkeit is. Und des is manchmal schwierig, bis ma des jemand klarmacha ko. Verstehn S' mi?

MARIA Mei jetz seids halt net aso, es is halt amal aso, wies jetz is. Und des is für euch net des Schlechteste, glaubts mir des.

MICHAEL Der Gruber, der Architekt, woaßt scho, Bab, der wohnt fei aa in am Penthouse, der sagt, eahm bringen koane zehn Pferde mehr raus.

MARIA Mei, und, ah, was i no sagn wollt, es kon jetz in nächster Zeit ab und zu amal sei, daß Leut vorbeikommen, de wo si des oschaugn wolln. Na seids net aso. Machts eahna halt auf und zoagts as eahna a bißl, und wenn mir net da san, gebts eahna halt unser Telefonnummer. Übrigens, wenn da wer was sagt, daß er net gscheid nausschaugn ko,

[NOCH MARIA] na könnts es dene Leut ruhig sagn, daß de Fichtn wegkommen, weils da Strobl wegmacha wui.

MICHAEL Ja, ah, also, ah, mir gehngan jetz derweil. Laßts es euch guat geh, und ah, mir samma ja net aus der Welt. *Aufbruchsgeste zu Maria.*

MARIA A Telefon kriegts es jetz bald aa no, und übrigens, a Kelleranteil steht euch aa no zua ...

MICHAEL Also dann, pfüat di derweil, Mamma. – Bab, pfüat di. Also, pfüats euch ...

MARIA Also dann, pfüats euch, und – laßts euch guat geh ...

Maria und Michael gehen verlegen ab, Mutter Resl fängt leise zu schluchzen an.

NEPOMUK *legt den Arm um sie.* Geh weiter, Muatta, was is, soll i an Sekt aufmacha? ...

6. BILD: WIRTSHAUS

Im Gastraum sind inzwischen auf allen Tischen bis auf den Stammtisch Tischdecken.

Am Stammtisch sitzen Hofer, Stadler, Strobl, Erhamer. Am Nebentisch sitzt eine norddeutsche Familie, die gerade gegessen hat.

Im Nebenraum wird wieder Theater geprobt.

NEUCHL *stürmt auf die Bühne* Wo ist sie? Wo ist sie?! Ich muß sie jetzt gleich sehen. Wenn ich sie jetzt nicht finde, weiß ich nicht, was passiert ...

HELGA Xaver, mein Xaver, schau doch, hier bin ich!!

HÖPFL Schön, halt. Halt, ihr Lieben. Äh, Neuchl, Sie müssen etwas stürmischer herausbrechen, und Fräun Helga, bitte etwas später. Er sucht ja noch ...

NEUCHL Also guat, glei nomoi. *Verschwindet, stürmt wieder herein.* Wo ist sie? Wo ist sie? Ich muß sie jetzt gleich sehn. Wenn ich sie jetzt nicht finde, weiß ich nicht, was dann passiert ...

VATER Fräulein, wir wollen zahlen.

WIRTIN Ja, ist guat, i sags ihr. Helgaa!!

HELGA Xaver, Xaver, schau doch, hier bin ich! I kimm scho!! Es tuat ma leid, i muaß gschwind naus. I kimm glei, Hochwürdn ... *Geht in den Gastraum.*

NEUCHL Ha, so werd des nia wos ...

HÖPFL Schon gut, Fräun Helga, wir warten ...

WIRTIN Lang schaug i da fei nimmer zua, daß i da wega an jedn Schmarrn hinterherlaffa muaß. Dafür brauch i koa Bedienung.

HELGA Es is ja nur no zwoa Wocha, Frau Gschwendtner, na ham mir Premiere.

WIRTIN Des geht einfach amal net, mir samma hier a Dienstleistungsgewerbe.

VATER Zahlen bitte!

HELGA Ja, guat, also ...

VATER Wir hatten einmal Pfeffersteak und dieses Schweinelendchen indisch sowie einen Kinderteller.

HELGA Ja, und den Salat extra.

VATER Jaja, richtig, dann n Bier, n Spezi un ne Coca ...

HELGA Brötchen?

VATER Hattest du ne Semmel, Kerstin?

MUTTER Nöö. Petra auch nich.

VATER Kein Brötchen.

HELGA I hob aba oa Brezn herbracht.

VATER Ahjaja, richtig, ja, ne Breze, richtig, die Breze, ja, das wars dann ...

HELGA Siebenunddreißig vierzig die Herrschaftn. *Zum Stammtisch* Kriagt vo eich no oana was?

STADLER Bring mir no a Weiß, san mir bald dro?

HELGA Ein Weizen. Mir probiern grad die Liebesszene ...

WIRTIN Einmal Weizen ...

ERHAMER Was is Helga, bist du dann oben ohne?

HELGA Des dad dir aso passn. *Kassiert.* Dankeschön.

VATER Wiedersehn.

WIRTIN Wiederschaugn, hats gschmeckt?

MUTTER Ja, war Klasse ...

VATER Glauben Sie, Frau Wirtin, das Wetter hält noch fürn paar Tage?

WIRTIN Ja, der Wetterbericht sagt, es bleibt beständig, mei, so genau woaß mas nie, aber ich glaub schon, es sei denn, es kimmt a Schlechtwetterzone daher, aber mir ham jetzt grad Holländer daghabt, und die ham gsagt, in Holland wars heuer furchtbar, nichts als Regen ...

VATER Tja, dannwollnwirmal hoffen. Alsdann vielendankunschöntachnoch.

WIRTIN Ja, hoff mas Beste, Wiederschaugn und kommen S' wieder, gel ... *Familie geht.*

ERHAMER Und i sag da's Strobl, i kimm net mit, i geh net auffi zu dem. I mogs net, de Preißn. Da, da ander Preiß, sei Spezi, der wo an Sandhof kaafft hod, woaßt scho, was duad er? Der is no garnet eizogn, na hat er scho am Bichlersepp per einstweilige Verfügung untersagt, also vabotn, daß er sei Schweinezucht hoit.

STROBL Ja, aba woaßt, beim Bichler da wachelts fei oft ganz schee außi.

ERHAMER Am Bichler seine Säu warn eher da wia der Preiß, und da Bichler muaß davo lebn. Mir gangst mit dene geldign Hund.

STROBL Jaja, halthalt, de san aa net alle gleich. I moan, da Ding, dieser, wia hoaßta, Hofer?

HOFER Zeck. Dr. Zeck ...

STROBL ...dieser Zeck, der hat fei ganz schee was springa lassn, fürn Veteranenverein, fürn Trachtnverein und fürd Feierwehr... Und im Schütznverein, hat er gsagt, werd er aa Mitglied, passiv natürlich.

ERHAMER Wann des a Schütz werd, na könnts mi streicha.

HOFER Geh, Erhamer, jetz sei net aso zwider, des is a ganz a gwandter Mo.

ERHAMER Guat, daß du des sagst, Hofer...

HOFER Glaab mas, der hat mir, und des hätt der fei aa net doa miaßn, der hat mir de ganzn Möbeln vom Konsul, ois hot er mir gschenkt, bis auf die Perserteppiche.

ERHAMER So, na lebst jetz du wie ein Konsul, aber sag amal, was hastn du da o? *Zupft an Hofers Trachtenanzug.* Is des jetz dei neie Hausl-Uniform beim Millionär?

HOFER Geh red doch koan Kas. Des is de oide Tracht vo St. Öd. Manchmoi ko ma mit dir wirklich net redn.

ERHAMER Moment amoi, Mandei, was isn do jetz beispielsweise oid?

STROBL Des is oana vo de Anzüg, de wo da Zeck spendiert hat...

ERHAMER Naa, jetz sag mas, was is da oid an deim Gwand? Da, de Knöpf, de san doch aus Blech. A ganz a miese Qualität. Oda? Und da, des is ja ois Plastik. Sogar da Stoff is aus Plastik.

HOFER Des hams heit in an jedn Stoff drin, a bißl an Kunststoff.

ERHAMER Ja, Mensch, du laafst ja umanand wiara Plastiktütn. Aso is doch früher in St. Öd koa Mensch net umanandergroast...

STROBL Ahgeh, wast, de Tracht is doch ganz guat nachempfundn.

ERHAMER Jaja, scho recht, deads es nur recht schee nachempfindn...

STROBL Mei, wast, mit dir is heit aba aa nix zum ofanga. Was is, Hofer, geh mir derwei umi zum Hochwürdn, jetz wern ma bald dro sei... *Hofer und Strobl gehn.*

ERHAMER *ruft ihnen nach* Deads nur recht schee nachempfindn, es Komiker. *Steht auf, geht aufs Klo.*

HÖPFL Das ist aber nett, daß ihr schon da seid, da können wir gleich mit der Burggrafenszene beginnen. Zieht euch vielleicht schon mal um, bis auf das Fräulein Helga, die muß ja immer wieder mal hinaus.

Uli und Maja Hüsch, er in Bundhose, sie indisch, betreten die Wirtschaft.

HÜSCH Glaub mir, Maja, die Integration, das ist das Wichtigste, wenn man langfristig zu ner guten Kommunikation gelangen will. Feedback, verstehste, das fängt schon bei ganz einfachen Dingen an. *Am Stammtisch* Entschuldigen Sie, is da noch frei?

STADLER Jaja, i glaub scho...

WIRTIN Helga!!

HELGA Mei, Hochwürdn, i hobs glei... *Am Stammtisch* Bitte, was darfs sein?

HÜSCH Ich hätte gern en Moaß...

HELGA Bittschön, was?

HÜSCH Ein Moaß Bier.

HELGA Ah, a Maß. Mir ham bloß Hoibe. Trinka S' halt zwoa. Und Sie?

HÜSCH Maja, du?

MAJA Ham Se ne Schorle?

HELGA Ein Helles! Rot oder weiß?

WIRTIN Ein Helles.

MAJA Weiß.

HELGA Eine weiße Schorle!

WIRTIN Eine weiße Schorle.

HÜSCH Weißt du, man muß sich am Ortscharakter orientieren. Und am Ortsleben auch mal aktiv teilnehmen.

MAJA Aber du willst doch nichn Vereinsmeier werden.

HÜSCH Nee, darum geht das nich, das geht darum, daß man den Leuten das Gefühl gibt, daß man sie irgendwie akzeptiert, nich wahr...

MAJA Nee, Uli, ich glaube, du stellst dir das zu idealistisch vor.
Maria Berzelmeier betritt das Lokal, setzt sich an einen Seitentisch.

MARIA 's Gott, Frau Gschwendtner...

WIRTIN 's Gott, Frau Berzelmeier, er war heut no garnet da.

MARIA Ahso, jaja, is scho recht...

HELGA So bitte, ein Bier, eine Schorle, wenn S' noch was brauchn, ich bin nebenan, mir müßn nämlich grad fürs Theater üben.

HÜSCH Was, Sie spielen hier richtig Theater?

HELGA Ja, in vierzehn Tag is Premiere... *Geht.*

HÜSCH Nu schau dir diese Leute an, die sind hier richtig kreativ aufm Land, und die machen das hier noch ohne Kommerz.

HELGA Grüß Gott, Frau Berzelmeier, kriegn mir was?

MARIA Worauf Sie sich verlassen können. Hocken Sie sich amal her, ich möcht was mit Ihnen besprechen. Also, Sie wissen wahrscheinlich ganz genau, warum i da bin.

HELGA Naa, wieso?

MARIA Mir brauchen da garnet lang Versteck spieln. Ab heute ist mein Mann für Sie tabu. Ham S' mich verstandn?

HELGA Aber des is doch...

MARIA Haben Sie mich verstanden?!

HELGA Ja, aber i wui ja garnix vom Michi, ah, von Ihrm Mann, wenn überhaupts, dann is des er...

MARIA Guat, wenn des so is, des macht die Sache noch wesentlich einfacher. Also, was kost des, wenn Sie mein Mann nimmer belästigen?

HELGA Ich und belästigen!

MARIA Wolln S' an Skandal? *Erhamer kommt zurück, grinst, geht wieder zum Stammtisch.* Ich hab gfragt, was kost des, wenn mein Mann für Sie ein für allemal tabu ist?

HELGA Ja, was glaubn denn Sie? I laß mi doch von Eahna net kaffa.

MARIA Ich biet Ihnen tausend Mark.

HELGA *zögert kurz* Wenns so is, fuchzehnhundert.

MARIA Gut, fuchzehnhundert. Aber dann is ein für allemal a Ruah. Is des klar? *Schreibt einen Scheck aus, wendet sich dabei ans Publikum* Wissen Sie, ich laß mir doch von so einer net meine ganze Ehe ruinieren. Ich bin grad dabei, sowas wie a Familie aufzubaun und na kamad sie daher. Mei Michael is a bißl a schwacher Mensch, aba mir lebn halt zamm. Glaubn S' mir, ich hab mir des alles, also alles, was ich heut hab, mühsam aufbaun müssn. Mir hat koana was geschenkt. Mir warn dahoam vier Madln, und mei Vatta war a kloana Beamter, da hats ghoaßn: Vogel friß, oder stirb. Wenn mi aso oane wia de da ausbootn wui, na muaß de fei scho früher aufsteh. Vui früher. *Zu Helga* Also, Sie wissen Bescheid. *Überreicht den Scheck.* Wenn jetz noch was vorkimmt, dann lernen S' mich kennen...

HELGA *steckt Scheck in ihren Ausschnitt, geht... Zum Publikum* Wenn si oane aso aufführt wia de, na soll s' aa zahln. Bei sowas, da kenn ich dann keine Hemmungen.

MARIA *steht auf* Also, Wiederschaun, Frau Gschwendtner.

WIRTIN Was is, gehn Sie scho wieder?

MARIA Ja, i muaß, leider, i hab wieder a Wohnungsbesichtigung drübn...

WIRTIN Und, wie gehts voran?

MARIA Danke der Nachfrage, fast alles verkauft. Aah, der Herr Hüsch, Grüß Gott, ham S' Eahna scho recht guat eiglebt?

HÜSCH *prostet zu* Tja, Sie sehn ja...

MARIA Sitzt er scho am Stammtisch. Gratuliere. Also dann, Wiederschaugn.

WIRTIN Wiederschaugn, Frau Berzelmeier. *Maria ab.*

HÜSCH Also dann, zum Wohle allerseits. *Prostet.*

STADLER Prost...

ERHAMER Ja mei, des kost du vielleicht net wissn, Mo, drum sag i da's aa ganz in aller Ruhe, gel, aba des, schaug amal her – *hebt Stammtischschild* –, des is der Stammtisch. Also da hockn de da, de wo da oiwei dahockan.

HÜSCH Aja, so...

ERHAMER Und jetz sei ma net bös, aba di hob i do no nia hocka sehng.

HÜSCH Ja, aber der Herr hier sagte mir eben, hier wäre noch alles frei.

ERHAMER Da schaug hi, da ham s' dir an jedn Tisch ham s' dir a scheene Tischdeckn aufglegt, da kost di überall hihocka, gel, ham mir uns verstandn? Compris?

HÜSCH Oh, das tut mir aber sehr leid, komm, Maja. Äh, darf ich Ihnen vielleicht dafür n Bierchen ausgeben?

ERHAMER Jetz nowas, Mandel: Zahl du mir koa Bier, weil, i zahl dir aa koans. Host mi?...

HÜSCH Komm, Maja, setzen wir uns vielleicht besser hier rüber.

MAJA Du mit deiner Kommunikation. *Die beiden ziehen um.*

HOFER *erscheint in Rüstung* Hochwürdn, mir waarn soweit.

HÖPFL Ja, dann bitte die letzten Takte des musikalischen Präludiums und dann die Burggrafenszene.

Eine kurze Musik.

HOFER Und ich sage dir, Tochter, nie und nimmer sollst du diesen Tölpel heiraten.

HELGA Mein Vater, bitte, verstoßet mich nicht.

HOFER Du hast hier das Schloß, und so weit dein Auge schauet, alles ist mein. Bedarfst du etwas, so soll es dir an nichts fehlen, es sei dein, doch vergiß diesen – wie hat des Wort gheißn?

HÖPFL Tunichtgut...

HOFER – diesen Tunichtgut.

HELGA Vater, gehet nicht zum äußersten. Was hilft mir alles Geld dieser Welt, wenn ich mein Herz verkaufen muß? Der schnöde Mammon schnürt mir den Busen zu, hinweg mit ihm, ich will ihn nicht haben.

HOFER Elende, ich verstoße dich!

STROBL *zaghaft* Kimm jetzad ich, Hochwürdn?

HÖPFL Jaja, los, Strobl.

HOFER Wer hat dich gerufen, greiser Feldmarschall?

STROBL Es ist der Jammer deiner Tochter, der meine Seel beleidigt.

HOFER Halt er sich da raus. *Privat* Wo isn da Stadler? *Geht von der Bühne zum Gastraum.* Mensch Stadler, wo bleibst'n?!

STADLER Ah, bin i scho dro? *Rennt in den Nebenraum.* Soll i mi no gschwind umziehn?

HÖPFL Neinnein, gleich weiter.

STADLER Ja, wo samma nachad grad?

STROBL Es ist der Jammer deiner Tochter, der meine Seel beleidigt. Er sagt: Halt er sich da raus, und nachad kimmst du mitn Neuchl einiglaaffa...

STADLER Naa, also, es tuat ma leid, Hochwürdn, i kon des nur spuin, wenn i mei Gwand ohab.

HÖPFL Also gut, Stadler. *Seufzt.* Ziehn Sie sich um, wir warten solange...

Ein Pakistani steht schüchtern im Gastraum.

WIRTIN Aha, Sie san wahrscheinlich der Herr Gyaram?

PAKISTANI Yes.

WIRTIN Daher kommen. – Gehngas halt amal her. *Winkt.* Küche, kitchen... *Pakistani zur Theke.* Du immer alles schön sauber machen.

PAKISTANI Yes.

WIRTIN Kitchen clean, spülen, und abspülen, und was so noch anfallen...

PAKISTANI Yes.

WIRTIN Haben schon Wohnung?

PAKISTANI Woning nix.

WIRTIN Des kriegn mir schon. Wir kriegen. Unterkunft ich erledigen. Rest ich erledigen mit Herrn Wolfbauer, Arbeitsamt.

PAKISTANI Ah, Mr. Wolfbauer, yes.

WIRTIN Also dann, hergehen, da hinein, anfangen, alles clean.

PAKISTANI Guttgutt. *Verschwindet in der Küche.*

WIRTIN *ans Publikum* Wissen S', ich hab mir des knallhart durchgrechnet, weil, ma muß ja rechnen heutzutag, also, aso a Pakistani kimmt mir im Endeffekt fei ehrlich billiger wie a Gschirrspülmaschin. Ehrlich, Sie, des möcht ma nicht glaubn, aber es is aso. Schaun Sie: In der Küch bräucht ich total neue Wasseranschlüsse, as Elektro waar aa z schwach, müaßat ma aa ois neu installiern, in der Küch müaßat i ois rausreißen, dann die Ausfalltage verdienstmäßig, währendm Umbau, und so a Großraumgschirrspülmaschin, de kost fei aa allerhand, gel, dann der enorme Wasserverbrauch, sodann brauchad i a total neues maschinenfestes Gschirr, Wartung, Reparaturen, Verschleiß und so weiter. Ois zamm, da kon i mir für desselbe Geld ohne weiteres mindestens sechs Jahr lang so an Pakistani leistn, des holt die Maschin einfach net schneller rein, und der Pakistani kon dann für desselbe Geld aa no nebenher d Küch sauberhaltn, Zwiebeln schneidn, Abfall ausleern, kleine Botengänge, und was halt so anfällt. Bei unserm System is des heut garnimmer anders zu machn.

PAKISTANI Where is de Butzmitel?

WIRTIN Wartn S', ich schon kommen. *Ans Publikum* Er kennt si no net aus. *Ab in die Küche.*

STADLER *hat sich umgezogen, sieht aber fast genauso aus wie vorher.* So, jetzad, auf gehts ...

HÖPFL Na endlich. Also ...

STROBL Also, mir warn bei: Es is der Jammer deiner Tochter, der meine Seel beleidigt.

HOFER Halt er sich da raus.

STADLER Wo ist der Burggraf, ich muß ihn sprechen!

HOFER Wer hat diesen Nichtswürdigen hereingelassen?

STADLER Graf, ich bin zwar nur ein einfacher Bauersmann, doch meine Scholle nährt auch Eure Landeskinder. Verachtet mir nicht den Bauernstand, denn nimmer weicht der Bauer von seiner Scholle.

NEUCHL *kommt hereingestürmt* Hah, trutzger Graf, hier stehe ich!!
Wirtin kommt wieder ins Lokal.

ERHAMER No a Halbe ...

HELGA Xaver!!

WIRTIN Helga!!

HELGA Jaa!! Hochwürdn i muaß wieda gschwind nüber ...

HÖPFL Jaja, wir warten solange ...

HOFER *auf der Bühne* Übrigens was isn, Stadler, hast du jetz eigentlich dei Bleichwiesn verkaaft?

STADLER Sowieso. I woaß garnet, was der Berzelmeier mit dera sauern Wiesn wui, wei, des geht nia durch als Baugrund, des woaß i vom Bürgermoasta persönlich, und der woaß wieda vom Heinzel, Wasserwirtschaftsamt, Beziehungen, vastehst...

7. BILD: ZWEI SCHLAFZIMMER

MICHAEL Also dann, guat Nacht.

MARIA Hast wieder recht viel gsoffn?

MICHAEL Was hoaßt vui, des Übliche halt. Aa net mehr wia sonst aa.

MARIA Des glangt scho.

MICHAEL Mei, ganz kimm i amal net aus. I muaß ja repräsentiern, da werd der da was eigschenkt und da, des läppert si halt so zamm.

MARIA Mir brauchst nix verzähln, oiwei desselbe, i woaß scho, und wennst bsoffn bist, na steigst wieder de Weiber nach. Also daß der du net z schad bist für diese Schlampe von ara Bedienung.

MICHAEL Was für a Bedienung? Wovon redst denn du überhaupt?

MARIA Und noch dazu in aller Öffentlichkeit, des is so gemein, du weißt ganz genau, wovon i red!

MICHAEL Naa, ehrlich, i woaß net.

MARIA Wieso, gibts am End sogar mehrere?! Aber da mach ich nicht mehr mit. D Leut schaugn oam scho nach auf da Straß, ma werd ja richtig ausglacht.

MICHAEL Haha, wieso?

MARIA Aber da mach ich nicht mehr mit. Nicht mit mir! Also: Einmal wennst mit dera Schlampn no zammbist, wenn ab heute noch mal auch nur das Geringste vorkimmt, na kannst ausziehn.

MICHAEL Wieso, na ziag doch du aus, wenn da was net paßt, du konst doch genauso ausziagn.

MARIA Ich möcht dich hier amal nur drauf aufmerksam machen auf die Tatsache, daß unser Vermögenssituation laut Notar Dr. Rötembeck eindeutig geklärt is. Des hat fei nicht nur steuerliche Konsequenzn.

MICHAEL Hee, wia kimmst man du auf oamoi daher!

MARIA Wolln mir amal nur festhaltn: Dir ghört von unserm Sach garnix! Rein garnix mehr! Net amal der Porsche ghört dir, mit demsd deine Bedienungen aufreißt.

MICHAEL Du, gel!

MARIA Net amal der Dreck unterm Fingernagl ghört dir, und i sag dir aa, mit Recht. I derfad an ganzn Tag rackern, daß i de Scheißlöcher an de Preißn verkauf, und der Herr, was macht der Herr? Sekt, Champagner, Porsche fahrn und mit Bedienungen umanandziagn. Sag amal, bist du a so pervers, daß dus nurno mit Bedienungen konst?

[NOCH MARIA] Was hastn du für an Gschmack, des is doch unnormal, daß oana nurno mit Bedienungen, du ghörst ja zum Psychiater!
Michael will zuschlagen, Maria geht in Deckung, Michael trifft die Bettkante und verletzt sich.

MICHAEL Autsch!! Zefixsackramentscheiß Aua...

MARIA Des hast davo, du rabiater Kerl, schleich di doch, zieh doch aus, fahr Taxi mit deine Bedienungen!

MICHAEL Aua, du, i glaub, i hab mir d Hand brochn.

MARIA Geh, sei net so wehleidig. Wo, zoag her?

MICHAEL Aua, zefix, paß doch auf.

MARIA Jessas, du bluatst ja richtig. Moment. *Steht auf und holt Verbandszeug.*

ALFONS Du, Elfi, in der Gemeinde is d Sonnleitn so guat wie durch, und mitm Heinzel hab i aa scho gred. Und der Heinzel moant aa, des müaßat durchgeh.

ELFRIEDE Jaja, schön, also, guat Nacht.

ALFONS Ja, Mensch, Elfriede, woaßt du, was des bedeut?! Mir wern reich. Dieser Schritt hat quasi Dimensionen.

ELFRIEDE Ja, schön, also dann, guat Nacht.

ALFONS Der Graber fangt scho an...

ELFRIEDE Wer?

ALFONS Der Graber, der Architekt, fangt scho an mit de Pläne.

ELFRIEDE Ja, na, is ja recht, aber jetz schlaf doch amal...

ALFONS Herrschaft... *Wälzt sich im Bett.*

MARIA So, dua dei Hand her. Des kimmt von der Grobheit.

MICHAEL Autsch!!

MARIA Sei net aso wehleidig. *Verbindet.*

MICHAEL Du, Maria, mitm Heinzel hab i gred, und der Heinzel moant aa, des müaßat hihaun.

MARIA Unterschätz fei an Schucker net, der möchts jetz wissn. Des gspür i. Du moanst oiwei, des geht ois aso von selber. Der Schucker steckt aa mitm Heinzel zamm, der Heinzel is a schwache Figur.

MICHAEL Naa, aber mitm Heinzel ko ma durchaus redn. Des kriagn ma scho, glaub ma's, woaßt, aber der Heinzel hat mir unter der Hand scho angedeutet, er bräucht halt aa amal a Verlustzuweisung...

MARIA Siehgst as, gehts scho los. Naa, was mir müaßn, des is, an Schucker selber packn, und i woaß aa scho, wia.

MICHAEL Sag amal, Maria, wia moanstn des?

MARIA Paß auf: Mir lassn durchsickern, daß mir in des Penthouse lauter Asylantn neitoa, eine Art Wohnheim...

MICHAEL Bist deppad, Asylantn?!

MARIA Laß mi doch ausredn. Mir sagn ja bloß. Des genehmigt uns as Landratsamt, und der Schucker als Bürgermoasta muaß es praktisch dann aa genehmigen, weils a soziale Angelegenheit is, und wenn der

Schucker a Asylantnwohnheim genehmigt, na kon er si in ganz St. Öd nimmer sehng lassn, na spuckns eahm ins Gsicht.

MICHAEL Ja, na is er erledigt, des is guat, Maria, brillant, ehrlich.

MARIA Gel. Und den Lehrer hab i scho ogspitzt, daß auf der Sonnleitn seltene Käfer und Blumen und so Zeugs umanand wachsn, der is doch so a Naturdings, werst as sehng, de macha Schwierigkeitn, da werd de Rest-KG spitzn.

MICHAEL Ja riesig. Und beim Heinzel bleib i dro. Der Heinzel moant eh scho, zu neunzig Prozent, an Graber hob i aa scho ogspitzt, der macht scho die erstn Plan-Entwürfe, und des, des sag der i: Mitm Heinzel kann ma redn.

ALFONS Paß auf, Elfriede, was i dir sog: De Berzelmeier mit eahnara Bleichwiesn, de gehn buchstäblich badn. Wei, mitm Heinzel hab ichs wassertechnisch schon geklärt. Er sagt, zu neunzig Prozent, er sagt, wenn der Grünbach gstaut werd, und des muaß er bei unserer Variante praktisch werdn, na steigt as Grundwasser, und de ganze Bleichwiesn werd ein Sumpfgebiet. Also, a richtig wertvolles Biotop, des kimmt vielleicht sogar noch unter Naturschutz, also von Bauland is dann keine Rede mehr. Und der Heinzel moant scho, also zu neunzig Prozent ...

ELFRIEDE Ja, jetz gib halt amal a Ruah ...

ALFONS Naa, i wollt an und für sich nur no sagn, also mitm Heinzel, mit dem kann ma ganz guat redn.

8. BILD: STRASSE

HOFER *wendet sich an die Zuschauer* Sie, i muaß amal loswern, nein, es ghört amal gsagt, wissn S', ich halt des nicht mehr aus. Des Gsindl auf deutsch gsagt, und bloß, weils a Geld ham. Und vor solchene Deppn muaß i buckeln und schee doa, an ganzn Tag, vastehnga S'. Vor ihr. Sie, diese Güs-Güs-Dings, wias hoaßt, de Goaß. De hob i bsonders gfressn, diese Schoaßwiesn, a so a Blunzn. »Herr Hofer, könntn Sie mal im Kamin nachkucken, das raucht so.« A Feuer raucht doch, oder? Also. A Hirn wia a Spatz. Und er ... *Während der Szene kommt Zeck dazu, sieht Hofer und hört zu ...* er selber is ja a Depp. Er is ja der totale Batsch. Sie laßt eahm umanand wiara Scheißbürschtn, und weis eahm aso schikaniert, laßt ers nachad an unseroan wieder naus. Aso eine arrogante Sau, sag i Eahna, der red mit mir wie mit am Lausbuam. Sie, der duscht am Tag viermal, und na sauffans Rotwein, und von wega nia da, de hocka scho de dritte Woch bei uns umanand, nachad nix wia fressn, und mei Frau derf an ganzn Tag bügln und macha und doa für de Bagage, de san also ... also, wie soll i des ausdrückn des san aso, a des san a dermaßen unangenehme Saupreißn, daß i ...

ZECK Das is ja interessant, Herr Hofer, mal Ihre Ansichten so frisch von der Leber weg kennenzulernen. Ob das allerdings die geeignete Grundlage für ein weiteres Beschäftigungsverhältnis ist, naja, wir werden sehn ...

HOFER Ah, der Herr Doktor, ah, Zeck, ah ...

ZECK Ach, übrigens, Hofer, es ist Ihnen vielleicht entgangen, die Dachrinne an der Nordseite, das leckt son bißchen, das ist alles schon ziemlich angerostet ...

HOFER Jaja, da ham Sie recht, da ghört amal was gmacht.

ZECK Äh, wenn Sie vielleicht bei Gelegenheit ...

HOFER Naa, Herr Doktor Zeck, des mach i glei. Sowas ghört immer sofort gmacht. *Eilt ab.*

ZECK *ans Publikum* Wissen Sie, solche Leute brauchen auch ab und zu mal n Ventil.

9. BILD: MILLIONÄRSVILLA. SOUTERRAIN-HAUSMEISTERWOHNUNG

In der Villa: Zeck, Güstrop, Benedikt Hofer, Horst Jüssen, Emilio, das St. Öd-Trio, Wirtin, Höpfl, Dr. Benningsen, Michael und Maria Berzelmeier, Schucker, Uli und Maja Hüsch, Erhamer, Strobl.
Alle singen »Happy birthday to you«. Gelächter und Applaus. Man gratuliert Franziska Güstrop.

ZECK Tja, und nun, meine Damen und Herrn, ich habe noch etwas Bemerkenswertes für Sie: Ich habe nämlich heute meine drei guten Hausgeister an einem Ort versammelt, hier sind sie: Emilio, hier ist Emilio, Emilio betreut mein Haus in Sardinien, dann da, das ist Horst, Horst Jüssen, Horst verwaltet meine Bauernkate auf Sylt.

HORST Jau ...

ZECK Und unsern lieben Hofer brauche ich ja nicht weiter vorstellen. Wir leben ja heute in einer zunehmend anonymen Gesellschaft, und da dachte ich mir, bringste mal die Menschen zusammen, die mit meiner Lebenssituation doch irgendwie verbunden sind. Nich wahr, Emilio?

EMILIO Si.

ZECK Hofer?

HOFER Ja.

ZECK Horst?

HORST Jau.

ZECK Horst ist schon mein ältester Getreuer. Horst, wann war das, war das nicht 1964?

HORST Jau.

ZECK Oder war es nich schon 63?

HORST Jau.

ZECK Na jedenfalls in diesem Zeitraum wars irgendwann ...

HORST Jau.

ZECK Wissen Sie, ich kann ziemlich genau datieren, das war 62, da wurde ich mit Taiwan handelseinig. Ich importiere nämlich Bohrmaschinen aus Taiwan über Hongkong, tja, und seitdem ist ein Hausmeister nach dem anderen dazugekommen. Ich behandle sie alle gleich. Alle. Ich bin leidenschaftlicher Demokrat. Alle Menschen sind doch irgendwie gleich, meiner Meinung nach, nich wahr, im Prinzip natürlich nur, also ich meine, gleich, aber nicht amorph, denn wie sagt schon der Franzose: »Vive la différence«, es lebe der Unterschied. Und die Franzosen verstehen weiß Gott was von Demokratie. Tja, also dann, liebe Gäste, unsere liebe Franziska hat heute nicht nur Geburtstag, sondern sie hat auch noch ne andere Art von Premiere. Sie hat nämlich ein Bild gemalt.

GÜSTROP Das ist das Kloaschautal, ne Art Alpenidylle.

ZECK Horst, willste mal das Bild enthüllen?

HORST Jau. *Enthüllt das Bild, dünner Applaus.*

ERHAMER Aha, des is as Kloaschautal, ja verreck.

Allgemeines Mmm und Aah zum Bild.

ERHAMER *zu Hofer* Geh weider, Herr Ober, bringen S' mir mal a Bier.

HOFER Dua di zammreißn.

ERHAMER Ahso, bist du net zuständig, na machts da Kollege. He du, bringst mir du vielleicht a Bier?

HORST Jau.

WIRTIN Sagn S' amal, Frau Güstrop, wo ham an Sie die schöne Kettn her?

GÜSTROP Das is ne Erbskette. Hier im Alpenraum tragen das die Bäuerinnen.

WIRTIN Ah geh, daß ma da bei uns no nia was gsehgn hat.

HÜSCH Ja, dochdoch, die Erbskette ist ganz typisch hier im Alpenraum.

WIRTIN Also, i siehgs heut zum erstnmal, i muaß sagn, wirklich sehr schön, so schee gfaßt. Aba daß ma davo no nia was ghört hat bei uns. Sagn S', wia hoaßt des?

HÜSCH Erbskette sagen die Bäuerinnen, nich wahr, Maja.

MAJA Ja, Erbskette.

MARIA Sie, Frau Gschwendtner, ham S' an Augenblick Zeit ...

WIRTIN Ja, um was gehts, Frau Berzelmeier?

MARIA Ah, Sie, Frau Gschwendtner, was dad des kostn, wenn Sie der Helga, also Eahnara Bedienung kündign?

WIRTIN Ja, wieso nachad des?

MARIA Glaubn S' mirs, Frau Gschwendtner, ich hab scho meine Gründe, glauben S' mir des ...

WIRTIN Jaja, i kon mas scho denka ...

MARIA Wieso?

WIRTIN Ja mei ...

MARIA I zahl Eahna zweitausend Mark.

WIRTIN Naa, des, i wui Eahna was sagn, Frau Berzelmeier, bhaltn S' Eahna des Geld, i kon Eahna da was anvertraun, aber des bleibt vorläufig unter uns, gel, i mist den ganzn Ladn aus, wei so is des koa Weitermacha. Ich plane ein Spezialitätenrestaurant gehobenen Stils, aber durchaus alpenländisch, mit ara vernünftigen Gastronomie und für Leut halt, de wo auch gewisse Ansprüche ham irgendwie, gel, wei, in so a Boazn geht ma a solches Publikum ja net nei. Und solche Leut, de ham a Zukunft. Schaun S', solche Leut, wies in Eahnam Penthouse eiziagn, da san ja so nette Menschn dabei. Und san S' doch ehrlich, Frau Berzelmeier, Sie nehmen doch aa net Krethi und Plethi, oder?

MARIA Ja, da ham Sie vollkommen recht, Frau Gschwendtner. Übrigens, wenn des amal in die konkrete Planungsphase ...

WIRTIN Des san mir schon, desweg wollt ich Ihnen auch amal, also, ich hab mir denkt, des Grobe, des macht die Rest-KG, und Ihr Mann macht dann nachad den Innenausbau, weil, der hat ja viel mehr Gschmack. Nix gegan Schucker, aber da hat er net des Know-how.

MARIA Ja, bei solche Sachen, da is mei Mann wirklich Spitze.

MICHAEL No, Schucker, wia schaugts oiwei aus?

ALFONS Aja, mei, muaß scho, woaßt eh ...

MICHAEL Ja mei, bei uns is im Moment halt aa a bißl, woaßt scho, wega da Bleichwiesn, ham ma uns vielleicht a bißl vergaloppiert, und im Penthouse, woaßt ja, des geht aa oiwei no a bißl zach, aber da ham mir jetz an Lichtblick, wei, mir ham mitn Landrat gredt, wei, mir woin halt jetz da, wo no frei is, woi ma dawei Asylantn neitoa. De Regierung dad de Kostn übernehmen, da Landrat is extrem dafür, und du werst als Bürgermoasta doch da aa nix dagegen ham woin, es is ja schließlich ... und auch a soziales Anliegn, oda.

ALFONS Was? Was hast gsagt, Asylantn?!

MICHAEL Ja, so Neger, Asiatn, wo s' halt herkemman ...

ALFONS Jetz paß amal auf, Berzelmeier, jetz mach i dir an andern Vorschlag: Du kennst doch an Heinzel.

MICHAEL Ja, klar.

ALFONS Und i sag da's, der Heinzel, des is unser Mann. Aa wega deiner Wiesn ...

MICHAEL Ja, des klingt net schlecht. Des is guat.

ALFONS Mitm Heinzel, da ko ma redn.

GÜSTROP A Table!! Mesdames, messieurs ...

ERHAMER Wia, wos?

Alle außer Erhamer setzen sich.

GÜSTROP Erst mal n kleines Hors d'œuvre ...

Die drei Hausmeister servieren.

Allgemeines Mmm und Aah. Alle sind mit Essen beschäftigt.
Souterrain.
Trudi hat ihre Sachen gepackt.

KATHARINA Ja, Madl, was tuastn?

TRUDI Mama, i mach des nimmer mit, du woaßt, es is net wenga dir.

KATHARINA Ja aber, was machstn da um Gottswuin?

TRUDI Mama, i geh furt. Nach Berlin.

KATHARINA Nach Berlin?!

TRUDI Ja, nach Berlin, Mama, und dir gib i d Adreß. Aber bittschön gibs net am Bappa. Bittschön verrat mi net. I kon mas nimmer mit oschaugn, Mama.

KATHARINA Ja, was denn, Deandl, es feit da doch an nix?

TRUDI Naa, des is ned, aba ois mitanand, des is irgendwie unwürdig. Des mitn Bappa, ois was da passiert, des duat mir weh... Pfüat di, Mama, sei ma net bös. I laß scho wieda von mir hörn.

KATHARINA Ja aber, Trudi, Madl, was...

TRUDI Pfüat di, Mama, pfüat di. *Geht eilig ab.*

KATHARINA Ja aber... Oh mei, des is ein Kreuz.
Oben.

GÜSTROP Nu, Herr aah...

MICHAEL Erhamer...

GÜSTROP Herr Erhamer, was is mit Ihnen? Nehmen Se Platz.

ERHAMER Scho recht, i kimm scho. Wieso hatn der Ober – *deutet auf Hofer* – koane weißn Handschuah o?
Alle lachen, Erhamer kommt zum Tisch.

ZECK Haha, köstlich, der Mann hat Mutterwitz, sehr gut, Berzelmeier, an sowas dachte ich...

ERHAMER *setzt sich* Herr Ober, einmal Menü! *Gelächter.*

GÜSTROP Kucken Se mal, Herr Erhamer, das is was ganz Leckeres, das is Brennesselspinat, und das ist obendrein gut fürs Blut.

ERHAMER Da werd doch net a Hund higsoacht ham.
Alle lachen wieder.

ZECK Toll der Mann, das isn Echter.

ERHAMER An Brennessel ham mir als Kinder oiwei vom Zaun rupfn müaßn, wei sonst hats net vui anders gebn.

GÜSTROP Hahaha, ja, und da, schaun Sie, dassn Löwenzahnsalat, mit Sauerampfer, angemacht wie bei Bocuse. Das kriegen Sie nur in ersten Delikateßgeschäften, höchstens in München oder Köln oder Berlin, jedenfalls nur in Großstädten.

ERHAMER Mir hams vo der Wiesn obazupft. Da san mir net extra auf Minga gfahrn. Da wo da Kuahscheiße is, is aa da Löwenzahn.
Alle lachen schallend.

ZECK Hahahaha, sagen Sie mal, Erhamer, wie machen Sie das? Sie sind ja n echtes Original!

ERHAMER *ans Publikum* A so ein Arschloch ...

GÜSTROP Und zum Finale, Herr Erhamer, als Dessert haben wir uns was ganz Spezielles ausgedacht, das wird Sie sicher interessieren, wir serviern nen original echten Holzfällerschmarrn. Nur Wasser, Mehl ...

ERHAMER *unterbricht Güstrop wütend* Jetz leckts mi am Arsch. Ja, seids jetz narrisch worn? Spinnts es jetz ganz, es geldigs Gschwärrl?! Herr Pfarrer, san S' ma net bös, aber des muaß i jetz sagn. Mei ganze Kindheit hab i nix anders gfressn wia an Sauerampfer, an Löwenzahn und am Feiertag an Schmarrn. Weis nix anders gebn hat. Bei uns hat d Not dringwohnt vom Fuaßbodn bis zum Dach. I racker de ganze Zeit, mei ganz Lebn rackad i wiara Depp, und de baun Häuser, stelln a solchane Hausstöck hi, und i hob net amal a gscheide Wohnung! Na werst da eigladn, un na gebn da de an Löwenzahn zum Fressn und hinterher an Schmarrn. I wui eich net vui mehr sagn, i sags eich nur, wei, sonst sagts eich eh koana, aba auf solchane Leit, auf Leit wia eich, auf Leit, wias es seids, is ganz schee gschissn. *Geht.*

ZECK Na also sowas ...

GÜSTROP Ganz schön ordinär, der Mann.

MICHAEL I hobs Eahna glei gsagt, Herr Doktor, ich hab Sie gewarnt.

ZECK Also, ich muß schon sagen, mit Originalität hat sowas wirklich nichts mehr zu tun. Oder, wie siehst du das, Horst?

HORST Jau.

Ein Stein fliegt klirrend durch eine Fensterscheibe.

10. BILD: PENTHOUSE

Nepomuk, Michael und Maria Berzelmeier in Trauerkleidung, Strobl ist gerade am Gehen.

STROBL Also, Nepomuk, mei Beileid nomoi, dei Reserl war a guate Haut, mei, was soi ma no vui sagn, woaßt as eh, mir is aa net anderst ganga, i hob de mei aa eigrabn müaßn, was soi ma do sogn. Woaßt eh ...

NEPOMUK Jaja, i woaß scho, Strobl, gegas Schicksal kost halt einfach nix macha. Es kommt oiwei aso, wias kimmt, wias kemma muaß.

STROBL Ja, na pack i's, oiso nachad, pfüat euch ...

MARIA Wiederschaugn, Herr Strobl.

MICHAEL Pfüat di, Strobl.

NEPOMUK Pfüat di, Strobl, und dank da schee ...

STROBL Aah, kannt i mi'm Lift fahrn?

NEPOMUK Freili, brauchst bloß an Knopf drucka.

STROBL Also nachad, pfüats eich. *Geht.*

MICHAEL Ja mei, Bab, jetza, mei, jetzad, ah ...

NEPOMUK Jaja, i woaß scho, gehts grad zua.

MICHAEL Woaßt, Bab...

NEPOMUK I woaß scho, is scho recht, Bua.

MARIA Du hast ja's Telefon, Bappa.

NEPOMUK Jaja...

MARIA Du kost uns jederzeit...

NEPOMUK Scho recht...

MICHAEL Also dann, mir lassn di jetz alloa, Bap.

NEPOMUK Jaja...

MARIA Also, pfüat di, Bappa.

MICHAEL Pfüat di, Bap.

NEPOMUK Pfüats eich. *Michael und Maria ab.* So, jetz samma soweit. Ois da. Telefon. Warmwasser, Lift... Grad as Resei is furt. Werd wohl beim Herrgott sei, hoffentlich, mei, so hat halt ois amal an End. – Da, Blick aufn Kaiser, der is eh scho länger da wia mir, der Berg hat scho ganz anderne gsehgn, mei, es kunnt ja ois vui schlimmer sei. Da, da Sandhof. Von dene, de wo heit da drin hockan, da denkt heit koana mehr dro, wer do ois drin ghaust hat. Koana. Den Hof gibts seit vierhundert Jahr. Jetz ko ma obischaugn aufn Hof. Des hättn si de nia net traamma lassn, de wo'n baut ham. Aba de Leit, de wo da heit obischaugn können, de müaßn fei an Hauffa Geld ausgebn für des. Und i moan, für des, daß de Leit aso vui Geld ham, ham s' fei wenig Gaudi beim Obischaugn. De Leit, de wo da drunt warn, de ham des Geld zum Obischaugn net ghabt, aba mir kimmt für, da drunt war mehra Gaudi ois wia da herobn. Obwoi oam do nix feit, da herobn. Aba, bal da nix feit, brauchst di aa um nix mehr z kümmern, und ob des des Wahre is? I woaß net. Bal i da obaschaug, na siech i ganz St. Öd. Und trotzdem kimmt mas aso für, als waar i jetz a Fremder.

11. BILD: WIRTSHAUS

Einweihungsfeier des Siedlungsprojektes Bleichwiese-Sonnleite. Das Wirtshaus ist total neorustikalisiert, das ehemalige Bauerntheaterbühnenbild dient als Kulisse für ein reichhaltiges Buffet. Zwischen Scampi, Ananas und Waldorfsalat sitzt Strobl und spielt Zither (aber nur als Hintergrundgeräusch). An der Rest-KG-Festtafel sitzen Familie Berzelmeier jun., Familie Schucker, Monsignore Höpfl, Dr. Zeck, Güstrop, Dr. Benningsen mit Frau, Uli und Maja Hüsch, die Wirtin, Architekt Gruber.

GÜSTROP *enthüllt ein neues Alpenstilleben* Das is der Tegernsee!
Applaus und Bravos.

ZECK Knipsi, haste da noch was dran gemacht? Das is ja phantastisch geworden, wirklich phänomenal.

MARIA Herr Ober, kannt i no a bißl was von dene Scampi habn?

BENNINGSEN Und mirn bißchen Lachs!

KELLNER Sofort.

BENNINGSEN Sehr stilvoll eingerichtet, Frau Gschwendtner, Respekt. Das ham Se sehr geschmackvoll hingekriegt, da wern wer wohl öfter vorbeikukken, nich wahr, Ullamaus? *Frau Benningsen nickt.*

WIRTIN *gerührt* Dankschön, vielen Dank auch, Frau Güstrop, des paßt hier sehr gut rein.

HÜSCH Tja, ich würde also auch sagen, Frau Wirtin, das is ne gekonnte Balance zwischen Geschmack und Rustikalität, also, ich meine, ich meine, rustikalen Geschmack.

WIRTIN Dankschön...

ZECK Übrigens, Herr Berzelmeier, wenn Sie mal irgendwie was, so Dreschflegel, Wagenrad oder so, aber wirklich echte Sachen, also nur was mit Niveau, kein Trödel, nich wahr, dann können Sie...

MICHAEL I woaß scho, was Sie wolln, Herr Doktor, des kriagn ma scho.

MARIA Mei Mann is für sowas Spezialist!

STROBL *beginnt währenddessen zu singen*

Es habts ja de Oberlandler Bauern nia kennt.
De ham si beim Schiaßn an Schnurrbart verbrennt.
Ja dem ham halt a Schneid
und zum Schiaßn a Freud,
Holleraiduliööh...

ZECK *während des Gesangs* Sagen Sie mal, Frau Gschwendtner, muß der singen? Kann er sich nich instrumental irgendwie, dieser Gesang ist, also ich weiß nich...

WIRTIN Jaja, des mach i scho, Moment. *Geht zu Strobl.* So, jaa, aber jetz hörst bittschön auf, a Gast hat sich beschwert.

STROBL Ja, aba wieso?

WIRTIN Jetz gib a Ruah. I wui jetz koan Auflauf, gel, jetz machst a Pause.

STROBL Ja, aber i hob doch grad erst...

WIRTIN I hab gsagt, jetz is Pause, und wenn i sag Pause, na hoaßt des aa Pause.

STROBL Ja, Deandl, jetz wui der i moi was sagn: i war da herin, wia dei Voda des no ghabt hat, und sogar dein Großvatta hob i no kennt.

WIRTIN Mir san jetz aba net bei meim Großvatta, mir samma koa Boazn mehr da herin, des hot jetz a ganz andere Atmosphäre...

STROBL Des hab i gmerkt...

WIRTIN Und wenn da des net paßt, na kost ja...

STROBL I geh scho. I kimm aa nimmer. Gwiß net. *Packt seine Zither zusammen und geht.*

WIRTIN Wei's aa net lerna wollts. Es seids doch alle mitanand Exoten. Für solchane Exoten wia eich is da koa Platz mehr da herinn.

ALFONS *klopft an sein Glas.* Ja, ich glaub, ich soll auch a paar Worte, es is heut also der erfreuliche Anlaß, ah, mir ham ein größeres Projekt für unsere Gemeinde verbuchen können. Deshalb sind wir ja auch alle hier versammelt.

ALFONS Wie Sie wahrscheinlich alle wissen, die Bleichwiese und die Sonnleite sind baureif geworden. *Applaus.* Und das besonders Erfreuliche an dieser Situation ist, daß zwei Neubürger unserer Gemeinde ein ebenfalls erstaunlich großes Interesse an der Strukturverbesserung von St. Öd gezeigt haben, und damit auch ein investitives, äh – titives – *kann sein Manuskript schlecht lesen* – äh ja, und aber auch intensives Signal gesetzt haben, auch für unsere Nachbargemeinden, es werden ja immerhin Akzente gesetzt, gel, hahaha, die sicherlich bis ins nächste Jahrhundert hineinreichen werden, und deshalb möchte ich diese kleine Feier zum Anlaß nehmen und mich einmal ganz herzlich bedanken beim Herrn Dr. Benningsen – *Benningsen steht auf, Applaus* – sowie beim Herrn Dr. Zeck – *Zeck steht auf, Applaus* – für ihr freundliches Engagement für unser St. Öd, und natürlich last not least auch bei der Rest-KG, die das ganze Projekt mit größter Wahrscheinlichkeit sozusagen durchziehen wird, selbstverständlich auch bei der Familie Berzelmeier, ohne deren unermüdliche Tatkraft, ja, des muaß ma scho sagn, ohne deren Tatkraft ein Projekt von solcher Dimension wahrscheinlich so nicht zur Realisation gekommen wäre. *Applaus und Bravos.* Jaja, Frau Berzelmeier, wundern S' Eahna net, es gibt bereits Anregungen im Gemeinderat, daß die neue Zubringerstraße Bleichwiese-Sonnleitn amal als Berzelmeierweg benannt wird. *Wieder Bravos.* Dann möchte ich mich in Abwesenheit beim Herrn Landrat Otto Gröschl bedanken, der immer ein offenes Ohr für die Sorgen unserer Gemeinde gehabt hat, und ganz besonders noch bei Herrn Wasserwirtschaftsingenieur Heinzel, ohne dessen Augenmaß unser ganzes Projekt buchstäblich ins Wasser hätte fallen können. *Hahas und Bravos.* Ja, wie schauts aus? Is die Musi soweit?

Das St. Öd-Trio (hat sich selbst inzwischen umbenannt in »Die drei Urviecher«) hat während der Rede eine Verstärkeranlage aufgebaut.

URVIECH Ja, mir können ...

ALFONS Ja, dann auf gehts, Buam ...

ZECK Also Jungs, seid ihr soweit?!

URVIECHER Jaja.

ZECK Gut, dann wern wir mal Stimmung in die Bude bringen. Paßt mal auf, Jungs: Ich singe jetzt n Stimmungslied, und ihr, ihr müßt mich begleiten, könnt ihr das?

URVIECHER Jaja, schau mir halt amal …

ZECK Also, paßt mal auf. *Singt:*

Bubi Bubi nocheinmal, es war so wunderschön
Bubi Bubi nocheinmal, es war so wunderschön.

Das Lied hat drei Strophen, Zeck versucht, die Gesellschaft zu animieren, aber niemand singt mit.

ZECK Na was is? *Singt weiter.* Müde Tassen. *Singt weiter.* Na was isn los? *Singt weiter.* Ab hier wird geschunkelt …
Zeck versucht vergeblich, die Gesellschaft mit seinem Lied zum Mitmachen zu stimulieren. Allmählich beginnende Privatgespräche, dabei geht langsam das Licht aus.

Unwissenschaftlicher

Anhang

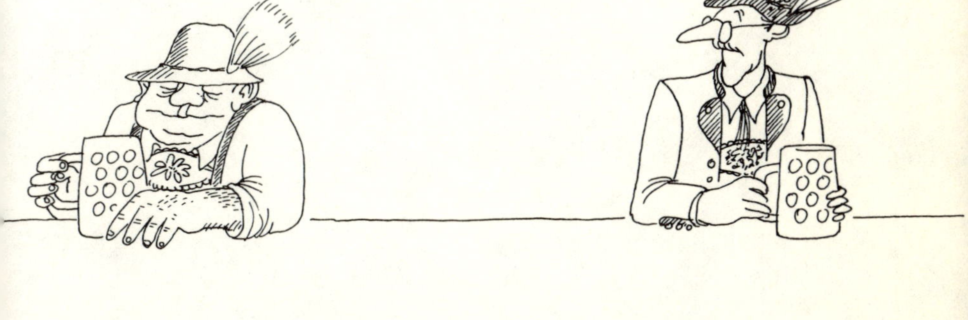

Kleine Wies'nkunde

ERZÄHLER Der Mann mit dem Antilopentrachtenlederkostüm war perfekt. Er war total charivarisiert. Er nickte ständig mit hochrotem Kopf. Um diese Zeit kommt so ein Teint aus Ibiza oder Formentera.

Anschließend geht er sofort aufs Oktoberfest, weil er ist ein Traditionalist. Seine Begleiterin ist eine flachsblonde Person, sie hat sich ihr Dirndl in New York anfertigen lassen, bei Sepp's im Hirschhorncenter.

Die flachsblonde Person ißt nie irgend etwas, will auch heute keinen loup de mer, obwohl sie auf dem Oktoberfest ist, sie sagt: »Es ist da immer recht zünftig.«

Inzwischen sind noch mehr Leute mit perfekten Antilopentrachtenlederkostümen da. Unter ihnen befinden sich keinerlei Kinder, bis auf das eine, in einem Antilopentrachtenlederkostüm, auch der Trachtenhut ist aus Antilope. Der Gamsbart ist aus Glasfiber. Der echte Gamsbart könnte auf dem Wege zum Original-Bierzelt verlorengehen.

Der Mann, der immer noch nickt, sagt: »I war ois Kind scho auf der Wies'n.« Er sagt es betont und sagt es fast bayrisch, da er gerade keinen Geschäftsabschluß feiern muß.

Alle Leute im Original-Bierzelt sind jetzt zünftig und erzählen sich, was ihre Antilopentrachtenlederkostüme gekostet haben. Ein Zeitungsverkäufer, also ein Pakistani, verkauft gerade eine Schlagzeile. Diese besagt, daß einer, der gestern noch überall im Antilopentrachtenlederkostüm zu sehen war, jetzt pleite ist. Der echte Gamsbart wurde ihm vom Hut heruntergepfändet. Es geht ein Raunen durch das Original-Bierzelt.

Der Mann aus Ibiza oder Formentera erzählt eine nette Geschichte. Ein guter Freund von ihm, also ein Mensch durchaus im Antilopentrachtenlederkostüm und immer total charivarisiert, ging in das Spiegellabyrinth. Da er am »Ende war«, also total alkoholisiert, fand er aber aus dem Spiegellabyrinth nicht heraus. Da jedoch ein Gesetz lautet: »Input – output«, mußte sich der Freund im Antilopentrachtenlederkostüm entleeren und tat dies gänzlich und wie man so schön sagt, total.

Die Wies'nbesucher konnten in das Labyrinth von außen einsehen und waren total begeistert. Der Mann nickte jetzt noch intensiver und schrie: »Das war der größte Tag auf der Wies'n!« Darauf bestellte er eine »Magnum«, also eine Riesenflasche Champagner, und erzählte die Geschichte an diesem Wies'ntage noch mindestens 19mal oder mindestens so oft, wie er es einem jeden erzählen konnte. Von irgendwo draußen im Gewoge geht ein Mann mit einem Schild durch die »Zünftigen«, auf dem abzulesen ist, wo man

sich eine Alkoholleiche abholen kann, falls noch Interesse daran bestünde. Der Mann neben mir ist ein arrivierter Ausländer im Antilopentrachtenlederkostüm und sagt, er freue sich schon sehr, daß er wieder auf der Wies'n sei. Vor zwei Jahren schlug ihm ein Subjekt, also ein anonymer Wies'nbesucher, mit der Faust derart ins Gesicht, daß er unglücklich stürzte und wegen eines Blutgerinnsels im Gehirn ein Jahr stationär blieb, aber in einem First-class-Krankenhaus.
Wahrscheinlich hat das anonyme Subjekt trotz des Antilopentrachtenlederkostüms erkannt, daß es sich bei ihm um einen Ausländer handele. Um sich noch besser völkisch zu integrieren, bestellte er sogleich eine Portion Mozzarella und Reibadatschi mit Malossolkaviar.
Wenn er schon auf die Wies'n ginge, dann möchte er schon wissen warum, sagt der arrivierte Ausländer.
Ich greife jetzt zu meinem Antilopentrachtenlederkostüm, verlasse die Wies'n bei Nacht, sehe die Lichter, erkenne die Fischsemmeln wieder, das einzige, was so ist wie es immer war auf der Wies'n, und hoffe, nächstes Jahr wieder dabeizusein.

P. S.: Wer unbedingt geschäftlich was erreichen will, so oder so – nächste Woche ist in Singapur Oktoberfest. Die Firma Pfr & Co verleast ein ganzes Oktoberfest. Die Antilopentrachtenlederkostüme werden in Kenia angefertigt.

Bauerntag im Bierzelt

Eine Ansprache im Wahlkampf. Es treten auf und spielen mit: Blaskapelle, Ein dünner Sommertrachtenanzug, Viele dünne Sommertrachtenanzüge, Demonstranten, Er.

BLASKAPELLE Mpftarara mpftarara mpfta mpfta mpftarara usw. *Gemessener Beifall. Ein dünner Sommertrachtenanzug eröffnet mit ebensolcher Stimme das Entertainment.*

TRACHTENANZUG Mit großer Bewunderung, aber auch die unglaubliche Bereitschaft sich zu uns, die wir von seiner Zeit beanspruchen können, hat uns die Gnade erreicht. – Äh, die CSU wählen zu dürfen ist eine Möglichkeit, die erst seit dem Zweiten Weltkrieg ermöglicht wurde. *Bravos.* Deshalb stehen wir in der Verantwortung, diese schicksalsträchtige Schangse permanent zu ergreifen. *Tosender Beifall.*
Der Trachtenanzug tritt ab. Ein Tribunal aus mehreren dünnen Sommertrachtenanzügen patschelt routiniert.

BLASKAPELLE Umpftara rumpftätära rumpf rumpf umpf rärumpf ...
Er selbst begibt sich ans Mikrophon. Im Bierzelt gesellt sich zu den 40° Celsius der allgemeine Enthusiasmus.

ER Männer und Frauen, meine lieben Landsleute! *Bravos und vereinzelte Hahas.* In der Hitze der Zeit, aber auch von schwerster Verantwortung getragen – gebietet mir die – *zu den Demonstranten mit Plakat* – bstreiten S' doch erst amal Ihre eigene Existenz, wenn S' was bestreiten wollen – *brüllendes Gelächter* – mir ureigene, von einer Minorität vorgehaltene Verdummungsmache – *Bravos* – daß, und das darf man wohl auch einmal bemerken, und wenn es von mir ist. *Gelächter.* Leider mußte der Bauernstand durch Mühen und Not, keiner weiß es besser als ich – *ein einzelnes Bravo* – besser als ich – so weit getragen werden, bis wir Gnade unserer eigenen Leistung – ich möchte dies einmal in aller Bescheidenheit anführen. Ein nicht unbeträchtlicher Anteil der von Ihnen hier sich versammelten Landbevölkerung hat doch trotz immer wieder angefeindeter Pamphlete – Sorgen – *Der Trachtenanzug schnellt empor und applaudiert* – Deshalb wir haben Siemens in Bayern, Messerschmitt, Bölkow, Blohm in Bayern. Bayern hat die Okkasion ein Silikon Valley mit Venedig als Hafenstadt – wo die High Technology eine Dimension hinter sich läßt! von unerhörtem Ausmaß – *Bravos* – eine Agrargesellschaft hinter sich läßt! *Das rurale Publikum rast.*
Ein Kleinkind mit Schweinswürstel in der Hand will ein Autogramm und wird unter Gelächter einiger Sommertrachtenanzüge abgewiesen.

Meine sehr verehrten Damen und Herren! Der Ober sticht den Unter und nicht der Unter den Ober! *Getrampel, Bravos und*

[NOCH ER] *Gelächter.* Oder will die Minorität uns den permanenten Karneval – oder wie wir sagen würden – Fasching – antragen? *Pfuis und Buhs.*

In tiefster Religiosität stehe ich in der Verantwortung. – Wo bei geringstem Restrisiko keine Kontaminierung – das Uran bitteschön ist aus Südafrika, und der Russe besitzt die Sowjetunion. – Ich selbst war Atomminister unter Adenauer – das sage ich diesen Traumtänzern ins Gebetbuch – *Bravos, hört, hört* – wo ich selbstverständlich jedwede Leukämie jederzeit zu verantworten bereit bin – *Applaus* – aaaber eine wohlgemerkt anständige Leukämie ist immer noch besser als der Sozialismus. *Bravos, Getrampel, Hahas.* Ich selbst habe mir aus kleinen Verhältnissen kommend nolens volens – mehrfach – Röntgenbilder anfertigen lassen, aaaber wie Sie selbst registrieren, überlasse ich es Ihnen, daß ich unter Ihnen weile. *Brüllendes Gelächter.*

Unerträglich aber erscheint mir das, was von den Kanzeln derzeit erschallt, wo der göttliche Auftrag heißt – auch Wackersdorf ein Teil – ein Partikel – dieser göttlichen Schöpfung ist und meine Damen und Herren, die Österreicher das Ausmaß der Witze, die man über sie macht, erst einmal erfüllen müssen. Seit wann versteht denn ein Österreicher was vom Atom? *Bravos, Hahas, vereinzeltes Getrampel.* Mir bleibt da in der mir wohlbekannten ureigensten Verantwortung nur zu sagen: Bischof bleib bei deinen Leisten! *Gelächter.*

Gehen Sie, meine Damen und Herren, ruhig nach Haus mit der Gewißheit, daß wir wer sind, wenn wir sind, und daß unsere als das eigene uns zielstrebig in die Zukunft führt. Minorität heißt Opposition, nicht Chaotentum oder Opposition oder Destruktion ohne Vision. Deshalb – ich weiß, Sie haben Durscht – *Bravos* – und ich auch! *Getrampel, Applaus, stehende Ovationen.*

BLASKAPELLE Umtata rumpftata rumpf tumpf tata.

Der dünne Sommertrachtenanzug applaudiert emphatisch. Die ebensolche Stimme pfeift über leere Bierkrüge und nicht aufgegessene Fischsemmeln.

TRACHTENANZUG Der Dank, der uns die niemals gedachte Überraschung – ER muß heute noch mit Xing Hiau Ping reden, und dann muß er noch nach Windhoek. *Bravo.* Daß er selbst immerhin in der wenigen Zeit – aber das gesamte Volumen der Probleme, gibt uns die Hoffnung, daß Begriffe, die er wieder auf den Wahrheitsgehalt geführt hat, ein Becquerel ist eine Verlogenheit, mit der man uns nicht an der Nase herumführen kann? Liebe Landsleute, geht's heim, und vergelt's Gott.

Dünner Applaus, das Bierzelt leert sich.

Klamotte oder Dramaturgie des Wahnsinns

ERZÄHLER Ein Mann in den besten Jahren ist auf dem Heimweg. Er entsteigt »seiner« U-Bahn-Station und strebt dem Teil des 70 000-Menschen-Trabanten-Stadt-Silos zu, den er in seinem gedankenlos-gedanklichen Sprachgebrauch dem Begriff »daheim« zuordnet. Es regnet, der Mann spannt seinen Schirm auf, dann wieder zu, als er in einer Bäckerei einen Laib Brot kauft. Beim Verlassen der Bäckerei bläst ihm ein ungemütlich naßkalter Wind entgegen. Er kann gerade noch das flatternde Brotpapier festhalten, das Schirmaufspannen wird bereits zu einer kleinen akrobatischen Übung, aber nichtsdestotrotz entschließt sich der Mann, den bereits seit neun Tagen in seiner Mappe schlummernden Brief an seine Schwester nun endlich doch einzuwerfen. Am Briefkasten weht ihm abwechselnd der Schirm davon, dann das Brotpapier, sodann der Brief, den er seiner Mappe entnimmt, dann wieder das Brotpapier... Endlich, die lästige Depesche ist der Bundespost anvertraut, das schlechte Gewissen ist erleichtert, der Mann schnappt sich seinen Brotlaib, seinen Schirm und eilt beschleunigenden Schrittes dem Betonklotz zu, den er mühelos aus den 136 übrigen als seine Heimat herausidentifiziert. Die Hausnummer ist der Beweis: Er ist angekommen, hier ist er daheim. Indes, o weh, des Mannes Mappe ist nicht mitangekommen, d.h. er hat sie irgendwo unterwegs fehlerhafterweise vernachlässigt, und mit der Mappe seinen Hausschlüssel, seinen Geldbeutel, sowie seine sämtlichen Papiere. Unerfreulich aber notwendig: Der Mann geht trotz anhaltend naßkalter Witterung denselben Weg nochmals zurück, erst zum Briefkasten, dann zur Bäckerei. Diese ist bereits geschlossen. Der Mann versuchts am Hintereingang der Bäckerei, vergebens. Dann geht der Mann wieder zurück zu dem Haus, wo er im 12. Stock seine Privatgemächer wähnt. Er läutet bei »Börözük Hausmeister 3× läuten« 3×, ohne Erfolg, dann, allmählich nervöser werdend – das Brot hat inzwischen unter der Witterung gelitten, das Brotpapier ist irgendwo unterwegs davongeflattert, und erste Symptome eines grippalen Infekts machen sich bemerkbar –, läutet der Mann ziemlich wahllos, bis ihm irgendjemand öffnet. Im 12. Stock stellt er fest, daß sein Namensschild zwar, wie erwartet, unter dem Türklingelknopf befestigt, die Tür selbst aber, wie ebenfalls erwartet, fest verschlossen ist. Keiner der Nachbarn ist bereit, ihn, den Mann mit Schirm und Brot, als Nachbarn anzuerkennen, bzw. ihm zu öffnen oder überhaupt irgendwie zu reagieren. (Dank der Erfindung des Türspions vermittelt sich ihm jedenfalls dieser Eindruck.) Der Mann fährt mit dem Lift wieder zum Hauseingang, läutet nochmal 3× bei

Börözük, und spricht dann wahllos Passanten an, die ebenfalls gerade dabei sind, sich Ihrer Identität durch passende Hausschlüssel und bekannt vorkommende Möbel rückzuversichern. Bereits die 19. Passantin, eine Frau mit zwei Kindern, antwortet ihm, und das nicht genug, sie überläßt ihm zwei Zehnpfennigstücke frei zu seiner Disposition. Welch erfreuliche Wende! Augenblicklich rennt der Mann mit Schirm und Brotlaib zur nächsten Telefonzelle und ruft den Schlüsselnotdienst an. Bereits 1 Stunde 12 Minuten später erscheint Herr Büttner, der Mann vom Schlüsseldienst und hält dem Mann mit Schirm und Brotlaib ein Formular zur Unterschrift vor, daß er mit den zu erwartenden Servicegebühren plus 60,– Mark für An- und Abfahrt einverstanden sein werde. Der Mann unterschreibt, und schon wird der Schlüsseldienstmann tätig. Kompetent, wie der Fachmann nun einmal ist, öffnet er die Tür problemlos in circa acht Minuten. Der Mann stürmt mit Schirm und Brotlaib in seine Wohnung, die ihm zwar im Flur schon etwas fremd vorkommt, aber sowas kann ja an solchen Tagen passieren. In der Küche allerdings wundert sich der Mann schon etwas mehr, da sich die Schleiflackeinbauküche in eine Eichefurniergarnitur verwandelt hat. Der Schlüsseldienstfachmann steht am Eingang und harrt inzwischen schon etwas ungeduldig seiner 138,– DM zuzügl. MwSt., als die Wohnzimmertür aufgeht und ein anderer Mann in Unterhosen gegen den ZDF-(»Heute«-)Sendung-Lärm anbrüllt, was er sich erlaube, was hier los sei, und überhaupt, er hole jetzt die Polizei! Blitzartig fällt es dem Mann mit Schirm und Brotlaib wie Schuppen von den Augen: dies ist nicht seine Wohnung, er hat sich offenbar in der Etage geirrt. Dem Mann in Unterhosen leuchtet das zwar nicht ganz ein, aber da er die ZDF-(»Heute«-)Sendung zu Ende sehen will, sieht er von einer Anzeige momentan ab und schmeißt den Mann samt Schirm und Brot nur aus seiner Wohnung.

Der Schlüsseldienstfachmann ist trotz Flehen und Beteuerungen aller Art und trotz offenstehender Rechnung von DM 138,– + MwSt. nicht mehr bereit, sein Know-how ein Stockwerk höher nochmals zur Verfügung zu stellen. Er entschwindet unter allerlei Flüchen und wüsten Drohungen samt seinem Werkzeugkasten im Fahrstuhl. Der Mann macht sich nun auf eigene Faust an seiner Wohnungstür zu schaffen. – Was dieser andere Primitivling in acht Minuten geschafft hat, wird er auch irgendwie fertigbringen. Wäre doch gelacht. – Wie er gerade mühsam mit seinem Taschenmesser die Verkleidung seines Türschlosses abgeschraubt hat, öffnet sich die Fahrstuhltür, und zwei uniformierte Angestellte des öffentlichen Dienstes, gefolgt vom Schlüsseldienstfachmann, bitten den Mann mit Schirm und Brot und Taschenmesser höflich um einen Legitimationsnachweis. Der Mann in Unterhosen hat inzwischen die ZDF-(»Heute«-)Sendung zu Ende gesehen, sich eine Hose angezogen und leistet als Zeuge wertvolle Identifikationshilfe: »Jawohl, das war der Mann, der versucht hat, in meine Wohnung einzudringen.« – »Aber dies hier ist meine Wohnung, ich schwörs Ihnen!« – »Das ist ein mieser Uralttrick, Meister, komm, gehn wir aufs Revier.« – »Aber wenn ich Ihnen versichere, Herr Wachtmeister...« – »Ham S' jetzt an Ausweis oder...« – »Nein, aber...« »Also, dann gehen wir.« Eine Nachbarin bezeugt nun auch noch, daß dieser Mann mit dem Schirm und dem Brot vorhin auch schon bei ihr geklingelt habe, sie habe alles genau im Spion beobachtet. Die Beamten beginnen mit der Spurensicherung. »Ich krieg noch 138 Mark plus Mehrwertsteuer von diesem Gauner, wenn S' ihn identifiziert haben, rufen S' mich doch bittschön an, da ist meine Karte.« – »Vielen Dank, Herr Büttner, wenn alle Leut so mitdenken würden wie Sie, tät weniger Gsindel frei rumlaufen.« – »Ach, nicht der Rede wert, Herr Wachtmeister, war doch nur meine Pflicht, hahaa, also wenn S' was wissen, rufen S' mich an, wie gsagt, ich krieg noch 138 Mark plus MwSt. von dem Kerl...«

Bereits vier Tage später verließ der Mann mit dem Schirm und dem inzwischen vier Tage alten Brot das Polizeirevier 21, und Herr Büttner, der Fachmann vom Schlüsseldienst, öffnete ihm in acht Minuten anstandslos die Pforte zu den Räumen, an die sich der Mann immer noch genau erinnern konnte. Herr Büttner entschuldigte sich mehrmals für die Verwechslung, »aber es läuft ja so viel Gsindl rum heutzutags, obwohl, ich habs mir gleich gedacht, der Mann hat im Grund an ganz an ehrlichen Kopf auf...«, und verlangte 276,– DM + MwSt. für 2× Türöffnen mit An- und Abfahrt... Es hätte natürlich auch ganz anders kommen können:

Der Mann stieg aus »seiner« U-Bahn, kaufte ein Brot, warf einen Brief ein, ging nach Hause und schaltete die ZDF-(»Heute«-)Sendung ein. Und die Nachrichten brachten wieder einmal den Beweis: überall auf der Welt war der Teufel los...

Nachweis der Erstsendungen
Teil I – Da schau her

Da schau her
Erstsendung: 26. April 1979, 22.00, ARD (SR)

Mai Ling
Advent
Ein Autofachmann
Das Nazi-Goreng
Berufsbayern
Besuch am Krankenbett
Ein Umweltschützer
Das Beton-Lied

Fast wia im richtigen Leben I
Erstsendung: 30. Juni 1979, 22.15, ARD (BR)

Wohnküche 1 Begrüßung
Mozart 1
Im Wirtshaus
Wohnküche 2 Weinprobe
Mozart 2
Das Idyll
Wohnküche 3 Der Esser
Mozart 3
Der internationale Feinschmecker
Wohnküche 4 Haustiere
Mozart 4
Vaters Doppelleben
Wohnküche 5 Versicherungen
Mozart 5
Beim Sauerbraten
Wohnküche 6 Lektüre
Mozart 6
Der Humorist beim Finanzamt
Wann i nemmer meng dad

Fast wia im richtigen Leben II
Erstsendung: 29. November 1979, 21.45, ARD (BR)

Stau 1 Vor Sonnenaufgang
Stilleben 1
Das Interview
Stau 2 9 Uhr
Stilleben 2
Fredis Geburtstag
Stau 3 11 Uhr
Stilleben 3
Die Auskunft
Stau 4 13 Uhr
Stilleben 4
Ein Kaffeekränzchen
Stau 5 16 Uhr
Stilleben 5
Die Bunkerführung
Stau 6 19 Uhr
Stilleben 6
Die letzte Ölung
Stau 7 23 Uhr 30
Stilleben 7

Fast wia im richtigen Leben III
Erstsendung: 29. Januar 1980, 20.15, ARD (BR)

Mensch-ärgere-dich-nicht
Besuch 1
Schutzengel
Besuch 2
Hochzeitsordnung
Besuch 3
Hundebesitzer
Besuch 4
Großbrand
Besuch 5
Mormone
Besuch 6
Katastrophen
Besuch 7
Mahlzeit
Besuch 8
Das Ereignis
Besuch 9
D'Anni hat gsagt
Besuch 10
Gebrauchslyriker
Ein deutscher Hit

Fast wia im richtigen Leben IV
Erstsendung: 7. Juli 1980, 21.50, ARD (BR)

Pförtnerloge 1
Zukunftsaussichten
Pförtnerloge 2
Herbstgespräche
Pförtnerloge 3
Der Stammgast
Pförtnerloge 4
Frau Brezner
Pförtnerloge 5
Friedhof
Pförtnerloge 6
Herr Tschabobo
Pförtnerloge 7
Im Buchladen
Pförtnerloge 8
Ein Airportgespräch
Pförtnerloge 9
Der Auftritt
Heute haun wir auf die Pauke
Pförtnerloge 10

Fast wia im richtigen Leben V
Erstsendung: 23. Oktober 1980, 21.45, ARD (BR)

Nachtstudio 1
Eine Invitation
Nachtstudio 2
Creative Center 1
Nachtstudio 3
Creative Center 2
Nachtstudio 4
Geburtstagsgrüße
Nachtstudio 5
Kulturelles
Nachtstudio 6
Die Einkehr
Nachtstudio 7
Moslem-Man-Power
Achmed muß nach Hause

Fast wia im richtigen Leben VI
Erstsendung: 6. Juli 1981, 21.45, ARD (BR)

Kinderdressur 1
Das Terrarium
Kinderdressur 2
Der Groschen
Kinderdressur 3
Beileidsmänner
Kinderdressur 4
Beim Titelhändler
Kinderdressur 5

Das Hotelfrühstück
Kinderdressur 6
Net vui
Kinderdressur 7
Punk in der Bank
Kinderdressur 8
Ein Sanierer
Sanierungslied

Fast wia im richtigen Leben VII
Erstsendung: 4. Januar 1982, 21.45, ARD (BR)

Das Feuerwerk
Teletraining 1
Warten auf Dillinger
Teletraining 2
Der neue Mieter
Teletraining 3
Der Empfang
Teletraining 4
Der angebrochene Abend
Teletraining 5
Das Mitbringsel
Teletraining 6
Teletraining 7
Kindermodenschau
Nikolauslied

Fast wia im richtigen Leben VIII
Erstsendung: 25. Oktober 1982, 21.45 Uhr, ARD (BR)

Grüß Gott, Herr Polt!
Im Urlaub 1
Die Okkupanten
Im Urlaub 2
Reste-Essen
Im Urlaub 3
Der Grunewald-Spaziergang
Im Urlaub 4
Der Auftritt
Im Urlaub 5
Der Individualist
Im Urlaub 6
Katastrophenalarm
Im Urlaub 7
Der Freitagabend-Zug
Im Urlaub 8

Fast wia im richtigen Leben IX
Erstsendung: 14. März 1983, 21.45 Uhr, ARD (BR)

Der Willi
Schauspielschule 1
Die Hobby-Hausbauer
Schauspielschule 2
Der zuständige Mann
Schauspielschule 3
Aktion Miserio
Schauspielschule 4
Seebestattung
Schauspielschule 5
Der Heimweg
Schauspielschule 6
Im Restaurant
Schauspielschule 7
Die Büttenrede
Schauspielschule 8

Fast wia im richtigen Leben X
Erstsendung: 19. Dezember 1983, 21.45 Uhr, ARD (BR)

Der Bürgermeister von Moskau

Teil II – Ja mei

Fast wia im richtigen Leben XI
Erstsendung: 10. Dez. 1984,
21.45 Uhr, ARD (BR)

Der Einsame 1
Der Einsame 2
Der Einsame 3
Der Einsame 4
Der Einsame 5
Der Einsame 6
Der Einsame 7
Der Einsame 8
Ein Protestanruf
Der Bohemien
Die Nachbestellung
Zoll hat Zukunft
Die Pressekonferenz
Die Wegbeschreibung
Die Seebestattung

Fast wia im richtigen Leben XII
Erstsendung: 2. Februar 1987
21.45 Uhr, ARD (BR)

Diese unsere Welt 1
Diese unsere Welt 2
Diese unsere Welt 3
Diese unsere Welt 4
Diese unsere Welt 5
Diese unsere Welt 6
Diese unsere Welt 7
Diese unsere Welt 8
Der Maßanzug
Ein Geschäftsbrief
Die Verantwortungsnehmer
Hoagascht urban
Eine Spendenaktion
Die Aussteiger

Kern & Kraft Werke GmbH
Das Energieverbundspiel
innerhalb vom »Scheiben-
wischer« Nr. 15
von und mit Dieter Hildebrandt
Erstsendung: 23. September
1982 ARD (SFB)

Nachweis der Bilder

Alle Zeichnungen von Reiner Zimnik – ursprünglich zu den eigenen Sendungen des Verfassers *Geschichten vom Lektro* und *Sebastian Gsangl* entstanden und seit vielen Jahren im Bayerischen Fernsehen zu sehen – erschienen in »Da schau her« als Erstveröffentlichungen.

Alle Illustrationen von Volker Kriegel wurden eigens für den Band »Ja mei« geschaffen.

Register

Sowohl der bestimmte als auch der unbestimmte Artikel sind bei der Alphabetisierung der Titel unberücksichtigt geblieben. Bei Zweifelsfällen und früheren Versionen sei hiermit auf die zahlreich gegebenen Verweise verwiesen. Die Titel aus Teil II (»Ja mei«) sind in *Kursivschrift* notiert.